クリスティー文庫
78

なぜ、エヴァンズに頼まなかったのか？

アガサ・クリスティー

田村隆一訳

WHY DIDN'T THEY ASK EVANS?
by
Agatha Christie

Translated by
Ryuichi Tamura
Published 2022 in Japan by
HAYAKAWA PUBLISHING, INC.
This book is published in Japan by
arrangement with
AGATHA CHRISTIE LIMITED
through TIMO ASSOCIATES, INC.

ハインズを記念して
クリストファー・マロックに

目次

なぜ、エヴァンズに頼まなかったのか？

登場人物

ロバート(ボビイ)・ジョーンズ………本書の主人公。牧師の四男坊。もと海軍軍人
トーマス・ジョーンズ牧師……………ボビイの父親
フランシス(フランキー)・ダーウェント……………伯爵令嬢。ボビイの幼なじみ
バジャー・ビードン……………………ボビイの親友
アレックス・プリチャード……………死んだ男
ケイマン夫妻……………………………プリチャードの妹夫婦
ヘンリイ・バッシントン-フレンチ……………地方名家の当主
シルヴィア・バッシントン-フレンチ……………ヘンリイの妻
ロジャー・バッシントン-フレンチ……………ヘンリイの弟
ジャスパー・ニコルソン博士…………精神病院を経営する医者
モイラ・ニコルソン……………………ニコルソン博士の妻
ジョージ・アーバスノット……………フランキーの友人。医者
アラン・カーステアーズ………………探検家
ジョン・サヴィッジ……………………億万長者
フレデリック・スプラッゲ……………弁護士
ロバーツ夫人……………………………ジョーンズ家の家政婦

1　事故

ボビイ・ジョーンズはボールをティーにのせ、クラブを小振りに振ってみせてから、おもむろに振り上げたかと思うと、目にも止まらぬ速さで思いきり打ち下ろした。

ボールはフェアウェイをきれいに飛んで、先に行くにつれて高く上がり、バンカーを越え、十四番のグリーンへ、マシー（五番アイアン）で軽く打ちこめる地点に落ちただろうか？

いや、駄目だった。狙いはくるって、ボールは上部をクラブでたたかれ、地面をかすめてバンカーにとびこんでしまったのだ！

がっかりして、うなり声をあげてくれるような熱心な見物人は、だれひとりいなかった。そのショットを見ていたただひとりの男は、なんの驚きも示さなかった。それもそのはずである。いまクラブを振った男は、アメリカ生まれのゴルフの名手でもなんでもない——たかだか、ウェールズの小さな海辺町、マーチボルトの教区牧師の四男坊にすぎないのだから無理もない。

ボビイは、ひどく瀆神《とくしん》的な言葉を口走った。

彼は、年のころ二十七、八歳、好感のもてる顔だちの青年だった。どんなに仲のいい友人でも、ハンサムだとはお義理にもいえない顔だったが、ひどく人好きがするのだ。彼の目はまるで犬の目のような褐色をおびて、正直そうな人なつこさをたたえていた。

「日増しに下手くそになるな」ボビイはなげやりにつぶやいた。

「力みすぎるんだよ、きみは」と相棒がなぐさめた。

トーマス医師は、灰色の髪、潑剌としたあから顔の中年男だった。彼は、どんなことがあってもクラブを大振りにするようなことはしなかった。ボールの真ん中に短くまっすぐなショットを何回か打って、いつも自分より派手だけれどミスの多い相手を破るのだった。

ボビイはニブリック（九番アイアン）で、猛然とボールにいどんだ。三回目に決まった。ボールは、トーマス医師がアイアン・ショット二回で手堅くかせいでいたグリーンの、ほんの少し手前の地点に落ちた。

「あなたのホールです」とボビイが言った。

二人は、つぎのティーへ進んだ。

医師が先にドライヴした——きれいなまっすぐなショットだったが、のびが足りなかった。

ボビイはホッと息をついてからボールをティーにのせたが、転がり落ちたので、またのせた。しばらくクラブを振っていたが、やがてぎこちなくグイッと振り上げ、目をつむり、顔を上げ、右肩を下げた。要するに、ゴルフに禁物なまねをぜんぶしたのだが——それなのにコースのど真ん中を切る、すごいショットになった。

彼は、いかにも満足そうに深く息をした。ゴルファー独特の渋面が、感情を表に出しやすい彼の顔から消えると、それにとって代わって、同じくゴルファー独特の、あのえびす顔になった。

「いままでどんなにつまらない打ち方をしていたか、やっとわかりましたよ」とボビイは心にもないことを言った。

完璧なアイアン・ショットを一回決め、つぎにマシーで軽くチップしただけで、ボビイのボールはホールのすぐ手前に落ちた。彼の成績はバーディの4で、トーマス医師はワン・アップ。医師の負けとなった。

全身に自信をみなぎらせて、ボビイは十六番のティーに向かった。彼はここでもまた、さっきの味をしめてゴルフに禁物のあらゆることをした。しかし、こんどは奇蹟は起きなかった。いや、ものすごい、まったく超人的と言っていいようなスライスが飛び出したのだ！　ボールは、右へ直角に曲がってすっ飛んだ。

「あれが、まっすぐ飛んでたらなあ――」トーマス医師が言った。

「そうですね」ボビイはにがりきって言った。「おや、叫び声がしたようだぞ！　まさかボールがだれかに当たったんじゃないでしょうね」

彼は右手のほうをじっと見つめた。まずいことに逆光だった。太陽がちょうど沈みかけていたところなので、まともに顔を向けるとものをはっきり見分けることがむずかしかった。おまけに、海から薄もやが立ちこめてきていた。断崖までは二、三百ヤード離れていた。

「崖に沿って小道が通っているけど」とボビイが言った。「まさかボールが、あんなところまで飛ぶわけはないし、でも、叫び声がたしかにしたような気がするんですよ、聞こえなかったですか？」

だが、トーマス医師にはなにも聞こえなかったのだ。

ボビイはボールのあとを追った。探すのに骨が折れたが、やっと見つけ出した。ボールは、ハリエニシダの茂みの中に落ちていて、とてもクラブを振れそうな場所ではなかった。二回ばかりたたいてからボールを拾い上げると、ボビイは、こんどのホールは諦めたと医師にどなった。

つぎのティーが断崖の先端のところにあったので、医師は彼のほうにやって来た。十七番のティーは、とりわけボビイの苦手だった。コースの途中で地面が割れているのだ。割れ目の幅はさして大きくはないのだが、目がくらむような深さだった。

二人はすでに小道を越えていた。そのあたりの小道は、二人の左手のほう、陸地のほうに向かって崖沿いに走っているのだ。

医師はアイアンの一撃で、ボールを割れ目の向こう側へうまく打ちこんだ。ボビイは大きく息を吸いこむと、クラブを振り下ろした。ボールは地面をかすめて転がって行くと、あの割れ目の深淵の中に落ちていってしまった。

「どうして、いつも同じヘマばかりやるんだろうな」とボビイは、くさりきって言った。

彼は割れ目のふちを歩きながら、下をのぞきこんだ。はるか下のほうで海が泡立っていた。しかし、そこに飛びこんだボールがみんな海の中に入ってしまうわけではなかった。上のほうは傾斜が急であっても、下へ行けばしだいになだらかになっているのだ。

ボビイはゆっくりと、崖っぷちを歩いた。彼は、その気になりさえすれば、かなり簡単に下りて行かれる場所が一カ所あることを知っていた。よくキャディーたちが崖っぷちを越えて行ったかと思うと、落ちたボールを持って、息をきらせながら意気揚々と上ってきたものである。

不意に、ボビイがからだをこわばらせると、相棒に向かって叫んだ。

「先生、ちょっと来てください。あれ、なんでしょう？」

四十フィートばかり下に、なにか黒っぽく見えるものがあった。どうやら、古い服のように見える。

トーマス医師は、ハッと息をとめた。

「たいへんだ、だれかが落ちたのだ。下りて行ったほうがいいね」

二人は一緒に、岩伝いに這い下りていった。頑強なボビイが医師に手を貸した。やっとのことで、そのうす気味悪い黒いかたまりのところにたどり着いた。それは四十歳ぐらいの男で、意識不明だったが、まだ呼吸はあった。

医師は、四肢に触れたり、脈搏をはかったり、男のまぶたを閉じたりして、診察した。医師は男のそばにひざまずいたまま、診察を終えた。やがて気味悪げに立ったまま眺めているボビイを見上げると、静かに首を振った。

「手遅れだね、かわいそうに、もう長くはないよ。背骨が折れているんだ。まあ、あの、上の小道を歩きなれていなかったせいだな。もやが、立ちこめてきたとき、足を踏み外してしまったのだよ。あそこには手すりをつけなくてはいかんと、再三、私は町会に提案したのだがね」

医師は立ち上がった。

「とにかく、応援を頼んでこよう。死体をひきあげる手配をしなければならん。もうすぐ暗くなるから、いまいるところの見当もつかなくなるよ。きみは残っているかね？」

ボビイはうなずいた。

「何もしてやれることはないのでしょうね？」と彼はたずねた。

医師は首を振った。

「できることはない。長いことないからね。目に見えて、脈が弱くなっているよ。せいぜい、あと二十分かな。息を引き取る間際に意識を回復するかもしれないけれど、それもまず、おぼつかないだろうね」

「とにかく、ぼくはここにいますよ」ボビイは早口に言った。「さ、呼んで来てください。だけど、もし意識を取り戻したら、薬かなにかは――？」ボビイはそこまで言うと、ためらった。

医師はただ首を振った。

「まあ、苦痛はないからね、まったくない」

医師は向きを変えると、大急ぎで上りはじめた。ボビイは、医師が手を振って崖の上から姿を消すまで、じっと見守っていた。

ボビイは、斜面から突き出たせまい岩棚から一、二歩動いて、岩の飛び出したところに腰をおろすと、煙草に火をつけた。死体の見張りに、彼はすっかり動転していた。これまで死とか病気などというものに、彼は接したことがなかったのである。

それにしても、なんという運の悪い男だろう！　このさわやかな夕方の、立ちこめたもやのおかげでちょっと足を踏み外し――命を失うとは。しかも、見るからに丈夫そうな男じゃないか――おそらく、一日だって病気で寝こんだことなんかあるまいに。忍びよる死の蒼白な色も、こんがりと陽焼けした皮膚の色には勝てないようだ。屋外の生活をつづけてきた男――おそらく海外で暮らしてきた男にちがいない。ボビイは、さらにその男の様子をしげしげと観察した。こめかみのあたりに少し白髪をまじえた縮れた栗色の髪、大きな鼻、ごつい顎、開いた唇からかすかにのぞくまっ白な歯並び。それから広い肩幅、しなやかな筋ばった手。両脚は奇妙な角度にねじれていた。ボビイは思わず身を震わせると、男の顔のほうへ視線を移した。いかにも意志が強そうで、頭が切れそうな、ユーモアを解する魅力のある顔。きっと目の色はブルーだろうと、彼は胸の中でつぶやいた。

するとちょうどそのとき、男はパッチリと目を開けた。やっぱりブルーだった。澄みきった深いブルー。その目がボビイの顔をまっすぐに見つめた。その目つきには、あやふやなところもなければ、ぼんやりしたところもなかった。完全に意識を取り戻したように見えた。用心していると同時に、もの問いたげな感じだった。

ボビイはサッと立ち上がると、男に近寄った。行き着く前に、もう男は口を開けていた。その声は、弱々しくなかった——はっきりしているうえに、声量もあった。

「なぜ、エヴァンズに頼まなかったのか？」

こう言ったかと思うと、男はからだをブルッと震わせ、まぶたを落とし、ガックリと頭を垂れた——

男は死んだ。

2　とかく、おやじというものは

ボビイは男のそばにひざまずいたが、もはや疑う余地はなかった。この男は死んだのだ。ローソクが燃えつきようとする瞬間のかがやき、思いもかけぬ言葉、それから――死。

ボビイは、おそるおそる死んだ男のポケットに手を入れると、絹のハンカチを引っぱり出して、うやうやしく男の顔にかぶせてやった。彼にできることといったら、それだけしかなかった。

ところが、ハンカチといっしょに、なにかほかのものまでポケットから引き出したことに彼は気がついた。それは写真だった。それをポケットにもどすときに、彼はその写真の主の顔をチラッと見てしまった。

それは、妙に忘れられないような女の顔だった。両目のあいだが離れている美しい女性。娘とはもう言えないが、それにしても、まだ三十には手の届かない年ごろのようだった。しかし、彼が惹きつけられたのは、その美しさそのものよりも、彼女の美しさの、人の心を惹きつける性質だった。一目見たらちょっと忘れられない顔だな、と彼は思った。

ボビイは静かに写真を男のポケットに入れると、また腰をおろして、医師が引き返してくるのを待った。

時間はなかなか経たなかった――というよりも、待っている身にはそう思われてならないのだ。それに、ボビイはあることを思い出した。教区牧師の父親に、六時の、夜の祈りのときに、オルガンを弾く約束をしてあったのだ。六時まで、十分しかないのだ。当然、父親だって説明すればわかってくれるにちがいないのだが、医師にさっき伝言を頼めばよかったと思った。父親のトーマス・ジョーンズ牧師はたいへん神経質な男で、人一倍のガミガミ屋だった。小言を言い出したら、胃の具合が悪くなって、とたんに苦痛を訴えるのだった。ボビイは、その父親のことを憐むべき年寄りだとは思いながらも、心から好きだったのだ。一方、トーマス牧師は四男坊のボビイを、しようのない若者だと考えて、青年を教育するために必要だとボビイが考える以上に、ビシビシと厳格にしつけるのだった。

〝かわいそうに、おやじさん〟ボビイは心の中でつぶやいた。〝きっといまごろは、おろおろしていることだろうな。お祈りを始めていいものかどうか、見当もつかないだろう。イライラしたあげく、またおなかの具合がおかしくなって、夕食もろくろく喉を通らないのじゃないかな。のっぴきならない事情がないかぎり、すっぽかすことなんかないことがわからないんだからな。いまは、それどころの騒ぎじゃないんだ。だけど、おやじにはまずわからないだろうな。五十を過ぎると、人間はみな、わからず屋になってしまうからね。取るに足りないことを、死ぬほど心配するんだからな。あの連中ときたら、時代遅れの教育を受けてきたんで、にっちもさっちもいかないんだ。かわいそうなおやじ、頭がコチコチにかたまっているんだからな！〃

彼は、愛憎の入り交じった感情で父親のことを考えながら、岩に腰をおろしていた。家庭での彼の生活は、長いあいだ父親の風変わりな考えの犠牲になってきたように思われた。もっとも、ジョーンズ牧師の身になってみれば、若い世代に理解されないどころか正しく認められないので、これまで自分こそ犠牲になってきたものと思いこんでいるのだが、人間、立場が変われば、考えも違ってくるというものである。

先生も、年は争えないな！　なにをぐずぐずしているんだ、もうとっくに戻ってきてもいい時間じゃないか。

ボビイは立ち上がると、いかにも面白くなさそうに足踏みした。すると、ちょうどそのとき物音がしたので、彼は崖の上を見上げた。ありがたい、応援が来たぞ、もうここにいなくてすむんだ、と彼は思った。

ところが、それはトーマス医師ではなかった。半ズボンをはいた見知らぬ男だった。「おや」その男が言った。「いったい、どうしたんです？　事故にでも遭ったのですか？　私になにかできることがあれば――？」

さわやかなテナーの声をした、背の高い男だった。あたりが急速に暗くなってきていたので、ボビイには、その男の顔をはっきり見ることができなかった。

彼は事のあらましを説明した。見知らぬ男は、何回も驚きの声を発した。

「なにか、私にできることはありませんかね？」と男はたずねた。「助けを呼ぶとか、なにかそんなことで？」

ボビイは、いま応援が来るところだと話して、その連中の姿がまだ見えないか、男にたずねた。

「いまのところ、なにも見えませんがね」

「じつはぼく、六時に約束があるんですよ」ボビイがつづけた。

「といって、このままにして行くわけにはいかないのですね」

「ええ、そうなんです」とボビイが答えた。「かわいそうに、この男は死んでいるんですからね。だから、してやろうと思ってもなにもできないんだけど、それでも——」

彼は、例のごとく、込み入った感情を言葉にあらわすのが苦手だったので、そこで言葉を切ってしまった。

だが、相手にはよく通じたらしかった。「いや、よくわかりますよ」と男は言った。「じゃ、こうしましょう。私がそこまで下りて行きますから——ええと、道はありますね——そして、応援が来るまで、私が待っててあげますよ」

「ほんとに、そうしてくれますか？」とボビイは感謝をこめて言った。「じつは、父と約束があるんですよ。悪い人じゃないんですけど、ちょっとしたことでもすぐ大騒ぎするんですよ。道、わかりますか？　もう少し左のほう——そう、そこから右へ行って——ええ、そこです。下りるのもたいしたことはありませんよ」

せまい岩場の上で二人の男が顔と顔を突き合わせるまで、ボビイは道順を相手に教えてやった。男は年のころ三十五歳前後、モノクルと小さな口ひげがあればまず申し分ないといったような、どちらかといえばはっきりしない顔だちの男だった。

「この土地ははじめてなのですよ」男は自己紹介した。「バッシントン - フレンチと申します。家を探しにやって来たのです。いや、ひどい目に遭ったものですな！　この男は、崖から足をすべらせたのですか？」

ボビイはうなずいた。

「もやが立ちこめていましたしね」と彼は説明した。「道がとても危なっかしいところなんですよ。では、お願いしますね、ありがとうございました。ぼく、急いで行かなくちゃなりませんから。ほんとに助かりましたよ」

「とんでもない。だれだって同じことをするでしょう。このかわいそうな男を、このまひとりにしておくわけにはいきませんからね――そうですとも、人道に反しますよ」

ボビイは、急勾配の小道をよじ登って行った。崖の上から男に手を振ると、野原を走り抜けて行った。時間がないので、彼は道に面した正門のほうには行かずに、教会の庭の塀を乗り越えたが、おかげで礼拝堂の窓から眺めていた牧師に見つかってしまって、さんざんおこごとをちょうだいするはめになった。

もう六時を五分過ぎていたのだが、鐘はまだ鳴りつづけていた。言い訳と非難は、礼拝がすむまでおあずけになった。ハアハア息を切らせながら、ボビイは椅子に腰をおろすと古オルガンの音栓《ストップ》を合わせた。いろいろな連想から、彼の指先はショパンの葬送行進曲を弾きはじめた。

礼拝が終わったあとで、牧師は（いみじくも自分の口から言ったように）、怒りよりも悲しみのために息子を叱りつけた。

「ボビイ、もし、ちゃんとできないことだったら、はじめからしないほうがいいのだ。おまえや、おまえの友だちには、どうやら時間の観念などないというのはこの私にもわかってはいるが、神さまだけはお待たせするわけにはいかないのだ。自分からオルガンを弾くと言い出したくせに。私が無理強いしたわけではないんだぞ。それなのに、おまえはいいかげんな気持ちでゴルフなどにうつつをぬかしおって——」

ボビイは、おやじのお説教に油が乗らないうちに、さえぎるのがいちばんいいと見てとった。

「すみません、お父さん」それがどんなことであろうと、いつものように彼は明るく元気よく答えた。「でも、こんどだけはぼくのせいじゃないんです。ぼく、死体の見張りをしていたんですよ」

「なんだと？」

「崖から足を踏み外した大ばか野郎を見張っていたんですよ。ほら、十七番のティーがある、あの割れ目をご存じでしょう？　ちょうどもやが少しかかっていたものだから、割れ目に気がつかずに、まっすぐ歩いて行って落っこちてしまったんですよ」

「なんということだ！　で、即死したのかね？」と牧師が叫んだ。

「いいえ、気絶していたんです。そして、トーマス先生が応援を呼びに行った直後に、死んでしまったのですよ。でも、その場に残っていなければいけないような気がして、おっぽり出しておくわけにはいきませんからね。そしたら、知らない男が崖の上を通りかかったものですから、そのひとに喪主の仕事を引き継いでもらって、すっ飛んで帰って来たわけなんです」

牧師はホッと溜め息をもらした。

「これ、ボビイ、おまえのその嘆かわしい冷酷さは、どんな目に遭っても動じないのかね？　この私は口もきけないくらい、悲しい。死に直面してきたあとで――しかも急死だというのに、おまえはまだ減らず口をたたく！　おまえはなんともないんだね。それがどんなことであろうと――たとえどんなに重大で、どんなに神聖なものでも、おまえたちの世代には冗談のタネにすぎないのだね」

ボビイは足をもじもじ動かした。

そうなんだ、とかくおやじというものは、ぼくたち若いジェネレーションの気持ちがわからないんだ。深刻に感じたからこそ、冗談を言ったんじゃないか！――それがおやじにはわからないんだ。説明したって、わかってもらえるものか。身近に死や悲劇が起こっても、ぼくたちは物に動じたりしちゃいけないんだ。

おやじなんかに、なにが期待できるというのだ？　人間、五十の坂を越したら、わからず屋になってしまうんだ。コチコチに、凝り固まってしまうんだからな。

〝それも、みんな戦争のせいなんだろう〟とボビイは反省した。〝戦争で、すっかり滅茶苦茶にされてからというものは、もう、元どおりにはならなくなってしまったんだ〟

彼は、おやじが恥ずかしくなり、また気の毒になってきた。

「すみません、お父さん」ボビイは、もういくら弁解しても無駄だということがわかってきたので、こう言った。

牧師は、息子をあわれに思った――赤面しているようだった――しかし、一方では恥ずかしいとも思った。人生の重大さというものが、この子の念頭にはまるでないのだ。いまの謝罪の言葉でさえ、いとも軽々しく、実《じつ》がこもっていないではないか。

父と子は、牧師館のほうへ歩いて行った。おたがいに、相手のために言い訳を見つけようと心をくだきながら。

牧師は胸の中でつぶやいた――〝いったい、いつになったらボビイは仕事を見つけるのだろう――?〟

ボビイは心の中で考えた――〝いったい、いつまでぼくはこの家にくっついていられるのかな?〟

だが、そうはいうものの、父と子はおたがいに、深く愛し合っているのだ。

3 汽車の旅

ボビイには、あの事故のあとがいったいどうなったのかわからなかった。その翌朝、彼は友人に会うためにロンドンへ出かけた。その友人というのは、ガレージを開業しようとしていて、ボビイの協力が得られればありがたいと思っている男だった。

おたがいの満足がいくようにガレージの用件を取り決めてから、その二日後、十一時三十分発の汽車で家に帰った。彼はその汽車に乗りはしたものの、間一髪というところであやうく乗り損ねるところだった。パディントンの駅に着いたら、時計は十一時二十八分を指していたのだ。あわてて地下道を駆け抜け、三番ホームに飛び上がったら、汽車が動きはじめているところではないか。車掌と赤帽が怒鳴っているのを尻目に、目の前の車両に彼は飛び乗ったのである。

ドアを押し開けて、四つん這いになったまま車内に入りこむと、立ち上がった。機敏な赤帽が、ドアをバタンと外から閉めてくれた。そのコンパートメントにただひとりいる乗客と、彼は向かい合って坐った。

彼が飛びこんだのは一等のコンパートメントで、その隅に、汽車の進行方向に向かってひとりの小麦色の肌をした若い女性が、煙草を吸いながら席に座っていた。赤いスカートと、短いグリーンのジャケット、それにはでなブルーのベレーをかぶっていた。たしかに、オルガンを弾くお嬢さんに感じがそっくりだったが（悲しみに満ちた切れ長の黒い瞳と、暗い表情をたたえていた）、なかなかどうして魅力的な女性だった。

さかんに言い訳をしていたボビイが途中で言葉をとめた。

「なんだ、フランキーじゃないか！」と彼は叫んだ。「ずいぶん、会わなかったね」

「まあ、ほんとに。さあ、坐って、話を聞かせて」

ボビイはにやりと笑った。

「じつはね、一等の切符じゃないんだよ」

「大丈夫」とフランキーはやさしく言った。「差額はあたしが払ってあげるわ」

「そんなことされたら、男のこけんに関わるよ。このぼくが、女性に差額など出してもらえるものか」

「戦争が終わってからというもの、あたしたちがお役に立てることといえばこの程度のものよ」

「差額は、ぼくが自分で払いますからね」とボビイはいかにも男らしく言った。ちょうどそのとき、廊下のドアからブルーの制服を着た肥った車掌があらわれた。

「あたしにまかせて」とフランキーが言った。

彼女は車掌にあでやかな笑顔を向けた。車掌は軽く制帽に手をかけると、彼女の白い切符を受け取ってパンチを入れた。

「あの、こちらのジョーンズさんが、ちょうどお話しにお見えになったところなのよ、かまわないわね？」と彼女は言った。

「結構でございますとも、お嬢さま。そう長くはいらっしゃらないでしょうな」車掌は思わせぶりの咳払いをした。「ブリストルを過ぎるまで、私は検札にまいりませんから」彼は意味ありげに付け加えた。

「女性の微笑の威力にはかぶとを脱ぐよ」

ボビイは車掌が出て行ってしまうと、こう言った。

レディ・フランシス・ダーウェントは、思案ありげに頭を振った。

「さあ、微笑のせいかしら。それよりも、旅行するときに五シリングのチップをはずむ、パパのくせのおかげだと思うわ」

「ぼくはもう二度ときみがウェールズには帰って来ないものと思っていたんだ、フランキー」

フランシスは、ホッと溜め息をついた。

「ねえ、あなたはわかってくださるわね、年とった両親というものがどんなに頑固かということよ。それに、バス・ルームときたら使いものにならない始末だし、することもなければ、会うひともいない――近ごろじゃ、田舎なんかに遊びに来てくれるひとなんかだれもいないのよ！　諸事節約、お金がかかるからとてもそんな遠くまで足が延ばせないって、こうだわ。それじゃ、若い女性は身をもてあますだけじゃない」

ボビイは、さも同情したように彼女の言い分を聞くと、首を振った。

「だけどね」フランキーは言葉をつづけた。「昨晩のパーティに行ってみてから、あたしまだ家のほうがましだと思ったのよ」

「なんで、そんなにそのパーティが気に食わなかったの？」

「べつだん、これといったことはないのよ、しごくありふれたパーティだわ。強いて言えばね、変哲がなさすぎるのよ。そのパーティというのはね、サヴォイ・ホテルで八時半に開かれることになっていたの。あたしたちは九時十五分ごろ、そこに行ったのよ。むろん、ほかの人たちとも一緒くたになったけど、十時ごろにはどうやらパーティらしくなったの。それからディナーをとって、しばらくして、あたしたち〈マリオネット〉

へ出かけたのよ。警察の手入れがあるなんて噂があったけど、そういうこともなかったわ。閑散としたもの。そこであたしたち、お酒をちょっぴり飲んで、それから〈ブルリング〉へ押しかけたんだけど、前よりひどかったわ。それで、こんどは喫茶店に行き、おなじみのお魚料理のお店に回ったわ。それから、アンジェラの叔父さまの家へ押しかけて、朝食をご馳走になろうと思ったのよ。きっとびっくりなさるだろうと思ってね。でも、あいにくお留守だったの、退屈しただけだったわ。それからあたしたち、みんなゲッソリして家へ帰ったのよ。ねえ、ボビイ、つまらないったらありゃしない」

「そうだろうね」ボビイは、うらやましいのを押し殺しながら言った。

どんなに有頂天になっても、〈マリオネット〉や〈ブルリング〉のようなデラックスなナイトクラブに出入りできるなんて、夢にも思ったことがなかったからである。

彼とフランキーとの関係は、一風変わっていた。

少年時代、ボビイと兄弟たちは、お城のお姫さまたちと一緒に遊んだのだ。その後大きくなってからは、おたがいに顔を合わせるようなことはほとんどないと言ってもよかった。もっとも、会ったときは相変わらず、クリスチャン・ネームで呼び合うのだった。たまたま、フランキーが〈お城〉にいるときなどは、ボビイとその兄弟たちは押しかけて行って、一緒にテニスをしたりもした。しかし、フランキーと彼女の二人の兄弟を、牧師館に招待するようなことはなかった。そんなところへ招待しても、かえって彼女たちに迷惑だと口に出さないまでもわかっていたからである。一方、テニスのために男のお客たちはお城で歓迎されていた。まあ、おたがいにクリスチャン・ネームで呼び合ってはいたものの、多少の気がねはあったかもしれない。ダーウェント家の子供たちは、〝お城の子供だからといって、なんの分けへだてもないのだ〟ということを示すために、必要以上に仲よくふるまったことはいなめない。ジョーンズ家の兄弟たちといえば、向こうから示される親密さ以上のものは求めまいと、心に決めたかのように、いくらか堅くふるまっていた。お城と牧師館の子供たちにとって、いまは少年時代の思い出以外には、共通のものはなにひとつなかった。もっとも、ボビイはフランキーのことが大好きだったので、偶然の巡り合わせでひょっこり顔を合わせたときなど、いつも非常にうれしく感じるのだった。

「あたし、なにもかもうんざりしちゃったわ」とフランキーはものうげな口調で言った。

「あなたはそうじゃない？」

ボビイは考えこんだ。

「いや、ぼくはそれほどでもないよ」

「まあ、うらやましいわ」とフランキーは言った。

「なにも、満ち足りているというわけじゃないのさ」ボビイは、相手の気持ちを傷つけまいと思いながら言った。「いかにも満ち足りているといった人間の顔を見ると、ムカムカするものね」

フランキーは〝満ち足りた〟という言葉に身震いした。

「そうよね」と彼女はつぶやいた。「そういうひとたちって、ほんとに虫酸が走るわ」

二人は、たがいに共感のまなざしを交わした。

「それはそうと」突然、フランキーが言った。「断崖から足をすべらして落ちた男の人って、いったいどうしたわけなの？」

「トーマス先生とぼくで、発見したんだよ」とボビイが言った。「だけど、どうしてそんなことを知っているの、フランキー？」

「新聞で見たんですもの、ほら」

彼女は、新聞の小見出しを指で示した。〈もやの中での命取りの事故〉

マーチボルトで起こった悲劇の被害者の身元は、本人が所持していた写真により、昨夜遅く判明した。写真は、レオ・ケイマン夫人のものであることが確認された。夫人は報せを受けるとただちにマーチボルトに急行、被害者が兄のアレックス・プリチャードであることを確認した。プリチャード氏は、十年にわたる海外生活を切り上げ最近タイから帰国、徒歩旅行を始めたばかりであった。明日、検死審問がマーチボルトで開かれる予定。


ボビイの頭には、あの忘れられない、妙に印象的な写真の女性の顔が浮かんできた。

「こうなると、ぼくは検死審問で証言しなければならないことになるな」

「すごいスリルじゃない。あたし、傍聴に行くわ」

「べつにスリルなんて、なにもないと思うな。ぼくたちはただ、発見しただけなんだからね」

「そのときはもう死んでいたの？」

「いや、そのときはまだ生きていたんだ。それから十五分ばかりして、死んでしまったんだよ。ぼくは、ひとりきりで番をしていたんだ」

彼の言葉は、そこで途切れてしまった。

「なんだか薄気味が悪いわね」とフランキーは即座に言った。こういう勘のよさはボビイの父親にはないものだった。

「むろん、その男はなにも感じなかっただろうけど――」

「そう？」

「だけど――その、なんて言ったらいいかな、その男は、とても元気そうに見えたんだよ、ちっとやそっとでは、とても死にそうにもないみたいな人間だったのさ。それがあんなにあっけなく死ぬなんて――もやがあったくらいのことで、崖から足をすべらすなんて」

「あなたの気持ち、とってもわかるわ、スティーブ」とフランキーは言った。彼女の奇妙な言葉づかいには、おなじジェネレーションをともにする共感がこもっていた。

「その妹さんという方に会ったの？」しばらくしてから、彼女がたずねた。

「ううん、ぼくは二日間、ロンドンに行ってたからね。ガレージの共同経営のことで、友だちに会わなきゃならなかったんだ。きみ、覚えているだろ、バジャー・ビードンだよ」

「あたしが？」

「そうさ。覚えているはずだよ、あの愉快なバジャー・ビードンさ。ほら、斜視ぎみの男だよ」

フランキーは眉を寄せた。

「ものすごく変な笑い声を立てる奴さ。ホッホッホー、こんな笑い方をするじゃないか」

ボビイは思い出させようと、さかんに説明した。

だが、フランキーにはまだ思い出せなかった。

「ぼくたちがまだ子供のころ、小馬からおっこちた奴だよ。頭からまっさかさまに泥の中につっこんだので、ぼくたち、足を持って引きずりあげたじゃないか」

「そうだったわ！」とたんにフランキーは、いろんなことを思い出したのだ。「やっとわかったわ、あのひと、どもっていたわね」

「いまだってそうだよ」

「あのひと、養鶏場をやって、つぶれたんじゃなかった？」

「そのとおりだよ」

「それから株式仲買人の事務所に就職したんだけど、一カ月目にクビになってしまった？」

「そのとおり」

「それから、オーストラリアに行かされて、もどってきたんじゃない？」

「そうなんだ」

「ねえボビイ、まさか、そのガレージの経営に、お金を出しているんじゃないでしょうね？」

「出すようなお金なんか、ぼくにはないもの」

「それならいいけど」とフランキーは言った。

「そりゃあ、バジャーだって、出資者を見つけようと思ってかけ回ったよ。でも、きみが考えるほど、たやすくは見つからないものさ」

「あなたには、まわりの人がばかみたいに見えるかもしれないけれど——どうして、どうして、みんな案外しっかりしているものよ」

フランキーの話の要点が、どうやらボビイにも呑みこめたようだった。

「だけどねえ、フランキー、バジャーはじつにいい男なんだよ、ほんとなんだ」

「そうよ、みんないい人たちばかりよ」

「みんなって、いったいだれのこと？」

「オーストラリアくんだりまで行って、また引き返した人たちのことよ。だけど、ガレージを開業するお金をどうやって手に入れたのかしら？」

「伯母さんかなにかが死んだんだよ。部屋が三ついていてね、車が六台入るガレージを遺産として継いだわけなんだ。奴の家族が、中古の車を一台買い入れる資金に百ポンド出してくれたんだ。中古の車にどんな掘出しものがあるか知ったら、きみだってびっくりするよ」

「あたしだって、買ったことがあるわよ。ひどい代物だったわ。さあ、もうこの話はやめて。だけど、どうしてあなた海軍をやめたの？　なにもクビになったわけじゃないんでしょう？　あなたの年で」

ボビイは真っ赤になった。

「目のせいさ」彼はぶっきらぼうに言った。

「あなたは昔から目のためにはひどい目に遭ってたわね、覚えているわ」

「そうなんだよ。しかし、なんとか試験には合格したんだけど、ところが海外勤務になったんだ。とにかく光線が強すぎるだろう、そいつがこたえたんだよ。まあ、そういうわけで除隊しなければならなかったのさ」

「つらかったでしょうね」フランキーは口の中でつぶやくように言うと、窓の外に目をやった。

感情の入り交じった沈黙がつづいた。

「まあ、いずれにしろ、面目のない話さ」とボビイは突然口を開いた。「ぼくの目は、ほんとはたいして悪くはないんだよ——これ以上悪くはならないって、軍医だって言っているんだ。立派に軍務に精励できるんだがなあ」

「あなたの目、悪いようには見えないわ」とフランキーが言った。

彼女は、彼の正直そうな褐色の目をまじまじと見つめた。

「そういうわけで、バジャーと共同経営でやろうと思うんだ」

フランキーはうなずいてみせた。

ボーイがドアを開けて、告げた。「ご昼食の時間でございます」

「行きましょうか？」フランキーがボビイにたずねた。

二人は食堂車の方へ行った。

ボビイは検札の車掌が回ってきそうな時間だけ、巧みに身を隠した。

「車掌に、良心の呵責をあまり感じさせたくないからね」と彼は言った。

ところがフランキーの言うには、車掌に良心などあるものか、とこうだった。

五時を少し過ぎると、マーチボルトへ行くサイラム駅に到着した。

「車が迎えに来ているのよ」とフランキーは言った。「送るわ」

「ありがたい。この厄介な荷物を二マイルも運ばなくてすむからね」

彼はさもうんざりしたように、スーツケースを蹴ってみせた。

「二マイルじゃなくて、三マイルよ」

「ゴルフ場の小道から行けば、二マイルさ」

「例の――」

「そう――あの男が墜落した場所をね」

「まさか、だれかが突き落としたんじゃないでしょうね？」化粧道具入れをメイドに渡しながら、フランキーがきいた。

「突き落としたって？　そんなことがあるものか。でも、なぜ？」

「だって、そのほうがグッとスリルがあるじゃない、そうでしょ？」フランキーが何気なく言った。

4 検死審問

アレックス・プリチャードの検死審問は、その翌日に開かれた。トーマス医師が、死体の発見について証言した。

「発見されたときは、まだ呼吸があったわけですな？」と検死官がたずねた。

「そうです、そのときはまだ呼吸がありました。しかしながら、回復の見込みはまったくなかったのです。その――」

ここで、医師は医学用語を駆使して説明を始めた。検死官は、陪審員にわかりやすくするために言葉をはさんだ。

「つまり、日常の言葉で言い換えると、被害者の背骨が折れていたということになりますな？」

「ま、そういうふうにおっしゃりたければ、それでもさしつかえありませんがね」トーマス医師は、意に満たぬといった口調で言った。

彼は、瀕死の男をボビイにまかせて応援を頼みに行ったいきさつを説明した。

「ところで、この悲惨な事故の原因について、あなたのご意見はいかがでしょう、トーマス先生？」

「被害者の心理状態に関する証拠を全然考慮に入れないで申しますと、十中八、九まで、故人はあやまって崖から足を踏み外したものと考えられます。海から、もやが上がってきたうえに、小道がちょうどそのあたりから、陸地のほうへ大きく曲がっているのです。もやに視界をうばわれて、被害者は危険に気がつかず、そのまままっすぐ歩いて行ってしまったのかもしれません。とすると、たった二歩踏み出しただけで、崖から墜落することになります」

「暴力を加えられたような形跡はなかったですか？　たとえば、第三者から加えられたような？」

「私に証言できることは、現在、被害者のからだに見受けられる傷は、五、六十フィートの高さから落ちて岩に当たってできたものである、という説明で充分だと思いますが」

「投身自殺の可能性はありませんか？」

「むろん、充分にあり得ることです。足を踏み外したのか、それとも自ら身を投じたのか、その点については私からはなんとも申し上げられません」

つぎに、ロバート・ジョーンズが喚問された。

ボビイは、医師とゴルフをしながら海のほうにボールをスライスしてしまったこと、ちょうどそのとき、もやが立ちこめてきて視界が悪かったこと、叫び声が聞こえたような気がしたので、一瞬、打ったボールが小道を歩いている人に当たったのではないかと思ったこと、しかし、いくらなんでも、そんな遠くまでボールが届くはずがないと思いなおしたこと、などを説明した。

「で、ボールは見つかったのですか？」

「ええ、ボールは小道から百ヤードばかり離れたところにありました」

それからボビイは、二人がつぎのティー・ショットをしたときのことと、自分が断崖の割れ目にボールを打ちこんだときの模様を説明した。

そのあとは、医師の証言と重複するものと見てとって、検死官はボビイの発言をそこで打ち切らせた。

しかし検死官は、ボビイが耳にした、あるいは、耳にしたような気がした、例の叫び声についてはくわしくたずねた。

「ただの悲鳴でした」

「助けを求める悲鳴ですか？」

「いや、ただの叫び声だったのですが、正直のところ、ほんとに聞いたかどうか自信がないのです」

「なにかにおどろいて上げた悲鳴ですか？」

「そうです、それに近いものでした」ボビイは、そう、そのとおりと言うように、答えた。「突然、ボールが飛んできて、当たったときに出しそうな悲鳴だったのです」

「それとも、道があるものと思っていたのに、足を踏み出したら、なにもなかったようなときにですね？」

「そうです」

それから、医師が応援を呼びに行ってから五分ばかりあとに、被害者が息を引き取ったときの証言になって、やっとボビイは責苦から解放されたのである。

一段落つくと、検死官はテキパキと尋問を片づけてしまおうと心をくだいていた。

こんどは、レオ・ケイマン夫人が呼び出された。

ボビイは、あまりの失望の大きさに、息が詰まったほどだった。死んだ男のポケットからハンカチと一緒に出てきたあの写真の面影が、彼女のどこを探しても見当たらなかったからだ。写真屋というのはひどい嘘つきだな、とボビイはげっそりしながら胸の中でつぶやいた。写真は、たしかに数年前に撮ったものにちがいないだろうが、それにしても、あの目のパッチリしたチャーミングな美人が、眉毛を引っこ抜き、見た目にもそれとわかるように髪の毛を染めあげた、いけ図々しい女に成り果てるとは、とても信じられるものではなかった。歳月とはおそろしいものだ、とボビイは今さらながらつくづく感じた。二十年も経ったら、あのフランキーだってどうなるんだろう？　思わず彼は、かすかに身を震わせてしまった。

ボビイがそんなことを考えているあいだ、パディントンのセント・レオナーズ・ガーデン十七番地居住のアメリヤ・ケイマンが証言をつづけていた。

被害者は、彼女のただひとりの兄、アレキサンダー・プリチャードだった。この悲劇の前日に兄と会ったのが、最後だった。そのとき彼は、ウェールズ地方へ徒歩旅行に出かけると彼女に言ったのだ。彼は最近、東洋から引きあげてきたばかりだった。

「お兄さんは旅行に出かけるまえ、愉しそうな、健康な精神状態に見えましたか？」

「ええ、ほんとに。アレックスはいつも愉快そうでしたわ」

「あなたの知っているかぎりでは、お兄さんには心配のタネなどなかったのですね？」

「そうですとも！　そんなものは、なにひとつございませんでした。旅行をたのしみにしていたのです」

「最近、金のこととか――なにかトラブルに悩まされているようなことはなかったのですね？」

「さあ、率直に申しまして、そういうことについては、あたしからはなんとも申せませんわ」とケイマン夫人は答えた。「とにかく、つい最近引きあげてきたばかりですからね。そのまえは十年間も会っていないうえに、兄ときたら、筆まめなほうではなかったので。それでも兄は、ロンドンでお芝居や食事に連れていってくれたり、少しはプレゼントもくれたりしたのですから、お金に困っていたとは思えませんわ。それに、たいへん機嫌がよかったのですから、なにか心配事があったとはとても考えられません」

「お兄さんのお仕事は？」

夫人はちょっと、言いよどんでいるふうだった。

「あの――はっきりしたことは、あたしにもわかりませんの。探鉱――と兄は言っておりました。兄は、ほとんどイギリスにいたことはありませんの」

「お兄さんが自殺をするような原因は、思い当たらないでしょうな？」

「まあ、そんなこと、とても考えられませんわ。災難にちがいありませんとも」

「お兄さんが荷物ひとつ持っていなかったということを、あなたはどう解釈するのです？　リュックサックさえ持っていなかったのですよ」

「兄はリュックサックが嫌いでした。一日おきに、小包を送るつもりだったのです。出発の前日に、寝間着やソックスを小包にして送りましたわ。でも、宛先をデンビシャーと書くべきところをダービイシャーと書いたために、今日着いたんです」

「なるほど！　それで腑に落ちなかったところがはっきりしました」

ケイマン夫人は、兄が持っていた写真に入っていた写真屋の名前から、連絡がとれたいきさつを説明した。彼女は夫とこのマーチボルトに同行して、即座に被害者が兄であることを確認したのだった。

証言がすむと、彼女は傍聴席に聞かせでもするように、鼻をすすりあげ、泣きはじめた。

検死官は、二、三なぐさめの言葉をかけてから、夫人を退席させた。

それから、検死官は陪審員に向かって述べ立てた。陪審員の任務は、被害者がいかにして死んだかを判定することにある。幸いにも、事件はきわめて明瞭であるように見受けられる。プリチャード氏には悩みも心配ごともなく、また自らの命を絶つような精神状態にあったと考えられるような気配は、なにひとつなかった。いやむしろ、心身ともにきわめて健全で、休暇をたのしんでいたとさえ言える。不幸にももやが立ちこめて来たときは、崖の小道が非常に危険であることは重大な問題であり、いまや陪審員各位も、これについてなんらかの手段を講ずるべき時期であることに異存はないであろう――

陪審員の議決は、一瞬もためらわずに行なわれた。

〈被害者は、災難による事故死であると認定する。ただし、町会はただちに、崖上の割れ目付近の小道の海岸寄りの側に、垣根、または手すりを設置する手段をとるべきであり、その追加条項を付すことを望む〉

検死官は賛意を表した。

検死審問は閉廷した。

5　ケイマン夫妻

それから三十分後、ボビイは牧師館にもどってくる早々、アレックス・プリチャードの死との因縁がまだきれいさっぱりと切れたわけでないということを、知らされたのである。ケイマン夫妻が彼を訪ねてきていて、いま書斎で父親がその相手をしていると、ボビイは告げられたのだ。書斎に行ってみると、父は夫妻の話し相手になって、話の接《つ》ぎ穂がなくならないようにしきりと気を配っているところだったが、明らかに喜んでいないことは一目でわかった。

「よかった！」牧師はホッとしたような口調で言った。「ボビイがもどりましたよ」

ケイマン氏は椅子から立ち上がると、手を差し出しながら彼のほうに近寄っていった。血色がよくつやつやした大柄の男で、いかにも打ちとけた態度を示してはいるものの、たえずキョロキョロしている冷たい目つきが、その態度を裏切っていた。ケイマン夫人のほうは、あつかましくて品のないところに魅力があると思う人がいるかもしれないが、あの昔の写真の面影は跡形もなかった。それに、あのもの思わしげな表情もすっかり消え失せていた。実際のところ、彼女があの写真を自分だと認めないかぎり、ほかの人に認められるかどうかきわめて疑問だと、ボビイは思ったくらいだった。

「妻といっしょにまいったのです」ケイマン氏は、ボビイの手を痛くなるくらい強く握りしめながら言った。「そばについていなければなりませんのでね。とにかくアメリヤは、すっかり取り乱しているものですから」

ケイマン夫人は鼻をすすりあげた。

「あなたにお会いしたくて来たのですよ」とケイマン氏はつづけた。「妻の兄は文字どおり、あなたの腕の中で死んだのですからね。そこで、妻は兄の死に際の様子を、あなたからこまかくお聞きしたいと言っているのですよ」

「ごもっともです」とボビイは口ごもりながら、ぎこちなさそうに言った。「ええ、よくわかりますよ」

彼は、いかにも気が弱そうににっこりと笑ってみせたが、すぐ、父親の口から、ヤレヤレというような溜め息がもれるのが耳に入った――キリスト教徒の、息子をあきらめきった溜め息だった。

「かわいそうなアレックス」ケイマン夫人は、目頭を押さえながら言った。「あたしの、かわいそうなアレックス」

「よくわかりますよ」とボビイが言った。「ほんとに、お辛いことでしょうね」

彼は苛立たしげにもじもじした。

「あの――」ケイマン夫人は、待ちどおしそうにボビイを見つめながら言った。「もしや兄に、最期の言葉か遺言があるようでしたら、おうかがいしたいのです」

「そうでしょうとも」とボビイが言った。「ところが実際のところ、なにもおっしゃらなかったのですよ」

「ひとことも？」

ケイマン夫人はがっかりしたようだった。その顔には、とても信じられないといった色が浮かんだ。ボビイは、まるで自分がなにか悪いことでもしたような気持ちになった。

「そうなんです、その――ほんとのところ、なにひとつ、おっしゃらなかったのです」

「それでよかったのだ」とケイマン氏はおごそかに言った。「意識不明のまま――なんの苦痛もなく死ぬなんて――アメリヤ、これは神さまのお慈悲というものだ」

「ほんとにそうね。苦しんだ様子はなかったのですね？」

「たしかに、それはなかったと思います」

ケイマン夫人は深い溜め息をついた。

「それはなによりでしたわ。最期の言葉ぐらい、遺していってほしかったのですけど、でも、それが一番よかったということが、わかってきました。かわいそうなアレックス、野外生活を好んでいた、あんなにいいひとだったのに」

「やっぱりそうだったのですね」とボビイは言った。彼は、あの陽焼けした顔と深いブルーの目を思い出した。死んだアレックス・プリチャードには、人を惹きつける個性があった。その個性は、死の直前にあっても消えなかった。あの男がこのケイマン夫人の兄であり、ケイマン氏の義兄だとは、とても信じられるものではなかった。こんな連中よりはるかに立派な男だったと、ボビイは思った。

「たいへんお世話になりましたわ」ケイマン夫人が言った。

「いいえ、どういたしまして」とボビイは言った。「その——、なにひとつお役に立てなくて——」

ボビイはしどろもどろのていだった。

「あなたのご恩は決して忘れません」とケイマン氏は言った。ボビイはまた、さきほどの調子で、手をいやというほど強く握られた。ケイマン夫人の手は弱々しかった。牧師はくどくどと挨拶を述べた。ボビイは夫妻を玄関まで送って行った。

「ところで、あなたはどういうお仕事をなさっているのです?」とケイマンがたずねた。

「休暇で帰省しているとか、そんなことですか?」

「いま、仕事探しにかけずりまわっているところなんですよ」とボビイは答えた。彼はちょっとためらってから、「海軍にいたんです」と付け加えた。

「いや、せちがらい世の中ですな——じつに暮らしにくい世の中になりましたよ、このごろは」ケイマンは頭を振り振り言った。「ま、ご幸運を祈っています」

「ありがとうございます」とボビイは丁重に言った。

彼は、雑草の生い茂った車道を歩いて行く二人の後ろ姿を見送った。

玄関に立ったまま、彼はもの思いにふけった。さまざまな思いが入り乱れて、彼の胸中をよぎった——交じりあった記憶——あの写真——あの、目に特徴のある若い女性の顔——ふっくらとした髪——それがどうだろう、あれから十年か十五年経ったいま、そのおなじ女性の、あの特徴のある目は、まるで豚の目のように小皺の中に沈みこみ、髪の毛を真っ赤に染めあげた、どくどくしい厚化粧のケイマン夫人になってしまったのだ。往年の若さと無邪気さは、跡形もなく消え失せてしまった。なんという痛ましさだ!きっと、ケイマン氏のような、たくましくがさつな男と結婚したためなんだ。だれかほかの男性と彼女が結婚していたら、もっと品のいい中年の婦人になっていたかもしれないのに。ゆたかな髪の毛に白いものが交じり、柔和で青みをおびた顔には、あの特徴のある目が昔ながらにパッチリと開いていることだろう。いや、いずれにしたって——

ボビイはホッと溜め息をつくと、首を振った。

「とにかく、結婚なんかするもんじゃないよ」ボビイは憂うつそうに言った。

「まあ、なんですって?」

ハッと我に返ったボビイは、フランキーがそばに立っているのに気がついた。彼女が近づいてきたのを、ぜんぜん知らなかったのだ。

「やあ」と彼は言った。

「こんにちは。結婚がどうしたっていうの? いったい、だれのお話?」

「なに、一般的なことを考えていたのさ」ボビイは言った。

「どんなこと——?」

「結婚が、人間をめちゃくちゃにしてしまう力についてさ」

「だれがだめにされちゃったの?」

ボビイは説明した。だが、フランキーは同調しなかった。

「そんなことナンセンスだわ。あの女のひとは、写真とそっくりじゃないの?」

「いったい、いつ彼女に会ったんだ? 検死審問に行ったの?」

「ええ、むろん傍聴しに行ったわ。いけない? だって、ここにいたって、なにもすることなんかないんですもの。検死審問はまさに神さまの贈物だわ。いままで一度も行ったことがなかったのよ。あたし、ゾクゾクしてしまったわ。そりゃあ、分析家の証言やなにかがある謎の毒殺事件のようなものだったら、もっと面白いんでしょうけど。でも、こんな手ごろな愉しみができたんだから、ぜいたくなんか言っちゃいられないわ。あたし、おしまいまで暴行かなんかの容疑が出てくるんじゃないかしらと期待していたんだけれど、いともあっさり片づいてしまったようね。がっかりだわ」

「きみときたら、まるで血に飢えた狼だね、フランキー」

「そうよ。きっと隔世遺伝（ああ、舌をかみそう）だわ。そうじゃないかしら？　あたしの血の中に、粗野な血がよみがえっているにちがいないわ。あたしの学校時代のニックネームはね、モンキー・フェイスっていうのよ」

「お猿さんは、人殺しがお好きなのかね」とボビイがたずねた。

「まるで日曜新聞の投書欄みたいなことを言うのね」とフランキーが言った。「この問題についてご意見をお寄せください」

「だけどね」とボビイが話題をもとにもどして言った。「ケイマン夫人については、きみの意見には賛成できないよ。彼女の写真は美しかったもの」

「修整してあるのよ――それだけのこと」とフランキーはさえぎった。

「それなら、きっとものすごい大修整をやったんだよ、きみにもちょっとおなじ人間とは見分けられないほどね」

「あなたって、物を見る目がないのね。写真屋さんはできるかぎりの技術をつかったのだけど、うまくいかなかったのよ」

「ぼくの考えはぜんぜん違うね」ボビイは冷たく言った。「まあ、いずれにせよ、きみはその写真をどこで見たんだい?」

「イヴニング・エコーの地方版よ」

「たぶん、写真がはっきり出なかったんだね」

「あなたって、ほんとにおかしなひとね」とフランキーは面白くなさそうに言った。「たかが、お白粉をゴテゴテ塗りたくったあばずれ女のことで——そうよ、ケイマン夫人みたいなあばずれ女のことで」

「おいおい、フランキー」とボビイがたしなめた。「きみ、気は確かかい、ここは牧師館の中なんだよ。いわば、神聖な場所じゃないか」

「だって、あなたが変なことばかり言うからよ」

しばらくのあいだ二人とも押し黙っていたが、フランキーの突然の興奮状態もぱったりとおさまった。

「変だと言えば、あんないやらしい女のことで喧嘩するほうがよっぽど変よ。あたし、ゴルフにあなたを誘いに来たのに。ゴルフやらない？」

「ああ、いいとも」ボビイはうれしそうに言った。

二人は仲よくゴルフをはじめた。話も、スライスだとか、プルだとか、それにどうしたらグリーンへ完全なチップを送ることができるかというようなことばかりだった。

あの悲劇のことは二人の心からすっかり消え去っていた。ところが十一番のグリーンで、フランキーと同じ打数で終えるためにロング・パットをしようとしていたボビイが、突然、あっと叫び声をあげた。

「まあ、どうしたの？」

「いや、なんでもないよ。いま、ちょっとしたことを思い出したものだから」

「どんなこと？」

「なに、例のケイマン夫妻のことなんだよ——あのひとたちが訪ねてきて、あのかわいそうな男が死ぬ間際になにか言い残さなかったかって訊いたんだが——なにも言わなかったって、ぼくは答えてしまったんだ」

「それで？」

「ところがね、いまになって、あの男がしゃべったことを思い出したんだよ」

「ほんとに、あなたって今朝はどうかしているわ」

「だけどね、その男の言ったことが、あの夫婦の期待しているようなことじゃなかったから、それできっとぼくは忘れてしまったんだよ」

「いったい、どんなことを言ったの？」フランキーは好奇心にかられてたずねた。

「あの男はね、〝なぜ、エヴァンズに頼まなかったのか？〟と言ったんだよ」

「まあ、ずいぶん妙なことを言ったのね。それで、ほかにはなにも言わなかったの？」

「そうなんだ、ただ目を開けて、そう言ったのさ――それも突然にね――それから息を引き取ったんだよ、気の毒な男」

「そうなの――」フランキーは心の中で何度も考えながら言った。「なにも、そんなに困ることとないと思うわ。重要なことじゃないもの」

「そりゃあそうさ。でも、やっぱりぼく、あの夫婦に話しておきたかったな。だって、一言も言わなかったとぼくは答えたんだからね」

「そんなこと、どっちにしたって同じことだわ。つまりね、〝グラディスに、いつも愛していたと伝えてくれ〟だとか、〝遺言書はクルミ材の書き物机の中にあるからね〟とか、小説にちょいちょい出てくるロマンチックな最期の言葉なんかじゃないということよ」

「あの夫婦に、手紙で知らせなくてもいいかな」

「いいんじゃないの。だって、たいしたことないんだもの」

「たしかに、きみの言うとおりだろうな」

ボビイはこう言うと、気をとりなおしてゲームにもどった。だが、このことは、彼の心からすっかり消え去ったわけではなかった。ほんの些細なことにすぎないのだが、彼を悩ました。このことが、かすかに心のしこりになっているのが感じられた。たしかにフランキーの言うとおりだとは、彼も思った。あんなことは取るに足りないことさ——あっさり忘れてしまえ。だが、彼の良心はかすかに疼きつづけるのだった。あの死んだ男は一言も言わなかったと、彼は答えてしまったのだ。だが、それは真実じゃなかった。いや、取るに足りないことなのだが、彼には気になって仕方がなかった。

とうとうその夕方、彼はたまりかねて机に向かうと、ケイマン氏に宛てて手紙を書いた。

親愛なるケイマン氏へ——じつは、あなたの義兄がお亡くなりになる間際に、あることを言われたことを思い出しました。たしかそれは、〝なぜ、エヴァンズに頼まなかったのか?〟という言葉だったと思います。今朝、このことを申し忘れたことは、心からお詫びいたしますが、あのときはそう重要なことだとは思わなかったものですから、つい失念したものと存じます。

敬具
ロバート・ジョーンズ

その翌日、返事が来た。

ジョーンズ様。六日付のお手紙、拝誦いたしました。哀れな義兄のいまわの言葉を、至極些細なことにもかかわらず、よくご記憶の上、お知らせくださいまして、厚くお礼申し上げます。妻が期待しておりましたのは、自分宛ての兄の最期の言葉だったのですが、あなたの良心的なお手紙には感謝いたしております。

敬白
レオ・ケイマン

ボビイは、肩すかしを食らったような気がした。

6　ピクニックの結末

その翌日、ボビイは前日の手紙とはおよそ趣《おもむき》を異にした手紙を受け取った。

準備はすっかりできた。（バジャーの手紙ときたら、あのお金のかかるパブリック・スクールを卒業しているくせに、母校が泣き出しそうなひどいなぐり書きだった）。昨日、車を五台買った。全部で十五ポンド。オースチンが一台、モリスが二台、ローヴァーが二台だ。いまのところ動かないが、どうにか修理できると思う。心配するなよ、車に変わりはないんだからな。途中でエンコせずにお客が家まで持って帰れれば、それだけで上々さ。来週月曜日に開店のつもりだ。頼みの綱はきみなんだから、がっかりさせないでくれよ。たしかに、死んだキャリー伯母さんは変わり種だったね。昔、伯母さん家《ち》の隣の、老人の家の窓を、ぼくはこわしたことがあるんだ。そのご老体ときたら、伯母さんの猫のことでいつも怒鳴りこんでいたものだから、伯母さん、怒っていたんだよ。それで毎年クリスマスには、いつもぼくに五ポンド贈ってくれていたのさ——そしてこんどはこれだ。

成功疑いなし。絶対確実さ。つまり、車に変わりはないんだからな。きみには無料だよ。さて、塗装が終われば、これでばかげた看板の仕事は片づくんだ。いよいよ、商売は景気よくはじまるぜ。忘れないでくれ。来週の月曜日だ。きみをあてにしているよ。

親友のバジャーより

ボビイは父親に、来週の月曜日から、仕事でロンドンに行くことを話した。だが、その仕事の内容をいくら説明しても、牧師はいっこうに喜ばなかった。以前、バジャー・ビードンに会ったことがあるせいだろう。父親はただ、なにごとに対しても責任を負うような真似をしないのが賢明であるということを、ながながと息子に説教しただけだった。金銭上の保証人になるなということなのか、事業上の責任者になるなという意味なのか、父親の忠告はわざと言葉を濁してあったが、その意味するところは、まちがいようのないものだった。

その週の水曜日に、ボビイはさらに別の手紙を受け取った。それは外国人特有の傾斜した筆跡で書かれていた。内容は、青年にとっていささか思いがけないものだった。それは、ブエノス・アイレスのエンリケ・アンド・ダロ社から来たもので、要約すると、年一千ポンドの給料で勤めないかというものだった。

はじめの一、二分間というもの、青年は、こいつは夢にちがいないと思ったくらいだった。年俸一千ポンドとは！　彼はあらためて、注意深く手紙を読み返してみた。文面には元海軍軍人が望ましいとあった。それから、ボビイのことはある人（名前は伏せてあった）による推薦であること、即時に受諾の返事を要すること、一週間以内にブエノス・アイレスに向かって出発しなければならないことも、そこに書かれてあった。

「ちくしょう！」ボビイは、まるで〝いやな感じ〟といった口調でつぶやいた。

「これ、ボビイ！」

「あ、すみません、お父さん、あなたがいらっしゃることを忘れていました」

ジョーンズ師は咳ばらいをした。

「おまえに言っておくが――」

ボビイは、どんなことをしてでも父親の説教――ダラダラとつづくに決まっている――から身をかわさなければならないと感じた。彼はごく簡単な言葉でこの危難を避けた。

「あるひとがね、ぼくを年俸一千ポンドで雇ってくれるそうです」

牧師はポカンと口を開けたまま、一言も言えなかった。

〝これでオヤジの出鼻がくじけたぞ〞ボビイは腹の中でニンマリ笑った。

「ねえボビイや、たしか、年俸一千ポンドでおまえを雇ってくれると言ったようだが、一千ポンドでね？」

「そのとおりですよ、お父さん」とボビイが答えた。

「そんなことがありうるものか」と牧師は言った。

ボビイは、この露骨な不審の言葉をきいても、べつに傷つけられはしなかった。彼自身、自分の経済的な評価にかけては、父親のそれとさしてちがわなかったからである。

「この連中は、間抜けな奴にちがいありませんよ」ボビイは心から同意するように言った。

「いったい、なにものだね――この連中というのは？」

ボビイは父親に手紙を渡した。牧師はあたふたと鼻眼鏡をかけると、疑わしげに見入った。そして二回もていねいに読み返した。

「これは驚いたな」彼はようやく言った。「いや、じつに驚いた」

「常軌を逸してますよ」とボビイ。

「いやいや、ボビイ」と牧師は言った。「まったくの話、よくぞイギリス人に生まれけり、ではないか。誠実。これだよ、私たちが代表しているものは。わがイギリス海軍は、この理想を全世界に示してきたのだよ。我らがイギリス人！　この南米の会社は、不動の誠実さをもち、その忠実さに安心してまかせられる青年の価値をよく知っているのだ。イギリス人ならいつでも正々堂々と行動するからね――」

「それに脇目も振らず一直線にすすみますもの」

牧師はいぶかしげに息子の顔を見つめた。よくもこんな立派な言葉が、息子の口から出たものだ。だが、ボビイの口調には、どこか真面目さが欠けているような気がするのだ。

しかし、青年の表情にはふざけているような色はまったく浮かんでいなかった。

「それにしてもね、お父さん」と息子が言った。「なんだって、このぼくを選んだのですかね？」

「それはどういう意味かね？」

「イギリスにはイギリス人がウヨウヨしているというのに」とボビイが言った。「頑強で、信頼に値する男たちがですよ。それなのに、なぜぼくなんかに白羽の矢を立てたのでしょうね？」

「たぶん、おまえの元司令官が推薦してくださったんだよ」

「まあ、そんなところですかね」ボビイは半信半疑で言った。「どちらにしろ、ぼくはこの仕事を受けるわけにはいかないんだから、かまわないけど」

「なに、これを受けないだと？　ぼくには先約があるんですよ、それはどういう意味なんだね？」

「だってお父さん、ぼくには先約があるんですよ、バジャーと」

「バジャー？　あのバジャー・ビードンか、ばかもいい加減にするんだ。ボビイ、これは真面目な問題なんだからね」

「ほんとに、そうはいかないんですよ」とボビイは溜め息をつきながら言った。

「あのビードンとのばかげた約束など、どうでもいい」

「ぼくにとっては重大なんです」

「あのビードンの息子は、まったく責任観念などない男じゃないか。いままでにだって、あの男は親泣かせだったし、金もだいぶ使わせたという話だ」

「あいつはついていなかったんですよ。あの男は根っから信頼できる男なんです」

「なに、ついていないだと？　若い男ときたら、なにからなにまで他力本願なのだ」

「ちがいますよ、お父さん。あいつは毎朝、鶏に餌をやるために、五時に起きていたんですからね。鶏がみんな偽膜性喉頭炎とかなんとかいう、むずかしい名前の病気にかかったのも、あいつのせいじゃありませんからね」

「私は、こんどのガレージの計画だって一度も認めたことはないんだよ。まるで子供だましだ。おまえはやめなさい」

「そうはいかないんですよ、お父さん。ぼくは約束してしまったんですからね。あのバジャーの奴をがっかりさせるわけにいきませんよ。あいつはぼくを頼みにしているんです」

父と子の議論はつづいた。バジャーに偏見を持っている牧師にとって、そんな男との約束を守らなければならないとは、どうしても思えないのだ。彼は、息子のボビイが強情を張って、いちばんたちの悪い仲間とぐるになって、自堕落な生活をしようと決心しているのだと見てとったのだ。一方のボビイは、鈍感にも、〝ぼくはバジャーをがっかりさせるわけにはいかないんです〟と、そればかり繰り返している始末。

とうとう牧師は怒り心頭に発して、部屋から出て行ってしまった。ボビイはその場で、エンリケ・アンド・ダロ社宛に断わりの返事を書くために、机に向かった。

彼は手紙を書きながら溜め息をついた。自分は二度とない絶好のチャンスをみすみす逃そうとしているのだ。だが彼にとって、こうする以外に道はなかったのである。

その後、彼はゴルフ場でフランキーにこのことを話した。彼女は熱心に耳を傾けていた。

「南米へ行くべきじゃなかったかしら?」

「まあね」

「そのほうが、あなただってよかったんでしょ?」

「うん、そりゃあもちろん、そうだけど」

フランキーは溜め息をもらした。

「でも、いずれにせよ」彼女はキッパリと言った。「あなたが正しかったと思うわ」

「バジャーのことで?」

「そうよ」

「なにしろ、あいつを見捨てるわけにはいかないものなあ」

「そうね、だけど、あのひとには気をつけてちょうだいね」

「ああ、用心するとも。まあ、どっちみち、ぼくは大丈夫だよ。ぼくには財産があるわけじゃないからね」

「財産がないっていうのも、ちょっとイカス(ヽ)わ(ヽ)ね」

「どうしてさ?」

「うまく説明できないけど。なんだか、ちょっとすてきで、自由で、責任なんかないといった感じ。だけど、そう言えばこのあたしだって、財産なんかたいして持っているわけじゃないわ。父はお小遣いをあたしにくれるし、住む家やドレスや、メイドたちもたくさんいるし、家に伝わっている宝石類もいくらかはあるし、つけのきく店もたくさんあるわけだけど、それはみんな、あたしの家が持っているもので、このあたしのものじゃないわ」

「そうにはちがいないけど、いずれは——」ここまで言いかけて、ボビイは言葉をのんだ。

「そりゃあ、あなたの場合とはむろん違うわ」

「そうさ、ぜんぜん違うよ」

ボビイは突然、気が滅入ってしまった。

二人は、つぎのティーまで無言のまま歩いて行った。

「あたし、明日、ロンドンへ行こうと思うの」ボビイがボールをティーにのせたときに、フランキーがこう言った。

「明日だって？　そうか、ぼくはきみをピクニックに誘おうかと思っていたんだけど」

「あら、行きたいな。だけど、もう手配しちゃったのよ。父がまた痛風になってしまったの」

「それじゃ、きみはここに残って、お父さんの看病をすべきじゃないか」

「父は看病されるのがとても嫌いなのよ。とてもわずらわしいらしいのね。父は二番目の下僕がいちばんのお気に入りなのよ。とても同情深くて、なにかものを投げつけられても、ばか呼ばわりされても、ぜんぜん気にもかけないの」

ボビイはボールを打ったが、バンカーにたたきこんでしまった。

「難コースね」とフランキーは言った。そしてバンカーを飛び越えるあざやかなストレート・ボールを打った。

「ところで、あたしたち、ロンドンでご一緒しましょうよ。すぐ来るんでしょ？」

「月曜に行くんだ。だけど——その——うまくないんじゃないかな」

「どういう意味——うまくないって？」

「つまりね、ぼくは一日中、自動車の修理工になって働いているからね、だから——」

「だからって、あたしのほかのお友だちのように、カクテル・パーティに来て、お酒を飲むぐらいのことはできると思うわ」

ボビイはただ頭を振るだけだった。

「あたし、ビールとソーセージのパーティを開くわ、そのほうがあなたにいいなら」とフランキーは励ますように言った。

「ねえ、フランキー、そんなことをして、いったいなんになるのさ？　世界がちがうんだからね。きみの友だちとぼくの友だちは、べつの世界の人間なんだ」

「言っときますけど、あたしの仲間には、いろんなひとたちがいるんです」

「きみはわざと、とぼけているんだ」

「よかったら、バジャーを連れてきてもいいのよ。あなたとバジャーの仲ですもの」

「きみはバジャーに、なにか偏見を持っているんだ」

「きっと、あのひとがどもるせいね。どもる人とお話ししていると、こっちまでどもってしまうんですもの」

「ねえ、フランキー、やっぱりうまくないよ、そのことは、きみもわかっているだろう。ここだからいいけどね。することだってあまりないんだし、このぼくだっていないよりはましだろうからさ。いや、正直のところ、きみはいつもぼくにとても親切にしてくれるし、ぼくはそれをうれしく思っているんだ。だけど、ぼくは自分がほんの取るに足りない男だということを知っているし――」

「まあ、あなたの劣等感の表明がすんだら」とフランキーは冷やかな口調で言った。「パターの代わりに、ニブリック（九番アイアン）でバンカーからボールを出したほうがいいわよ」

「ああ、ちくしょう！」彼はパターをバッグにしまうと、ニブリックを取り出した。フランキーは、彼がたてつづけにボールを五回たたくのを、さも意地悪そうな目つきで見守っていた。二人の周りに砂煙が立ちのぼった。

「きみが勝ったよ」とボビイは、ボールを拾いあげながら言った。

「そうらしいわね」とフランキーが言った。「これでおあいこよ」

「お別れのプレイをやろうか？」

「だめ、あたし、することがたくさんあるのよ」

「そうだろうな、わかるよ」

二人は、むっつりと押し黙ったまま、クラブ・ハウスのほうへ歩いて行った。

「じゃ」フランキーは手を差し出した。「ごきげんよう。ここにいるあいだ、あなたがいてくださって、とてもよかったわ。また、お会いしましょうね。こんどは、あたしがもっとひまなときにね」

「ねえ、フランキー――」

「きっと、あたしのつまらないパーティに来てくださる気持ちになってくれるわね。真珠のボタンならウールワースのお店で、とっても安く手に入れられると思うわ」

「フランキー――」

彼の声は、フランキーのベントレーのエンジンの音にかき消されてしまった。彼女は軽く手を振ると、走り去った。

「なんだ！」ボビイは、心底からほとばしるような口調で言った。

フランキーは腹立ちまぎれにあんな態度をとったのだと、ボビイは思った。きっとおれは、自分の思っていることがうまく言えなかったのだ。だが、おれの言ったことには、これっぽちも嘘はない——

だが、彼はそれを口に出すべきではなかったのかもしれない。

つぎの三日間というものは、いやになるほど長く感じられた。

牧師は喉を痛めたので、なにかしゃべるときは、まるでささやくように小さな声を出さなければならない始末だった。彼はほとんどといっていいくらい無口になり、四番目の息子の存在を、いかにもキリスト教徒にふさわしく、じっと耐えしのんでいるのがよそ目にもわかった。二度ばかり、牧師はヘビの歯が云々というシェイクスピアの言葉を引用した。

土曜日になると、ボビイはもうこれ以上、家の重苦しい空気に耐えきれなくなってしまった。その夫といっしょに牧師館の切り盛りをしている家政婦のロバーツ夫人に、ボビイはサンドイッチを作ってもらうと、マーチボルトで買ったビールを一本ぶら下げて、たったひとりでピクニックに出かけた。

この数日間というもの、ボビイにはフランキーがひどく恋しくてたまらなかった。年寄りはもうご免だ――老人はいつも、おんなじことばかり繰り返しているんだから。

彼はシダの生えている土手に手脚を伸ばすと、ランチを食べてからひと眠りしようか、それともひと眠りしてからランチを食べようかと思案した。

そのうちに彼は、いつの間にか眠りこんでしまったので、この問題はおのずから解決したというわけだ。

ボビイが目を覚ますと、もう三時半だった！　彼は、こんなふうに一日をつぶすことをオヤジがどんなに嫌がるか、それを考えると、思わずニヤリと笑ってしまった。十二マイルかそこらだったが、山野をたっぷり歩きまわることは、健康な青年にとって欠くべからざる運動ではないか。知らず知らずにあの有名な文句が口から出てきた、〝これでやっと、自分のランチを稼いだわけだ〟

〝ばかばかしい〟ボビイは心の中でつぶやいた。〝たいして気がすすまないくせに、さんざん歩きまわることが、なぜランチを稼ぐことになるのかね？　いったい、そんなことにどんな価値があるっていうんだ？　歩くのが愉しいのなら、自分の好きでやることなんだし、愉しくないのなら、歩きまわるなんてそれこそ愚の骨頂じゃないか〟

それからボビイは、自分で稼がなかったランチにとりかかり、舌つづみを打って食べた。すっかり満腹して溜め息をつくと、ビールの栓をぬいた。いつになく苦い味がしたが、すばらしくうまかった……

彼はビールの空瓶をヒースの原っぱの茂みのなかに投げこむと、また横になった。まさに陶然とした気持ちだった。いまや、全世界はおれのものだ！　ああ、なんというすばらしい言葉。どんなことでも思いのままだ――その気になりさえしたら、なんでも実現できるぞ！　いまだかつて、なにものも着手したことのないような、輝かしき大計画が彼の脳裡につぎつぎとひらめいた。

やがて、彼はまた眠くなってきた。眠気が全身を襲ってきた。

彼は眠った……

ぐっすりと、深い深い眠りに……

7 死からの脱出

フランキーは、大型の緑色のベントレーを運転してくると、玄関口に〈セント・アサフ病院〉と彫ってある、大きな古風な建物の縁石に車を駐めた。

彼女は、車からヒラリと飛び降りると、車のほうにふりむいて、ユリの大きな花束を取り出した。それから病院のベルを鳴らした。白衣の女が、ドアを開けた。

「ジョーンズさんにお目にかかれますか?」とフランキーがたずねた。

看護婦は、ベントレーとユリの花と、それからフランキーの姿をジロジロ眺めまわした。

「お名前は?」

「レディ・フランシス・ダーウェントです」

看護婦は思わず目を見張った。そして彼女の患者であるジョーンズ氏の株がグンと上がった。

彼女は、フランキーを二階の病室に案内した。

「お見舞いのお客さまがおいでですわ、ジョーンズさん。どなただと思います？　きっとびっくりなさいますよ」

病院につきものの、あの、患者の気持ちを明るくさせるような口調で看護婦が言った。

「わっ？」ボビイは驚嘆の声をあげた。「フランキーじゃないか！」

「こんにちは、ボビイ。あたし、月並な花を持ってきたわ。ちょっとお墓を連想させるけど、種類が少なかったものだから」

「まあ、レディ・フランシス、ほんとにきれいなお花ですこと。あたくし、活けてきますわ」

看護婦はこう言うと、病室から出て行った。

フランキーは、見るからに見舞い客専用の椅子に腰をおろした。

「ねえ、ボビイ、いったい、これはどうしたというわけ？」

「そうくるだろうと思っていたよ。ぼくはね、この病院で一大センセーションをまき起こしているのさ。なにしろ、モルヒネが八グレイン、たっぷりあったんだからね。ぼくのことを、ランセット誌とBMJに書くそうだよ」

「BMJって、いったいなんのこと？」

「英国医学会会報のことさ」

「わかったわ、もっと頭文字をふりまわしてもいいわよ」

「ねえ、半グレインのモルヒネが致死量だということを知っているかい？　ぼくはね、この計算でいくと、十六回も死んでいなけりゃならないのさ。十六グレイン服んでも命が助かった例もあるけど、でも八グレインだって、相当なものだよ、そう思わないか？　だからぼくはこの病院のヒーローなんだ。こんなケースは、この病院はじまって以来のことだってさ」

「じゃ、病院は大歓迎ね」

「そうさ、なにしろほかの患者にしゃべるいい話の種になるもの」

看護婦がユリの花を活けた花瓶を抱いて、病室にもどって来た。

「ね、そうだね、看護婦さん」ボビイが言葉を向けた。「ぼくみたいな患者は、はじめてでしょ？」

「ほんとにそうですとも！　当たり前でしたら、あなたは病院にいらっしゃれないところですよ」と看護婦が言った。「お墓の下ですよ。でも善人は若死にするって申しますからね」彼女は自分の洒落にクスクス笑うと、部屋から出て行った。

「お聞きのとおりだ。ぼくはね、いまにイギリス中の名物男になるよ」

彼はしゃべりつづけた。このあいだフランキーに会ったとき示した彼の劣等感は、跡形もなく消え失せていた。いまやボビイは、自分の事件を細大もらさず説明することに、満足しきっているのだ。

「もうたくさんだわ」フランキーは、彼のおしゃべりを封じた。「胃洗浄器なんか、あたしの知ったことじゃないわよ。あなたの話を聞いていると、いままでに、だれひとり毒を盛られたことがないみたい」

「だけどね、八グレインのモルヒネを服まされて、命があったというのはまずないからね」とボビイがやり返した。「どうもまだ、きみには話がはっきりのみこめないらしいな」

「あなたに毒を盛ったひとにとっちゃ、うんざりする話だわね」とフランキー。

「そうだね。上等のモルヒネを、むだにした勘定だからね」

「ビールの中に入ってたのね？」

「そうなんだ。だれかが、まるで死んだようになって眠りこけていたぼくを発見して、起こそうとしてくれたんだけど、さっぱり駄目だったんだ。それで大騒ぎになって、ぼくを農家に運びこんで、医者を呼びに――」

「そのあとのことは、すでに拝聴ずみよ」とフランキーはあわてて言った。

「はじめのうちは、ぼくが覚悟の上でモルヒネ入りのビールを飲んだものと、連中は思ったのさ。ところがぼくの話を聞いてから、連中はビールの空瓶を探しに行って、ぼくが投げ捨てた場所でそいつを見つけると、分析させたんだ——分析に充分なだけの量は残ってたわけだ」

「どうやってビールの中にモルヒネを入れたか、その手がかりはないの?」

「それがさっぱりなんだ。警察では、ぼくがビールを買った酒屋のひとと会ったり、ほかのビールをあけてみたりしたんだけど、ぜんぜん異常なしなんだよ」

「きっと、あなたが眠っているあいだに、だれかがビールの中にモルヒネを入れたんだわ」

「そうだろうね。そういえば、ビールの栓のところに貼ってある紙が、ちゃんとしていなかったような気がする」

フランキーは深刻そうにうなずいてみせた。

「じゃ、あの日、あたしが汽車の中であなたに言ったことが正しかったということになるわ」

「なんて言ったっけ?」

「あの男——プリチャードというひとは、崖から突き落とされたんだと言ったのよ」

「それは汽車の中でじゃなかったよ。駅に降りてからだよ」とボビイは弱々しげに言った。

「どっちにしたっておなじことじゃないの」

「だけど、きみ――」

「ねえ――そんなことわかりきっている話だわ。なぜ、だれかがあなたを消そうとするのかしら？　あなたなんか、莫大な遺産の相続人でもないのに」

「いや、それはわからないよ。ニュージーランドかどこかにいる、ぼくの聞いたこともない大伯母かなんかが、財産をそっくりぼくに遺してくれたかもしれないしね」

「なにばかなことを言っているのよ。あなたを知らないで、そんなことあるわけがないじゃないの。第一、四番目の息子に遺産を相続させるなんて、あり得ないわ。このせちがらい世の中じゃ、牧師さんだって、四番目の息子なんか生みたがらないんですからね！　そうよ、真相は一目瞭然じゃないの。あなたが死んだところで、利益を得るひとはだれもいないんだから、お金の動機は除外していいわけよ。そこで、つぎに考えられるのは復讐ね。まさかあなた、化学者の娘を誘惑したようなことはないでしょうね」

「ああないとも、覚えているかぎりではね」とボビイはきっぱり言ってのけた。

「そうでしょうね。男のひとって、自分でもわからないくらいたくさんの女性を誘惑するものだけど、あなたにかぎってそんなことはないと、あたし、即座に言えるわ」

「きみは、ひとを赤面させるようなことを平気で言うね、フランキー。だけど、誘惑するのが、なぜ化学者の娘でなければならないんだい？」

「モルヒネが自由に手に入るからよ。モルヒネを手に入れるっていうことは、なかなか面倒なことですもの」

「まあ、化学者の娘は誘惑したことないね」

「それに、自分でもわかっている敵なんか、あなたにはいないんでしょう？」

ボビイは頭を振った。

「ねえ、それなら、こうなるんじゃない」とフランキーは意気揚々と言った。「モルヒネをビールの中に入れたのは、あの気の毒な男を、崖から突き落とした人間に決まっているわ。警察じゃ、なんて言っているの？」

「きっと精神異常者の仕業だと、警察ではにらんでいるのさ」

「まあばかげてる。精神異常者だったらね、あり余るほどのモルヒネを持って、どこかにそれを入れるビール瓶はないかと歩き回ったりしやしないわよ。そうじゃなくて、なにものかがプリチャードを崖の上から突き落とした。その直後に、あなたが通りかかった、そこで犯人はあなたに犯行の現場を見られたものと考える、そして、あなたを消してしまおうと決心したんだわ」

「そいつはどうも筋が通らないよ、フランキー」

「どうして？」

「第一、ぼくはなにも目撃していないもの」

「そうよ、だけど犯人は、そのことを知らないのよ」

「もしぼくがなにかを目撃していたのなら、検死審問で、そのことをちゃんと証言しているはずじゃないか」

「それもそうね」とフランキーはしぶしぶ言った。

彼女はほんのしばらく、じっと考えこんでいた。

「きっとね、あなたにはなんでもないと思ったことでも、犯人にとっては重要なことを、あなたが見たものと、犯人は思ったのよ。なんだか、ちんぷんかんぷんな言い方をしてしまったけど、あたしの言う意味、わかる？」

ボビイはうなずいてみせた。

「うん、きみの言うことはわかるけど、でも、そんなことはありそうにもないね」

「絶対にあの崖の事件が、このモルヒネの事件と、なにか関係があると思うわ。あの崖の事件のとき、あなたは現場にいたんだし――最初の発見者だったんですもの――」

「トーマスだっていたんだよ」とボビイは彼女の注意をうながした。「それなのに、彼を毒殺しようとした人間はいないじゃないか」

「たぶん、これからやるところなのよ」とフランキーは陽気な口調で言った。「それとも、そうしようとしたんだけど、失敗したのかもしれないわ」

「そいつはどうも飛躍しすぎてるな」

「あたしは論理的だと思ってるわよ。マーチボルトみたいな平和な土地で、あなたの身に事件が二つも起こったら――そうじゃないわ、三つもよ」

「なんだって？」

「あなたのところにきた就職の話よ。むろん、ほんのちょっとしたことだけれど、それがおかしな話だということは、あなただって認めなくちゃいけないわ。あたし、なんのとりえもない元海軍士官をもっぱら探している外国商社なんて、聞いたこともないわ」

「とりえがないだって？」

「あなたは、その話が来るまえまで、ＢＭＪにも出ていなかったのよ。ねえ、あたしが言おうとしている点はわかってくれるわね。あなたは、他人が見られては困るようなものを、知らずに見てしまったのよ――あるいは、犯人は、あなたが見たと思いこんでいるわけ。そこで犯人は、まずあなたに外国の就職口を提供して、あなたをイギリスから追い払おうとしたんだけれど、それが失敗したものだから、今度は手をかえて、あなたを消してしまおうとしたわけよ」

「そいつはちょっと、極端すぎないかい？　いずれにせよ、犯人はたいへんな危険を冒さなければならないじゃないか」

「ええ、そうよ、殺人者に向こう見ずはつきものよ。人殺しをすればするほど、もっと人が殺したくなるものだわ」

「あの『第三の血痕』みたいにかい」ボビイは、自分の大好きなミステリ小説を思い浮かべながら言った。

「そうよ、それに、現実の世界でだってそのとおりだわ――スミスを殺し、それからその妻、そのあとにアームストロング、それからいろんなひとを殺していく」

「だけどさ、フランキー、いったい、ぼくがなにを見たと思われているんだろうな？」

「そこがむずかしい点だわね」とフランキーも認めた。「犯人があの男を崖から実際に突き落とす場面でないことは、あたしだって認めるわ。なぜって、あなたがそれを目撃したのなら、あなたは証言したでしょうからね。だから、きっと、突き落とされた男自身に関することにちがいないわ。たぶん、あの男のからだにあざがあるとか、指が二本くっついているとか、とにかくからだの変わった特徴よ」

「どうも、きみの想像力は、ソーンダイク博士を上回るね。ねえ、そんなことがあるものか。だってぼくが見たものだったら、警察にだってわかっているはずだもの」

「そうねえ、たしかにあたしの考えはちょっとばかげていたわ。とても、あたしたちの手には負えないわね」

「いや、なかなか面白い推理だったよ」とボビイは言った。「それに、きみの話を聞いていると、なんだかこのぼくが事件の鍵をにぎる重要人物のような気がしてくるけれど、でも、やっぱり推理の域は出ないな」

「あたしには、自分の考えが正しいという自信があるのよ」フランキーは椅子から立ちあがった。

「さあ、もう行かなくちゃ。明日もお見舞いに来てあげましょうか？」

「ああ、たのむよ！　とにかく、看護婦たちのおしゃべりにはうんざりしているんだ。ところで、ロンドンからはすぐに帰ってきたの？」

「そうよ、あなたのことを聞いたとたんに、あわてて飛んで来たの。友だちがロマンチックにも毒を盛られるなんて、こんなにゾクゾクすることなんか、めったにあるもんじゃないわ」

「モルヒネが、そんなにロマンチックかねえ」とボビイは思い出すように言った。

「じゃあ、明日も来るわ。キスしてあげましょうか、それともいや？」

「感染しやしないよ」ボビイはうながすように言った。

「それじゃ、病人に対する義務を、あたし、果たすわね」

彼女はかるくキスした。

「また明日ね」

彼女が病室から出て行くと、それと入れ代わりに看護婦がボビイにお茶を持ってきた。

「新聞で、いまのお嬢さまの写真をときどき拝見していますわ。でも、あまり似ていらっしゃいませんのね。それに、お嬢さまが車を運転していらっしゃるところも、あたくし見ているんですけれど、今日みたいにすぐそばでお目にかかるなんて、ほんとにはじめてですわ。とても、気さくな方ですのね？」

「ああ、そうだとも！　彼女ぐらい、気さくな人はいないさ」

「あたくし、同僚にも申したんですよ、お嬢さまは、ほかのひとたちと少しも変わらない、気のおけない方だと。ツンとすましているところなど、ぜんぜんないんですものね。あの方はあなたやこのあたくしと少しも変わらないと、同僚に申したんです」

　看護婦のこの意見については、ボビイは心中、大いに反発するところがあったので、彼はなんの返事もしてやらなかった。看護婦は彼がなんの反応も示さないので、すっかり失望して、病室から出て行った。

やっとこれで、ボビイはひとりきりで考えられるようになった。

彼はお茶を飲み終えた。それから、フランキーの途方もない推理の可能性について思いをめぐらせてみたのだが、残念ながら否定せざるを得なかった。なにか、ほかに気晴らしになるようなものはないかと、ボビイは考えた。

ユリの花が活けてあるいくつかの花瓶が、彼の目にとまった。わざわざ、お見舞いにユリの花を持って来てくれたフランキーの気持ちはとてもうれしかったし、ユリの花もきれいだったが、花の代わりに、探偵小説を二、三冊持って来てくれる気に彼女がなってくれたら、どんなによかったかと彼は思った。それからベッド際のテーブルに目を移した。そこにはウィーダ（英国の女流作家）の小説と、『紳士ジョン・ハリファックス』という本と、先週の《マーチボルト・ウィークリー・タイムズ》が載っていた。彼は、『紳士ジョン・ハリファックス』を手に取った。

五分後には、彼はその本を放り出してしまった。『第三の血痕』や、『オーストリア大公殺害事件』とか、『フローレンス製短刀の不思議な冒険』とかいったような探偵小説を読みなれた彼の目には、『紳士ジョン・ハリファックス』などという代物は刺激がなさすぎたのだ。

溜め息をつきながら、ボビイは先週の《マーチボルト・ウィークリー・タイムズ》を取りあげた。

それからほんのしばらくすると、彼は枕もとのベルを強く押していた。看護婦があわてて病室に駆けこんできたくらいだった。

「どうなさったのです、ジョーンズさん？　おかげんでも？」

「お城に電話してくれ」とボビイが叫んだ。「レディ・フランシスに、すぐ病院に来いって」

「まあジョーンズさん、そのようなお伝言は、あなたにはできないはずですよ」

「なぜさ？」とボビイは言った。「かりにぼくが、このいまいましいベッドから出ることが許されているなら、ぼくにできるかできないか、きみにもすぐわかるはずなんだがな。だから、ぼくの代わりに、きみ、電話をかけてくれよ」

「でも、お嬢さまはまだお城にお着きになっていませんわ」

「きみは、ベントレーのスピードを知らないんだよ」

「まだ、お茶もおすみになっていませんわ」

「ねえ看護婦さん、ぼくと議論して、そんなところに突っ立っていないでくれよ。さあ、ぼくの言ったように電話をかけて。とても重大な話があるから、すぐに飛んで来てほしいって、ね」

ボビイの剣幕に押されて、看護婦はしぶしぶと病室から出て行った。彼女は、ボビイの伝言を勝手に変更して伝えた。

——フランシスさまのご都合がよろしいようでございましたら、お話し申し上げたいことがございますので、病院までおいでになっていただけませんかと、ジョーンズさまがおっしゃっておりますすけど、むろん、フランシスさまはおいでにならないでございましょうね——

レディ・フランシスはいともそっけなく、すぐに行くから、と答えただけだった。電話をかけた看護婦は同僚に言ったものだ。「フランシスさまは、きっと彼のことがお好きなのね！　そうですとも」

フランキーは息せき切って駆けつけてきた。

「いったい、この突然の呼び出しはなんなの？」と彼女がたずねた。

ボビイはベッドに身を起こし、頬を真っ赤に紅潮させていた。彼は手にしていた《マーチボルト・ウィークリー・タイムズ》を振ってみせた。

「フランキー、こいつを見てごらんよ」

彼女は見た。

「それで？」彼女はうながした。

「これがね、修整はしてあるけど、ケイマンという女にそっくりだときみが言った写真なんだよ」

ボビイは、いくぶんぼやけている写真を指さした。その写真の下には、〈死んだ男の妹、アメリヤ・ケイマン夫人。夫人が死体の身元を確認した〉という説明がついていた。

「ほら、あたしの言ったとおりじゃないの。ちっとも魅力なんて感じられないわ」

「たしかにそのとおりだね」

「だけど、あなたったら――」

「たしかに、自分の言ったことは覚えているさ。でもねえ、フランキー」ボビイの口調は真剣だった。「これは、ぼくが死体のポケットにもどした写真じゃないんだよ」

二人は顔を見合わせた。

「すると――」フランキーはゆっくりと口を開いた。

「写真が二枚あったことになる――」

「――それは、ちょっと考えられないわ――」

「さもなければ――」

二人は言葉を切った。

「あ、あの男——名前はなんて言ったっけ？」とフランキー。

「バッシントン－フレンチ！」とボビイが言った。

「その男だわ！」

8 写真の謎

事態の急変に順応しようと、ボビイとフランキーは、おたがいに相手の顔をのぞきこんだ。

「あの男しかいないよ」とボビイは言った。「そういう機会があったのは、あの男だけなんだ」

「いま言ったように、写真が二枚あったんじゃなければね」

「そんなことがあるはずはないと、いま、ぼくたちの考えが一致したばかりじゃないか。かりに写真が二枚あったとしたら、一枚だけじゃなくて、二枚とも使って、死んだ男の身元を調べようとしたはずだよ」

「とにかく、そんなことはすぐ調べられるわ」とフランキーは言った。「警察に聞けばいいのよ。いまのところ、写真は一枚しかなかったと仮定するわね、あなたが見つけて、死体のポケットに戻した写真よ。あなたが現場を立ち去ったときは写真がちゃんとあったのに、警察が来たときはもうなかったのだから、その写真をポケットから抜きとって、代わりのを入れておくことができた唯一の人物は、このバッシントン-フレンチという男になるじゃないの。ボビイ、彼はどんな男？」

ボビイは、その男の様子をさかんに思い出そうとして、顔をしかめた。

「そうだな、これといった特徴のない男だったよ。感じのいい声だった。とにかく紳士だったよ。そのほかに、とりたてて言うほど印象に残っていないんだ。彼は、この土地ははじめてで――なにか、家を探しているようなことを言っていたけどね」

「そんなことは、あたしたちにだって確かめられるわ」とフランキーは言った。「ウィーラー・アンド・オーエン商会しか、不動産屋はないんですもの」突然、彼女はブルッと身を震わせた。「ボビイ、気がつかなかった？　もし、プリチャードが突き落とされたとすれば、犯人はバッシントン-フレンチにちがいないわ」

「そいつは極端だよ」ボビイは言った。「あの男はとても感じのよさそうな人間だったもの。それにね、フランキー、あの死んだ男がほんとに突き落とされたのだと、ぼくたちにははっきり言いきれないんだからね」

「あたしには、その自信があるわ！」

「きみは、はじめからそうだったよ」

「いいえ、はじめのうちはね、そうあってほしいと思っていただけよ。なぜって、そのほうがずっとスリルがあるんですもの。だけどいまは、それが多少とも証明されたじゃないの。殺人事件だとすると、なにからなにまでピッタリ符合するわ。犯人の計画をくつがえしたあなたの突然の出現。そして、あなたが発見した写真。そのために、どうしてもあなたは消されなければならなくなったのよ」

「その推理には、一カ所穴があるね」ボビイが言った。

「どうして？　写真を見たのは、あなたひとりなのよ。バッシントン－フレンチは、ひとりだけになるとすぐ、あなたしか見ていない写真をすり替えたんだわ」

だが、ボビイはなおも頭を振りつづけていた。

「いやいや、そうじゃないんだよ。いいかい、かりにだよ、きみの言うとおり、あの写真がこのぼくを消さなければならないくらい重要なものだったと仮定してみよう。ばげたことだけど、あり得ないことじゃない。そうだとすると、どんな手段に訴えようと、時を移さず、ぼくを殺さなければならなかったはずだ。ところで、ぼくがロンドンへ行っていて、あの写真が載っている《マーチボルト・ウィークリー・タイムズ》やなにかの新聞を見なかったということは、ほんの偶然にすぎないことだからね――そんなことは、だれにだって、あてにできることじゃない。むしろ、ぼくが新聞を見て、〝この写真は、ぼくが見たものではありません〃とただちに名乗り出る確率のほうが大きいくらいじゃないか。それではなぜ、万事がうまく解決した〈検死審問〉の後まで、犯人はぼくを消さずに手をこまねいていたのかね？」

「そう言われてみると、たしかに一理あるわね」とフランキーも認めた。

「それから、まだほかにもあるんだよ。むろん、確信があるわけじゃないけどね。ぼくがその写真を死体のポケットにもどしたときは、まだバッシントン－フレンチはそこに来ていなかったんだよ、おそらくね。そのあと、五分か十分くらいたってから、あの男はやって来たんだ」

「あの男は、はじめっから、ずっと見ていたのかもわからないわよ」とフランキーが言い返した。

「いったい、どうすればそんな真似があの男にできるのか、ぼくにはわからないね」とボビイはゆっくり言った。「ぼくたちがいたあの現場をちゃんと見下ろせる場所は、たった一カ所しかないんだからね。ほかのところは、崖が外側にせり出て、その下はへこんでいるのだから、崖の下を見下ろすことはできないんだ。その、たった一カ所しかない場所にバッシントン－フレンチが通りかかったとたんに、ぼくは彼の足音を聞きつけたのさ。足音は下のほうへこだまして響くからね。ひょっとしたら、あの男はまえからその近くにいたのかもしれないけれど、そのときまでは、下をのぞいてはいなかったよ――このことは、きっぱり断言できるんだ」

「じゃあ、あなたが死体のポケットにあった写真を見たことをあの男は知らなかったと思うのね！」

「どうしてあの男にそれがわかるんだい？」

「それにあなたに、突き落としたところを――殺人の現場を見られたのを、彼が恐れていたはずはないわね。つまり、その――あなたの言うように、そんなことばかげているもの。もし見ていたら、あなたは黙っていられないわ。こうなると、まるっきり別のことにちがいないと思えてきちゃう」

「ただね、それがなんなのか、ぼくにはわからないんだ」

「それはなにか、犯人たちが検死審問の終わるまで気がつかなかったことよ。あたし、どうして〝犯人たち〟なんて、複数で呼ぶのかしら」

「そうかい？　たぶん、あのケイマン夫妻も、この事件に一枚加わっているにちがいないからだよ。おそらく、ギャングだよ。ぼくはギャングが好きさ」

「最低ね」とフランキーは上の空で言った。「単独殺人のほうが、ずっと高級よ。ボビイ！」

「なに？」

「プリチャードはなんて言ったんでしたっけ――息を引き取る間際に？　ほら、こないだ、ゴルフ場であなたがあたしに話してくれたじゃないの、とても妙ちくりんな質問よ」

「〝なぜ、エヴァンズに頼まなかったのか？〟」

「そう、それよ。それが鍵だとは思わない？」

「だけど、そいつはおかしいね」

「まあ、そうだけど、ひょっとすると、ほんとに事件の鍵かもしれないわよ。ボビイ、あたしには確信があるの。あら、そんなことないわ、あたしって、ほんとにおばかさんね――だってあなた、ケイマン夫妻には、そのことを一言も言ってなかったんだわね」

「いや、じつは教えたんだよ」とボビイはのろのろと言った。

「教えたの？」

「そうなんだ。あの日の夜、夫妻に手紙を書いたんだよ。むろん、取るに足りないことだと思いますが、と書いてね」

「それで、手紙を出したら、どうだったの？」

「夫のケイマンからすぐ返事が来てね。あなたの書かれたとおり、あの言葉にはなんの意味もないが、お手数をかけて申し訳ないと言って来たんだ。なんだかぼくは、肩すかしを食らったような気がしたよ」

「それから二日後に、南米に来ないかっていう、おかしな外国の商社からの手紙があなたに来たわけね？」

「そうだよ」

「いったい、どれぐらい材料がそろえば、あなたは気がすむのかしら？　犯人たちは、まずはじめにあなたの南米行きを策した——ところがあなたはそれを断わった。そこで手を代えて、こんどはあなたの身辺に網を張って、ビール瓶にモルヒネを入れられる絶好のチャンスをつかんだのよ」

「すると、あのケイマン夫妻は、この事件に関係があるのかい？」

「そんなこと、当たり前じゃないのよ！」

「なるほど」ボビイは思案深げにつぶやいた。「きみの推理が正しいならば、あの夫妻はまちがいなく関係しているわけだ。現段階におけるぼくたちの意見に従えば、つぎのようなことになるよ。死んだ男Xは、計画的に崖から突き落とされる——おそらくバッシントン－フレンチの手でね。Xの身元をはっきりさせないことが犯人にとっては重要なので、ケイマン夫人の写真をXのポケットに入れ、だれだかわからないがポケットに入っていた美しい女性の写真とすり替える。（いったい、この美人はだれなんだろうね？）」

「道草を食わないこと」フランキーが、ピシッと言った。

「ケイマン夫人は、写真が新聞に出るのを待ちかまえていて、悲しみに打ちひしがれた妹になりすまして出頭し、Xを外国から帰って来たばかりの兄だと確認する」

「まさか、Xがケイマン夫人のほんとの兄だとは信じないでしょうね？」

「ああ、絶対に信じるものか！　そうだよ、はじめっから、どうもぼくには納得がいかなかったんだ。ケイマン夫妻ときたら、死んだXとはまるっきりちがう階級の人間のようだったからね。死んだ男は――まあ、こんなこと言っちゃなんだし、それこそまるでインド在住の頑固で老いぼれのイギリス退役軍人の口ぶりになってしまうけど、あの男はご立派な紳士、といった感じだったからね」

「ところが、ケイマン夫妻には、そんな感じがまるでなかったというのね？」

「ああ、ぜんぜんないとも」

「それじゃ、ケイマン夫妻の立場から見たら、万事が思う壺にはまったところへ――そうよ、死体の身元確認もうまくいき、事故死の評決も下り、すべてがトントン拍子に運んでいる矢先に、あなたが飛び出してきて、なにもかもひっかき回しちゃった、というわけなのね」とフランキーは、考え考えしながら言った。

「〝なぜ、エヴァンズに頼まなかったのか？〟」とボビイは死んだ男の謎の言葉を口の中で繰り返した。「ねえ、いったい、この言葉の中に、だれかをゾッとさせるようなどんな意味が込められているのかなあ」

「まあ！　あなたはわからないから、そんな呑気なことを言っているのよ。ちょうど、クロスワード・パズルの問題を作るのとおなじだわ。はじめにヒントを考える、それがあんまり簡単すぎるので、これじゃ、だれにでも造作なく当たってしまうと考える、ところが案に相違して、ひとりも解けないのを見てびっくりする。これとおなじことよ。〝なぜ、エヴァンズに頼まなかったのか？〟という言葉は、犯人たちにとっては、とても重要な文句にちがいなかったのだわ。そして、彼らは、この文句があなたにとっては全然無意味なものだということに、気がつかなかったのよ」

「ずいぶん、トンマな奴らだね」

「ほんとにそうだわ。だけどね、犯人たちは、プリチャードがこんな文句まであなたに言ったとなると、あなたにもいつか思い当たるような言葉をほかにも言ったかもしれないと、にらんだ可能性はでてくるわね。まあ、いずれにせよ、犯人たちは万全を期そうとしたわけよ。あなたを消してしまったほうが安全だとね」

「だけど、奴らも、ずいぶん危ない橋を渡ったものじゃないか。なぜもう一度、〝事故〟のように見せかけなかったのかな？」

「だめ、だめ。それこそ愚の骨頂だわ。一週間のうちに、二つも事故が重なるなんて。そんなことをしたら、二つの事故のあいだに、なにか関係があることを匂わすことになるかもしれないし、はじめの事故まで、調査のやりなおしということになってしまうもの。そうよ、犯人たちのやり口には、至極単純なところがあるけど、そのほうがかえって捜査の盲点になると思うわ」

「だけど、モルヒネなんかなかなか手に入れにくいと、きみはさっき言ったばかりじゃないか」

「そうよ、なかなか面倒だわ。モルヒネを買うのには、薬屋の劇薬購入者名簿かなにかに名前を書かなければならないし――あっ、そうだわ、これも手がかりになるわよ。犯人はね、それがだれであれ、モルヒネを楽に入手できる人だわ」

「医者か、病院の看護婦、それとも化学者か」とボビイがほのめかした。

「それよりも、あたしは密輸だとにらんでいるのよ」

「きみ、そんなに犯罪を盛りだくさんにしては困るね」とボビイ。

「あのね、この事件の焦点は犯罪に動機がないということよ。あなたが死んだところで、だれひとり利益を得るものはないんですもの。こうなると、警察ではどう考えるかしら？」

「狂人の仕業。実際の話、警察ではそうにらんでいるんだよ」

「あなたもそう思うの？　ずいぶん単純ね」

突然、ボビイが声をあげてゲラゲラ笑い出した。

「なにがそんなにおかしいの？」

「なに、犯人たちがどんなにがっかりしているかと思うとね！　五、六人もいっぺんに殺せる量のモルヒネを使ってさ、あげくの果てに、こうしてぼくはピンピンしているんだからね」

「だれにも予想できない、ちょっとした人生の皮肉というところね」とフランキーも同調した。

「そこで問題はだ——ぼくたちはこれからいかなる行動に移るかという点だよ」とボビイは単刀直入に言った。

「ああ！　やることだったら、たくさんあるわ」とフランキーは即座に答えた。

「たとえば——？」

「そうね——写真のことを確かめるのよ、二枚じゃなくて、一枚だけしかなかったということをね。それからバッシントン－フレンチの家探しのこともよ」

「おそらくそいつは、問題ないだろうな」

「どうして?」

「だってフランキー、ちょっと考えてごらんよ。バッシントン－フレンチは、まず疑う余地なんかないと見ていいね。あの男は、完全に白でなければならないのさ。あの男と死んだ男とを結びつけるものは何一つないばかりか、あの男がこの土地にやって来たもっともらしい理由も、ちゃんとあるにちがいないんだ。彼の口からなにかのはずみで、口実に家探しという言葉が飛び出してしまったのかもしれないが、まず、実際に家探しみたいなことをやったと見ていいな。つまり、〝事故現場近くで目撃された謎の男〟などと言われることのないように、ちゃんと手が打ってあるにちがいないんだ。それに、バッシントン－フレンチはまぎれもない本名であり、嫌疑をかける余地などない人物だとぼくはにらんでいるんだよ」

「なるほどね」フランキーは思案深げに言った。「いまのあなたの推理はとても面白いわ。たしかに、バッシントン－フレンチとアレックス・プリチャードを結びつけるものは、なにひとつないでしょうね。ところで、死んだ男の身元がほんとうにわかったとしたら――」

「むろん、そうなりゃ、話はちがってくるだろうね」

「だからこそ、死体の身元を確認されないことが、非常に重要だったんだわ――ケイマン夫妻が一芝居打ったのも、みんなそのためなのよ。それにしても、大賭博を打ったものね」

「あのケイマン夫人が、時を移さずに死んだ男の身元を確認したということを、きみは忘れているんだ。身元の確認をしてしまえば、たとえ死んだ男の写真が新聞に出たところで（新聞の写真ときたら、みんなぼやけているからね）、読者はただこうつぶやくだけさ、〝おや、崖から落ちて死んだプリチャードという男は、Xさんにそっくりじゃないか〟」

「それに、もっとほかにも事情があるはずよ」とフランキーが抜け目なく言った。「たとえばXという男は、いなくなっても、すぐに問題になるようなひとじゃなかったにちがいないわ。つまりね、奥さんや家族のひとたちがすぐに警察に行って、捜索願いを出すような家庭のひとじゃないのよ」

「なかなかうまいぞ、フランキー。そうだ、Xという男は、外国へ行くところだったのか、海外から帰ってきたばかりだったのにちがいないよ（まるで猛獣狩りのハンターみたいに、すばらしく陽焼けしていて、まず、そういったたぐいの人物に見えたからね）。

それに、この男の動向をつぶさに知りつくしているような近親者はいないとみてまちがいないよ」

「あたしたちの推理も、なかなか見事なものじゃない。ぜんぜん見当はずれでなければいいな」とフランキー。

「その心配は大いにあるよ」とボビイが言った。「だけど、いままでのところはかなり筋が通っていると思うんだ——かりに、事件全体が荒唐無稽《むけい》に見えたとしてもね」

フランキーは軽く手を振って、〝荒唐無稽〟というボビイの言葉を打ち消した。

「ところで問題は——あたしたちがつぎに打つ手よ。あたしたちが行動を起こすのに、三つの方向があると思うの」

「つづけてくれ、シャーロック・ホームズ嬢」

「まず第一はあなた。犯人たちは、もうすでにあなたの命を狙ったのよ。きっとまた、もう一度やるわ。こんどは、あなたをおとりにつかって、手がかりをつかむことができるかもしれないわ」

「そいつは勘弁してもらいたいな、フランキー」とボビイは真剣な顔つきで言った。

「モルヒネの場合は、ぼくはとても運がよかったんだ、だけど、こんどやられたら、それこそ助からないかもしれないからね、犯人たちが殺人の方法を変えて、鈍器を使いでもしたらさ。これからは自分の身に、細心の注意を払うつもりでいるんだよ。そのおとり戦法だけは、願い下げにしてもらいたいね」

「きっと、そう言うと思っていたわ」フランキーは溜め息をつきながら言った。「ほんとに、今どきの若いものは堕落しているって、パパが言ってたわ。近ごろの若い男どもは、困難に直面し、危険を賭し、困苦欠乏に耐えることを心の糧にすることができんのだ。ああ、嘆かわしいってね」

「ほんとに嘆かわしい」とボビイも言ったが、言葉の中には決意のほどが込もっていた。

「ところで第二案は？」

「死んだ男が言い遺した、〝なぜ、エヴァンズに頼まなかったのか？〟という手がかりから調べていくのよ。おそらく死んだ男は、エヴァンズに会いにこの土地へやって来たんだわ、エヴァンズがだれであろうとね。だから、エヴァンズさえ見つけ出すことができたなら――」

「このマーチボルトだけで、何人のエヴァンズが住んでいると思っているんだい？」とボビイが、たまりかねて口をはさんだ。

「きっと、七百人はいるでしょうね」とフランキーも認めた。

「最低でもだよ！　まあ、やってやれないこともないけれど、ぼくはいささか疑問だね」

「エヴァンズ全員の名簿を作って、それらしいひとを訪ねて行けばいいのよ」

「で、いったい、なにを聞くんだい？」

「それが問題なのよ」

「こいつは、もう少し研究してみる必要があるな。そうすれば、第二案も役に立つようになるかもしれないからね。第三案は？」

「問題の男、バッシントン－フレンチよ。これだったら、調査の手がかりがあるわ。第一、珍しい名前ですもの。あたし、父にたずねてみる。父なら、この地方の家系にとてもくわしいから」

「なるほど、この第三案なら、うまくいくかもしれないね」

「いずれにせよ、あたしたち、なにかするつもりなんでしょう？」

「むろん、そうさ。このぼくがモルヒネを八グレインも服まされたまま、指をくわえて黙って引っこんでいられると思うのかい？」

「その意気、その意気」とフランキー。

「おまけに、ごていねいに胃の中まで洗浄させていただきましたからね」

「もうたくさんよ」とフランキーが言った。「あたしが黙っていれば、あなたまた、気持ちの悪くなるような話をはじめるんだから」

「きみにはどうも、女性らしいいたわりの心が欠けているぞ」ボビイが言った。

9 バッシントン－フレンチ

時を移さず、フランキーは仕事にとりかかった。その日の夕方、彼女は父親を攻めたてたのである。

「パパ、バッシントン－フレンチ家ってご存じ？」

新聞の政治欄を読んでいたマーチントン卿には、娘の質問の意味がよくのみこめなかった。

「フランス人というよりもアメリカ人だ」と卿はきびしい口調で言った。「この愚劣きわまる会議は、いったい何事だ――国家の時間と金ばかり無駄につかいおって――」

まるでおさだまりのレールの上を走る列車のように、マーチントン卿がひとつの駅で停車するまで、フランキーは父親の言葉を聞きながしていた。

「バッシントン－フレンチ家のことよ」とフランキーは繰り返した。

「その一族がどうしたというのかね？」マーチントン卿が言った。

フランキーだってその一族のことはなにも知らなかった。だが、相手の過ちをすぐ指摘したがる父親の癖をよくのみこんでいるフランキーは、わざと出まかせを言ってみた。

「ヨークシャーの出だったわね?」

「ばかを言いなさい、ハンプシャーだよ。むろん、シュロプシャーにも分家があるし、アイルランドにもある。おまえの友だちは、どっちだね?」

「それがよくわからないのよ」いかにもよく知らない二、三の友だちとつき合っているような口ぶりで、フランキーは答えた。

「なに、よくわからないと? それはどういう意味だね? そんなことではいけないよ」

「だって、いまの時代では、みんなバラバラになって暮らしているんですもの」

「バラバラに——バラバラになって暮らす——いや、ほんとうだ、いまどきの人間はみんなバラバラに暮らしている。昔は、ひとにたずねたものだ。すると、相手がどこの家の出か、ちゃんとわかったのだ。あれはハンプシャーの出でね——そうですか、あなたのおばあさんが、うちのまた従弟と結婚したのです、といった具合でね。それがひととひとの連帯をつくっておったのだよ」

「さぞ、すばらしかったことでしょうね」とフランキーは言った。「でも、現代では、家系や家族の分布を調べる暇なんか、ほんとにないんですもの」

「そうとも——おまえときたら、胸が悪くなるようなカクテルを飲む以外には、暇がないのだからね」

マーチントン卿は病気の足を動かそうとして、突然、苦痛の叫び声を上げた。この痛風には、いくら家代々に伝わる赤ワインを飲んでも、いっこうに効き目がなかった。

「その一族は裕福なの？」とフランキーがたずねた。

「バッシントン‐フレンチ家かね？　わからないよ。シュロプシャーのほうは、かなりひどい目にあったという話だ——相続税やなにやかやでね。ハンプシャー家のひとりは、女の相続人と結婚したのだよ。アメリカ人女性とね」

「その一族の一人が、このあいだこの土地へ来てたのよ」とフランキーが言った。「たしか、家を探しに来たという話ですけど」

「妙な話だね、こんなところに家を持って、どうしようというのかな？」

そうだわ、これが問題だわ、とフランキーは心の中でつぶやいた。

その翌日、彼女は、不動産業者のウィーラー・アンド・オーエン商会のオフィスを訪ねて行った。

オーエン氏自身が椅子からパッと立ちあがって、彼女を迎えた。フランキーは魅力あふれる微笑を浮かべながら、椅子に腰をおろした。

「どのようなご用件でございましょうか、フランシスさま？　まさか、お城をお売りになりたいわけではないでしょうな、ハッハハハ」オーエン氏は自分の洒落に声をあげて笑った。

「そうできたらいいんですけど」とフランキーは答えた。「あのね、じつはこのあいだ、あたしのお友だちが、こちらへ来たらしいの――バッシントン‐フレンチという名前よ。家を探しにね」

「ああ、そうでした、よく覚えておりますよ。フレンチのフは、小文字のfが二つでしたね」

「そのとおりよ」

「家を買いたいとおっしゃって、何軒か小さな家のことをいろいろとおたずねになりましたよ。その翌日、ロンドンにお帰りになるご予定だったので、ゆっくりごらんになるわけにはいかなかったのです。といっても、たいしてお急ぎのご様子でもなかったのですが。お帰りになってからご希望に近い家が一、二軒、売りに出ましたので、くわしいことをお知らせしたのですが、まだ、ご返事をいただいておりません」

「その手紙は、ロンドンへお出しになったの――それとも、その――田舎のほうへ？」

とフランキーは聞いた。

「ええと、ちょっとお待ちくださいㅤ」彼は社員を呼んだ。「フランク、バッシントン－フレンチさまの住所は？」

「ハンプシャーのステイヴァリイ、メロウェイ・コート、ロジャー・バッシントン－フレンチとなっております」その社員はよどみなく答えた。

「あら！　それじゃ、その方はあたしのお友だちのバッシントン－フレンチじゃないわ。きっとお友だちの従兄なのよ。こちらへ来たのに、あたしに顔を見せてくれないなんて変だなと思ってたの」

「いや、ごもっともで」とオーエン氏は、いかにもものわかりよさそうに言った。

「ええと、彼がここに来たのは、たしか水曜日でしたわね」

「さようでございます。六時半になるところでした。うちは六時半には店を閉めるものでございますから。あの悲惨な事故のあった日でございますので、はっきり覚えているのでございます。崖から男が落ちましてね。バッシントン－フレンチさまは、警察がやって来るまで、その死体のそばで番をしていらっしゃったのですよ。店においでになったときは、それはもうたいへんに興奮していらっしゃいましてね。いやもう、痛ましい事故があったもので。あの崖の上の小道は、とっくに修理しておかなければならなかったのでございますよ。おかげで町議会は、さんざん矢面に立たされましたね、フランシスさま。危険も危険、いままで事故がなかったのが、むしろ不思議なくらいでございますよ」

「ほんとにね」とフランキーは言った。

彼女は考えにふけりながら、その店を出た。ボビイの言葉どおり、バッシントン－フレンチ氏の行動には、なんら疑問をはさむ余地がなかった。彼はハンプシャーにあるバッシントン－フレンチ家の身内であり、自分の住所も隠さずに伝え、また、あの事故で果たした自分の役割を不動産屋のオーエン氏にちゃんと話しているのだ。結局のところ、バッシントン－フレンチは、見た目と同じように完全に白なのだろうか？

フランキーの心の中で、彼が黒だという自信がゆらぎ出した。しかし、彼女は頭から強く否定した。

「そうよ」彼女は自分に言い聞かせた。「小さな家を買おうというひとなら、朝早くやって来るか、さもなければ泊まるはずよ。夕方六時半に不動産屋に来て、その翌日さっさとロンドンへ帰ったりしないわ。それに、なにもわざわざ汽車に乗ってくることとなんかないんだし、手紙で済むことじゃない？」

そうだ、やっぱりバッシントン－フレンチは完全に黒よ、と彼女は決めてかかった。

そこでつぎに、彼女は警察に出かけた。

ウイリアム警部は、彼女の古くからの知り合いだった。偽物の紹介状を使って入りこんで、フランキーの宝石を持ち逃げしたメイドを、彼が捕まえてくれたことがあったのだ。

「こんにちは、警部さん」

「やあ、いらっしゃい、お嬢さん。なにか悪いことが起こったわけじゃないでしょうな」

「まだ、起きてないわ。でも、お金がなくなってピイピイしているから、あたし、もうすぐ銀行強盗でもやろうかと思っているのよ」

警部はこの洒落のお返しに、声を立てて笑っただけだった。

「じつを言うとね、ほんの好奇心からちょっとおたずねしたいことがあってまいりましたの」

「なんです、レディ・フランシス？」

「ねえ、教えてくださいません、警部さん、崖から落ちたひと――プリチャードとかなんとか言いましたわね――」

「そうです、プリチャードですよ」

「そのひと、写真は一枚しか持っていなかったのね？　あるひとから聞いたんですけど、彼は三枚持っていたというんですよ！」

「いや、一枚がほんとうですよ」と警部は答えた。「妹さんの写真だったのです。その妹さんが飛んで来ましてね、彼の身元を確認したのです」

「まあ、三枚だなんて、でたらめもいいとこね！」

「ああ、そんなことはざらにあることですよ、お嬢さん。新聞記者なんて、平気で誇大なニュースを流しますし、ひどいまちがいをするのもちょいちょいですからね」

「それもそうね。あたし、ずいぶんひどい話も聞いたんです」彼女はここでちょっと言葉を切ると、想像力を縦横に駆使してしゃべり出した。「話によると、死んだ男のポケットにはボルシェヴィキのスパイの証明書が入っていたとか、また別の話では、ポケットに麻薬がいっぱいあったとか、それからまた、ポケットというポケットは、にせ札でふくらんでいたとか」

警部は、さも愉快そうに腹をかかえて笑った。

「そいつはケッサクですな」

「ほんとのところは、ポケットにはごくありふれたものしか入っていなかったと思うけど」

「それも、ほんのわずかですよ。なんのマークもついていないハンカチが一枚。小銭とタバコが一箱、それにバラの紙幣が二枚——札入れにも入っていなかったのです。手紙などもありませんでしたな。あの写真がなかったら、身元を確かめるのに一苦労したところでしたよ。まさに天の助けといったところだったのです」

「そうかしら」とフランキーはつぶやいた。

彼女の推理から見るなら、〝天の助け〟どころの騒ぎではない、と思ったからだ。彼女は話題を変えた。

「昨日、ジョーンズさんのお見舞いに行きましたの。ほら、牧師さんの息子さんよ。毒を服まされたひとですわ。ほんとにおそろしい話」

「ああ！　まったくそのとおりです。こんな事件は、生まれてはじめてですよ。敵などひとりもない品行方正な青年が——そうですとも。ねえ、レディ・フランシス、じつに奇っ怪な人物が出没するものですな。まあ、いずれにせよ、モルヒネをビールの中に入れるような殺人狂なんて、まったくの初耳ですよ」

「犯人について、なにか手がかりがありまして？」

フランキーは目をまん丸にして、警部にたずねた。

「ほんとに興味津々なんです」と彼女は付け加えた。

警部はすっかりご満悦といった表情だった。彼は、伯爵のご令嬢との親しげな会話をたのしんでいるのだ。レディ・フランシスには、雲上人のようにツンとお高くとまっているところなど、ひとつもなかった。

「現場近くで自動車が一台、目撃されているのですよ」と警部は言った。「ダーク・ブルーのセダン型タルボットです。ロックス・コーナーにいた男の証言によりますと、ナンバーGG8282のダーク・ブルーのタルボットが、セント・ボトルフ寺院の方向へ走り去って行ったというのです」

「それで？」

「GG8282は、セント・ボトルフ寺院の主教の車なんです」

ほんのしばらくのあいだ、フランキーは頭の中で、牧師の息子たちをつぎからつぎへと犠牲《いけにえ》にささげる殺人狂の主教という考えをもてあそんだが、やがて溜め息をつくと、そのアイデアを放棄した。

「まさか警部さんは、その主教を疑ってないでしょうね？」

「その日の午後は、主教の車は車庫から出ていないことが判明したのです」

「じゃ、にせのナンバーだったわけね」

「そうなのです。しかし、これでちゃんとした手がかりがつかめたわけですよ」

フランキーは、感嘆の表情を浮かべて警察をあとにした。彼女は、相手の出鼻をくじくようなことは言わなかったが、心の中ではつぶやいたのだ。〝このイギリスには、ずいぶんたくさんのダーク・ブルーのタルボットがあるはずよ〟

お城に戻るとすぐ、彼女は図書室の書き物机に載っている『マーチボルト住民録』を自分の部屋に持っていった。彼女は数時間というもの、その住民録と首っ引きだった。

その結果は、あまりかんばしくなかった。

このマーチボルトには、エヴァンズと名乗る人間が四百八十二人もいるのだ。

「まいった！」とフランキーは言った。

彼女は、これからのプランを練りにかかった。

10 作戦準備

それから一週間のち、ボビイはロンドンでバジャーと一緒になった。彼はフランキーから謎めいた数通の手紙を受け取ったのだが、その大部分はものすごい筆跡で、意味を推測する以外に仕方がなかった。しかし、手紙の主旨は、フランキーがあるプランを持っているから、連絡があるまでなにもするなということらしかった。彼女にそんなことを言われるまでもなく、ボビイには、とてもほかのことになど手を出す余裕はなかったのである。なぜなら、ツイていないバジャーは、その器用さがかえって仇になり、彼自身と事業を窮地に追いこむ結果になり、おかげでボビイは、友人が巻きこまれている大混乱をなんとか整理するだけで精一杯だったからだ。

それにまた、ボビイは自分の身のまわりに細心の注意を払っていたのだ。八グレインのモルヒネのおかげで、彼は飲食物に神経を異常なほど尖らせるようになったばかりか、ロンドンまで軍用のリヴォルヴァーを持ってくるほどの気持ちになったのだ。そんな代《しろ》物《もの》を持っているのは、彼にとってもひどく面倒なことだったのだが。

彼が、すべてのことがとてつもない悪夢にすぎないのだと思い始めたとたんに、フランキーの乗っているベントレーが、警笛を鳴らしてガレージの前でとまった。油だらけの作業服を着たボビイが迎えに出た。フランキーはハンドルをにぎり、その横にどことなく陰気な感じのする青年が坐っていた。

「こんにちは、ボビイ」とフランキーが言った。「こちらはジョージ・アーバスノット。お医者さんなのよ。あたしたちには、このひとが必要になるわ」

彼とジョージ・アーバスノットが軽く目礼を交わしたとき、ボビイはちょっとばかりたじろいだ。

「ほんとに、ぼくたちにお医者さんが必要になるのかい？」と彼はたずねた。「そいつは少し、悲観的じゃないかな？」

「そういう意味でお医者さんが必要になるんじゃないのよ」とフランキーは言った、「あたしが立てた計画に、お医者がなくてはならないの。ええと、あたしたちだけでお話しができるところ、ないかしら？」

ボビイは、おぼつかなげにあたりを見回した。

「そうだね、ぼくの寝室はどうだろう」と彼は自信なさそうに言った。

「もってこいだわ」とフランキー。

自動車から降りた二人は、ボビイのあとについて建物の外側についている階段をのぼり、ものすごくちっぽけな寝室に入っていった。

「坐る場所があるかな」ボビイはそう言いながらおぼつかなげに室内を見回した。たしかに坐るところはなかった。たった一脚の椅子には、ボビイの衣類のすべてが載っていた。

「ベッドで結構よ」フランキーが言った。

彼女はベッドの上にドシンと腰をおろした。ジョージ・アーバスノットもそれにならうと、ベッドがまるで抗議でもするようにきしんだ。

「もう、準備はすべて完了よ。着手するにあたって、自動車が一台いるの。あなたのお店のでいいわ」

「うちの車を買ってくれるというのかい？」

「そうよ」

「そいつはうれしいな。ありがとう、フランキー」とボビイは心からの感謝を込めて言った。「でも、そんな必要はないよ。いくら友だちだからって、迷惑をかけたくないんだ」

「あなたは誤解しているのよ、そんなんじゃないわ。つまり、お友だちが商売を始めたから、使いもしないような衣服や帽子を買ってやるという、あれなんでしょう。ほんとに迷惑なことなんだけど、義理というものがありますものね。だけど、あたしが車を買いたいというのは、それとはぜんぜんちがうことなのよ。あたし、どうしても車がいるの」

「あのベントレーは？」

「あの車じゃだめなのよ」

「きみは頭がどうかしたんじゃないのかい」とボビイ。

「とんでもない。ベントレーじゃ、あたしの目的に向かないのよ」

「いったい、どういうことなんだ？」

「壊すのよ」

ボビイはうめき声をあげると、頭に手をやった。

「どうも今朝はからだの調子がよくないみたいだ」

ジョージ・アーバスノットがはじめて口を開いた。野太くて、陰気くさい声だった。

「つまり、彼女は事故を起こすだろうというのですよ」

「どうして、そんなことが彼女にわかるんだ？」とボビイは吐き出すように言った。

フランキーは、大げさに溜め息をついてみせた。

「それはまあ、なんとかね。あたしたち、お話の持ち出し方が悪かったらしいわ。ねえ、ボビイ、お願いだから、黙ってあたしの話を聞いてちょうだい、そして理解してほしいの。あなたのおつむが弱いということは、あたし、よく知っているんだけど、注意力を集中してくれれば、あなたにだって理解できるはずよ」

ここで彼女は一息つくと、言葉をつづけた。

「あたし、バッシントン‐フレンチを追及中なのよ」

「へえ、それで？」

「バッシントン‐フレンチ――つまり、あたしたちが追及しているバッシントン‐フレンチは、ハンプシャーにあるステイヴァリイ村のメロウェイ・コートに住んでいるの。メロウェイ・コートはバッシントン‐フレンチの兄さんのもので、彼はその兄さんや奥さんと一緒に住んでいるのよ」

「奥さんて、だれの？」

「むろん、兄さんの奥さんだわ。でも、そんなことはどうだっていいのよ。問題は、あなたかあたしが、あるいはあたしたち二人が、どうやったらその家庭に入りこめるかということなのよ。あたしね、もうそこへ行ってみて、その土地の様子を調べてきたわ。

ステイヴァリイというのは、ほんの小さな村なの。あれでは、知らないものが滞在でもしようものなら、すぐ人目についちゃうわ。だから、その手ではだめなの。そこであたし、一計を案じたのよ。つまり、筋書はこうなの——フランシス・ダーウェント伯爵令嬢は、無謀運転のため、メロウェイ・コートの正門近くの壁に衝突、車は大破したが、令嬢の負傷はそれほどでもなく、邸内に運びこまれた。脳震盪とショックのため、絶対安静を要す」

「それはだれの台詞《せりふ》なんだい？」

「ジョージよ。これであなたにもジョージの役割がわかったわね。知らないお医者さんにかかったら、いっぺんで、あたしに別状ないことがバレちゃうもの、そんな冒険をするわけにはいかないわ。それに、もしかしたら、おせっかいなひとが現われて、倒れているあたしを抱き起こし、近くの病院に運びかねないもの。それじゃぶち壊しになってしまうから、筋書をこうしたのよ——ジョージが車で通りかかる（この車もあなたに売っていただくわ）、自動車事故を目撃する、ジョージは車から飛び出して、あたしの手当にかかる。〝ぼくは医者です。みなさん、どいてください（野次馬がいたらね）、この家の中に、運びこまなくちゃならん——なんという家だ？　メロウェイ・コート？よし、この家でなら、診察も充分にできる〟そこで、あたしは一番上等な客間へ運びこまれるというわけ。バッシントン‐フレンチ家のひとたちは、とても同情してくれるか、それともひどくいやな顔をするでしょうけど、いずれにしろ、ジョージがこの連中をうまくさばいてくれるわ。ジョージは診察をすませ、その結果を告げに連中の前に姿を現わす。〝いや、思ったより軽いので安心しました。骨折はありませんが、脳震盪のおそれがあるから、二、三日は絶対安静を要しますな。まあ、それが過ぎれば、このお嬢さんはロンドンへ帰れるでしょう〟といった具合よ。そしてジョージはその家を去り、あたしは、その家のひとたちに取り入るというわけ」

「で、ぼくが登場するのはいつなの？」

「あなたは登場なんかしないのよ」

「だって、きみ――」

「ねえ、ボビイ、しっかりしてよ。バッシントン‐フレンチは、あなたの顔を知っているのよ。彼は、あたしをぜんぜん知らない。それにあたしは貴族の称号を持っているから、すこぶる有利な立場にあるわけ。それがどんな威力をもっているか、言うまでもないわね。秘密の目的をもって家の中に入りこんで来た、どこの馬の骨だかわからない若い女とは、わけがちがうんですからね。伯爵の令嬢で、尊敬に値《あたい》するレディなのよ。それにジョージはほんもののお医者さんなんだし、怪しまれる心配なんかぜんぜんないわ」

「なるほど、うまくいくだろうな」とボビイは、しょんぼりした口調で言った。

「すばらしくよくできた計画じゃない」とフランキーは誇らしげに言った。

「で、ぼくはなんにもしないんだね？」とボビイがたずねた。

彼は自尊心を傷つけられたように感じた――突然、目の前にある骨を横から奪われた犬みたいだった。なんだ、自分の事件だとばかり思っていたのに、ぼくは、すっかりのけ者にされてしまったんだ――

「むろん、あなたにだってしてもらうのよ。あなたはね、口髭を生やすの」

「なんだって！　ぼくが口髭を生やす？」

「そうよ、生やすのにどのくらいかかる？」

「まず、二、三週間だろうね」

「まあ！　そんなにかかるとは思わなかったわ。もっと早く生やせない？」

「だめだね。付け髭だっていいじゃないか？」

「だって付け髭だと、いかにも偽ものに見えるし、変にねじれたり、落ちちゃったり、ゴムのりのにおいがしたりするんですもの。そうだわ、毛を一本一本貼り付ける、全然わからないのもあったわね。それだったら、芝居のかつら屋さんがやってくれる」

「だけど、そんなことを頼んだら、きっと警察のお尋ね者だと思われるよ」

「かつら屋さんがどう思おうと問題じゃないわ」

「で、口髭をつけたら、いったいぼくはなにをするんだい？」

「運転手の制服を着てね、ステイヴァリイまで、あたしのベントレーを運転して迎えに来るのよ」

「ああ、そうか」

ボビイの顔が明るくなった。

「あたしの考えはこうなのよ」とフランキーがなおもつづけた。「普通のひとを見る目で、運転手を見るものはだれもいないわ。いずれにせよ、バッシントン－フレンチは、ほんの一、二分しかあなたの顔を見ていないんだし、おまけに、うまく写真がすり替えられるかどうかと、あせっていたはずだから、あなたの顔をゆっくり眺めているどころの騒ぎじゃなかったと思うの。彼にとっては、あなたなんか、ゴルフに夢中になっているイカれた青年にすぎなかったのよ。あなたに面と向かって坐り、言葉を交わしながら悠々とあなたの品定めにかかった、あのケイマン夫妻とはわけがちがうわ。なにも口髭をつけなくても、運転手の制服を着ただけで、バッシントン－フレンチにはあなただと見分けられやしないわよ。どこかで見たような顔だ、くらいには思うかもしれないけれど——それだけのことだわ。それに口髭があれば絶対大丈夫。ところで、あたしの計画をどう思う?」

ボビイは、頭の中で検討してみた。

「いや、ほんとのことを言ってね、フランキー」と彼は寛大に言った。「なかなかうまいと思うよ」

「そう、じゃ車を買いましょうよ。だけど、ジョージがあなたのベッドを壊しちゃったかもしれない」

「なに、かまわないよ」ボビイは愛想よく言った。「たいして上等なベッドじゃないからね」

三人はガレージに降りて行った。すると、妙に顎のない神経質そうな青年が、愛想のいい微笑を浮かべて、ただ、「ホッホウ」と言いながら迎えた。彼は、ひとところをじっと見つめていられない妙な癖のおかげで、いささか損をしていた。

「やあ、バジャー」とボビイが声をかけた。「フランキーを覚えているだろうね?」

バジャーは明らかに忘れていたのだが、また愛想よく、「ホッホウ!」と言った。

「あたしがあなたに最後にお会いしたのは」とフランキーが口を開いた。「あなたが泥の中に頭を突っこんじゃったので、あたしたちが脚を持って引きずり上げなきゃならなかったときよ」

「こ、こいつは驚いた」とバジャーが言った。「あ、あれはた、たしか、ウ、ウ、ウェールズでのことでしたね」

「そのとおりよ」とフランキー。

「ぼくは、いつもへ、へ、へたくそでした。う、馬に乗るのがね。い、い、いまも相変わらずですが」彼は悲しそうに付け加えた。

「フランキーが車を一台買いたいんだって」とボビイが言った。

「あら、二台だわ」とフランキーが言った。「ジョージも一台いるのよ。彼の車は目下、故障中なの」

「彼の車は借りればいいじゃないか」とボビイ。

「とにかく、み、店にあるのを、み、みてください」とバジャーが言った。

「みんな、とってもスマートだわ」赤と緑の、けばけばしい車体の色彩にだまされて、フランキーはこう言った。

「そりゃあ、見た目には立派なものだよ」とボビイが仕方なさそうに言った。

「あ、あの車は、ほ、ほ、ほんとに、掘り出しものですよ、ちゅう、ちゅう、中古のク、ク、クライスラーにしてはね」とバジャーが言った。

「いや、そいつはだめだよ」とボビイが言った。「彼女が買う車は、少なくとも四十マイルは走らなくちゃね」

バジャーは相棒のほうに、非難の視線を向けた。

「あのスタンダードはスクラップ一歩手前というやつだよ」とボビイは考えながら言った。「だけど、あの村まで行って行けないことはないね。エセックスは、こんどの仕事にはちょっともったいないな。イカれてしまうまでに、まだ二百マイルは走れるからね」

「わかったわ」とフランキーが言った。「じゃ、スタンダードにするわ」

バジャーは相棒をわきのほうへ引っぱっていった。

「ね、ね、値段はどうする?」彼はささやいた。「きみの友だちから、あんまり、ボ、ボ、ボ、ボリたくないんだ。じ、じっ、十ポンドでどうだい?」

「十ポンドでいいわよ」フランキーは話の仲間に入った。「いま、お払いするわ」

「彼女は、い、い、いったいなにものなんだい?」バジャーは興奮してささやいた。

ボビイが、それにささやき返した。

「は、は、初耳だよ、現金買いをする貴族を知ったのは」バジャーは畏敬の念を込めて言った。

ボビイは、ベントレーのところまで二人を送っていった。

「いつ、仕事にかかるんだい？」と彼はたずねた。

「早ければ早いほどいいわ」とフランキーは言った。

「明日の午後にしようかと思っていたの」

「ねえ、ぼくはそこへは行けないのかい？　よかったら、ぼく、顎鬚だってつけるぜ」

「だめ、だめ」とフランキーは言った。「顎鬚なんて、肝腎なときにとれちゃって、きっとなにもかも台なしになっちゃうわ。でも、あなたが、オートバイ旅行者に化けるのなら、問題はないわね――帽子やゴーグルで顔を隠してね。どう、ジョージ？」

ジョージ・アーバスノットが口をきくのはこれで二度目だった。

「いいでしょう、大勢のほうがそれだけ賑やかでね」

彼の口調は、まえよりいっそう陰気くさかった。

11 事故

事故を起こすための三人の集合地点は、ステイヴァリイから一マイルばかり手前のところと決められた。その地点は、ステイヴァリイに通じている道と、アンドーヴァー街道の分岐点にあたっていた。

どうやら三人の車は、無事にそこに着くことができた。もっとも、フランキーが乗っているスタンダードは、丘に差しかかるたびに、間違いなく老朽車の徴候をありありと示したのだが。

予定時刻は午後一時だった。

「お芝居の幕をあけてから、邪魔されたくありませんからね」とフランキーは言った。

「この道ならだれも通らないだろうし、お昼どきなら、ぜんぜん安全のはずよ」

三人は、分岐点からさらに半マイルばかり進むと、フランキーが事故の現場に選んだ地点を指さした。

「こんなおあつらえむきの場所は、ほかにないわ。この丘からまっすぐ下りて行くと、ほら、道はあの壁が突き出たところで急カーブしているじゃない。あの壁が、つまり、メロウェイ・コートの塀なのよ。ここからエンジンをかけたまま車を一直線に走らせたら、壁に正面衝突して、まず派手な事故が起こることまちがいなしよ」

「なるほど。でも、だれかあの曲がり角に見張りに立って、だれも向こう側からやって来ないということをたしかめなくちゃ」とボビイ。

「それもそうだわね」とフランキーは言った。

「見ず知らずのひとを巻き添えにして、障害者になんかしたくないものね。それじゃ、ジョージが車であそこまで行って、向こう側からやって来たように車をUターンさせておけばいいわ。ジョージがハンカチを振ったら、だれも来ないというサインよ」

「それにしても、きみの顔色悪いよ、フランキー」とボビイは心配そうに言った。「ほんとに大丈夫かい？」

「わざと顔色が悪いようにメイキャップしたのよ」とフランキーが説明した。「脳震盪を起こすときの用意にね。だって、いかにも健康そのものだという血色で家の中にかつぎこまれたら、まずいでしょう」

「女というやつは、なにをしでかすかわかったものじゃないね」とボビイがさも感心したように言った。「ほんとに、病気にかかったお猿さんそっくりだよ」

「まあ失礼ね、あなたって」フランキーは言った。「じゃ、あたしはメロウェイ・コートの門を偵察してくるわ。ちょうど、壁が突き出ているこっち側にあるのよ。うまい具合に門番小屋はないの。ジョージとあたしがハンカチを振ったら、車をスタートさせてね」

「よしきた」とボビイが言った。「ステップに乗って、ハンドルをとり、あまりスピードが出ないうちにぼくは車から飛び降りるよ」

「怪我をしないようにね」フランキーは心配そうに言った。

「ああ注意するとも。にせの事故の場所でほんものの事故が起こったら、それこそ込み入ったことになるもの」

「じゃジョージ、行ってちょうだい」とフランキーが声をかけた。

ジョージはうなずくと、別の車に乗りこみ、ゆっくりと丘を下りて行った。ボビイとフランキーは、そのあとを目で追った。

「きみ――ほんとに注意してくれよ、いいね、フランキー」突然、ボビイは気むずかしげに言った。「ばかな真似をしないでね」

「あたしは大丈夫。とても用心深いんだから。ところで、あたしはあなたにじかには手紙を書かないほうがいいと思うの。ジョージか、あたしのメイドか、だれかほかのひとに出して、あなたに手渡してもらうようにするわ」

「ジョージはあれで立派なお医者さんになれるのかな？」

「まあ、なぜ？」

「だって、まだ患者のお相手がろくにできないような気がするもの」

「いずれ、そうなると思うわ。さあ、あたし、そろそろ行かなくちゃ。ベントレーで迎えに来てほしいときは連絡するわね」

「それでは、ぼくも口髭のほうにとりかかるよ。さよなら、フランキー」

一瞬、二人は目を合わせた。フランキーはうなずいてみせると、丘の上から歩きはじめた。

ジョージは車をターンさせて、曲がり角のほうへバックしていた。

フランキーの姿はちょっと見えなくなったが、すぐ道に現われ、ハンカチを振った。丘を下り切った曲がり角でも、彼女はまたハンカチを振った。

ボビイは車のサード・ギアを入れると、ステップに立って、ブレーキをゆるめた。車はギアが入っているため、のろのろと進んだ。だが、その坂はかなりの勾配だった。エンジンがかかった。スピードがぐんと増した。ボビイはハンドルをふらつかせないように、手でしっかりと押さえていた。いよいよ最後のギリギリのところになって、彼は車から飛び降りた。

車はそのまま丘を走り下りると、すごい力で壁にぶつかった。見事成功——事故は計画どおりに起こった。

フランキーが事故の現場のほうへ一目散に走り寄り、車の残骸の中に飛びこむのが、ボビイの目に映った。それからジョージの車が角を曲がって現われると、現場にとまった。

ボビイは思わずホッと溜め息をもらすと、オートバイに乗って、そのままロンドンに向かって走り去った。

事故の現場では、万事あわただしかった。

「あたし、道路の上を少し転がったほうがいいかしら？　からだを汚すのにね」とフランキー。

「そのほうがいいですよ。さあ、あなたの帽子をこっちへよこしなさい」とジョージ。

彼は帽子を受け取ると、ひどくへこました。フランキーはもったいなさそうに、かすかな叫びをあげた。

「こいつが、脳震盪のなによりの証拠になりますよ」とジョージが説明した。「さて、それでは、そのままじっと倒れていらっしゃい。自転車のベルの音がしたようですからね」

たしかにその瞬間、十六、七の少年が口笛を吹きながら角を曲がってきた。彼は目の前のすばらしい光景を一目見るなり、すっかり有頂天になって自転車をとめた。

「ウワーッ！」少年は叫んだ。「事故があったんですか？」

「なにね」ジョージは皮肉な口調で言った。「このご婦人は、車をわざと壁にぶつけたのさ」

ジョージの思惑どおり、少年はほんとの話をそのまま冗談と受け取って、面白がって言った。

「とてもひどそうですね？　死んでるんですか？」

「いや、まだ息があるよ」とジョージが答えた。「すぐ、どこかへ運ばなければいけない。ぼくは医者なんだ。このお家はどうだろう？」

「メロウェイ・コートですよ。バッシントン－フレンチさんのお屋敷なんです。治安判事をしているんですよ」

「では、すぐ彼女を運ぼう」ジョージは命令調で言った。「さあ、自転車をそこにおいて、手を貸してくれたまえ」

少年はすっかり喜んで自転車を壁に寄せると、手伝いにやって来た。少年とジョージは協力してフランキーを、いかにも住み心地の良さそうな古風な邸内の車寄せまで運んでいった。

彼らの近づいてくるのが見えたのか、年配の執事が出て来た。

「事故があったのです」とジョージが言葉短に言った。「ご婦人をやすませる部屋がありますか？　すぐ、診察しなければならないんです」

それを聞くと、執事はあわててホールのほうへ戻って行った。ジョージと少年はぐったりしているフランキーのからだを抱えたまま、そのあとからついて行った。執事は、左手の部屋に入った。すると、中からひとりの婦人が出て来た。赤毛で背が高く、三十歳ぐらいだった。その目は明るい、澄んだブルーだった。

彼女はテキパキと事を運んだ。

「一階に予備の客間がありますわ、そこへ運んでいただけます？　お医者さまにお電話しなくては？」

「ぼくは医者なんです」とジョージは説明した。

「ちょうど車で通りかかって、事故を目撃したのです」

「まあ、ほんとに運がよかったこと。さ、どうぞこちらへ」

彼女は、庭に面して窓のある、気持ちのいい寝室へ三人を案内した。

「重傷ですの？」と彼女はたずねた。

「まだ、わからんですね」

バッシントン－フレンチ夫人は、その言葉の意味をのみこむと、すぐに部屋から出て行った。そのあとについて一緒に出て行った少年は、まるで自分が目撃したかのように、事故の模様を彼女に説明しはじめた。

「まっすぐに、壁にぶつかっちゃったんですよ。車はめちゃめちゃです。ペチャンコになった帽子をかぶったまま、あの女のひとは地面に倒れていたんです。そこへ、いまの男のひとが通りかかって――」

少年は半クラウンの銀貨をもらって追っ払われるまで、のべつまくなしにしゃべりつづけた。

一方、フランキーとジョージはあたりに気を配りながら、ヒソヒソ話を交わしていた。

「ねえ、ジョージ、このおかげであなたの経歴に汚点がつくようなことはないでしょうね？　医師の免許状やなにかをとりあげられるようなことは？」

「そりゃあ、あるだろうな」とジョージは、憂うつそうに言った。「まあ、もしもバレたらね」

「バレっこないわよ」とフランキーは言った。「心配しなくたって大丈夫、ジョージ。あたし、あなたに迷惑なんかかけないから」それから、しみじみと彼女は言い足した。「だけど、あなたはとても上手だったわ。あなたがあんなにしゃべれるなんて、あたし、はじめて聞いたわ」

ジョージは溜め息をついた。それから時計を見た。

「あと三分だけ、診察しますよ」と彼は言った。

「あの車はどうするの？」

「どこかのガレージに頼んで、始末するように手配しますよ」

「そうね」

ジョージはじっと時計を見つづけていた。やがて、ホッとしたような口調で言った。

「さ、時間です」

「ジョージ、あなたって、ほんとにすばらしかったわ。どうして、こんなことまであなたが引き受けてくれたのか、あたしにはわからないくらい」

「いや、もうごめんですよ。こんなばかげたことはね」

ジョージは、彼女にうなずいてみせた。

「じゃ、さようなら。ごゆっくりたのしんで」

「さあ、どうなることか」とフランキー。

彼女は、かすかにアメリカ訛りのある冷やかな声を思い浮かべた。

ジョージは、そのアメリカ訛りの声の主を探しに行った。彼女は、客間で彼を待っていた。

「まあ、心配したほどのことはありませんでしたよ」とジョージは前置き抜きで言った。「脳震盪もたいへん軽いもので、もう治ったようなものです。しかし、せめて一日二日は安静にしていなければなりませんね」彼はここで一息ついた。「どうもあのご婦人は、レディ・フランシス・ダーウェントのようですよ」

「まあ、なんてこと！」バッシントン－フレンチ夫人は声をあげた。「それではあたくし、いとこの方たちをよく存じあげておりますわ――ドレイコット家のひとたちですけれど」

「ご迷惑かも存じませんが」とジョージはつづけた。「あのご婦人を一日二日、ここに休ませていただけますなら――」

「それはもう、結構でございますとも。あの――先生――？」

「ぼくはアーバスノットと申します。ところで、壊れた自動車のことなどはぼくが手配しましょう。どうせ、ガレージを通りますから」

「おそれいります、アーバスノット先生。あなたが、ちょうど折良く事故の現場をお通りになって、ほんとによろしかったですわね。あの方の経過が順調かどうかみるために、明日も、お医者さまに診ていただかなければならないでしょうね？」

「いや、もうその必要はありませんね。彼女に必要なのは、安静だけです」

「ですけど、やはり診ていただいたほうが、安心できますわ。それにお家の方にも、お知らせしなければいけませんわね」

「それは、ぼくが連絡しておきましょう。それから医者のことですが、どうも、あのご婦人はクリスチャン・サイエンスの信者らしいので、医者の診察は受けないのではないでしょうか。ぼくが診察しているのがわかったときも、あまりいい顔をなさいませんでしたから」

「まあ、そうですの？」

「しかし、彼女はもう心配はありませんよ」とジョージは安心させるように言った。

「ぼくの言葉をご信用になって大丈夫です」

「ほんとに、先生がそうおっしゃるのでしたら、アーバスノット先生」とバッシントン－フレンチ夫人は疑わしげに言った。

「大丈夫ですとも。では、ごめんください。おっと、寝室に忘れものをしました」

彼は急いで寝室に入ると、フランキーが寝ているベッドのそばまでやって来た。

「フランキー」彼は、早口にささやいた。「あなたは、クリスチャン・サイエンスの信者ですからね。忘れないで」

「でも、なぜ？」

「それしか方法がなかったんです」

「わかったわ」とフランキーは言った。「あたし、ちゃんと覚えておくから」

12　敵　陣

〝さて、これであたしは〟フランキーは心の中でつぶやいた。〝敵陣の真っただ中に、無事にもぐりこめたんだわ。あとはあたしの腕次第〟

そのとき、ドアにノックの音がして、バッシントン－フレンチ夫人が寝室に入って来た。

フランキーは、枕の上に上半身を起こした。

「ほんとに申し訳ありません」彼女は弱々しい声で言った。「すっかり、お騒がせしてしまって」

「まあ、なにをおっしゃいますの」とバッシントン－フレンチ夫人が言った。

フランキーはここで、アメリカ訛りがかすかにある、冷やかな、どこか魅力的なものうい声をあらためて耳にすると、ハンプシャーのほうのバッシントン－フレンチ家のひとりがアメリカの金持ちの跡取り娘と結婚したという、父親のマーチントン卿の話を思い出した。

「アーバスノット先生がおっしゃいますには、安静にしていらっしゃれば、あと一日か二日ですっかりよくなるそうですよ」

フランキーは、このあたりで自分の過失について一言弁明しなければなるまいと感じたものの、かえって藪蛇《やぶへび》になっては、と思いとどまった。

「とてもいい先生のようでしたわね」フランキーは言った。「なにからなにまで親切にしていただいて」

「それはもう、まだ若い方でしたけれど腕のいいお医者さまのようにお見受けしましたわ」とバッシントン - フレンチ夫人は言った。「偶然、あの先生が来合わせて、ほんとによかったですわね」

「ええ、そうですわ。でも、お医者さまに診ていただくほどのことはないんですの」

「さ、これ以上、おしゃべりになってはおからだに毒ですわ」と女主人は言葉をつづけた。「メイドになにか持ってこさせましょう、ぐっすりお休みになれるようにね」

「なにからなにまですみません」

「いいえ、そんなこと」

フランキーは女主人が寝室から出て行くと、一瞬、良心の呵責を感じた。

〝とても気持ちのいい、親切なひと〟と彼女は心の中で思った。〝それに、ものを疑うことなど、ぜんぜん知らないひとだわ〟

彼女ははじめて、あの女主人に対して卑劣なトリックを使っていることを感じた。いままでは、あの哀れな犠牲者を断崖から突き落とす、残忍なバッシントン-フレンチのイメージで彼女の頭がいっぱいだったために、このドラマに登場してくる脇役のことなどぜんぜん念頭になかったのである。

〝こうなったら、とことんまでやり通すより仕方がないわ。でも、彼女があんなにいいひとでなければ気が楽だったのに〟とフランキーはつくづく思った。

彼女はカーテンを引いて、暗くした寝室に身を横たえたまま、退屈な午後と夕方をすごした。バッシントン-フレンチ夫人は、病人の様子を見るために、一、二度顔を出しはしたものの、長居はしなかった。

その翌日、フランキーは寝室に陽の光を入れ、話し相手がほしいと言うと、女主人がやって来て、しばらく話し相手になってくれた。二人に共通の知人や友だちがたくさんいることがわかったので、二人とも、その日の終わるころには、すっかり仲よしになってしまったのだが、そのおかげで、ますますフランキーは良心の呵責にせめられた。

バッシントン-フレンチ夫人は、夫やまだ小さい息子のトミイのことを、なんどか話題にのぼらせた。夫人は、家庭に深い愛着を持っているごく平凡な女性のように見えたが、それにもかかわらず、なぜかあまり幸せではないようにフランキーには思われた。夫人の目にはときおり、平穏な心を裏切るような黒い影がよぎるのだった。

三日目になって、フランキーはベッドから離れ、その家の主人に紹介された。

主人というのは、物腰はやさしいが、どことなく放心したようなところのある、顎のがっしりした大柄の男だった。そして一日中、ほとんど書斎に閉じこもっているようだった。彼は、夫人のことについてはさして関心を示さないけれど、心から愛しているとフランキーは見てとった。

トミイ少年は七歳で、いかにも健康そうな、いたずらっ子だった。母親のシルヴィア・バッシントン－フレンチが、目に入れても痛くないほど息子を可愛がっているのが、よそ目にもわかった。

「こちらは、とてもいいところですのね」フランキーは溜め息をもらしながら言った。

彼女は、庭の長椅子にながながと身を横たえていた。

「頭にショックを受けたせいかどうかわかりませんけれど、あたし、ここから動く気がしませんわ。何日も何日も、このままじっとしていたいんですの」

「どうぞ、そうなさってくださいな」バッシントン－フレンチ夫人はおだやかな口調で言った。「ほんとに、どうかそうなさってください。急いでロンドンにお帰りになることも、ないじゃございませんか。あたくし、あなたにここにいらしていただくのが、とても愉しいのです。あなたはとても快活で、面白い方ですもの。気が晴れ晴れいたしますわ」

〝それじゃ、夫人は気晴らしが必要なんだわ〟ふとフランキーの心に、こんな考えが浮かんだ。

と同時に、彼女は自分が心から恥ずかしくなった。

「あたくしたち、ほんとのお友だちになったような気がしますの」と夫人は言葉をつづけた。

フランキーは、ますます恥ずかしくなってしまった。

ああ、なんてあたしは卑劣なんだろう。卑劣な、卑劣な、けがらわしいトリック――こんなことはすぐやめて――おまえはロンドンへ帰るのよ――

夫人は言葉をつづけた。

「もう退屈なさらないですみますわ。明日、義弟がもどってまいりますの。きっと、彼のことをお気に召しますわよ。みんな、とてもロジャーが気に入っていますの」

「その方も、こちらにお住まいなんですの？」

「ええ、ときおりね。腰の落ち着かない人なんですよ。自分のことを〝ごくつぶし〟なんて申しておりますの。たしかに、当たっているところもありますわ。義弟ときたら、ひとつの仕事に打ちこむことができないたちでしてね——ほんとに、いままでのところ、これといった仕事らしい仕事をしたことがないんじゃないかしら。ですけれど、そういう人も、世の中にはいるものですわ——とりわけ、旧家などにはね。そして、そういう連中にかぎって、たいてい魅力があるものですわ。義弟のロジャーは、それはもう、心がやさしいんですのよ。今年の春でしたが、トミイの具合が悪かったときなどは、あのひとがいてくれなかったら、あたくし、どうしたらいいかわからなかったくらいですわ」

「トミイが、どうかしましたの？」

「ブランコから落ちてしまったんですよ。きっとブランコをつるした枝が腐っていて、それが折れたんでしょうね。ちょうどロジャーがそのブランコをゆすっていたものですから、すっかりあわててしまって——ほら、子供を喜ばせようとブランコを大きくゆすっていたんですよ。はじめは、トミイの背骨が折れたのではないかと心配したのですけれど、たいした怪我をしていないことが後でわかったのです。おかげさまで、もうすっかり元気になりましたわ」

「ほんとうに」フランキーは、遠くのほうでキャーキャー叫び声をあげているトミイの声を聞いて、微笑しながら言った。

「ええ、すっかり元気になったようですわ。おかげさまでほっとしましたわ。あの子ときたら、事故にあっても悪運が強いんですよ。去年の冬なんかは、あやうく溺れかけたんですからね」

「まあ、そうでしたの」フランキーは思案深げに言った。

彼女はもう、ロンドンへ帰ろうなどとは考えていなかった。罪の意識は消えていた。事故、そしてまた事故！

ロジャー・バッシントン－フレンチは事故の専門家なのかしら、と彼女は心の中でつぶやいた。

彼女は口を開いた――

「あたし、お言葉に甘えて、もう少しお邪魔させていただきたいんですけど。でも、あたしがあつかましくこちらにご厄介になるなんて、ご主人にご迷惑じゃないかしら？」

「ヘンリイがですか？」バッシントン－フレンチ夫人は唇をすぼめると、奇妙な表情を作った。「とんでもない、ヘンリイは、気になどかけませんわ。ええ、なにひとつ気にしませんのよ――近ごろでは」

フランキーは好奇心にかられて、夫人の顔をまじまじと見つめた。

〝そうだ、もっと仲よしになったら、夫人はきっとなにかをあたしに打ち明けるわ。この家には妙なことがたくさんあるにちがいないもの〟と、フランキーは心の中でつぶやいた。

お茶の時間になると、ヘンリイ・バッシントン－フレンチが二人の仲間に入った。フランキーはこの家の主人をしげしげと観察した。たしかに彼にはどこか変なところがあった。タイプからいえば、彼の場合は一見はっきりしていた――快活でスポーツ好きの、平凡な田舎紳士だ。だが、こういうタイプの男は、神経質に指や顔を引きつらせたり、一目で神経が苛立っていることがわかるように、どうしようもないほどの放心状態におちいったかと思うと、こんどは自分に向けられた言葉に対してとげとげしい皮肉な返事をしたりはしないものなのだ。彼がいつもそんな具合だというのではない。その日の晩餐のテーブルで、彼はまったく新しい一面を見せたのだ。この男は冗談を飛ばしたり、大声で笑ったり、話をしたりして、この程度の才能の持ち主にしては、大いに才気煥発の面を示し、彼にしては少しできすぎているくらいだとフランキーは思ったほどだった。この才気は、とても不自然な感じがしたし、彼の人柄としっくりこないものがあった。

〝この男の目つきときたら、普通じゃないわ〟とフランキーは心の中で思った。〝ギョッとさせるところがある〟

だが、それにもかかわらず、彼女は、このヘンリイ・バッシントン－フレンチを少しも疑わないのか？　あの事件の当日、マーチボルトへ来たのは彼じゃなかった。来たのは弟のロジャー・バッシントン－フレンチのほうだったのだ。

フランキーは、弟のロジャーに会うのを、固唾を呑んで待ちかまえていた。彼女とボビイの推理にしたがえば、その男こそ殺人犯なのだ。彼女は殺人者と鼻を突き合わせるのだ。

一瞬、フランキーは背筋が凍るような気がした。

だが、ロジャーに嗅ぎつけられるわけはないだろう。

ともあれ、彼がフランキーと完全犯罪を結びつけることはできないはずだ。

〝おまえは、なんでもないことにビクビクしているのよ〟彼女は胸の中で自分にこう言いきかせた。

ロジャー・バッシントン－フレンチは、その翌日の午後、ちょうどお茶がはじまろうとするところに到着した。

フランキーは、お茶の時間になるまで彼と顔を合わせなかった。彼女は午後はまだ、〝安静〟ということになっていたのだ。

お茶の用意ができている芝生に彼女が出て行くと、シルヴィアが微笑を浮かべながら紹介した。

「こちらが、うちの患者さんですよ。これが義弟ですの、レディ・フランシス・ダーウェント」

フランキーは、背のすらっと高い、非常に感じのいい目をしている三十すぎの青年を見た。モノクルと細い口髭の似合いそうな男だと言っていたボビイの言葉に思い当たりはしたものの、むしろ彼女の目をひいたのは、ロジャーの目に輝いている情熱的なブルーだった。二人は握手を交わした。

ロジャーが口を開いた――「あなたの事故の模様をくわしく聞きましたよ」

「あたし、無茶な運転にかけては世界一ですの」とフランキーが答えた。「でも、ものすごい、おんぼろ車を運転してたんですのよ。自分の車が故障していたものですから、安物の中古を買ったんですの」と彼女は言った。

「とてもハンサムなお医者さんに、その残骸の中から救け出されたのですよ」とシルヴィアが口をはさんだ。

「たしかに思いやりのある男性でしたわ」とフランキーが相槌を打った。

するとこのときトミイがやって来て、歓声をあげながら叔父にとびついた。

「ぼくに汽車のおもちゃ、買ってきてくれた？　ねえ、買ってきてくれると言ったでしょ、言ったでしょ！」

「まあ、トミイったら！　そんなことを言って、おねだりするもんじゃありませんよ」とシルヴィアがたしなめた。

「いや、そうなんです、シルヴィア。ぼくは約束したんだからね。ほら、買ってきたよ、坊や」そう言ってから彼は、ふと義姉の顔に目をやった。「ヘンリイはお茶に来ないの？」

「きっと、来ないでしょうね」その口調には、どことなくおさえるひびきがこもっていた。「なにか、今日は気分が悪いらしいの」

それから夫人はだしぬけに言った。

「ああ、ロジャー、あなたが帰ってきてくれてうれしいわ」

彼はしばらくのあいだ、シルヴィアの腕に手を置いていた。

「なに、大丈夫ですよ、シルヴィア」

お茶がすむと、ロジャーは甥の汽車ごっこの相手をした。

フランキーは心を波立たせながら、遊んでいる叔父と甥を見守っていた。

たしかにこのロジャーは、ひとを断崖から突き落とすような男には見えなかった。この魅力のある青年が、冷血な殺人者だなんて、とても考えられない！

でも、もしそうだとすると――彼女とボビイの推理は、まちがっていることになる。つまり、事件の、この部分に関してはまちがっていることになるのだ。あの崖からプリチャードを突き落としたのが、バッシントン－フレンチではないと、フランキーははっきり感じたのだ。

それでは、いったいだれが？

いまもなお、彼女にはあの哀れな男が、崖から突き落とされたという確信があった。だれの仕業なのか？　そして、ボビイのビールの中にモルヒネを入れた犯人は？

モルヒネのことに思い至ると、あのヘンリイ・バッシントン－フレンチの、瞳孔が針の先のように小さい奇妙な目つきが、突然、フランキーには納得できるような気がした。

ヘンリイ・バッシントン－フレンチは、麻薬常習者なのではあるまいか？

13 アラン・カーステアーズ

まったく奇妙なことだが、そのすぐ翌日、フランキーは自分の推測が正しかったことをたしかめることができたのだ。それもロジャーの口を通してだった。

二人はテニスのシングルスをしたあとで、冷たい飲物を飲みながら、腰をおろしていた。

いろいろととりとめのない話を交わしたが、ロジャー・バッシントン－フレンチのように世界中を旅行してきた人物に、フランキーはますます魅せられてしまった。この〝ごくつぶし〟が、あのいやにしかつめらしい無口な兄のヘンリイと比べると、グンと引き立ってしまう、こうフランキーは思わずにはいられなかった。

フランキーが胸の中でこんな思いにかられているあいだ、二人には沈黙がおとずれてしまった。その沈黙を破ったのは、ロジャーだった――こんどはガラリと語調を変えて、彼はしゃべり出したのだ。

「こんなことを言い出すなんて、ほんとに変だと思われるでしょうけれど。レディ・フランシス、そうですとも、まだあなたにお会いしてから二十四時間にもならないというのに、ぼくは、助言を求められるのはあなたしかいないということを、本能的に感じるのです」

「助言ですって？」フランキーはびっくりして、たずね返した。

「そうです。ぼくは二つの行動のうち、どっちを選ぶべきか、迷っているところなんです」

彼は言葉を切った。膝のあいだでラケットを振りながら、額に軽い皺を寄せて、彼は前に乗り出していた。ロジャーはなにごとかに悩み、興奮しているようだった。

「じつは兄のことなんです、レディ・フランシス」

「と、おっしゃると？」

「兄は麻薬をやっているのです。たしかにそうなんだ」

「どういうことから、そうお考えになったの？」とフランキーがたずねた。

「あらゆる点からですよ。顔つき、感情の急変、それに、兄の瞳孔に気がつきましたか？　瞳孔が、まるで針の先みたいに小さくなっているのです」

「それにはあたしも気がついていましたわ」フランキーも認めた。「なんの麻薬でしょうか？」

「モルヒネか、阿片の一種ですよ」

「長いこと常用しているのかしら？」

「始めたのは六カ月ばかりまえからだと思いますね。不眠症にかかって弱ったと、さんざんこぼしていたのをぼくは覚えているんです。最初、どうして麻薬なんか服むようになったのか、ぼくにはわからないのですが、あの不眠症の直後から服みはじめたことは、まちがいないと思いますね」

「どうやって、麻薬を手に入れるのかしら？」とフランキーは実際的な話に持っていった。

「郵送されてくるのだと思いますね。日によってはお茶のときに、兄がとくにいらいらして落ち着かないことに、気がつきましたか？」

「ええ、気がついてました」

「それはね、兄が手持ちの薬をみんな服んでしまって、送ってくるのを待っているときじゃないかと思うんですよ。だから、六時の郵便が配達されると兄は書斎に閉じこもってしまい、晩餐のテーブルにつくときは、すっかり気分が変わっていますからね」

フランキーはうなずいた。よく晩餐のときなど、ヘンリイの、不自然なくらい才気走った会話がはずんだことを彼女は思い出したのだ。

「でも、いったい、どこから郵送してくるのかしら？」

「ああ、そうなんです、それが僕にはわからないんですよ。まあ、筋の通った医者はそんなものを送らないでしょうな。人金さえ出せば麻薬が手に入る先が、ロンドンには何カ所もあるようですがね」

フランキーは思案深げにうなずいた。

この前、麻薬密輪団のことをボビイに話したら、そうやたらにたくさんの犯罪をいっしょくたにはできないよと彼が答えたのを、彼女は思い出した。この事件の調査をはじめたとたんに、そういった痕跡にぶつかるなんて、かえって奇妙だった。

しかも、こういう事実に彼女の注意を向けたのが、こともあろうにボビイとフランキーが一番くさいとにらんでいた当の本人だということが、いっそう奇妙だった。そのために、ロジャー・バッシントン－フレンチがあの殺人については無関係だと、彼女はますます思いこむようになってしまった。

それにしてもまだ、死体のポケットの写真がすり替えられたという不可解な問題があった。彼にとって不利な証拠は依然として残っている。一方、ロジャーにとって有利なのは彼の人柄だけなのだと、フランキーは自分に言いきかせた。おまけに、殺人者というものは魅力のある人間だと、世間では口をそろえて言うではないか！

彼女はこうした考えを頭から振り払って、ロジャーのほうに向きなおった。

「でも、どうしてこんなことを、あたしにお話しになりますの？」と彼女は率直にたずねた。

「シルヴィアをどうしたらいいか、ぼくにはわからないからなのです」

「じゃ、夫人はなにもご存じないと思うのね？」

「むろん、知りませんとも。彼女にはっきり言うべきでしょうか？」

「さあ、それはかなりむずかしい――」

「そうです、むずかしいことですよ。あなたがぼくを助けてくださるかもしれないと思ったのは、つまり、そこなのです。とにかくシルヴィアは、あなたにとても好意を持っているのです。彼女は自分のまわりの人間にあまり関心を払わないのですが、あなたのことは、お会いしてすぐ気に入ったと、ぼくに言ったくらいですからね。ぼくはどうすべきでしょう、レディ・フランシス？　彼女にほんとのことを言ったら、たいへんな重荷を負わせることになりますからね」

「でも夫人が事実を知ったら、ご主人の悪癖をやめさせることだってできるかもしれませんよ」とフランキーはほのめかした。

「さあ、それはどうでしょうか。こと麻薬に関する限り、親だろうが妻だろうが、まず、やめさせるわけにはいきませんよ」

「いささか、悲観的すぎやしないでしょうか？」

「いや、事実ですよ。むろん、方法はありますがね。ヘンリイさえ、治療のために入院することを承知してくれればいいんですよ――この近くに、ニコルソン博士とかいう医者の経営する病院があるんです」

「でも、ご主人は決して同意などなさらないでしょうね？」

「いや、同意するかもわかりませんよ。時と場合によっては、麻薬をやめるためならどんなことをしたっていいという猛烈な自責の念を、モルヒネ常用者に起こさせることができますからね。もしヘンリイがシルヴィアはまだ知らないと思いこんでいるとしたら、彼女に本当のことを言うぞとおどかせば、どんなことをしてでも治療しようという気になるんじゃないでしょうか。もし、その治療が成功すれば（むろん、神経衰弱という病名にしますよ）、シルヴィアに、ほんとのことを話す必要はないんですからね」

「治療するためには、どうしても入院しなければなりませんの？」

「今、ぼくが言った病院は、この村の向こう側にあるんですが、ここから三マイルばかり離れたところなんです。カナダ人の――ニコルソン博士という医者が経営しているんですよ。非常に頭のいい人物だという話です。おまけにうまいことには、ヘンリイがその医者に好意を持っているんですよ。しいっ――シルヴィアが来ました」

バッシントン‐フレンチ夫人は二人の仲間に入ると、言った――

「あなたたち、テニスは元気になさったの？」

「三セットやりましたよ」とフランキーが答えた。「三セットとも、あたし、敗けてしまいましたけど」

「いや、あなたはとてもお上手でしたよ」ロジャーが言った。

「あたくし、テニスはとても苦手なんですのよ」とシルヴィアが言った。「近いうちに、ニコルソン夫妻をお招きしなければなりませんわ。奥さまは、テニスが大好きなんですよ。あら――どうしましたの？」夫人は、フランキーとロジャーが交わした視線に気がついたのだ。

「いや、なんでもないんですよ――ぼくがちょうど、ニコルソン夫妻のことをレディ・フランシスに話したものですからね」

「あなたもあたくしのように、このお嬢さんをフランキーと呼んだほうがいいわ」とシルヴィアが言った。「だれかの話に出たことが、そのすぐ後でまた別のひとの口から出るなんて、ほんとに妙じゃありません？」

「あの夫妻は、どちらもカナダ人なんですか？」とフランキーがたずねた。

「ご主人のほうはたしかにそうですわ。奥さまはたしかイギリス人じゃなかったかと思いますけど、はっきりしたことはわかりません。とてもきれいで、可愛らしい方ですよ――目はパッチリと大きくて、もの思いに沈んだ色をたたえている――それはもう、とてもチャーミングな方。どういうわけか、あまり幸せでなさそうな感じがするの。きっと、ジメジメした生活にちがいありませんわ」

「ご主人は、サナトリウムのようなものを経営していらっしゃるんですってね？」

「そうですわ――神経系統の患者と麻薬患者とが入っているんです。とても成功しているという話ですよ。博士はとても印象的な人だわ」

「博士がお好きですの？」

「いいえ」とシルヴィアはぶっきらぼうに言った。「好きじゃありません」夫人はちょっと言葉を切ったが、やがて語調を強めて付け加えた。「ぜんぜんね」

それからしばらく時間が経ったあとで、夫人はピアノの上に飾ってある目の大きなチャーミングな婦人の写真を、フランキーに指さした。

「あれがモイラ・ニコルソン。なにか訴えるような顔つきでしょ？　このまえ、あたくしのお友だちと一緒にここへ見えたある男の方が、この写真を見て、すっかりまいってしまいましたの。たしか、紹介してほしいと、あたくしにおっしゃっていましたよ」

　夫人は声を立てて笑った。

「明日の晩餐に、博士夫妻をお招きしますわ。あなたが博士のことをどうお思いになるか、知りたいんです」

「博士を？」

「そう。さっきもお話ししたように、あたくしは博士が好きじゃありませんけど、とても魅力的な顔立ちの方なんですよ」

　夫人の言葉のひびきの中にあるなにかが思わずフランキーの視線を夫人のほうに向けさせたが、シルヴィア・バッシントン‐フレンチはすでに背を向けて、花瓶から枯れてしまった花を引き抜いているところだった。

　〝さあ、考えをまとめなくちゃ〟フランキーは晩餐の着替えをしているとき、ふさふさした黒髪をとかしながら心の中でつぶやいた。〝それに、すこし実験にとりかかってもいいときよ〟

　ロジャー・バッシントン‐フレンチは、彼女とボビイが仮定したような悪人なのだろうか？　それともちがうのか？

　彼女とボビイは、それが何者であれ、ボビイを消そうとした犯人はモルヒネが楽に入手できる人間にまちがいないという点で意見が一致していた。そしてまさにこの点では、ロジャー・バッシントン－フレンチにぴったり当てはまるのだ。もし、兄のヘンリイがモルヒネを郵便で入手しているとするなら、その中から一箱抜き取って自分の目的のために使うことなど、ロジャーにとってはじつにたやすいことではないか。

フランキーは、一枚の紙に〈メモ〉を書きつけた。

(1) ボビイがモルヒネを服まされた十六日に、ロジャーがどこにいたかつきとめること。

彼女には、この方法がかなりはっきりわかっているように思われた。

(2) 死んだ男の写真をロジャーに見せて、その反応を観察すること。同時に、ロジャーがマーチボルトに来ていたかどうかを調べること。

彼女は、(2)の項目について、いささか不安感を覚えた。つまり、自分が事件に関与していることをさらけだすことになるからだ。しかし、この悲劇は彼女の住んでいる土地で起こったことであり、それをさりげなく話すことは、きわめて自然なことではないか。

フランキーは〈メモ〉をまるめると、火で燃やした。

晩餐のテーブルで、彼女はごくさりげなく⑴の項目を話題にすることができた。

「あたし」と、彼女はロジャーに向かって、それとなく言った。「あなたに、まえにどこかでお目にかかったような気がしてなりませんの。それも、そんなにまえのことじゃありませんわ。ええと、クラリッジのレディ・シェーンのパーティでお会いしたのじゃなかったかしら。十六日のことでしたけど」

「いいえ、十六日ということはありませんわ」とシルヴィアがすかさず言った。「その日は、ロジャーはここにおりましたもの。あたくし、覚えていますわ。ちょうどその日に、子供たちのパーティがあって、ロジャーがいてくれなかったら、どうしたらいいかさっぱりわからなかったはずですもの」

シルヴィアはそう言うと、義弟に感謝のまなざしを向けた。ロジャーはほほえみ返した。

「ぼくは一度もお目にかかったような気がしませんけどね」彼は思案深げにフランキーに言った。そして付け加えた。「もし、お目にかかっていたなら、ぼくは忘れっこありませんからね」

彼はやさしい口調で言った。

〝(1)の項目は、これで解決したわ〟とフランキーは心の中でつぶやいた。〝ロジャー・バッシントン－フレンチは、ボビイがモルヒネを服まされた日には、ウェールズ地方には来ていなかったのよ〟

そのあと、(2)の項目はわりと楽に引き出すことができた。フランキーは、田舎のこと、その単調さ、そして、ちょっとした事件がどんなに刺激になるかということに、話を進めていった。

「先月、崖から墜落した男のひとがいたんです」と彼女は言った。「あたしたち、ほんとに興奮しましたのよ。胸をワクワクさせて検死審問を傍聴しに行ってみたんですけど、まるっきり期待はずれでした」

「それは、マーチボルトというところじゃなくって？」突然シルヴィアがたずねた。

フランキーはうなずいた。

「うちのダーウェント城からマーチボルトまで、たった七マイルしかありませんの」と彼女は説明した。

「ロジャー、きっとあなたが言っていた男のひとよ」とシルヴィアが叫んだ。

フランキーは、不審そうに彼を見つめた。

「ぼくは、その現場に居合わせたんですよ」ロジャーが言った。「警察が来るまで、その死体のそばにいたんですからね」

「あたし、死体のそばについていたのは、牧師の息子さんだとばかり思っていましたけど」とフランキー。

「ええ、その青年はたしか、オルガンかなにかを弾くので帰らなくちゃならなかったんですよ——それで、ぼくがそのあとを引き継いだわけです」

「まあ、不思議」とフランキーは言った。「だれかほかのひとも、その現場に残っていたという話は聞いたんだけど、名前は知らなかったのよ。じゃ、それがあなたでしたのね？」

それからひとしきり、〝なんて不思議なんでしょう、世間は狭いものね〟といった、おさだまりの雰囲気になった。〝しめしめ〟とフランキーは思っていた。

「きっと、そこでぼくをごらんになったんですよ——マーチボルトで」とロジャーが言った。

「いいえ、あの事故があったときは、あたし、マーチボルトにいませんでしたわ」と彼女は言った。「その二日ばかりあとで、ロンドンから帰ったんです。検死審問にいらっしゃいました？」

「いや、ぼくは悲劇の翌朝、ロンドンへ帰ってしまったのですよ」

「このひとったら、あそこで家を買おうなんてばかげたことを考えていたんですよ」とシルヴィアが言った。

「まったく、話にもならん」とヘンリイ・バッシントン－フレンチが言った。

「いや、そんなことはないですよ」とロジャーが機嫌よく言った。

「自分でも承知しているくせに、ロジャー。おまえときたら家を買ったその明くる日には、もう放浪癖にとりつかれて、また外国へ出かけるだろうからな」

「まあ、いつかはぼくだって、身を落ち着けますよ、シルヴィア」

「そのときは、あたくしたちの近くがいいわよ」とシルヴィアが言った。「ウェールズなんかに行かないでね」

　ロジャーは声を立てて笑った。それから、彼はフランキーのほうを向いた。

「その事故に、なにか面白い点がありましたか？　まさか、自殺だとかなんだとかいうことには、ならなかったんでしょうね？」

「ええそうなの、なにひとつ疑問点はありませんでしたわ。なんだか感じの悪い親類がやって来て、そのひとの身元を確認したんです。事故にあって死んだ男のひとは、徒歩旅行中のようでした。気の毒でなりませんの。だってその男のひと、とてもハンサムだったんですもの。新聞の写真をごらんになりました？」

「見たような気がしますけど」シルヴィアがあいまいに言った。「でも、はっきり覚えてないわ」

「地方紙の切り抜きなら、二階にありますわ」

フランキーはすっかり熱くなっていた。彼女は二階にかけ上がると、その切り抜きを持って降りて来た。彼女はシルヴィアに手渡した。ロジャーが近寄って来て、シルヴィアの肩越しにながめた。

「ね、ハンサムじゃありません？」フランキーは、まるで女学生のような口調でたずねた。

「かなりね」とシルヴィアは言った。「だけどロジャー、この男のひと、あのひとにそっくりだと思わない？　ほら、アラン・カーステアーズに？　たしか初めて見たときも、あたくし、そう言ったことを覚えているわ」

「写真ではたしかによく似ているけど、でも実物は少しも似ていませんでしたよ」とロジャー。

「新聞の写真ではわからないと言うのね？」とシルヴィアは、切り抜きを返しながら言った。

フランキーも、それに同意した。

話題はほかのことに移っていった。

フランキーは、あいまいな気持ちでベッドに入った。だれひとり、不自然な反応を示したものはいないように思われた。ロジャーの家探しも、秘密ではなかったのだ。

ただ唯一の収穫は、ある名前をつかんだことだった。

それは、アラン・カーステアーズという名前だった。

14　ニコルソン博士

その翌朝、フランキーはシルヴィアに鉾先を向けた。

彼女は、あけすけに話しかけたのだ。

「昨夜、あなたがおっしゃった男の名前は、なんと言いましたっけ？　アラン・カーステアーズでした？　あたし、その名前をどこかで聞いたことがあるような気がしますの」

「きっとお聞きになっているはずだわ。その道にかけては、かなり有名な人ですから。その方はカナダ人なんです——博物学者であり、大狩猟家、それに探検家なんですよ。あたくし、その方はよく存じませんの。お友だちのリヴィントン夫妻が、いつだったか昼食にお連れになったことがありました。からだつきが逞しくて、陽焼けしていて、とてもきれいなブルーの目をした方なんですの——そりゃあ魅力的な男性でしたわ」

「そういえば、たしかに聞いたことがあります」

「イギリスにいらっしゃったのは、たしかそれがはじめてだと思いましたけど。去年、億万長者のジョン・サヴィッジ——ほら、自分が癌になったと思いこんで悲劇的な自殺をした——その方と一緒に、彼はアフリカ中を旅行してきたのです。なにしろ、カーステアーズは世界中いたるところを歩いているのですからね。東アフリカ、南アメリカ——それこそ、行かないところはないくらい」

「すばらしい冒険家のようですわね」とフランキー。

「ええ、そうですとも。それはもう魅力的な男性でしたわ」

「でも変ですね——その方が、マーチボルトの断崖から墜落したひととそっくりだなんて」とフランキーが言った。

「世間には、よく似ている人がいるものじゃないかしら」

二人は、アドルフ・ベックの名前を挙げたり、ライオンズ・メイルに話を触れたりして、その実例を引き出しあった。フランキーはもうそれ以上、アラン・カーステアーズのことには触れないように注意した。彼のことにあまり関心を示しすぎると、取り返しのつかぬことになるかもしれなかったからだ。

だがフランキーは心の中ではうまくいっていると思っていた。アラン・カーステアーズこそマーチボルトの断崖の主人公であると、彼女は確信するに至ったのだ。彼はあらゆる条件に一致する。このイギリスには親しい友人も親類もいないのだから、彼が姿を消したところで、当分のあいだは気づかれずにすむではないか。東アフリカや南アメリカにちょいちょい出かけて行く男なら、いなくなったところで、すぐ問題になりそうもない。シルヴィア・バッシントン－フレンチ夫人が新聞の写真がそっくりだと言いながら、その写真の男が実際にアラン・カーステアーズだとは一瞬も思わなかったことに、フランキーは気がついた。

これが、人間の心理の面白い一面なのだとフランキーは思った。人間というものは、〝新聞種《だね》〟になっている人物が、実際に自分が会ったり見かけたりした人物であるとは、めったに思わないものなのだ。

よし、万事好調。アラン・カーステアーズこそ、死んだ男と決まった。つぎは、アラン・カーステアーズについてもっと詳しく調べあげることだ。彼とバッシントン－フレンチ家との結びつきは、ないも同然のように思える。彼はほんの偶然に、友人に連れられて来たのだ。その友人の名前は？　リヴィントン。フランキーは将来にそなえて、その名前を頭の中にたたきこんだ。

たしかに、それは真相に近づく手がかりにちがいない。だが、急いてはことを仕損じるというものだ。アラン・カーステアーズに関する調査は、慎重にも慎重を期さなければばならない。

〝毒を服まされたり、頭に一撃食らわされたりするのは、ご免だわ〟と、フランキーは顔をしかめながら胸の中でつぶやいた。〝とにかくあの連中ときたら、それこそ、なんにもならないのに、ボビイを消そうとしたんだから――〟

すると急に、彼女の考えは、すべての発端でもあり、あの気持ちをイライラさせる〝言葉〟のほうへとそれていった。

エヴァンズ！　エヴァンズとはいったいだれのこと？　エヴァンズの役割は？

〝きっと麻薬密輸団なんだわ〟と彼女は決めつけた。おそらくカーステアーズの身内のものがその犠牲になったので、彼はそれを叩きつぶす決心をしたのだ。たぶんその目的で、このイギリスにやって来たのにちがいない。そうだ、エヴァンズというのはギャング団の一味で、いまでは身を退いて、ウェールズに住んでいるのかもしれない。カーステアーズはエヴァンズに賄賂を使って一味の名前を教えてもらい、その男に会いに行ったのだが、だれかに尾行されて殺されたのよ。

そのだれかが、ロジャー・バッシントン－フレンチだったのか？　とても、そうだとは思えない。いや、あのケイマン夫妻のほうが、フランキーの想像する麻薬密輸団のギャングのイメージにずっとピッタリ来るではないか。

だが、それにしても写真の問題があった。あの写真の問題さえ解決したならば――

その晩、医者のニコルソン夫妻が食事に来ることになっていた。フランキーが着替えをすましかけたときに、夫妻の車が正面玄関前に停まる音が聞こえた。窓がちょうど玄関のほうに開いていたので、彼女は外をながめてみた。

背の高い男がダーク・ブルーのタルボットの運転席から、降りるところだった。

フランキーは用心深く、窓から頭を引っこめた。

カーステアーズはカナダ人だった。ニコルソン博士もカナダ人なのだ。おまけに博士はダーク・ブルーのタルボットを持っているではないか。

むろん、これだけの材料でなにかを組み立てようとするのは愚の骨頂だが、おぼろげながらもなにかを暗示してはいないだろうか？

ニコルソン博士は、いかにも力がありあまっているような態度を示す大男だった。彼のしゃべり方はのろのろしていて、おおむね口数の少ないほうだったが、一語一語を、なにか意味ありげなひびきをもたせて口から出すのだった。そして度の強い眼鏡の奥から、非常にうすいブルーの目がキラキラ光っていた。

ニコルソン夫人のほうは、からだのきゃしゃな二十七歳ぐらいの美人だった。どこか、いらいらしているようにフランキーには感じられたが、まるでそれを押し隠すかのように、夫人はいささか興奮したしゃべり方をしていた。

「自動車事故を起こされたそうですな、レディ・フランシス」ニコルソン博士は、晩餐のテーブルでフランキーのとなりの席につきながら話しかけた。

フランキーは、そのときの様子を説明した。そして、自分が話すのになぜこうも緊張しているのか、彼女はいぶかった。話を聞いている博士の態度は、ごくさりげない興味しか示していなかった。なぜ彼女には、まるで自動車事故を疑われてやっきになって弁明に努めているように感じられるのだろう、一度も疑われたこともないのに。いったい、この医者が彼女の自動車事故を信じない理由が、どこにあるというのだ？

「それはお気の毒でしたね」フランキーが必要以上にことこまかく自動車事故の説明をしおわると、博士は言った。「だが、お見受けしたところ、すっかりお治りになったようですな」

「いいえ、まだ治りきっていないと、あたくしたちは思っていますの。お嬢さんをお引き留めしているところですわ」とシルヴィアが言った。

博士はシルヴィアのほうに視線を移した。彼の口もとに、ちらっと微笑のようなものが浮かんだが、たちまち消えてしまった。

「まあ、できるだけ長く、彼女をお引き留めしなければなりませんな」と彼は重々しく言った。

フランキーは、ヘンリイ・バッシントン－フレンチとニコルソン博士のあいだに坐っていた。ヘンリイはその夜、ひどくふさぎこんでいた。両手はピクピクけいれんしているし、ほとんどなにも食べないばかりか、話にも加わらなかった。

ヘンリイの向かい側に坐っていたニコルソン夫人は、すっかり彼をもてあましていたが、いかにもホッとした様子でロジャーのほうに顔を向けた。彼女はとりとめのない会話をロジャーと交わしていたが、その目だけは絶え間なく夫の顔にそそがれているのに、フランキーは気がついた。

ニコルソン博士は田舎の生活について、さかんに話しているところだった。

「カルチュアというのは、どういうものだかご存じですか、レディ・フランシス？」

「つまり、教養のことですか？」いささか狐につままれたような顔つきで、フランキーがたずね返した。

「いや、いや、培養された細菌のことです。それは、特別につくられた血清の中で繁殖するのですよ。田舎というところはね、レディ・フランシス、多少それに似たところがあるのですな。時間と空間と、それにありあまる暇があるのですから、繁殖には絶好な条件がそろっているわけですよ」

「悪いことが、という意味ですの？」とフランキーはよくわからないといった顔つきでたずねた。

「まあ、培養される細菌の種類にもよりますがね、レディ・フランシス」

なんてばからしい話題なんでしょう、だけど、なんだってあたしはゾクゾクするのかしら、とフランキーは胸の中でつぶやいた。でも、ほんとに身の毛がよだつようだわ！

彼女はわざと軽い口調で言った。

「どうやらあたしは、ありとあらゆる悪い菌を繁殖させているらしいですわね」

博士は彼女の顔をまじまじと見つめながら、落ち着き払った口調で言った。

「いや、いや、私はそうは思いませんよ、レディ・フランシス。あなたはつねに、法と秩序の味方だと私は思いますが」

法という言葉がかすかに強められたのではないだろうか？

突然、ニコルソン夫人がテーブル越しに口を出した。

「夫は、ひとの性格を分析するのが自慢なんですのよ」

ニコルソン博士はしずかにうなずいてみせた。

「そのとおりだとも、モイラ。ほんのささいなことが、私の興味をひくのだよ」博士はまた、フランキーのほうに顔を向けた。「あなたの自動車事故のことは、すでに聞いていたのですが、そのことで、私の興味をそそることがひとつあるのですよ」

「なんですの？」急にフランキーの胸の鼓動が早鐘のように鳴りだした。

「ちょうど来合わせた医者——あなたをこの家に運び入れた医者ですがね」

「はあ？」

「じつに奇妙な性格の持ち主にちがいありませんな——あなたを助けに駆けつける前に、自分の車を回しておくとはね」

「おっしゃることが、よくわからないのですけど？」

「いや、ごもっとも。なにしろあなたは、意識不明だったのですからね。しかし、あのメッセンジャー・ボーイのリーヴスは、スティヴァリイ村のほうから、一台の自動車にも追い越されずに自転車で走って来たのですよ。ところが角を曲がったとたんに、少年はあなたの車が衝突しているのを発見したのです。しかも医者の車は、少年の自転車の進行方向——つまり、ロンドンの方向に向いていたのですからね。ここのところがおわかりになりますかな？　その医者の車は、スティヴァリイの方角から来たのではなかった。するとその車はもうひとつの道、あの丘を下りて来たことになる。だがそうだとすると、彼の車はスティヴァリイのほうに向いていなければならないのだが、そうではなかった。ということはつまり、その医者は、自分の車を回したにちがいないのです」

「その少しまえにステイヴァリイから来たのでなければ、ですわね」とフランキーが言った。

「そうだとしたら、彼の車はあなたの車が丘を下りてくるときに、あそこにあったはずですな。ありましたか？」

博士の、うすいブルーの眼が、強度の眼鏡の奥からフランキーの顔をじっとのぞきこんでいた。

「覚えていないわ」とフランキーは言った。「あったとは思いませんけど」

「まるであなたったら、探偵みたいね、ジャスパー」とニコルソン夫人が口を出した。

「そんなこと、どうだっていいじゃありませんの」

「なに、ほんのちょっとしたことが、私には興味があるんだよ」と博士。

彼がシルヴィアのほうに顔を向けたので、フランキーは思わずホッと胸をなでおろした。

いったいなぜ博士は、あんなふうに尋問を試みたのか？　あの自動車事故を、彼はどうやって調べたのか？　〝ほんのちょっとしたことが、私には興味があるんだよ〟と彼は言ったけど、ほんとにそれだけのことにすぎないのだろうか？

フランキーは、ダーク・ブルーのタルボットと、博士がカナダ人だということを思い浮かべた。どうしても、ニコルソン博士という男が邪悪な人間のように、彼女には思われるのだ。

晩餐がすんでからフランキーは、もの静かな、どこか弱々しいニコルソン夫人に付ききりで、博士を避けるようにした。しかもそのあいだじゅう、ニコルソン夫人の目が相変わらず博士の顔にそそがれているのに、彼女は気がついた。それは愛情のためなのか、それとも恐怖？　とフランキーは心の中でいぶかった。

ニコルソン博士のほうはシルヴィアのお相手に熱中していたが、十時半になると妻に目で合図して、テーブルから立ちあがった。

夫妻が帰ると、ロジャーが口を開いた。「ニコルソン博士をどうお思いになります？　すごく強烈な個性の持ち主じゃないでしょうか？」

「あたしはシルヴィアに同感ですわ」フランキーが答えた。「あまり好きになれません。奥さまのほうが好感がもてました」

「なかなかの美人ではありますがね、ちょっとおつむのほうが弱いですよ」とロジャーが言った。「夫人は博士を崇拝しているのか、死ぬほど恐がっているのか、そのどちらかですね——ぼくにはさてどっちなのか、答えられませんが」

「やっぱりあたしもそう思っておりました」とフランキーも同調した。

「あたくしも博士が嫌いですわ」とシルヴィアが言った。「ですけど、博士が、なんというか、たいへんな力をもっていることは認めざるを得ませんの。あの博士だったら、きっとすばらしい方法で麻薬患者を治してきたのでしょうね。身内のものが匙を投げてしまったようなひとたちをね。そういう人たちが最後の望みを託して、入院して、すっかりよくなって出てくるのですわ」

「そうとも」突然、ヘンリイ・バッシントン－フレンチが叫んだ。「あの病院でどんな治療が行なわれているか、知っているのか？　あの恐ろしい苦痛と精神的拷問を？　中毒患者から麻薬を断つのだ――そうだ、あの連中が麻薬を断つと、患者は禁断症状をおこして、気が狂ったようにわめき立て、我とわが頭を壁にぶつけるのだ。それが、あの男の治療法なんだ――おまえが言う、〝たいへんな力のある〟先生は、患者をいじめるんだ――地獄の責苦を与えるのだ――発狂させてしまうんだよ――」

ヘンリイは、激しくからだを震わせていた。そして突然、身をひるがえし、食堂から出て行ってしまった。

シルヴィア・バッシントン－フレンチは、あっけにとられていた。

「いったい、ヘンリイはどうしたというのかしら？」と夫人は狐につままれたような口調で言った。「ひどく取り乱しているようだけど」

フランキーとロジャーは、努めて目を合わせまいとしていた。

「今夜のご主人は、ずうっとご気分が悪そうでしたわ」とフランキーが言った。

「ええ、あたくしにもそれはわかっていたのです。近ごろは、すっかりふさぎこんでいて。主人は乗馬をやめなければよかったのにと、あたくし思いますの。それはそうと、ニコルソン博士が明日、トミイに遊びにくるようにと言ってくださったんですけれど、なんか、あの子を遊びには行かせたくないんですの——あんな精神障害の患者や麻薬中毒者がウヨウヨしているところへはね」

「だけど、いくらなんでも、トミイをそんな患者たちと会わせたりはしませんよ。博士はとても子供好きのようですね」

「ええ、お子さんがいないので、ずいぶん淋しいだろうと思いますわ。たぶん、奥さまにしてもそうですよ。とても淋しそうだし、それにずいぶん弱々しい感じがするし」

「博士の奥さまは嘆きのマドンナ、というところですわね」とフランキーが言った。

「ほんとに、彼女の実感が出ていますわ」

「ニコルソン博士がそれほど子供がお好きなら、先日の子供のパーティにはお出かけになったのでしょうね？」と、さりげなくフランキーがたずねた。

「ところがあいにくと、博士は一日二日、留守にしていましたの。なにかの会議があって、どうしてもロンドンへ行かなければならない用事があったのだと思いますけど」

「まあ、そうでしたか」

三人は寝室へひきあげた。フランキーは眠る前に、ボビイに手紙を書いた。

15 ある発見

ボビイにとっては退屈な毎日だった。強いられて何もしないということは、まさに苦業だ。彼はロンドンでただ手をこまねいてじっとしているのが、いやでいやでたまらなかった。

ジョージ・アーバスノットが、電話で万事うまくいったとしごく簡単に言ってきただけだった。それから二日後、フランキーからの手紙を彼は受け取ったのだ。それは、マーチントン卿のロンドンの屋敷のメイドが届けてくれたものだった。

それ以来というもの、さっぱり連絡がなかった。

「手紙だよ」とバジャーが声をかけた。

ボビイは胸を躍らせて出て行ったが、その手紙の表書きは父の筆跡で、マーチボルトの消印が押してあった。

ちょうどそのとき、こざっぱりとした黒いガウンを着たフランキーのメイドの姿が、ガレージに近づいてくるのが、彼の目に入った。五分後、彼はフランキーからの第二信の封を切っていた。

その手紙には——

親愛なるボビイ、いよいよ、あなたにご登場を願う時が来たらしいわ。あなたが入用になり次第、いつでもあたしのベントレーをあなたに貸すよう、家のものに言ってあります。運転手の制服を手に入れてちょうだい——うちのはダーク・グリーンなの。父のつけで、ハロッズで買えばいいわ。とにかく、細かいところまで気をつけるのがなによりも肝腎よ。口髭にもぬかりがないように注意すること。口髭は人相をガラリと変えますからね。

この家へ来て、あたしを訪ねてください。父の見せかけの手紙を持ってきてもいいわ。やっとあたしの車が直ったと、あたしに報告するのよ。ここの家のガレージには車が二台しか入らないの。それがいま、家族用のダイムラーと、ロジャー・バッシントン－フレンチの二人乗りの車が入っていて、うまい具合にいっぱいだから、あなたはステイヴァリイ村へ行って、そこで宿泊することになるわ。

その村に宿泊したら、できるだけたくさん土地の情報を集めてちょうだい。とりわけ、麻薬患者の病院を経営しているニコルソン博士のことをね。その博士には、疑わしい点がいくつかあるの——なにしろ、ダーク・ブルーのタルボットは持っているし、あなたがモルヒネを服まされた十六日の日には家を留守にしていたのだし、おまけにあたしの自動車事故について必要以上に興味を持っているんですもの。

それからね、とうとう死体の身元の謎が解けたと思うの！　ではまた、あたしの相棒の探偵さん。

うまく脳震盪を起こしたフランキーより

追伸　この手紙は自分で投函するわ。

ボビイは思わず武者ぶるいをした。

彼は作業服をパッと脱ぎ捨てると、バジャーに、いまからただちに出発すると告げ、そそくさとガレージから出て行こうとしたが、このとき、ふと父の手紙をまだ読んでいないことに気がついたのだ。彼はその手紙を、いささかしぶりがちな気持ちで開封した。だいたい牧師の手紙という代物は、愉しみというよりも義務感で書かれていて、読むものの意気をはなはだしく消沈させる、あのキリスト教的自制の匂いがプンプンしているからなのだ。

牧師の手紙には、教会のオルガン弾きとの悶着を述べたり、教会委員のひとりの非キリスト教的精神を批評したりして、マーチボルトでの出来事がことこまかに書かれてあった。おまけに讃美歌集を製本しなおすことまで書いてある。それから、ボビイが男らしく仕事に取り組んで成果を上げるべく努力することを希望しているとあり、最後に、愛する父より、と結んであった。

追伸があった――

ところで、おまえのロンドンの住所を尋ねてきたひとがある。ちょうど私は出かけていたのだが、そのひとは名前も告げずに帰ったそうだ。ロバーツ夫人の話では、そのひとは、背の高い猫背の紳士で、鼻眼鏡をかけていたとのこと。おまえに会えなかったのがいかにも残念そうな様子で、しきりに、このつぎにはぜひ会いたいと言っておったそうだ。

猫背で背が高く、鼻眼鏡をかけている男。これに該当するような男を、ボビイは心の中でひとりひとり当たってみたが、思い当たるものはだれもいなかった。

すると突然、彼の心に疑惑の影が差した。これこそ、ぼくの命をまた狙おうとする、新たな計画の前ぶれではないか？　ぼくの住所をつきとめようとする正体不明の敵たちか、あるいはひとりの敵なのか？

彼は身動きもせず腰をおろしたまま、真剣に考えこんだ。敵たちは、それが何者であれ、ボビイが牧師館を出てロンドンにいることをつきとめたばかりなのだ。なんの疑いもいだかずに、家政婦のロバーツ夫人はロンドンの住所を教えてしまったのだ。

それならば、敵のやつらはこのガレージをすでに見張っているかもしれないのだ。これから出かけて行けば、尾行されるに決まっている――いまそんなことをされたら、すべては水の泡だ。

「バジャー」ボビイが声をかけた。

「な、なんだい」

「こっちへ来てくれ」

それからの五分間というものは、言語に絶する困難な仕事だった。十分経ったころには、バジャーは言いつけられたことが暗誦できるようになった。

やっとその仕事から解放されると、ボビイは一九〇二年型の二人乗りのフィアットに乗りこんで、ガレージをすごい勢いで走り出た。彼はフィアットをセント・ジェイムズ広場に駐めると、クラブのほうにまっすぐ歩いて行った。クラブから二、三電話をかけると、それから二時間ほどでいくつかの包みが届けられた。ようやく三時半ごろになって、ダーク・グリーンの制服に身を包んだ運転手が、セント・ジェイムズ広場に姿を現わし、三十分ぐらい前からそこに駐めてあった大型のベントレーのほうへスタスタと歩み寄った。駐車係がその運転手に軽く会釈して——この車をおいて行かれた紳士は多少どもりながら、運転手がすぐに取りに来るからとおっしゃっていました、と伝えた。

ボビイはクラッチをつなぐと、ベントレーを手ぎわよく運転して行った。乗り捨てられたフィアットは、いまなお忠実に持ち主を待っていた。ボビイは、上唇のあたりがなんだか気になってしようがなかったが、それでもだんだん愉快になってきた。彼は進路を南ではなく北に取り、ほどなく、強力なエンジンはグレート・ノース・ロードに向けて車を進めていった。

いま、彼が取っているコースは、敵の目をくらます予防策にすぎなかった。尾行されていないという確信をもつと、やがて彼は車を左に転じ、大きく迂回して、ハンプシャーに向かった。

威厳を正した運転手がハンドルを握っているベントレーがメロウェイ・コートの車寄せに駐まったのは、ちょうどお茶がすんだところだった。

「あら」とフランキーは軽く言った。「うちの車が来ましたわ」

彼女は正面玄関のほうに出て行った。シルヴィアとロジャーがそのあとにつづいた。

「すっかり直ったのね、ホウキンス？」

運転手は制帽に手をあてた。

「はい、お嬢さま、すっかりオーバーホールいたしました」

「それなら、もう大丈夫だわね」

運転手は手紙を差し出した。

「お父さまからでございます、お嬢さま」

フランキーは、それを受け取った。

「おまえはステイヴァリイ村の——ええと、なんていったかしら——アングラーズ・アームズ館に泊まりなさい、ホウキンス。車がいるようだったら、明日の朝、電話をするから」

「かしこまりました、お嬢さま」

ボビイは、車をバックさせて向きを変えると、走り去っていった。

「ガレージがいっぱいで、すみませんでしたわね」とシルヴィアが言った。「ほんとにすてきな車ですこと」

「あなたなら、あの車でかなりとばすのでしょうね」とロジャーが言った。

「そうですの」とフランキーはうなずいた。

彼女は、ロジャーの表情に怪しむ影が少しもないのを見て、安心した。もし、気取られた気配でもあったら、それこそびっくりしたことだろう。じっさい、偶然ボビイに出会ったなら、彼女自身にもわからなかったにちがいない。小さな口髭はどう見てもほんものにしか思えなかったし、いつものボビイとはおよそかけはなれた、あのしゃっちょこばった挙動が運転手の制服とあいまって、変装を非の打ちどころのないものにしていたのだ。

声色まですっかり変わっていたから、ボビイらしいところはまったくなかった。あのひと、あたしが思っていたよりもはるかに才能があるんだわ、とフランキーは思いはじめた。

一方、ボビイは、アングラーズ・アームズ館に、ちゃっかり部屋をとっていた。とにかく、レディ・フランシス・ダーウェントの運転手、エドワード・ホウキンスになりきるのが彼の仕事だった。

運転手の私生活ぶりというのがどんなものか、ボビイにはとんと見当がつかなかったが、いくらかお高くとまっていても、まずいことになることもあるまいと彼は想像していた。彼は、いつもの自分よりも一段上の人間だと思うように努め、またせいぜいそのように振る舞うことにした。アングラーズ・アームズ館で働く若い女性たちから、下にも置かぬもてなしを受けると、彼はすっかり自信を持ってしまった。そして、フランキーと彼女の自動車事故とが、その起こった日から、このステイヴァリイ村の話題をさらっていることに、彼はすぐ気がついた。ボビイは、トーマス・アスキューという、いかにも如才なさそうなこの宿の太った主人と仲よくなると、彼からいろいろと情報を引き出しにかかった。

「リーヴスという子がね、現場に行き合わせて事故を目撃したんですよ」と、アスキュー氏が言った。

ボビイは、その男の子の天性の虚言癖に、祝福を送った。いまや、この有名な自動車事故は目撃者によって裏書きされていたのだ。

「これで自分はおしまいだと、その子は観念したそうですよ」とアスキュー氏はつづけた。「丘の上から車があの子めがけて突っ走って来たかと思うと——間一髪のところで壁にぶつかったというのですからな。いや、あのお嬢さんの命が助かったのは、奇蹟中の奇蹟ですね」

「うちのお嬢さまは、これまでにもなんどもそんな目にあいになっているんですよ」とボビイが言った。

「いったい、何回ぐらい事故をお起こしになったんで？」

「いままでは、運がよすぎたのです。じつを言うとね、アスキューさん、ときどきおやりになるんだが、私からハンドルをとりあげて、ご自分で運転なさるときは――これで私もこの世とおさらばだと、観念したものですよ」とボビイが言った。

二人の周りで話に耳を傾けていた連中は、いかにもごもっともと口々に言いながら、大真面目にうなずいてみせた。

「ですけど、この旅館はすばらしいですよ、アスキューさん」とボビイはさかんに持ち上げた。

アスキュー氏は大満足のていだった。

「このあたりで大きな屋敷というと、このメロウェイ・コートだけですか？」とボビイがたずねた。

「そうですね、グレインジがありますよ、ホウキンスさん。まあ、お屋敷とは申せませんがね。なんせ、家族というものが住んでいないのですからな。アメリカ人の医者がその家を買いとるまでは、何年も空家だったのです」

「アメリカ人の医者？」

「そうですよ――ニコルソンという名前ですがね。まあ、たってとおっしゃるならお話ししますけどね、ホウキンスさん、そこの家では、とても妙なことがあるんですよ」

するると、あのニコルソン先生を見ると身ぶるいがしてきますの、と若い女性従業員が口をはさんだ。

「妙なこと？　いったいどんなことなんです？」

アスキュー氏は、いかにも陰うつそうに頭を振った。

「あそこにはね、入りたくもない連中が入れられているんですよ。みんな、身内のものに匙を投げられた連中ばかりで。こうなんですよ、ホウキンスさん、その家からもれてくるうめき声、叫び声といったら、とてもこの世のものとは思われませんよ」

「なぜ、警察が黙っているのです？」

「いや、それは、どうにも仕方のないことでして。神経症やそういったたぐいが入っているのですよ。ま、たいして重くない精神病患者ですね。その持ち主がお医者さんなので、問題はないわけです。まあね――」ここまで言うと、宿屋の主人は一パイント入りのポットで顔を隠すようにして酒を飲んでから、また顔を上げると、いかにも疑わしげに頭を振ってみせた。

「ああ！」ボビイは、気が滅入ったような思わせぶりな口調で言った。「その家の中の様子がすっかりわかったらなあ――」

そして、彼もしろめのポットに口を当てた。

若い女性従業員が熱心に相槌を打った。

「ほんとにそうですとも、ホウキンスさん。あの家の中でどんなことが行なわれているのでしょうね？　いつかの夜なんか、若い娘が逃げ出したんですよ――ナイトガウンを着たままね。そしたら、先生と看護婦が二人、その娘さんを探しに出たんですよ。〝あたしを逃がして〟って、その娘さんは叫んでいましたわ。かわいそうったらなかったわ。彼女がお金持ちだものだから、身内のものが彼女をあそこに無理矢理に入れたんだそうですよ。でも、あの連中はその娘さんを連れ戻してしまいましたの。あの先生が言うには、彼女は被害妄想にかかっているんですって――そういう病名なんですって。なんでも、みんなが自分のことをよってたかっていじめると思いこむ病気だそうですけど。でもあたし、ときどき腑に落ちないんですよ――ええ、そうですとも――」

「いや、口で言うのはごく簡単なんですがねえ――」とアスキュー氏が言った。

だれかが、家の中の様子というものはなかなかわかるものじゃない、と言った。するとまたひとりが、そのとおりだと言った。

やがて一同が解散すると、寝る前にそこらを散歩してくるからと、ボビイは宿のものに告げた。

グレインジが、メロウェイ・コートとは村の反対側にあることをボビイは知っていたので、その方向に彼は足を向けた。ついさっき耳にしたことは、一考を要するように彼には思われた。むろん、割り引きして聞かなければならないこともたくさんあった。だいたい、田舎の村というところは、よそから移住してくるものに偏見をもっているものだし、まして国籍がちがうものなら、なおさらのことだ。ニコルソンが麻薬患者の病院を経営しているなら、そりゃあ怪しい物音だってしてくるだろう――うめき声や、ときには叫び声だって、悪い理由からでなくても、聞こえてくるにちがいない。だがそれにしても、あの、病院から逃亡を企てた若い娘の話は、ボビイになんとも言えないイヤな感じを与えた。

グレインジが、患者の意志を無視していやがるものを強制的に収容しているところだとしたらどうだろう？　かなりの数の本物の病人が、カムフラージュのために収容されているのかもしれない。

そこまで考えついたとき、ボビイは鉄の門のある高い塀までたどりついた。彼は鉄の門に近寄ると、そっと押してみた。鍵がかかっていた。そうだ、考えてみれば当然のことじゃないか。

だがそれにもかかわらず、鍵のかかっている鉄の門の感触は、かすかにではあるが、なにか邪悪な印象を彼に与えた。これじゃまるで監獄みたいじゃないか。

彼は、目でその塀の高さを測りながら、道に沿って少し歩いてみた。この塀をよじのぼれないものだろうか？　すべすべしているその高い塀には、足がかりになるようなものはひとつもなかった。彼は頭を振った。すると突然、小さなドアが現われた。まずだめだろうと思いながらも、彼はそのドアを押してみた。おどろいたことに、開くではないか。鍵がかかっていなかったのだ。

「うっかり忘れたんだな」ボビイはニヤッとしながら、そう思った。

彼はスルッと身を忍びこませると、そっとドアを閉めた。

彼は灌木の生い茂っている小道に立っていた。その、くねくねと曲がっている小道を彼は歩いていった――いや、この道ときたら『鏡の国のアリス』に出てくるあの曲がりくねった道とそっくりだな、とボビイは思ったくらいだった。

突然、なんの予告もなしに、その小道は急に曲がったかと思うと、建物に近い空地に出た。月夜だったので、月光がその空地を照らし出していた。あっと思う間に、ボビイは全身に月光を浴びてしまっていた。

ちょうどそのとき、ひとりの女の姿がその建物の角を曲がって現われた。その女はまるで追われている動物のように、あるいはじっと見まもっているボビイの目にはそう映ったのかもしれないが、左右に目を配りながら、足音を殺して歩いているのだ。不意に、ピタッと立ち止まると、いまにも倒れそうに身をふらふらさせながら、その場に立ちすくんだ。

ボビイはパッと飛び出すと、女のからだを支えた。女の唇には血の気がなかった。このように恐怖にゆがめられた人間の顔は、いまだかつて見たことがないと彼は思った。

「大丈夫です」彼は安心させるようにささやいた。「心配することはないですよ」

その娘は——そう、女は若い娘だった——かすかにうめき声をあげると、まぶたをなかば閉ざした。

「怖いんです」と娘は息もたえだえに言った。「ほんとに怖いんです」

「いったい、どうしたんです?」とボビイがたずねた。

その娘はただ頭を振っては、同じ言葉を弱々しく繰り返すだけだった。

「怖いんです、とても、とても怖いんです」

突然、彼女はなにかの物音を聞きつけたようだった。娘はサッとからだを起こすと、ボビイに背を向けた。それからまた振り向くと、「行ってちょうだい、すぐ行って」と彼女は言った。

「ぼくはきみを助けたいんだ」とボビイが言った。

「あなたが？」娘はしばらくのあいだ、彼の顔を見つめていた。とても信じられないといった、落ち着きのない目つきで。まるで、ボビイの心の底まで探るように。

やがて若い娘は頭を振った。

「だれにもあたしを助けられないわ」

「できるとも」とボビイが言った。「ぼく、どんなことでもしてあげるよ。さあ、いったいなにがそんなに怖いのか、ぼくに話してごらん」

若い娘は頭を振りつづけた。

「いまはだめだわ。さ、早く行って——あのひとたちがやって来るわ！　すぐ、あなたが逃げてくれなかったら、あたしを助けてくれることだってできないのよ。早く——早く」

彼女があまりにも急かせるので、ボビイもそれに従わざるを得なかった。

彼はささやいた。「ぼくはアングラーズ・アームズ館にいるからね」彼は小道を急いで引き返した。彼の目に最後に映ったのは、彼を急き立てている彼女の姿だった。

するとだしぬけに、前方の小道から足音が聞こえてきた。だれかが、あの小さなドアをくぐってこの小道を歩いてくるのだ。ボビイは、かたわらの灌木の茂みの中にサッと身をひそませた。

思ったとおりだった。ひとりの男が小道を歩いてくるのだ。男はボビイのすぐ前を通りすぎたが、あまりの暗さに、その男の顔はわからなかった。

男が行ってしまうと、ボビイはまた歩きだした。今夜はこれ以上は無理だな、と彼は思った。

彼の頭の中では、いろいろなことがめまぐるしく回転していた。

なぜなら、あの若い女性がだれであるか、彼にはわかったからだ――疑問の余地のないくらいはっきりと。

あの若い娘こそ、死体のポケットから謎につつまれたまま消え失せた、あの写真の主《ぬし》だったのだ。

16　ボビイ、弁護士になる

「ホウキンスさん？」

「はあ」ボビイは、ベーコン・エッグを口いっぱいに頬ばっていたものだから、声がよく出なかった。

「あの、お電話ですけど」

ボビイはあわててコーヒーを飲みこむと、口をぬぐって立ちあがった。電話は、薄暗くてせまい廊下にあった。彼は受話器をとった。

「もしもし」フランキーの声だった。

「やあ、フランキー」ボビイは、うっかりそう言ってしまった。

「こちらはレディ・フランシス・ダーウェント」彼女の口調は、あくまで他人行儀だった。「ホウキンスね？」

「はい、お嬢さま」

「ロンドンに行きますから、十時に車をまわして」

「かしこまりました、ご令嬢さま」

ボビイは受話器をかけた。

〝どうも、〈お嬢さま〉と〈ご令嬢さま〉の使い分けがよくのみこめないな〟とボビイは胸の中でつぶやいた、〝運転手なら当然わかっているはずなのに、このぼくときたら使い分けもつかない。本物の運転手や執事が聞いたら、それこそいっぺんでぼくの正体は見破られてしまうだろうな〟

一方、フランキーは受話器をおくとロジャー・バッシントン－フレンチのほうに顔を向けた。

「今日、ロンドンに行くなんて、ほんとに面倒ですわ。父があんまりうるさく言うものですから」と、彼女は軽い調子で言った。

「しかし、夜までには、またおもどりになるんでしょう？」とロジャー。

「ええ、むろんですわ！」

「じつは、ロンドンまでご一緒にお願いしようかなと思っていたのですが」とロジャーは、臆面もなく言った。

フランキーは一瞬ためらったが、うわべはあくまで勧めるように答えた。

「ええ、どうぞ」

「でも、今日は行くのをよそうと思いなおしたんです。どうも、ヘンリイの様子がいつもよりおかしいんですよ。シルヴィア一人、残しておくのは気が進みませんでしてね」

「そうですわね」

「ご自分で運転なさるんですか？」二人が電話を離れると、ロジャーがなにげなくたずねた。

「ええ、でも、運転手のホウキンスを連れて行きますわ。それに買物もありますから、自分で運転すると面倒ですもの――好き勝手なところに車を置いておくわけにはいきませんからね」

「そりゃあそうですね」

ロジャーはそれ以上なにも言わなかったが、威厳を正したボビイの車が迎えにくると、彼はフランキーを玄関まで送りに出て来た。

「じゃ、行ってきます」とフランキー。

こんなときだから、べつに手を差し出すつもりはフランキーにはなかったが、ロジャーは彼女の手を取るとしばらく握りしめていた。

「きっと戻ってきてくれますね？」彼は妙にしつこく聞いた。

フランキーは声を立てて笑った。

「むろんですとも。たった今夜までのお別れじゃありませんか」

「もう事故なんか起こさないでくださいよ」

「そんなにご心配なら、ホウキンスに運転して行ってもらいますわ」

彼女はボビイのとなりに乗りこんだ。ボビイは制帽に手をかけた。車は門のほうへ走って行った。ロジャーは玄関に立ったまま、走り去る車の後ろ姿を見送っていた。

「ねえ、ボビイ」とフランキーが声をかけた。「ロジャーがあたしに熱を上げるなんてこと、あるかしら？」

「あの男がかい？」ボビイがたずねた。

「そうね、ちょっとそうじゃないかしらと思っただけだけど」

「そんな徴候なら、きみにははっきりわかりそうなものだけどね」とボビイ。

そうは言ったものの、ボビイはほんの口先だけで、なにかほかのことに没頭しているらしかった。フランキーは彼の顔をチラッと見た。

「なにか——あったの？」と彼女がたずねた。

「うん、そうなんだ。フランキー、ぼくはあの写真の主《ぬし》を見つけたんだよ！」

「というと——あの写真って——あなたがあたしに話してくれた、死んだひとのポケットにあった写真？」

「そうなんだ」

「まあ、ボビイ！　あたし、あなたにお話しすることもあるんだけど、そんなことは問題じゃないわ。で、いったいどこで彼女を見つけたの？」

ボビイは肩越しに顎をしゃくってみせた。

「ニコルソン博士の病院さ」

「さあ、話してちょうだい」

ボビイは、昨夜の出来事を注意深く、できるだけ正確に説明した。フランキーは耳をそばだてて、一心に聞いていた。

「じゃ、あたしたち、まちがっていないのね」彼女は言った。「やっぱりニコルソン博士はこの事件と関係があるのよ！　ボビイ、あの男が怖くてたまらないの」

「いったい、どんな男なんだい？」

「ああ！　力があり余っていそうな大男で――あたしのことをじっと観察するのよ。それも度の強い眼鏡の奥からね。なにからなにまで見透かされているような感じ」

「いつ、あの男に会ったの？」

「晩餐にやって来たのよ」

フランキーは、あの夜の晩餐会の様子と、ニコルソン博士が彼女の〝自動車事故〟を根掘り葉掘りたずねたりしたことを説明した。

「あの男は疑っているな、とあたし思ったわ」と彼女は言葉を結んだ。

「そうか、そんなことまでほじくりかえすなんて、たしかにくさいぞ」とボビイが言った。「ところで、この事件の根底にあるものはいったいなんだと思う、フランキー？」

「そうね、あなたがギャングだなんて言ったとき、あたし、鼻であしらっていたけど、あながち見当ちがいでもないと考えはじめたわ」

「ニコルソン博士がそのギャングの首領だというのはどうだろう？」

「そうね。麻薬患者の病院だなんて、密輸団のカムフラージュにはもってこいだわ。それこそおおっぴらに麻薬を手に入れることだってできるもの。中毒患者を治療するふりをして、ほんとは麻薬を患者に服ませているのかもわからないわ」

「そいつは充分に考えられるな」ボビイが同意した。

「そうだ、まだヘンリイ・バッシントン‐フレンチのことはお話ししてなかったっけ」

ボビイは、彼女が説明するヘンリイの異常性格ぶりに、じっと耳を傾けた。

「で、奥さんは疑っていないのかい？」

「疑ってないのはたしかよ」

「奥さんて、どんなひと？　頭はいいの？」

「そうだとは思えないわね。どちらかと言うと弱いほうよ、きっと。でも、ある面ではとても鋭いところがあるわ。隠しだてのできない、気持ちのいいひと」

「それから、問題のバッシントン－フレンチはどうなの？」

「それが、てんで見当がつかないのよ」フランキーはゆっくりと言った。「ロジャーに対するあたしたちの考え方がぜんぜんまちがっていたなんて、考えられるかしら、ボビイ？」

「ばかな」とボビイは言った。「ぼくたちはとことんまで考えたあげくに、彼がホシにちがいないと決めたんじゃないか」

「例の写真の件で？」

「そうさ。あの写真をすり替えられたのは、あの男しかいないんだからね」

「そうね。だけど、彼にとって不利なことはそれだけなのよ」

「それで充分さ」

「それもそうだけど、でも――」

「でも？」

「あたしにはわからないわ。でも、彼は白なんじゃないかしらという、妙な予感がしてならないの――この事件には全然無関係だというね」

ボビイは彼女の顔を冷ややかに見た。

「さっききみは、あの男が熱を上げているとか、上げられているとかおっしゃってましたね？」ボビイが、いやに丁重にたずねた。

フランキーは顔をあからめた。

「まあ、ボビイ、ばかなことを言わないで。あたしはね、彼が白だという説明がつかないものかどうか、考えてみただけじゃないの」

「考えてみるまでもないことだよ。とりわけ、あの男の近くで写真の女性を発見してしまったいまではね。どうやら、これで解決だよ。あとは、死んだ男の身元さえわかれば――」

「ああ、それがわかったのよ。お手紙に書いたはずだわ。殺された男は十中八、九、アラン・カーステアーズというひとだと思うわ」

ここでまた、彼女はくわしく説明した。

「ねえ、ぼくたちは着々とはかどっているんだ。よし、とにかくこの犯罪の再構成をしてみなければならないな。いままでに判明した事実をならべてみて、どう組み立てられるかやってみようじゃないか」

ボビイは一瞬、言葉を切った。まるでそれに同調するかのように、車はスピードを落とした。やがてまた彼はアクセルを踏むと、しゃべり出した。

「まず第一に、アラン・カーステアーズのことについては、きみの推理が正しいものと仮定しよう。彼はたしかに、さまざまな条件に一致するよ。彼は、気ままに世界中を旅行して歩いている男だし、このイギリスには友だちも身内もいないも同然なのだから、彼の姿が見えなくなったからといって、すぐに捜索願いが出されたりはしないだろうからな。まさに、死んだ男にピッタリだよ。ここまではなかなか好調だね。ところで、アラン・カーステアーズは、このステイヴァリイにだれかと一緒に来たという話だったけど——その連れの名前はなんていったっけ？」

「リヴィントンよ。これも当たってみるだけの価値があるわね。実際の話、調べてみるべきだと思うわ」

「よし、やってみよう。さて、カーステアーズはリヴィントン夫妻と一緒にステイヴァリイにやって来た、と。これには、なにか意味があるのだろうか？」

「つまり、カーステアーズは計画的にリヴィントン夫妻に頼んで、ここに連れてきてもらったということ？」

「そういうことだ。それとも、ほんの偶然だったのかな？　カーステアーズは、リヴィントン夫妻に連れてこられて、ちょうどぼくみたいに、あの写真の女と偶然に出会ったのか？　いや、彼はあの女性をまえから知っていたとぼくは思うな。でなかったら、あの女の写真を持ってはいなかったはずだよ」

「あるいは」とフランキーは思案深げに言った。「カーステアーズは、すでにニコルソンとその一味を調べていたのね」

「で、リヴィントン夫妻をだしに使って、ごく自然な形でここへやって来たというわけか？」

「それも充分考えられることだわ」とフランキーは言った。「彼は、このギャングを追及していたのかもしれない」

「あるいはただ、あの女性をね」

「あの女性？」

「そうだよ。彼女は誘拐されているのかもしれないよ。彼女を探し出すために、彼はこのイギリスに渡ってきたのかもしれない」

「そうね、だけど彼がステイヴァリイまであの女の行方を突きとめられたのなら、なんだってウェールズへなんか行ったのかしら？」

「そりゃあ、ぼくたちにはまだわからないことがたくさんあるからね」とボビイ。

「エヴァンズ」フランキーは考えこみながら言った。「あたしたち、エヴァンズのことについては、まだなんの手がかりもつかんでいないのよ。きっと、この事件のエヴァンズの部分が、ウェールズと関係があるんだわ」

一瞬、二人とも黙りこんでしまった。やがて、フランキーは車の外の様子にハッと気がついた。

「あら、もうパトニー・ヒルよ。まだ五分ぐらいしか経っていないような気がしたけど。これからどこへ行って、なにをするつもりなの？」

「それはこっちで言う台詞だよ。なぜロンドンへ行くのか、それすらぼくにはわからないんだからね」

「ロンドン行きは、あなたとお話しするための口実じゃないの。自分の運転手と話に夢中になりながら、ステイヴァリイの小道を散歩しているところなんかをだれかに見られたら、それこそ取り返しがつかないわ。父の偽手紙でロンドン行きの口実をつくり、車の中であなたとお話ししようと思ったの。ところがそれさえ、バッシントン－フレンチが一緒について来そうになったので、もう少しでオジャンになるところだったのよ」

「そいつは危いとこだったね」

「それでも、大丈夫だったわ。ロジャーをおのぞみのところで車から降ろして、それからあたしたちブルック街へでも行ってお話しすればいいんですもの。ま、それはとにかく、ブルック街へ行ったほうがよさそうね。あなたのガレージは監視されているかもしれないから」

ボビイもこれに同意して、マーチボルトの牧師館で彼の行先を調べられたことをフランキーに話した。

「それじゃ、ロンドンのうちの屋敷に行きましょう」とフランキーが言った。「あそこだったら、メイドと留守番が二人いるだけで、ほかにはだれもいないから」

二人の車はブルック街へ乗りつけた。フランキーがベルを押し、中に入っていった。ボビイは表で待っていた。やがて、フランキーがまたドアを開けると、彼を招き入れた。二人は二階の広々とした客間に上がっていって、窓のブラインドを上げるとソファーからほこりよけの布をとった。

「そうだわ、もうひとつ、あなたに言い忘れていたことがあったの」とフランキーが言った。「あなたがモルヒネを服まされた十六日の日はね、バッシントン－フレンチはステイヴァリイにいたけど、ニコルソン博士は家を留守にしていたのよ——ロンドンでなにか会議があったとかいう話で。おまけに彼の自動車はダーク・ブルーのタルボットなのよ」

「それに、彼ならモルヒネはわけなく手に入るしね」とボビイ。

二人は意味ありげに目と目を合わせた。

「証拠とまではいかないけど、話の筋は通っているわ」

フランキーはサイド・テーブルに近寄ると、電話帳を取ってきた。

「それでどうするの？」

「リヴィントンという名前を探してみようと思うのよ」

彼女はパラパラとページをめくっていった。

「A・リヴィントン＆サンズ、建築業。B・A・C・リヴィントン、歯科医。D・リヴィントン、シューターズ・ヒル。これじゃないわね。ミス・フローレンス・リヴィントン。H・リヴィントン大佐、軍管区参謀、こっちのほうがくさいわ――タイト街、チェルシー」

彼女はつづけて調べていった。

「オンズロー・スクエアのM・R・リヴィントンというのがあるわ。これかもしれないわね。それからハムステッドのウイリアム・リヴィントン。とにかく、オンズロー・スクエアとタイト街が一番くさいわ。ボビイ、リヴィントン夫妻にすぐに会ってみなくちゃならないわね」

「たしかにきみの言うとおりさ。でも、会ってなんと言うつもりなんだい？　もっともらしい嘘を考えてくれよ、フランキー。ぼくはそういうことが苦手なんだ」

フランキーは、しばらくじっと考えこんでいた。

「あなたが会いに行くべきだと思うの。どう、あなた、法律事務所の若い弁護士に化ける自信ある？」

「そいつは、ちょっとした紳士役だね」とボビイが言った。「もっとひどい役を考えるんじゃないかと思って、ぼくはひやひやしてたんだ。だけど、弁護士というのはピッタりこないんじゃないかな？」

「どういうこと？」

「つまりだね、弁護士というやつは個人的な訪問はしないものじゃないかな？　あの手合ときたら、一回手紙を書くごとに六シリング八ペンスの報酬を請求するか、さもなければ、手紙で事務所に人を呼びつけるのが相場だからね」

「だけど、この法律事務所の弁護士は例外なのよ。ちょっと待っててね」

フランキーは部屋から出て行くと、一枚の名刺を持ってきた。

「ミスタ・フレデリック・スプラッゲ」そう読みあげながら、彼女はボビイにそれを手渡した。「あなたはね、ブルームスベリイ・スクエアの、ジェンキンソン＆スプラッゲ法律事務所の若手弁護士よ」

「きみの創作かい、その事務所は？」

「とんでもない、そこは父の弁護士事務所よ」

「そこの名前なんか使って、訴えられないかな？」

「大丈夫よ。その事務所には、若いスプラッゲさんなんかいないわ。本物のスプラッゲさんは、百歳になんなんとしているのよ。いずれにせよ、彼はこのあたしには頭が上がらないわ。具合の悪いことになったら、あたしに任せて。彼はたいへんな俗物なのよ。お金にならなくても、貴族が大好きというおじいちゃんだから」

「服はどうしようか？　バジャーに電話をかけて、持って来させようかな？」

フランキーはうかない顔をした。

「あなたの服をべつにけなしたくはないんだけど、ボビイ」と彼女は言った。「それに、貧乏だからといって、あなたを責めたりするわけじゃないけれど、あなたの服じゃ、あまり説得力がないんじゃないかしら？　あたし、父の服をちょっと借用したらいいと思うんだけど。父の服だったら、あなたに似合わないこともないわよ」

それから十五分後、ボビイは、かなりよく似合う極上仕立てのモーニングとストライプのズボンをちゃっかり着こんで、マーチントン卿専用の姿見に映っている自分を眺めていた。

「さすがにお父さんの趣味はみごとなものだね」と、彼は丁重な口調で感想を述べた。

「こいつを着たら、グンと自信が出てきたよ」

「口髭をしっかりくっつけておかなくちゃだめよ」とフランキーが言った。

「くっついているさ。こいつは、ちょっとした芸術品だからね、そう簡単にとりはずしはできないよ」

「じゃ、そのままつけていればいいわ。髭なんかないほうが、いかにも弁護士らしく見えるんだけど」

「顎鬚よりはまだましさ。ところで、フランキー、お父上は帽子も貸してくださらないだろうか？」

17　リヴィントン夫人は語る

「もしもだよ」ボビイが玄関先にたたずんだまま言った。「オンズロー・スクエアのM・R・リヴィントン氏自身が弁護士だったらどうするんだい？　こいつはショックだぜ」

「それじゃはじめに、タイト街の大佐から当たってみたほうがいいわ」とフランキーが言った。「軍人さんなら、弁護士のことなんか知りっこないもの」

こういった次第で、ボビイはタクシーでタイト街に出かけた。リヴィントン大佐は留守だったが、夫人は在宅していた。ボビイは小ぎれいなメイドに、〈ジェンキンソン＆スプラッゲ法律事務所より、緊急な用件でお目にかかりたし〉と書きこんだ名刺を渡した。

この名刺とマーチントン卿のモーニングは、メイドに対して大いにものをいった。彼女はボビイを見ても、怪しげな押し売りや保険の外交じゃないかしらと疑うようなそぶりは、毛ほども見せなかった。彼は、豪華な家具がそなえられている客間に通された。やがて、きらびやかなドレスを身にまとい、お化粧を念入りにしたリヴィントン夫人が姿をあらわした。

「お邪魔をいたしまして申しわけございません、奥さま」とボビイが言った。「なにせ、急を要するものですから、お手紙では時間がかかると存じまして、お伺いいたした次第でございます」

弁護士ともあろうものが時間のかかるのを気にするなんて、金輪際あるはずがないのだから、たちまち正体を見破られてしまうのではないかと、ボビイは一瞬ヒヤッとした。しかし、その心配は無用だった。リヴィントン夫人は、頭を使うより、目に見えるものをそのまま鵜呑みにする、外観を重んずるタイプの婦人だった。

「さあさ、どうぞおかけになって！　あなたがおいでになると、いまさっき事務所から電話で連絡があったばかりでございますよ」と夫人は言った。

ボビイは思わず、フランキーのあざやかな才気のひらめきに胸の中で喝采を送った。

彼は椅子に腰をおろすと、いかにも弁護士らしく装った。

「じつは、私どもの依頼人、アラン・カーステアーズ氏のことについてでございますが」

「まあ、なんでしょうか？」

「私どもが彼の代理人を務めさせていただいておりますことは、すでに本人からお聞きになられているかと存じます」

「そうですわね、たしかに、そのような気がいたしますわ」リヴィントン夫人は大きなブルーの目をいっそう見開きながら言った。明らかに彼女は、暗示にかかりやすいタイプのようだった。「それにあたくし、おたくの事務所のこともよく存じあげておりますのよ。ドリイ・マルトラヴァースの弁護をお引き受けになりましたわね、彼女があのおそろしい洋服屋を射った事件の？　さぞかし、その事件の詳しいこともいろいろとご存じなのでしょうね？」

夫人は、好奇心を露骨に示しながらボビイの顔を見つめた。こいつを料理するのは簡単だぞ、と彼が心の中で思ったほどだ。

「私どもは、法廷に持ち出されないようなことも、たくさん知っております」ボビイは微笑を浮かべながら答えた。

「そうでございましょうとも」リヴィントン夫人は、いかにもうらやましそうな目つきで彼をながめた。「あの――彼女はほんとうに――つまり、証言どおり、ドレスを身に着けていましたの？」

「その陳述は法廷で否認されたのです」とボビイはいかめしい口調で言った。そして、軽くまぶたを伏せた。

「まあ、そうでしたの」リヴィントン夫人はすっかり夢中になって、あえいだ。

「ところで、カーステアーズ氏のことですが」このぐらい打ち解けてくれれば、そろそろ本題に入っても大丈夫だと見てとってボビイはこう言った。「彼は突然、イギリスを発ってしまわれたのです。たぶん、もうご存じのこととは思いますが」

リヴィントン夫人は頭を振った。

「あのひとがイギリスを発ったですって？　いいえ、存じませんでしたわ。しばらくお目にかかっていなかったものですから」

「どのくらいこちらに滞在なさるか、その予定を彼からお聞きになりましたか？」

「一週間か二週間、ひょっとしたら半年か一年になるかもしれないと、おっしゃっていましたけど」

「どこにお泊まりだったのです？」

「サヴォイ・ホテルですわ」

「最後にお会いになったのは——いつです？」

「そうですわね、三週間か、一カ月ばかり前になりますわ。はっきりとは思い出せませんけれど」

「ステイヴァリイ村へお連れになったことがありましたね？」

「ええ、行きましたとも！　たしかあの方に会ったのは、そのときが最後だったと思いますわ。あの方からお電話がありまして、いつ会えるかと言ってこられましたの。ちょうどロンドンにお着きになったばかりでしたけど、主人のヒューバートはすっかり困ってしまいました。なにしろ、翌日にはあたくしたち、スコットランドへ旅行することになっておりましたし、それにその当日はステイヴァリイまで行って、あまり気が進まなかったのですけど、どうしてもお断わりできないひとたちと昼食をすることになっていたのでございますよ。ところが主人はカーステアーズさんがとても好きで、しきりに会いたがっていたものですから、あたくし、主人にこう申しましたの、〝それでは、あの方をバッシントン－フレンチ家までお連れしたらいかが？　先方だって、べつに気にしないでしょうし〟そこで、あたくしたちはご一緒にまいりましたの。むろん、バッシントン－フレンチさんのご一家は、いやな顔などなさりませんでしたわ」

　夫人は一気にしゃべりつづけると、ここで一息ついた。

「イギリスに来た理由を、彼からお聞きになりましたか？」とボビイがたずねた。

「いいえ、べつに。あ、そうでしたわ。あの方のお友だちで、悲劇的な最期をおとげになった億万長者の方となにか関係があるのではないかと、あたくしたち思っておりましたけど。医者から癌だと宣告されて、その億万長者は自殺したんですのよ。そんなことを患者に面と向かって言うなんて、ほんとにひどい医者じゃございません？　それに、誤診だってちょいちょいあるというのに。こないだも、うちのかかりつけの医者が、娘の病気をはしかだなんて診断したのですけれど、あとであせもかなにかだということがわかったんですよ。それであたくし、あんなヤブ医者は代えなければいけませんわってヒューバートに申しましたの」

リヴィントン夫人がまるで図書館の本でも取り替えるみたいに、医者を軽く扱うのを聞き流しながら、ボビイは話を本題にもどした。

「カーステアーズ氏はバッシントン－フレンチ家の方たちをご存じだったのですか？」

「あら、いいえ！　でも、あの方は彼らをお気に召したようですわ。もっとも、その帰り道は、おかしなくらいふさぎこんでいましたけれど。話に出たなにかが、きっとあの方の気に障ったのだと思いますの。カーステアーズさんはカナダ人でしょう。あたくし、カナダのひとというものはとても気むずかしいんだなと、ときどき思うことがあるんですよ」

「なにが気に障ったのか、おわかりにはならないのですね？」

「ぜんぜん、見当もつきませんわ。カナダのひとって、取るに足りないようなことで、あんなふうになることがよくあるんじゃございませんこと？」

「カーステアーズ氏は、その付近を散歩したりはなさいませんでしたか？」

「とんでもない！　でも、どうしてそんなことをおたずねになりますの！」夫人は、ボビイの顔を穴のあくほど見つめた。

ボビイは執拗に食い下がった。

「パーティはありませんでしたか？　彼が近所の方と会うようなことは？」

「いいえ、あたくしたちとバッシントン - フレンチ家のひとたちだけでしたわ。でも、変ですわね、あなたまでそんなことを――」

「なんでしょう？」夫人が言葉をとぎらせると、ボビイは熱心にうながした。

「だって、カーステアーズさんも、ご近所のある方のことを根掘り葉掘りおたずねになりましたもの」

「そのひとの名前を覚えていらっしゃいますか？」

「いいえ、べつに。さして興味のあるようなひとではなかったものですから――なんでも、お医者さまかなにかで」

「ニコルソン博士ですか？」

「たしか、そんな名前だったと思いますわ。あの方はそのお医者さまや奥さんのこと、それから、いつ移ってきたのか、そんなことまでいろいろと知りたがっておいでしたわ。あの方は、そのひとたちのことをご存じないでしょうし、それに詮索好きというわけでもないのに、ほんとに腑に落ちない話ですわ。もっとも、食卓の話題がほかになにもなかったからかもしれませんね。そういうときには、だれでもするように」

ボビイもそれに同意して、それから、ニコルソン夫妻の話がどういうはずみから出てきたのかたずねてみたのだが、リヴィントン夫人ははっきり答えることができなかった。彼女がヘンリイ・バッシントン－フレンチと二人で庭を散歩してもどってみると、ほかのひとたちのあいだでニコルソン夫妻のことが話題になっていた、と言うのだ。

ここまでは話が順調に進み、ボビイは労せずして夫人からしきりに情報を引き出していたのだが、こんどは逆に、夫人が突然の好奇心を示しはじめたのだ。

「ところで、カーステアーズさんのどういうことがお知りになりたいんですの？」と彼女がたずねた。

「じつは、彼の住所が知りたいものですから」とボビイは説明にかかった。「ご承知のとおり、私どもはあの方の代理人になっておりますが、ちょうど、ニューヨークから重要な電報がまいったものですから――目下のところ、ドルが微妙な動きを見せているのでして――」

リヴィントン夫人は、さも物わかりがよさそうにうなずいてみせた。

「そこでなんですが」ボビイは間髪入れずにつづけた。「私どもといたしましては、彼にご連絡して――その、なんらかのご指示を得たいものと思いまして――ところが、住所を教えていかれなかったものですから――あなた方がお親しい間柄だとうかがっておりましたので、もしや、消息をご存じではなかろうかと存じました次第です」

「まあ、そうでしたの」リヴィントン夫人はご満悦のていで言った。「さぞかしお困りのことでしょうね。ところがカーステアーズさんときたら、摑みどころのないひとで」

「たしかにそうでございますね、それではと」とボビイは言って、「どうも、すっかりお邪魔いたしまして申しわけございません」椅子から腰をあげた。

「どういたしまして」とリヴィントン夫人は言った。「おかげさまで、洋服屋を射ったドリイ・マルトラヴァースが、ドレスも着けていなかったことがわかって、たいへん面白うございましたわ」

「いや、私は何も申し上げていないはずですが」とボビイ。

「そうでございますとも、弁護士さんは慎重ですものね」リヴィントン夫人は忍び笑いをしながら言った。

〝まあ、うまくいったんじゃないかな〟ボビイはタイト街をぶらぶら歩きながら、心の中でつぶやいた。〝どうやらぼくは、ドリイなんとかいう女性の人格を傷つけてしまったらしいが、まあ、それだけのことはあったよ。おかげで、あのチャーミングな頭の弱い婦人には、カーステアーズの住所を知りたいなら電話一本で用が足りるはずなのに、なんていう疑問は金輪際浮かんでこないだろうからね〟

ボビイがブルック街にもどると、フランキーと二人でこの問題をあらゆる角度から検討した。

「どうも、カーステアーズがバッシントン－フレンチ家の連中に会ったのは、まったくの偶然かららしいわね」とフランキーは考えこみながら言った。

「そうなんだ。だけど、彼はあの家にいたときに、なにかの話から注意がニコルソン夫妻に向けられたことは明らかだよ」

「すると、事件の中心人物はニコルソンで、バッシントン－フレンチ家の連中じゃないということになるわね？」

ボビイは彼女の顔をまじまじと見つめた。

「まだ、きみのヒーローの弁明に夢中なんだな」彼は冷ややかな口調でたずねた。

「ねえボビイ、あたしはね、ありのままの事実を指摘したにすぎないのよ。カーステアーズを興奮させたのは、ニコルソンとその病院のことが話に出たからだわ。バッシントン‐フレンチ家に連れて行かれたのは、まったくの偶然なんですもの。あなただって、この事実を認めないわけにはいかないわ」

「そうらしいね」

「まあ、〝らしい〟ですって？」

「そうさ、だって、もうひとつの考え方があるじゃないか。カーステアーズは、リヴィントン夫妻が昼食に招ばれてバッシントン‐フレンチ家に行くことを、なんらかの方法で嗅ぎつけたのかもしれないよ。レストランででも、それを小耳にはさんだんだろう――たぶん、サヴォイ・ホテルのね。そこで彼は夫妻に電話をかけて、至急会いたいと言ってやるのさ。そして、狙いどおりに事が運んだのかもしれない。夫妻は旅行やなにかでとても会っている暇がない。そこで、友人の家へ一緒に行かないかと誘うことになる――先方は気にしないだろうし、リヴィントン夫妻は彼に会いたくてたまらなかったのだからね。こういうことは充分考えられるよ、フランキー」

「そうね、たしかにあり得るわ。だけど、とても回りくどい方法ね」

「でも、きみの自動車事故よりは回りくどくはないさ」

「あら、あたしの事故は積極的な直接行動だわ」とフランキーは冷然と言った。

　ボビイはマーチントン卿のモーニングを脱ぐと、もとの場所にもどした。それからまた運転手の制服を着こむと、すぐさまスティヴァリイ村へと急いで帰った。

「もしロジャーがあたしに熱を上げているのなら」とフランキーは真面目くさって言った。「あたしが早く帰ってきたことを喜ぶはずよ。あたしがあのひとから、片時も離れてはいられないんだと、思うでしょうからね」

「それはきみの本音なんじゃないのかい」ボビイが言った。「凶悪犯というやつはものすごく魅力がある、とよく言うじゃないか」

「あたし、どういうわけか彼が犯人だとは思えないのよ」

「まえにもそんなことを言ってたよ、きみは」

「そうなの、そんな気がして仕方がないのよ」

「写真の一件を忘れないでくれよ」

「写真がなんなのよ！」とフランキーは言った。

　ボビイは、しずかに車を玄関口に着けた。フランキーは車から飛び降りると、振り返りもせずにスタスタと家の中に入ってしまった。ボビイは車で走り去った。

　邸内は死んだように静まり返っていた。フランキーは時計を見た。まだ二時半だった。

〝こんなに早くあたしが帰ってくるものとは思っていないんだわ〟とフランキーは胸の

中でつぶやいた。〝みんな、どこにいるのかしら？〟

彼女は書斎のドアを開けて入ろうとした瞬間、思わず息を呑んで立ちすくんでしまった。

ニコルソン博士がソファーに腰をおろしているのだ、シルヴィア・バッシントン－フレンチの両の手をにぎりしめたまま。

シルヴィアはパッと立ち上がると、フランキーのそばにやって来た。

「いま、先生のお話をうかがっていたところですの」と彼女は言った。

彼女の声はいまにも途切れそうだった。そして、隠すように両方の手で自分の顔をおおった。

「ほんとに恐ろしい」シルヴィアはすすりあげると、フランキーのそばをすり抜けて書斎から出て行った。

ニコルソン博士がソファーから立ち上がった。フランキーは一、二歩、前に歩み寄った。博士の目が、いつものあのさぐるような目が、彼女の目と合った。

「お気の毒に」博士はしずかに言った。「夫人にとってはたいへんなショックだったのです」

博士の口もとがピクピクと痙攣した。一瞬、フランキーは彼が愉しんでいるのじゃないかと思った。だが突然、それとは正反対の感情なのだということに彼女は気がついた。

博士は怒っているのだ。柔和な笑顔に怒りを押し隠して自分を抑制してはいるものの、感情はありありと現われていた。

一瞬、沈黙が支配した。

「バッシントン－フレンチ夫人が真実を知ることがいちばんよかったのです」と博士は口を開いた。「夫人がご主人を説得して、私に治療を任せてほしかったのです」

「あの、あたし、お邪魔してしまったようですね」とフランキーはしずかに言って、ためらった。「思ったより、早く帰ってきたものですから」

18　写真の女性

　ボビイが旅館に帰ってくると、客が待っていると告げられた。

「ご婦人ですよ。アスキューさんの居間にお通ししてありますから」

　ボビイはいささか狐につままれたような気持ちで、その部屋に向かった。翼でも生えて飛んでこないかぎり、フランキーが彼より一足先にこのアングラーズ・アームズ館まで来られるはずがない。そうかといって、フランキー以外に訪問客など考えられなかった。

　彼は、アスキュー氏が自分の私室として使っている、せまい居間のドアを開けた。椅子にきちんと腰かけているのは、黒いドレスのすらりとした女性――あの写真の主《ぬし》ではないか。

　ボビイはあまりにびっくりしたものだから、しばらくのあいだ口を開けたまま、言葉も出なかった。それから、その女性がなにかにひどく怯えているのがわかった。彼女のちいさな手は小刻みに震えながら、椅子のひじかけの上で閉じたり開いたりしていた。彼女は口がきけないほど怯えきっていたが、その大きな目ははげしい恐怖を訴えるように見開かれていた。

「あなただったんですか？」やっとのことでボビイは口を開いた。彼は後ろ手でドアを閉めると、テーブルに近寄った。

だが、彼女は依然として黙りこくっていた——恐怖に見開かれた大きな目で、ボビイをじっと見上げながら。やっとのことで、彼女の口から言葉がもれた——かすかなささやきが。

「あなたは——あなたはおっしゃったわね——あたしを助けてくださると。あたし、来ないほうがよかったんでしょうけど——」

ボビイはホッとすると同時に、あわてて口をはさんだ。

「来ないほうがよかったって？　なにを言ってるんです。来てよかったんですよ。そうですとも、来るべきだったんだ。ぼくは、ぼくはあなたを助けるためなら、どんなことでもしますからね。怖がることはありません。もう安心していいですよ」

女の顔にいくらか生気がさしてきた。だしぬけに彼女は言った。

「いったい、あなたはだれですの？　あなたは——あなたは、運転手なんかじゃないわ。

そうよ、運転手になっているかもしれないけど、ほんとはそれだけじゃないんだわ」

　彼女の支離滅裂な言い方にもかかわらず、ボビイにはその意味がよく呑みこめた。

「当節では、みんなどんな仕事でもやりますからね。ぼくは以前は海軍にいたんですよ。たしかにぼくは、本職の運転手じゃないけど、でも――そんなことはどうだっていいことなんですよ。とにかく、あなたはぼくを信用して大丈夫ですからね、さあ――なんでも隠さずにぼくに話してください」

　彼女の頰の赤みが増してきた。

「きっとあなたは、あたしのことを」彼女は口ごもった。「あたしのことを気が狂っていると思っていらっしゃるでしょうけど」

「いいえ、そんなことはありませんよ」

「そうに決まってるわ――こんなふうに、あなたを訪ねて来たりしたんですもの――でもあたし、ほんとに怖かったんです、ものすごく怖かったんです――」彼女の声はかき消えていった。目の前に恐怖の幻影を見たかのごとく、彼女の目は大きく見開かれた。

　ボビイは彼女の手を固くにぎりしめた。

「さあ」彼ははげました。「もう大丈夫ですからね。心配することなんか、ひとつもないんです。あなたはもう安全なんだ――ここに味方がいるんですよ。もう怖い目になんかあいませんからね」

　それに答えるように、彼女がにぎり返したのを彼は感じた。

「このあいだの夜、あなたが月光の中に姿を現わしたときね」彼女はささやくような声でせかせかと言った。「まるで夢を――まるであたしが救け出される夢みたいでした。あなたがだれなのか、どこから来たのか、あたしにはわからなかったけど、それは希望をあたしに与えてくれたんです――それであたし、あなたをお訪ねしてお話ししようと決心したんです」

「そうですとも」ボビイははげますように言った。「さあ、なにもかも話してきかせてください」

　すると不意に、彼女はにぎられていた手を引っこめた。

「あたしがお話ししたら、きっとおかしいとお思いになるわ――ほかのおかしい人たちと一緒にあそこに入っていたから、あたしの頭も狂ってしまったんだと――」

「いいえ、そんなことはありませんよ。ぜったいに」

「きっとそう思うわ。常軌を逸した話なんですもの」

「ぼくは聞いても、そんなこと思いませんよ。さあ、どうか話してください」

　彼女はボビイからわずかに身を引くと、からだを起こしてまっすぐ前を見つめた。

「じつはこうなんです」彼女は口を開いた。「あたし、殺されるような気がして、とても怖いんです」

彼女の声は乾いてかすれていた。明らかに自制して話してはいるのだが、その手はブルブルとうち震えていた。

「殺される？」

「そうです、狂ってるように聞こえるでしょう？　まるで、その——被害妄想狂みたいに」

「いや、狂ってるようには、ぜんぜん聞こえませんよ。ただ、驚いただけです。いったい、だれがあなたを殺そうと思っているのです、それになんのために？」

彼女は手と手をからみ合わせたりしながら、しばらくのあいだ押し黙っていた。やがて、ささやくように言った。

「あたしの夫が」

「あなたの夫が？」さまざまな考えがボビイの頭の中で渦を巻いた。「あなたはどなたなんです？」彼はだしぬけにたずねた。

こんどは彼女がびっくりしたようだった。

「ご存じないんですの？」

「ぜんぜん見当もつきません」

彼女は言った。「あたしはモイラ・ニコルソンです。夫はニコルソン博士」

「じゃあ、あなたはあそこの患者じゃなかったんですね？」

「患者ですって？　まあ、ちがいますわ！」突然、彼女の顔が暗くなった。「あたしが変なことを言うものだから、患者だとお思いになったわけね？」

「とんでもない、そんなつもりじゃあ、ありませんよ」ボビイは彼女を安心させるのに懸命だった。「ほんとに、そんな意味で言ったのではないのです。あなたが結婚しているのを知って、ただぼくはびっくりしただけなんですよ。さあ、お話をつづけてください――ご主人があなたを殺そうとしていると、おっしゃいましたね？」

「自分でも、常軌を逸した話だということはわかっています。でも、そうじゃありません――絶対に！　夫があたしを見るときのあの目つきで、あたし、わかるんです。それに、これまでも疑わしいことが起こっているんです――事故が何回も」

「事故ですって？」ボビイはするどく言った。

「そうです。ああ、まるであたしがヒステリーを起こして、でたらめばかり並べているように聞こえるでしょうね――」

「いいえ、そんなことはありません」とボビイは言った。「ちゃんと話の筋が通っているじゃありませんか。先をつづけてください、その事故のことを」

「みんな、ありふれた事故ばかりでしたわ。夫は、あたしがそこにいるのを知らないで車をバックさせたことがありますの——間一髪というところで、あたし、飛び退いたんですけど。それから、間違った瓶に、あるお薬が入れてあったこともありました——ええ、取るに足りないことですわ——他人が聞いたらなんでもないことでしょうけれど、でもちがうんです——それらの事故は、ちゃんと仕組まれたものなんですよ。あたし、心身ともにすっかり疲れてしまったのです——事故から身をまもろうとして——しょっちゅう、気を配っているものですから」

彼女は、ごくりとのどを鳴らした。

「ご主人は、いったいなぜあなたを殺そうとするんです？」とボビイがたずねた。

そうは言ったものの、はっきりした返事は期待できまいと彼は思ったが、意外なことに、彼女はすぐ答えたのだ。

「夫はシルヴィア・バッシントン－フレンチと結婚したいからですわ」

「なんですって？　彼女は結婚しているじゃありませんか」

「わかっています。でも、夫はその準備を進めているんです」

「どういう意味です、それは？」

「はっきりしたことは存じません。けれど夫は、ご主人のバッシントン－フレンチ氏を患者として、しきりに入院させようとしているんです」

「それから？」

「わかりません、ですけど、なにか起こるような予感がするのです」

彼女は身を震わせた。

「夫は、ヘンリイ・バッシントン－フレンチの痛いところを握っているんですわ。それがなんであるかは、わかりませんけれど」

「バッシントン－フレンチは、モルヒネの常習者なんです」

「そうですの？　きっとジャスパーがモルヒネを彼に渡しているんですわ」

「モルヒネは郵送されてくるのです」

「たぶんジャスパーは、自分の手からじかにはやっていないでしょう——あの男は悪知恵に長けていますもの。バッシントン－フレンチさんは、そのモルヒネがジャスパーから出ていることを知らないのかもしれませんわ——でも、あたしには確信があるの。それからジャスパーは彼を患者に仕立てて、グレインジに入院させる——そして治療するように見せかけて——そうだわ、彼がいったん入院してしまったら——」

彼女は言葉を切ると、身を震わせた。

「グレインジではいろんなことが起こるんです。それは奇妙なことばかり。患者はよくなるために入院してくるのに――よくなるどころか、だんだん悪くなっていくんですよ」

彼女が話すにつれて、ボビイは身の毛のよだつような恐ろしい光景をかいま見たような気がした。彼には、モイラ・ニコルソンの魂をさいなんでいる恐怖を感じることができた。

だしぬけに、ボビイがたずねた――

「ご主人がバッシントン－フレンチ夫人と結婚したがっていると、あなたは言いましたね？」

モイラはうなずいた。

「夫は彼女に夢中なんです」

「で、夫人のほうは？」

「それはわかりません」とモイラはゆっくり言った。「好きなのか嫌いなのか、どちらともあたしには言えませんの。うわべだけ見ると、彼女はご主人と坊やを愛していますし、心から満ち足りているように思われます。彼女はとても単純な女性のように見えますわ。でも、ときによると、このひとは見かけほど単純ではないんじゃないかしら、と思うことがあるんです。彼女は、あたしたちが考えているような女性とはまるっきり裏腹なひとじゃないかしらって――ひょっとしたら、彼女は、わざと単純な女に見せかけているのかもしれない。しかも、あざやかに演《や》りこなしている――いいえ、そんなことはありませんわね、ほんとにばかげた、おろかな空想だと、自分でも思いますわ――そう、グレインジのようなところで暮らしていると、心がすっかりゆがんでしまって、こういう妄想をいだくようになるんですね」

「弟のロジャーはどうなんです?」とボビイがたずねた。

「あたし、あのひとのことはよく存じませんの。とてもいいひとですわね。でも、人にだまされやすいタイプにも見えますけど。あのひと、ジャスパーにすっかり丸め込まれているんです。ジャスパーは、バッシントン‐フレンチさんを入院させようと、しきりにロジャーさんを口説いているんです。しかもロジャーさんは、それを自分が考えついたものときっと思いこんでいるんですわ」突然、彼女は前に乗り出すと、ボビイの袖をつかんだ。「どうか彼を、グレインジに来させないようにして」彼女は必死になって頼んだ。「もし来たりしたら、どんなに恐ろしいことが起こるかわからないわ、きっと、きっと起こりますわ」

ボビイはこの驚くべき話を心の中で吟味しながら、しばらくのあいだ黙りこくっていた。

「ニコルソンと結婚して、もうどのくらいになるのです？」ようやくボビイがたずねた。

「一年とちょっとですわ――」彼女は身を震わせた。

「いままでに彼と別れたいと思ったことはないんですか？」

「どうしてあたしに別れられて？　あたしには行くところがどこにもないんです。お金もありません。だれかが、このあたしを引き取ってくれるにしても、いったい、どんな話があたしにできまして？　夫に殺されそうだというばかげた話をですの？　だれがそんなことを信じてくれるものですか」

「しかし、ぼくは信じますよ」とボビイは言った。

彼は、ある行動をとるべきか否かその決心をするかのように、しばらく黙っていたが、また話をつづけた。

「率直におたずねしますが」彼はわざとぶっきらぼうに言った。「あなたは、アラン・カーステアーズという男をご存じですか？」

彼女の頬がパッと紅潮するのがボビイにはわかった。

「どうして、そんなことをおたずねになりますの？」

「知っておかなければならない重要なことだからです。ぼくの見るところでは、あなたはアラン・カーステアーズを知っていた。そしていつか、あなたの写真を彼にあげたことがある」

一瞬、彼女は言葉をのみこむと、目を伏せた。やがて頭を上げると、ボビイの顔をまじまじと見つめた。

「そのとおりですわ」

「あなたは、結婚する前から彼を知っていたんですね？」

「ええ」

「あなたが結婚してから、彼があなたに会いに、ここへ来たことがありましたか？」

彼女はちょっとためらったが、やがて答えた。

「一度だけ」

「一カ月ばかり前のことではありませんか？」

「たしか、そうでしたわ」

「あなたがここに住んでいることは、彼にはわかっていたのでしょうね？」

「どうしてあのひとが知ったのか、あたしにはわからないんです——あたし、教えなかったのですから。結婚してからというものは、手紙さえ出したことがなかったのです」

「でも、彼はあなたを見つけて、ここに会いに来た。ご主人は、そのことを知ったのですか？」

「いいえ」

「それはあなたの判断です。ご主人は知っていたのかもしれませんね？」

「そうかもしれません、でも夫はなにも言いませんでした」

「あなたはカーステアーズと、ご主人のことについていろいろと話し合いましたか？ 殺されそうで、怖くてたまらないということを？」

彼女は首を振った。

「そのときはまだ、夫のことを疑っていなかったのです」

「でも、あなたの結婚は不幸せだったのでしょう？」

「ええ」

「カーステアーズに、そのことは話したんですか？」

「いいえ。あたし、この結婚が失敗だったことをどんな形にしろ、あのひとに知られたくなかったのです」

「しかし、彼は感づいたかもしれませんね」とボビイは優しく言った。

「そうかもしれません」彼女はささやくような声で同意した。

「あなたは、その――なんと言ったらいいかな――カーステアーズがあなたのご主人のことをなにか知っていた——たとえば、あの療養所が外観とはひどく違うものかもしれないと疑っていたと思いますか？」

彼女は眉をひそめながら、しきりに考えていた。

「それは考えられますわね」やっと彼女はこう言った。「そういえば、カーステアーズに一つ二つ、とても妙なことをたずねられました——ですけど、いいえ、やっぱりそうじゃない。あのひとが、ほんとうに知っていたとは思えませんわ」

ボビイはまた、しばらくのあいだ黙りこんでしまった。やがてこうたずねた。

「ご主人を嫉妬深い男だと思いますか？」

彼女の答えに彼はいささかびっくりした——

「ええ、たいへんな焼きもちやきですわ」

「というと、あなたに対してですか？」

「あたしのことを愛してもいないくせに、とおっしゃるの？　でもそうなんです、それでも夫はやっぱり焼きもちやきでした。だって、このあたしは夫の所有物なんですもの。夫は変な男なんです——ほんとに風変わりな男ですわ」

彼女は身を震わせた。

そして突然、彼女はたずねた。

「まさかあなたは、警察とはなんの関係もないのでしょうね？」

「ぼくが？　とんでもない！」

「あたし、そうじゃないかしらって思っていたんです、だって——」

ボビイは、自分が着ている運転手の制服に目をやった。

「これには、いささかわけがあるんですよ」と彼は言った。

「あなたはレディ・フランシス・ダーウェントの運転手さんなのでしょう？　ここのご主人がそう言ってましたわ。こないだの夜、あたし、晩餐の席で彼女にお目にかかりましたの」

「知ってます」彼はちょっとためらった。「ぼくたち、レディ・フランシスに連絡しなくちゃならないんだけど、ぼくがするわけにはちょっといかないのです。あなたに電話で呼び出していただいて、どこか外であなたと会ってくれるように、話していただけないでしょうか？」

「そんなことなら、あたしにもできると思いますわ——」とモイラはゆっくり言った。

「きっと、ずいぶん変だとお思いでしょうね。でも、わけがわかったら、なんでもないことなんです。とにかく、ぼくたちはできるだけ早くフランキーをつかまえなければなりません。それがなにより重要なんです」

モイラは腰をあげた。

「よくわかりましたわ」そう言って、彼女はドアのノブに手をかけたまま、ちゅうちょしていた。

「アラン」と彼女は言った。「アラン・カーステアーズ。あなた、あのひとに会ったことがあると言いましたわね？」

「ええ、会いました」ボビイはゆっくりと言った。「最近のことではありませんが」

そして思わず彼はドキッとした――

〝そうだ――彼女はカーステアーズが死んだことを知らないんだ……〟

ボビイは言った。

「レディ・フランシスに電話してください。それがすんだら、なにもかもあなたにお話ししましょう」

19　三人の密談

数分すると、モイラはもどってきた。

「お電話しました。川のほとりにあるちいさなあずまやまで、来てくださるようにお願いしましたの。きっと変にお思いになったにちがいないけど、でも来てくださるとおっしゃったわ」

「それはよかった」とボビイは言った。「ところで、そのあずまやというのはどこにあるんです？」

モイラは、そこへの道順をくわしく説明した。

「よくわかりましたよ。それでは、先に行っていてください。ぼくはあとから行きますからね」

二人は打ち合わせどおりにやった。ボビイは、アスキュー氏とおしゃべりをして時間をつぶした。

「不思議なことがあるものですよ」とボビイはさりげなく言った。「いまの女性、ええ
ニコルソン夫人ですが、ぼくは以前、彼女の伯父さんのところで働いていたことがある
んですよ。カナダ人でしてね」

モイラの来訪が噂の種になるかもしれないぞ、とボビイは見てとったのだ。こんな噂
が広まってニコルソン博士の耳に入ることを、彼は一番警戒しなければならなかった。

「そうでしたか」とアスキュー氏は言った。「なんの用だろうと思っていたのですが
ね」

「彼女はぼくを見かけると、ぼくがいまなにをしているのか、訪ねてきてくれたのです。
とても感じのいい女性ですね」

「ええ、まったく。あのグレインジにお住まいでは、さぞかし大変でしょうな」

「まあ、想像もつきませんよ」とボビイが同意した。

これで目的を達したと見てとると、ボビイは外に出て、モイラが教えてくれた方角へ、
まるで散歩でもするような足どりでぶらぶらと歩いていった。

どうやらうまく待ち合わせ場所にたどりつくと、モイラはすでに待っていた。フラン
キーはまだ姿を見せていなかった。

モイラの目には、物問いたげな色がありありと浮かんでいた。これでは、むずかしく

てもいままでのいきさつを話してやらなければならないな、とボビイは思った。

「あなたにお話ししなければならないことは、いっぱいあるんです」とボビイは口を開いたが、どこから話しはじめてよいものかわからなくなってしまって、口をつぐんだ。

「それで？」

「まずはじめに言っておきますが」彼はひと思いに言ってのけた。「ぼくは運転手じゃないんです。もっとも、ロンドンのガレージで商売はしていますけどね。それに名前もホウキンスじゃなくて、ジョーンズというんです。ええ、ボビイ・ジョーンズです。ぼくはウェールズのマーチボルトの生まれです」

モイラは耳をそば立てて聞き入っていたが、マーチボルトというボビイの言葉にはなんの反応も示さなかった。ボビイは歯を食いしばると、勇気を奮い起こして事件の核心に入っていった。

「いいですか、これはあなたにとってショックだと思うのですが――あなたのお知り合いの――アラン・カーステアーズですが――その彼が――じつは死んだのです」

モイラの驚きを感じとると、彼はそれとなく彼女の顔から目をそらした。彼女のショックは大きかったか？　彼女は――彼女はあの男を深く愛していたのか？

しばらくのあいだ、彼女は押し黙っていた。やがて、ささやくような、考えこむような声で言った。

「それであのひとは戻って来なかったのですね？　あたし、変だなと思っていました」

ボビイは思いきって、彼女の様子を盗み見た。彼の気持ちは明るくなった。彼女は悲しげで思いにふけっていた――だが、それだけだった。

「あのひとの死について話してください」と彼女は言った。

ボビイはそれに応じた。

「カーステアーズは、ぼくの家があるマーチボルトの断崖から落ちたんです。ぼくと医者がたまたまその現場に居合わせて、彼を発見したというわけなんです」彼はここで言葉を切ってから、付け加えた。「彼はポケットに、あなたの写真を持っていたのです」

「あのひとが？」彼女はやさしい、いや、むしろ悲しげな微笑を浮かべた。「ああアラン――彼はとても誠実なひとだったわ」

しばらく沈黙がつづいた。そして彼女がたずねた。

「それはいつのことだったのです？」

「一カ月ばかり前のことなんです。正確に言えば、十月三日でした」

「それでは、こちらに来た直後にちがいありませんわ」

「そうなんです。そのとき、ウェールズのほうへ行くというようなことを言っていましたか？」

彼女は頭を振った。

「あなたは、エヴァンズというひとをご存じじゃないんでしょうね？」とボビイがたずねた。

「エヴァンズ？」モイラは思い出そうとして眉をひそめた。「いいえ、知りませんわ。ごくありふれた名前ですけど、思い当たるひとがいないのです。いったいなんですの、そのひと？」

「それがぼくらにもわからないんですよ。やあ、フランキーだ」

フランキーは小道を足早にやって来た。彼女は、ボビイとニコルソン夫人とが親しげに話し合っているのを見ると、複雑な表情を見せた。

「やあフランキー、よく来てくれたね。これから重大会議を開かなきゃならないんだ。まずはじめに、あの写真の主《ぬし》はこのニコルソン夫人だったのさ」

「まあ！」彼女は呆気にとられて言った。

フランキーはモイラの顔を見つめると、突然、声を立てて笑いだした。

「これでわかったわ。なんであなたが、検死審問のときケイマン夫人を見て、あんなにショックを受けたか！」

「そうなんだよ」とボビイ。

ああ、なんてばかだったんだ、このぼくは。いくら時が経過しているからといって、このモイラ・ニコルソンが、アメリヤ・ケイマンに成り果てるなどと、一瞬にしろ思うとは。

「ああ、ぼくはなんというばか者なんだ!」とボビイが叫んだ。

モイラは、とまどったような表情を見せた。

「なにしろ、話すことがありすぎるものだから、どこから手をつけていいのかわからないんですよ」とボビイは言った。

彼は、ケイマン夫妻のことと、彼らが崖から落ちて死んだ男の身元を確認したことを説明した。

「でも、あたしにはよく呑みこめませんわ」とモイラは当惑したように言った。「すると、その死体はいったいだれのものだったのです。ケイマン夫人のお兄さん、それともアラン・カーステアーズ?」

「そこになにかの悪巧みがあるんですよ」とボビイが説明した。

「そのあとにね」フランキーがその先をつづけた。「このボビイが毒を服まされたんです」

「モルヒネを八グレイン」とボビイが追憶にふけるように言った。

「それでおしまいにしてね」フランキーがさえぎった。「だってあなたときたら、その件となると何時間だって話しかねないんですもの。聞いているものはうんざりよ。説明はあたしがするわ」

彼女は深く息を吸いこんだ。

「こうなんです」と、フランキーは説明にとりかかった。「検死審問が終わると、ケイマン夫妻がボビイのところへやって来て、〝兄がいまわのきわに、何か言い残さなかったか〟とたずねたのよ。ボビイは、〝何も言わなかった〟と答えたのですが、あとになってボビイは、死んだ男のひとが、エヴァンズというひとのことで、なにか言っていたのを思い出したんです。そこで彼はケイマン夫妻にそのことを手紙に書いて知らせました。それから数日すると、ペルーだかどこかから、ボビイに就職のあっせんをする手紙が来たんですの。彼がそれを断わると、こんどはだれかがモルヒネをたくさん――」

「八グレインだよ」とボビイが横から口を出した。

「それを、ボビイのビールに入れたんです。でも、このひとは特製の内臓かなにかを持っていたせいで、命が助かったというわけ。そこであたしたちは、プリチャードか、――それともカーステアーズが、きっと崖から突き落とされたのだということに気がついたんですの」

「でも、なぜ?」とモイラがたずねた。

「おわかりにならない? あたしたちには、はっきりしすぎているくらいはっきりしているんですけど、きっとあたしの説明の仕方が悪かったんだわ。とにかくあたしたちは、死んだ男は突き落とされたのだし、その犯人はロジャー・バッシントン－フレンチだと決めたわけなの」

「ロジャー・バッシントン－フレンチ?」モイラは興奮に、思わずひざを乗り出していた。

「あたしたちはこう推理したんです。そのとき現場にはロジャーが残っていて、あなたの写真が消えてしまった。つまり、その写真を持っていけるものは、彼しかいないと考えられたからです」

「わかりました」とモイラは思案深げに言った。

「それから」フランキーはつづけた。「あたしまでが、こちらで自動車事故を起こしてしまったんです。驚くべき偶然の一致じゃありませんか?」フランキーはこう言いながら、ボビイに目でサインを送った。「それで、あたしボビイに電話をかけて、うちの運転手になりすまして、こちらへ来て、あたしたちの手で調べてみないかと言ってやったわけですの」

「これでわかったでしょう」とボビイは、フランキーの用心深い嘘を黙認しながら言った。「そして最後のクライマックスは、昨夜、ぼくがグレインジの庭に忍び込んで、あなたとばったり出会ったことなんです——あの謎の写真の主《ぬし》とね」

「あなたは、すぐにあたしだということにお気づきになりましたわね」かすかな微笑を浮かべながらモイラは言った。

「ええ、あの写真の主《ぬし》なら、どこにいたっていっぺんでぼくには見分けられますよ」

これという理由もないのに、モイラはあかくなった。

それからなにか頭に浮かんだのか、彼女は二人の顔をするどく代わる代わる見つめた。

「あなた方のお話に嘘はありませんね？」と彼女はたずねた。「あなた方がこちらに来たのは、ほんとに偶然なんですの？　それとも、あなた方が来たのは——来たのは——」彼女の声は思わず震えた。「夫を疑っているからですの？」

ボビイとフランキーはたがいに顔を見合わせた。ボビイが口を開いた。

「神にかけて言いますけど、ぼくたちはここに来るまで、ご主人のことはぜんぜん聞いていなかったんです」

「まあ、そうでしたか」彼女はフランキーのほうに顔を向けた。「赦してくださいね、レディ・フランシス。でもあたし、あの晩餐に招待されたときの夜を思い出したんです。ジャスパーがあなたにそれはしつこく食い下がっていましたわね——自動車事故のことを根掘り葉掘りお聞きしたりして。あのとき、どうして夫がそんなことを聞くのか、あたしにはわかりませんでした。ですけど、いまになってみると、夫はあの自動車事故を怪しいとにらんだのじゃないかしらと、あたし思うんです」

「それほどあなたがお知りになりたいのなら言いますけど、あれは本物の事故じゃなかったのよ」とフランキーは言った。「ああ——これでやっと胸がスッとしたわ！　あれは丹念に仕組んだものなんです。でも、それはご主人とはなんの関係もありませんのよ。わざと事故を起こしたのはすべて、ロジャー・バッシントン-フレンチを——その——なんといったらいいかしら？——探るためにやったことですわ」

「ロジャーを？」モイラは眉をひそめると、苦笑をもらした。

「なんだか、筋が通らないような気がしますけど」と彼女は率直に言った。

「だけど、事実は事実ですからね」とボビイが言った。

「あのロジャーが——いいえ、そんなはずはありませんわ」とモイラは頭を振った。

「そりゃあ、あのひとは気が弱くて——無茶な真似もやりかねません。借金で首が回らなかったり、スキャンダルに巻きこまれたりするかもしれませんけど——でも、崖からひとを突き落とすなんて——いいえ、あたしにはとても想像することなんかできませんわ」

「このあたしにだって、考えられないんですよ」とフランキー。

「でも、ロジャーがあの写真を持っていったのにちがいないんですからね」とボビイは頑固に言い張った。「ねえ、ニコルソン夫人、ぼくがもう一度説明するから、よく聞いてくださいよ」

彼はゆっくりと、細心の注意を払って説明していった。それが終わると、モイラはよくわかったというようにうなずいて見せた。

「あなたのおっしゃることはよくわかりました。ほんとに妙な話」彼女は言葉を切ったまましばらく黙っていたが、やがてだしぬけにこう言った——

「でもなぜ、ロジャーにたしかめてみませんの？」

20　二人の密談

一瞬、単純きわまるモイラの質問に、フランキーとボビイは思わず息をとめた。その二人が同時にしゃべりだした。

「そいつは不可能だ――」とボビイが言いかけると、「とてもそんなこと、できるはずがないわ」とフランキー。

やがてフランキーとボビイは、ロジャーにたしかめてみることが必ずしも不可能でないことに気づくと、シュンと黙りこくってしまった。

「たしかに、あなた方のおっしゃることはわかりますわ」とモイラが熱心に言った。

「いかにもロジャーがその写真を持っていったように見えますけど、でも彼がアランを崖から突き落としたなんて、夢にもあたしには考えられませんわ。彼にどういう理由がありますす？　彼はアランをよく知りもしなかったのですからね。二人はランチのとき、たった一度顔を合わせただけではありませんか。二度と顔を合わせることなんかないはずですわ。そうなると、犯行の動機がそもそもないじゃありませんか」

「それじゃ、突き落としたひとはいったいだれ？」フランキーはぶっきらぼうにたずねた。

モイラの顔が暗くなった。

「あたしにはわかりませんわ」ぎこちない口調で彼女は答えた。

「ねえ、あなたから聞いた話をフランキーにしてもかまいませんか。あなたが恐怖をいだいているということを？」ボビイが聞いた。

モイラは顔をそむけた。

「どうぞ、お話しになりたいんなら。でも、とてもメロドラマじみた話ですし、それにヒステリックに聞こえるのがおちですわ。いまは、あたし自分でも信じられないような気がするんですもの」

じっさいのところ、イギリスの静かで平和な片田舎の大気の中で、なんの感情も交えずに事務的に報告された話の内容は、不思議なくらい現実味に欠けていた。

だしぬけにモイラが立ちあがった。

「あたしって、ほんとにおばかさんでしたわ。どうか、あたしの言ったことなんか本気にしないでください」彼女は唇を震わせながら言った。「ね、ジョーンズさん。あれは気のせいにすぎなかったのよ。あたしもう、帰らなくちゃなりませんわ、失礼します」

彼女はそそくさと立ち去った。ボビイが慌ててそのあとを追おうとしたが、フランキーが強く押しとどめた。

「ばかね、ここにいらっしゃい。あとはこのあたしに任せて」

そう言うと、フランキーは大急ぎでモイラのあとを追った。それから数分もすると、彼女はもどってきた。

「どうだった？」ボビイが心配そうにたずねた。

「もう大丈夫。彼女の気持ちを落ち着かせてきたの。彼女の目の前で、自分だけが悩んでいた恐怖を第三者に口外されるのはたまらなかったのよ。あたしたち三人で、またすぐにもう一度会いましょうって、彼女と約束してきたわ。さあ、彼女はもういないのだから気兼ねしなくても大丈夫よ。いまの話をくわしく聞かせて」

ボビイは説明した。フランキーはじっと耳をそば立てていた。話を聞き終わると、彼女は言った。

「それは、二つのことにピッタリ一致するわね。第一に、さっきあたしがロンドンからもどったら、何と、ニコルソンがシルヴィア・バッシントン‐フレンチの手をにぎっているじゃないの――あの男、まるで針のような目つきであたしのことをにらみつけたわ！　にらんだだけで人が殺せるものなら、きっとあたし、一瞬のうちにその場で死んでしまったと思ったくらいよ」

「第二の点は？」とボビイがうながした。

「それはほんの偶然のことなのよ。シルヴィアがあたしに話したんだけど、飾ってあったモイラの写真が、あの家にやって来たお客さんにとても強い印象を与えたらしいの。そのお客というのは、きっとカーステアーズにちがいないわ。彼はその写真の女性に気がついた。バッシントン－フレンチ夫人が、それはニコルソン夫人の写真だと彼に説明した。それで、カーステアーズにどうして彼女の居所がつきとめられたのか、その筋道がわかるじゃないの。だけどねえ、ボビイ、あたしにはまだニコルソンの役割がのみこめないのよ。どういう理由から彼は、アラン・カーステアーズを消そうとしたのかしら？」

「すると、カーステアーズを突き落としたのはニコルソンであって、バッシントン－フレンチじゃないと言うんだね？　かりにニコルソンとバッシントン－フレンチの二人が同じ日にマーチボルトに来ていたとしたら、偶然にしても、ちょっと話がうますぎるよ」

「でも、偶然の一致ということは、あり得ることよ。だけど、犯人がニコルソンだとしたら、あたしにはその動機がまだわからないの。カーステアーズは、麻薬密輸団の頭としてニコルソンを追跡していたのか？　それとも、あなたが親しくなったモイラ・ニコルソンが、殺人の動機だったのかしら？」

「その両方かもしれないよ」とボビイがほのめかした。「ニコルソンは、カーステアーズと夫人のモイラがこっそり会ったのをかぎつけ、夫人がカーステアーズになにか洩らしたと思いこんだのかもしれない」

「それも考えられるわね」フランキーは言った。「だけど、まず第一にしなければならないことは、ロジャー・バッシントン‐フレンチのことをちゃんとたしかめることね。彼がくさいのは、あの写真の件だけですもの。もし彼に、そのことがはっきりと釈明できたら——」

「きみは、写真の件をじかにぶつかって聞くつもりなのかい？　ねえフランキー、そいつは賢明なやり方かな？　もしロジャーがぼくたちが結論を出したように悪人だとしたら、それこそ、ぼくたちの手の内を彼に見せてしまうことになるよ」

「そうとはかぎらないわよ——あたしのやり方で彼に当たったらね。なんといっても、写真の件さえ除けば、彼はあらゆる点で白だったのよ。いままで、彼のことを悪人だとばかり、あたしたちは思いこんでいたけど——ひょっとして、彼が潔白だとわかったら、いったいどういうことになるの？　もしロジャーが写真の件をちゃんと釈明できて——そのときはあたし、彼の表情や態度をしっかり見守っているつもりよ——ためらったり、後ろめたさが少しでもあったら見逃さないわ——もしもよ、納得のいくように彼が説明できたなら、あたしたちにとって、彼は強力な味方になってくれるかもしれないわよ」

「どういうことだい、フランキー？」

「ねえ、あなたのかわいらしいお友だちは、感情的でやたらに話を誇張したがる、人騒がせなひとかもしれないわね。だけど、もしそうじゃないとすると——つまり、いまの話がまるっきりほんとだとすると、ニコルソン博士は彼女を片づけて、シルヴィアと結婚したがっていることになる。そうなると、ヘンリイ・バッシントン－フレンチの命も、風前の灯《ともしび》ということになるんじゃないかしら？　だからあたしたちはどんなことをしてでも、ヘンリイの入院を阻止しなきゃならないのよ。ところが、ロジャー・バッシントン－フレンチは、ニコルソンの肩を持っているんだわ」

「たしかにそのとおりだよ、フランキー」とボビイはおだやかに言った。「きみのプランどおりにやってごらんよ」

フランキーは腰をあげて、あずまやから出て行こうとしたが、一瞬ためらうと、足をとめた。

「だけど、とても変な感じがしない？」彼女は言った。「まるであたしたち、本の中にいるみたい。つまりね、だれかが書いた小説の中の登場人物なのよ。ほんとに妙な気分だわ」

「きみの気持ちは、ぼくにもよくわかるよ」とボビイが言った。「なにか不気味な感じだよ、たしかに。ぼくは小説というよりも、劇の中といった感じだな。ぼくたちは役なんかないくせに、第二幕の真ん中あたりで舞台に飛び出してしまって、まるで役があるみたいな顔をして演じていなければならない、といった具合なんだ。おまけにやっかいなのは、この劇の第一幕がどうなっているのか、さっぱり見当もつかないということなのさ」

フランキーは、我が意を得たりとばかりにうなずいて見せた。

「あたしには、これが第二幕なのかもわからないのよ——むしろ、第三幕じゃないかと思えるくらい。ボビイ、あたしたちは、ずっと逆戻りしなければならないのよ——それも大急ぎでね。なぜって、この劇もいよいよ大詰めに来たんじゃないかと思えるんですもの」

「いたるところに死体をばらまいてね」とボビイが言った。「しかも、ぼくたちをこの劇に引きずりこんだのは、ごくありふれた台詞だったんだ——それもごく簡単な、ぼくたちに関するかぎり、まったく無意味なね」

「〝なぜ、エヴァンズに頼まなかったのか？〟ねえボビイ、妙じゃない？　あたしたち、ずいぶんたくさんのことを発見し、後から後からいろんなひとが登場してきたくせに、肝腎の謎の人物、エヴァンズのことが少しもわかってないじゃないの」

「エヴァンズについては、ぼくなりの考えをもっているんだよ。ぼくはね、エヴァンズなんて、まったくの無関係と思っているのさ。もっとも、この事件の出発点にはなったけれど、おそらく彼自身はまったく不必要なものだという感じがするんだ。いわば、H・G・ウェルズの小説みたいなものなのさ。ある王子が、恋人のお墓のまわりにすばらしい宮殿か寺院を建てるのさ。それが完成されたとき、なにかちょっと目ざわりになるものがあるんだ。そこで王子は命じた、〝あれを取り払え〟とね。ところが、その目ざわりなものというのが、ほかならぬ恋人の墓だったというわけさ」

「ときどきあたしも、エヴァンズなんて実在しないんだと思うことがあるわ」とフランキーが言った。

彼女はボビイにうなずくと、屋敷のほうに向かって引き返して行った。

21　ロジャーの弁明

彼女はツイていた、なぜなら、屋敷の近くまで来るとロジャーとバッタリ出会ったからである。

「やあ」と彼は声をかけた。「ロンドンから早くお帰りになったんですね」

「あたし、ロンドンにいる気がしなかったものですから」とフランキー。

「一度、屋敷にもどったのですか？」と彼はたずねた。その表情は緊張していた。「じつは、ニコルソンがヘンリイのことを、シルヴィアに打ち明けてしまったのですよ。気の毒に、彼女はたいへんなショックでした。やっぱり夢にも思っていなかったらしいですよ」

「知っています」とフランキーは言った。「あたしが家の中に入っていったら、二人一緒に書斎にいましたもの。夫人は――とても取り乱していましたわ」

「フランキー」とロジャーは言った。「いまのうちにヘンリイは、絶対に治してしまわなければだめですよ。まだ骨の髄まで麻薬に冒されているわけじゃないんですからね。麻薬を使いだしてから、まだそう長くは経っていないのです。それに、彼には中毒を治さなければならないという励みになるものがそろっているんですからね――シルヴィア、トミイ、家庭ですよ。ヘンリイに、事態をはっきり悟らせることです。ニコルソンなら万事うまくやってくれますよ。このあいだも、博士はぼくに話してくれました。それこそ何年間もあのいまわしい麻薬の奴隷になっていたものに対してさえ、博士はすばらしい成果を上げてきたのです。ヘンリイさえ、あのグレインジに入院することを承知してくれたら――」

フランキーがロジャーの言葉をさえぎった。

「あの、あなたにちょっとおたずねしたいことがあるんですの。ひとつだけ。どうか、あたしのことを生意気な女だと思わないでくださいね」

「いったい、なんです？」ロジャーは驚いてたずねた。

「あの男のひとのポケットからあなたが写真を取り出したかどうか、おっしゃっていただけないかしら――マーチボルトの崖から墜落したひとの？」

彼女は、どんな些細な表情の動きも見逃すまいと、ロジャーの顔を穴のあくほど見つめた。その観察の結果は、彼女にとって満足だった。

たしかに、かすかないらだちと困惑の色はあったが——後ろめたさや狼狽の気配はみじんも感じられなかった。

「いったいどこからあなたは、そんなことを考えついたのです?」と彼は言った。「あるいはモイラから聞いたのですか——いや、彼女は知らないはずなんだが?」

「じゃ、お取りになったのね?」

「認めざるを得ないようですね」

「なぜ?」

ロジャーはまた、当惑しきった表情を見せた。

「ねえ、ぼくの身になって考えてくれませんか。こうなんですよ、いまぼくは、見知らぬ男の死体の番をしているところです。なにかが、男のポケットからはみ出しているじゃありませんか。ぼくはそれを見る。だがなんの偶然か、それはぼくの知っている女性の写真です——すでに既婚の婦人ですが、ぼくの見るところ、その結婚は彼女にとってあまり幸せではない。さあ、どういうことになるでしょう? 検死審問。新聞。おそらく、その気の毒な女性の名前はあらゆる新聞に書き立てられることでしょう。ぼくは衝動的に、その写真をポケットから引き出すと、破り捨ててしまったのです。たしかに、ぼくの行為はまちがっていたでしょう。しかし、モイラ・ニコルソンは善良なかわいらしい女性なんですよ。ぼくはあのひとを事件の渦中に巻き込ませたくはなかったのです」

フランキーは大きな溜め息をもらした。

「そうでしたの」と彼女は言った。「ただ、あなたが知ってさえいたら――」

「いったい、なにをです？」狐につままれたような顔をして、ロジャーがたずねた。

「いまはちょっと、あたしにも説明ができませんの。もう少しあとになったらお話ししますわ。とても込み入っているんですもの。なぜあなたが写真をお取りになったか、その理由がはっきりわかりましたわ。でも、あなたには、その男のひとの身元を言うのになにか差し障りがありましたの？　あなたは男の身元を、はっきりと警察に教えるべきじゃなかったかしら？」

「男の身元ですって？」ロジャーは言った。彼は、途方に暮れているようだった。

「どうしてこのぼくに、死んだ男の身元がわかるというのです？　ぼくにはだれだかわからなかったんですよ」

「だってあなたは、こちらで会っているんじゃありませんか――それもほんの一週間前に」

「ああ、あなたは気でも違ったんじゃないですか？」

「アラン・カーステアーズ――あなたはアラン・カーステアーズに会ったでしょ？」

「ええ、会いましたよ！　リヴィントン夫妻と一緒に来た男です。しかし、死んだ男はアラン・カーステアーズじゃなかったんです」

「いいえ、彼だったのよ！」

二人はたがいに相手の顔を見つめた。それからフランキーは、疑惑を新たにして言った。

「ぜったいに、あなたには死んだひとがだれなのか、わかっていたはずです」

「ぼくは顔を見なかったんですよ」とロジャー。

「なんですって？」

「見ていません。顔にハンカチがかかっていましたからね」

フランキーはロジャーの顔をまじまじと見つめた。突然、ボビイが最初にそのことを話したとき、死んだ男の顔にハンカチをかぶせたと言っていたのを、彼女は思い出した。

「見てみようという気は起こらなかったのですか？」とフランキーがなおも食い下がった。

「いいえ、思うわけがないじゃありませんか」

〝でも〟とフランキーは胸の中でつぶやいた。〝あたしだったら、死んだひとのポケットに知っているひとの写真があったら、死体の顔を見ずにはいられないわ。男って、どうしてこうも無関心でいられるのかしら？〟

「お気の毒なひと」と彼女はつぶやいた。「彼女のことがかわいそうでなりませんわ」

「だれのことです――モイラ・ニコルソン？　なぜ、彼女がそんなに気の毒なんです？」

「だって、彼女は脅えているんですもの」フランキーはゆっくりと言った。

「あのひとは、いつだって死にそうなほど脅えているような感じですね。いったい、彼女はなにに脅えているんです？」

「自分の夫に」

「ぼく自身は、ジャスパー・ニコルソンのことを悪く思ってはいないんですが」とロジャー。

「彼女は夫に殺されかかっていると思いこんでいますの」とフランキーはだしぬけに言った。

「そんな！」彼はとても信じられないといった目つきで、フランキーの顔を見た。

「お坐りになって」フランキーが言った。「いろいろと、あなたにお話しすることがあります。ニコルソン博士が危険きわまる犯罪者であることを、あなたに証明しなくちゃなりませんもの」

「犯罪者ですって？」

ロジャーの口調には、明らかに不審のひびきがあった。

「とにかく、あたしが全部説明するまで黙ってて」

彼女は、ボビイとトーマス医師が死体を見つけたときから起こったあらゆる出来事を、わかりやすく、細大もらさず、ロジャーに話してきかせた。彼女自身の自動車事故がお芝居だったということだけは伏せておいた。ただ、この事件の謎を解きたい一心からメロウェイ・コートにぐずぐずしているのだという印象を、彼女は彼に与えるようにした。

彼女は聴き手の好奇心を充分に満足させたようだった。ロジャーは、フランキーの説明にすっかり夢中になっている様子だ。

「ほんとなんですか、それは？」と彼は聞き返した。「お友だちのジョーンズが毒を服まされたり、それからほかのいろいろなことも？」

「正真正銘の事実ですわ」

「いや、疑ったりしてすみません。しかし、多少、早合点しすぎのきらいはありませんか？」

彼はしばらく眉をひそめながら、黙りこんでいた。

「どうもぼくにはね」とうとう彼は口を開いた。「すべてが空想のような気がしてならないのです。もっとも、あなたの推理のはじめの部分は当たっているにちがいないと思いますけど。アレックス・プリチャードかアラン・カーステアーズ、つまりその男は、殺されたのにちがいありませんよ。もしそうでなかったら、ジョーンズが命を狙われた意味がありませんからね。事件を解く鍵が、〝なぜ、エヴァンズに頼まなかったのか？〟という言葉かどうかという問題は、現在のところ、ぼくとしては大したことじゃないと思うのです。第一、肝腎のエヴァンズがだれなのか、彼がなにを頼まれようとしていたのか、それが全然わからないのですからね。それよりも、犯人もしくは犯人たちはジョーンズが犯人たちにとって危険なある事実を知っている――彼自身それに気がついているかどうかは別にしてですよ――と思いこんだものとしましょう。そこで犯人たちはジョーンズを消そうとしたんですし、彼の居所さえわかれば、また命を狙いかねないでしょうね。たしかに、ここまでは筋が通っているように思われるのですが――どういう推理をたどってあなたがニコルソンを犯人だと決めたのか、それがぼくにはわからないのですよ」

「だって博士は、ご存じのとおり薄気味の悪いひとですし、ダーク・ブルーのタルボットを持っているうえに、ボビイがモルヒネを服まされた日には、ここを留守にしていましたのよ」

「それだけじゃ証拠不充分ですよ」

「ニコルソン夫人がボビイに話したことだってありますわ」

彼女はモイラ・ニコルソンの話をもう一度繰り返してみたが、このおだやかなイギリスの風景の中で語られると、いかにもメロドラマじみて、非現実的に聞こえるのだった。

ロジャーは肩をすくめた。

「モイラは、博士がヘンリイに麻薬を供給していると思いこんでいる——しかしそれはあくまで彼女の臆測であって、なにひとつ、実際にその証拠をにぎっているわけではないのですからね。彼女は、博士がヘンリイをグレインジに入院させようとしていると思っている——だがそれも医者なら当然のことですよ。医者にとって、患者は多ければ多いだけいいでしょうからね。彼女は、博士がシルヴィアを愛していると思っている——まあ、これについて、ぼくからはなんとも言えませんがね」

「モイラがそう思っているならば、十中八、九まで事実なんですわ」とフランキーがさえぎった。「女性には、自分の夫のことだったらなんでもわかるものです」

「まあ、それは認めるにしても、博士が危険きわまる犯罪者だということにはなりませんよ。立派な人物でも、人妻と恋愛するひとはたくさんいますからね」

「でも彼女は、夫が自分を殺そうとしていると信じているんですよ」とフランキーは強調した。

ロジャーは、彼女の顔を冷かすようにながめた。

「あなたはそれをまともにとったのですか？」

「とにかく、モイラはそう信じています」

ロジャーはうなずくと煙草に火をつけた。

「問題は、その彼女の確信にどれだけ注目するだけのあたいがあるかということですがね。たしかにグレインジには妙な患者がいっぱいいて、薄気味の悪いところですよ。女性がそこに住んでいたら、精神のバランスが崩れるということは、ありがちなことでしょうね。とりわけ、気の弱い、神経質なタイプなら」

「じゃあ、モイラの話はでたらめだとおっしゃるのね？」

「いや、そうは言ってませんよ。おそらく彼女は、夫が自分を殺そうとしていると心から思いこんでいますよ。しかし、その彼女の確信には事実に基づく根拠がありますか？ぼくにはどうも、そうだとは思われないのです」

フランキーには、さっきあずまやで〝あたしの気のせいですわ〟と言った言葉が、妙にありありと思い出された。この言葉だけをとっても、モイラの〝気のせい〟でないことを物語っているようにフランキーには思えるのだが、ここのところをロジャーに説明するとなると、どう言ったらいいのか彼女にはさっぱりわからなかった。

そんなことをフランキーが考えているあいだにロジャーは言葉をつづけていた。

「いいですか、仮にですね、あの崖の悲劇の当日にニコルソンがマーチボルトに来ていたことがあなたに証明できるなら、事態はちがってきます。あるいは、ぼくたちがニコルソンをカーステアーズに結びつける動かしがたい動機を発見することができるならば。しかし、どうもぼくには、あなたがほんとうの容疑者を無視しているように思われるのだけれど」

「ほんとうの容疑者というと？」

「あの——なんて言いましたっけ——ヘイマン夫妻ですか？」

「ケイマン夫妻ですわ」

「そうそう、それです。この連中は明らかに事件に関係していますよ。まず第一に、死体の身元について虚偽の証言をしています。第二は、死んだ男がそのいまわのきわになにか言い残さなかったかと、彼らが執拗にたずねたことです。それにブエノス・アイレスの就職の件も、あなたが考えたように、彼らの申し出であるか、手配したものと見るのが筋が通るように思えますね」

「なにか知っているおかげで、犯人たちからあらゆる手段で命が狙われているというのに――肝腎のその当人には、なにを自分が知っているのかさっぱりわからないなんて、ほんとに厄介な話ですわね。つまらない文句のために、とんでもない事件に巻きこまれてしまうなんて――うんざりしてしまうわ」

「そうです」とロジャーは厳しい調子で言った。「それが犯人たちの失策だったのですよ。おかげでその連中は、その失策を取りもどすためにたいへんな手間をかけねばならないことになります」

「あ、そうだわ！」フランキーが叫んだ。「ひょいといま、気がついたんですけど。いまのいままで、あたし、ケイマン夫人の写真はモイラ・ニコルソンの写真の代わりに置かれたとばかり思いこんでいました」

「これだけは、断言しておきますがね」ロジャーは重々しく言った。「意に反してまで、ケイマン夫人のようなひとの写真を、ぼくは大切そうに持って歩いたことはありませんよ。お話によると、じつに感じのわるい女だそうじゃないですか」

「ですけど、ある意味ではきれいな女《ひと》でしたわ。ひと目を惹く、色っぽい、妖婦型の。しかし問題は、カーステアーズがニコルソン夫人の写真と一緒にケイマン夫人の写真も持っていたにちがいない、ということなのです」

ロジャーはうなずいた。

「それであなたは――」彼は先をうながした。

「それであたし、一枚は愛情のために、一枚は仕事のために持っていたのだと思いますわ！　カーステアーズは、ある理由からケイマン夫人の写真を持っていたのです――おそらく、その写真をだれかに見せて、その身元をたしかめたかったんだわ。つまりね、こういうことじゃないかしら？――だれかが――たぶん夫のケイマンでしょうけど、その男がカーステアーズのあとをつけていって、機会を見計らい、もやを利用して彼の背後に忍び寄り、崖から突き落とす。カーステアーズは、絶叫しながら墜落します。夫のケイマンは、一目散にその場から逃げてしまう。おそらく彼は、アラン・カーステアーズがその写真を持ち歩いているということを知らなかった。さて、つぎはどうなります？　その写真が新聞に出て――」

「ケイマン夫妻はびっくり仰天」とロジャーが口を出した。

「そのとおり。そうとなれば、どういう手を打つでしょう？　大胆に――進んで難局に立ち向かう以外にありません。だれが、カーステアーズをカーステアーズとして知っているでしょう？　このイギリスではほとんどといっていいくらい、だれもいないのです。ケイマン夫人は出向いて、空涙を流しながら、死体を兄だと認めます。そしてまた、カーステアーズの徒歩旅行を裏づけるために、小包を送るという手品をやってのけたのですわ」

「いや、フランキー。その推理は、じつに見事なものだと思いますよ」とロジャーは、手放しで言った。

「われながら、うまくいったと思いますわ」とフランキーは言った。「ほんとに、あなたのおっしゃるとおりね。あたしたち、さっそくケイマン夫妻を追及しなければなりませんわ。なぜ、もっとまえにそうしなかったのかしら」

だが、いまのフランキーの言葉は嘘だった。フランキーはその理由を百も承知だったのだ——つまり、いままではロジャーを追及していたからなのである。ただ彼女には、いまの段階でほんとのことをロジャーに打ち明けるのは、うまくないと思われたのだ。

「ニコルソン夫人のことは、どうしたらいいかしら?」だしぬけに彼女はたずねた。

「どうするって——なにをですか?」

「だって、かわいそうにあのひと、死ぬほど脅えきっているんですよ。あなたって、彼女のことについてはとても冷淡なのね、ロジャー」

「そんなことはありませんよ。ただ、自分で切り抜ける努力をしない人間には、いらいらさせられるんです」

「まあ！　少しは大目に見てあげて。いったい、彼女に何ができて？　あのひとにはお金もなければ、行くところもないのですよ」

するとだしぬけにロジャーはこんなことを言った。

「フランキー、これがもしあなただったら、きっとなんらかの手段を講じるに決まっていますよ」

「まあ！」フランキーは、いささか不意を突かれた形だった。

「そうでしょう。あなたなら、きっとそうしますよ、かりにあなたがだれかに命を狙われていると思ったら、殺されるのをのんびりと待ってやしないでしょうからね。とにかく、そこを飛び出して、なんとか食べていく算段をするはずです。それとも、反対に相手をやっつけるか！　あなたなら、なんとかしますよ」

フランキーは、自分ならどうするだろうと考えてみた。

「そうね、たしかになんらかの手を打つと思うわ」と彼女は考えこみながら言った。

「根本的にちがうところは、あなたには勇気があり、彼女にはそれがないということなんです」とロジャーはきっぱり言った。

フランキーは、なんだかおだてられているような気がした。モイラ・ニコルソンは、たしかに彼女が尊敬できるタイプではなかったし、それにまた、そういう女性に熱を上げているボビイに、フランキーはいくぶん苛立っていたのだ。〝ボビイは〟と、彼女は自分に言いきかせた。〝ああいう無力な女性が好きなんだわ〟そして彼女は、事件の発端からボビイの心をとらえていた、あの写真の不思議な魅力を思い出した。

〝でも、ロジャーは、そうじゃないわ〟と、彼女は胸の中でつぶやいた。

ロジャーが、無力な女を好まないのは明らかだった。一方、モイラもロジャーを眼中においていないことはたしかだった。彼女はロジャーのことを弱虫と言っていたし、人を殺す度胸もない男だと鼻であしらっていたのである。たしかにロジャーは弱虫かもしれない――だが、ロジャーには否定できない魅力があった。フランキーは、このメロウェイ・コートに着いた瞬間から、そのことを感じていたのだ。

ロジャーがささやくように言った。

「フランキー、あなたならどんな男でも、あなたの思いどおりに……」

フランキーの胸は突然、スリルにざわめいた――と同時に、顔が赤くなるほどどきまりが悪くなってしまった。彼女はあわてて話題を変えた。

「お兄さまのことですけど、やっぱりグレインジに入院させるべきだと思っていらっしゃる？」と彼女はたずねた。

22　新たな犠牲者

「いや」とロジャーは言った。「思い直しましたよ。治療してもらえるところは、ほかにだってたくさんありますからね。肝腎なことは、ヘンリイに納得させることです」

「むずかしいとお思いになる？」

「まあ、そうでしょうね。こないだの夜の彼の口ぶりを、あなただって聞いているでしょう。その代わり、彼が悔いているときを狙えば案外うまくいくかもしれません。やあ、シルヴィアが来ました」

バッシントン－フレンチ夫人は家から出てくると、あたりを見回した。そしてロジャーとフランキーに気がつくと、草地を横切って近づいてきた。

夫人の様子はいかにも心配にやつれ、気を張りつめている感じだった。

「ロジャー」と彼女は口を開いた。「あたくし、そこらじゅうあなたを探していたんですよ」そしてフランキーが座をはずそうとすると、「あ、どうぞ、そのまま。隠したところでどうなるものでもありませんもの。どっちみち、あなたにもみんなわかることですわ。あなたは、もうしばらく前から疑っていらっしゃったのではありませんの？」とたずねた。

フランキーはうなずいた。

「それなのに、あたくしはなにも知らなかったのね、なんにも――」とシルヴィアははげしい口調で言った。「あなた方は二人とも、あたくしが夢にも知らないことをちゃんとご存じだったのね。あたくしはただ、なぜヘンリイがあたしたちみんなに対してあんなふうに変わってしまったのか、妙に思っていただけなの。それがあたくしにはとてもやりきれなかったのですけど、その理由まで考えてみたことは一度もなかったのです」

夫人は言葉を切った。それからやや語調を変えて、つづけた。

「ニコルソン先生から真相を聞いてからすぐ、あたくしヘンリイのところへまいりましたの。いま、そこから出てきたばかりですわ」

夫人は口をつぐむと、むせび泣いた。

「ロジャー、もう大丈夫よ。主人は同意してくれたわ。明日、グレインジに行って、いっさいをニコルソン先生にお任せすることになったの」

「ああ！　それはいけない――」ロジャーとフランキーが同時に叫んだ。シルヴィアはびっくりして二人の顔を見つめた。

　ロジャーはぎこちなく言った。

「ねえ、シルヴィア、じっくり考えてみたんだけど、グレインジに入院するのは、あまり得策だとは思えないんですよ」

「じゃ、主人は、自分ひとりの力で治せると思うの？」とシルヴィアは疑わしげに言った。

「いや、そうじゃないんです。だけど、ほかにも病院はありますからね――そう、あまり近くはないかもしれないけど。この土地の病院へ入れるのは、どうもまずいとぼくは思うんですよ」

「あたしもそう思いますわ」と、フランキーが助太刀した。

「まあ！　あたくしはいやだわ」とシルヴィアは言った。「主人を遠くへやってしまうなんて、とても耐えられない。それに、ニコルソン先生ならとても親切ですし、理解があるじゃありませんか。ヘンリイの治療を先生にお願いできたら、あたくしは安心ですわ」

「ぼくは、あなたがニコルソンを嫌っているとばかり思っていたんだけど」とロジャーが言った。

「気が変わりました」と夫人はあっさり言った。「今日の午後の先生ほど、あたくしに親切で優しくしてくださったひとは、ほかにいませんわ。先生に対して持っていたあたくしの愚かな偏見は、消えてしまいました」

一瞬、沈黙がおとずれた。気づまりな雰囲気だった。ロジャーもシルヴィアも、あとの言葉がつづけられなかった。

「かわいそうにヘンリイは」シルヴィアがやっと口を開いた。「すっかりまいっているんです。あたくしになにもかもわかってしまったので、夫はとても取り乱していました。あたくしと息子のトミイのために、恐ろしい中毒を治してみせると夫は言ってくれましたわ。でも、それがどんな地獄の苦しみかおまえにはわかるまい、とも言っていました。たしかにあたくしにはわからないと思いますわ、ニコルソン先生がくわしく説明してくださいましたけど。一種の強迫観念のようなものが生まれて——患者は自分の行動に責任をもてなくなる——こんなようなことを先生はおっしゃいました。ああ、ロジャー、中毒の治療は、ほんとに地獄の苦しみだそうですよ。ですけど、ニコルソン先生はとても親切でした。あたくしは先生を信頼しますわ」

「そうだとしてもぼくは、やっぱり——」とロジャーが言いかけた。

シルヴィアは、彼のほうに向きなおった。

「あなたのことがよくわからないわ、ロジャー。なんだって、あなたの気が変わったの？　ほんの三十分前には、ヘンリイをグレインジに入院させようと一所懸命だったじゃありませんか」

「いや――その――あとでじっくり考えてみたら――」

シルヴィアがまた、ロジャーの言葉をさえぎった。

「いずれにせよ、あたくしは決心してしまったのです。ヘンリイはグレインジ以外の病院には行かせませんわ」

ロジャーとフランキーは、無言で夫人に相対していた。やがてロジャーが口を開いた。

「ぼく、ニコルソン博士に電話をかけてみますよ。もうそろそろ帰っているころでしょう。この件で、ちょっと話がしてみたいのです」

夫人の返事も待たずに彼はきびすを返すと、屋敷の中へ急ぎ足で入ってしまった。フランキーと夫人は、彼の後ろ姿を立ったまま見送っていた。

「あたくしには、ロジャーの気持ちがまるでわかりませんわ」とシルヴィアがいらだたしげに言った。「十五分前には、ヘンリイをグレインジにすぐ入院させなくちゃとあたくしにやいやい言っていたくせに」

夫人の口調には、明らかに怒りがこもっていた。

「ですけど」とフランキーが言った。「あたしはロジャーの意見に賛成ですわ。麻薬の中毒を治すのだったら、自宅から遠く離れたところにすべきだと、なにかで読んだのをあたしはっきり覚えていますもの」

「そんなこと、ばかげているとあたくしは思いますわ」とシルヴィア。

フランキーは、ジレンマにおちいったのを感じた。予期していなかったシルヴィアの強情のおかげで、事態は難しくなってきたのだ。あれほどニコルソンを毛嫌いしていた夫人が、突然、打って変わって、ニコルソンの心酔者になってしまったようだ。どうしたら説得できるのか、見当もつかないくらいだった。フランキーは、こうなったらもうなにもかもシルヴィアに打ち明けてしまおうかと思った——だが、そうしたところで、はたしてシルヴィアは信じるだろうか？　あのロジャーでさえ、ニコルソン犯罪者説にはなかなか動かされなかったではないか。ニコルソンに新しく心酔しだしたばかりのシルヴィアなら、なおさらのことだ。いや、それどころか、ニコルソンのところへ行って、すべてをぶちまけかねない。ほんとうに面倒なことになったものだ。

飛行機が一機、夕暮れの空を低くかすめて、爆音を轟かせながら飛び去っていった。シルヴィアとフランキーは、二人ともこれで間が持てるとホッとしながら、飛行機を見上げた。二人とも、話の接ぎ穂を見失っていたからだ。おかげでフランキーにはじっくり考えをまとめるだけの時間ができたし、シルヴィアには発作的な怒りを鎮める余裕ができた。

機が森の彼方に消え、爆音が遠ざかってしまうと、シルヴィアはやにわにフランキーのほうへ顔を向けた。

「あたくし、すっかり感情的になってしまって——でも、あなたとロジャーは、あたくしからヘンリイを遠ざけようとなさっているように思えるんですもの」

「まさか、そんなことがあるものですか」とフランキーは言った。

彼女はしばらく頭の中で考えていた。

「ただあたし、ヘンリイにもっとも理想的な治療を受けさせたかっただけですわ。それに、ニコルソン博士は、どうもあたしにはやぶ医者に見えたものですから」

「あたくしにはそんなこと、とても信じられません」とシルヴィアが言った。「先生はとても頭のいい方ですし、ヘンリイには打ってつけのお医者さまだと思いますけど」

夫人は、フランキーに挑戦的な視線を投げつけた。フランキーは、ほんのわずかのあいだにニコルソン博士が夫人を手なずけた、その手腕のほどに舌を巻いていた。博士に対する夫人のかつての不信の念は、あとかたもなく消え失せてしまったかのようだ。

話の接ぎ穂を見失い、これからどうでたらいいか見当もつかずに、そのままフランキーは押し黙っていた。するとロジャーが、また屋敷から出て来た。彼はいくらか息をはずませているようだった。

「ニコルソンはまだ帰っていないのです」と彼は言った。「それでぼく、伝言を残しておきました」

「だけど、なぜあなたがそんなにあわてて先生に会いたがっているのか、あたくしにはわかりませんわ」とシルヴィアが言った。「だいたい、入院させる話はあなたが持ち出したのじゃありませんか。それも、その手筈まで整い、ヘンリイが承諾してくれたいまとなって」

「だけど、この件についてはぼくの言い分も聞いてもらいたいんですよ、シルヴィア」とロジャーがおだやかな口調で言った。「なんといっても、ぼくはヘンリイの血を分けた弟ですからね」

「でも、言い出したのはあなた自身なのよ」とシルヴィアはなおも言い張った。

「そうですよ、でも、そのあとからニコルソン博士の噂を二、三耳にしたものですからね」

「いったいどんなことを？　ああ、もうあたくしはあなたの言うことなんか信じませんん」

夫人は唇をかむと、クルッと背を向けて屋敷の中に駆けこんでしまった。

ロジャーはフランキーに目を移した。

「どうも厄介なことになりましたね」彼が言った。

「ほんとに、困ってしまいましたわ」

「シルヴィアは、いったんこうと決心すると梃子でも動かないんですからね」

「これから、どうしたらいいかしら？」

二人は庭のベンチにまた腰をおろすと、仔細に事態を検討しあった。ロジャーの意見も、シルヴィアになにからなにまで打ち明けるのはまずいという点で、フランキーと同じだった。一番の良策は、博士に直接ぶつかることだというのが、ロジャーの意見だった。

「でも、あなたは博士に会って、いったいなんとおっしゃるつもり？」

「そう多くは、ぼくは言わないでしょうけど、うんと当てこすりを言ってやりますよ。いずれにせよ、ひとつの点ではあなたと意見が一致したわけですからね——ヘンリイをグレインジに入院させるべきじゃないってことですよ。ぼくたちの手の内をすっかりさらけ出すようなことになっても、これだけは、どんなことがあっても阻止しなければなりませんから」

「だけど、そんなことをしたら、いままでの作戦の秘密がみんなバレてしまうわ」とフランキーが注意した。

「それはわかっています。だからこそ、ぼくたちはまずはじめに、あらゆることをやってみる必要があるのです。あのシルヴィアにもほんとに手を焼くな、よりによってこんなときに我を張らなくったってよさそうなものなのに」

「それが、博士の威力なのよ」とフランキーは言った。

「そうですね。証拠のあるなしにかかわらず、博士についてあなたの言ったことが、だんだんぼくにも正しいように思われてきましたよ——おや、なんです、いまのは？」

二人はベンチからとびあがった。

「銃声のようだわ」とフランキーが言った。「お屋敷の中だったわ」

ロジャーとフランキーはたがいに顔を見合わせると、屋敷に向かって一目散に走って行った。二人は応接間のフランス窓から飛びこむと、ホールへ抜けた。シルヴィア・バッシントン - フレンチが、顔面蒼白でそこに立っていた。

「あなた方にも聞こえて？　銃声ですわ——ヘンリイの書斎から」

夫人はよろめいた。ロジャーが腕を回して彼女を支えた。フランキーは書斎のドアに走り寄ると、ハンドルを回した。

「鍵がかかっているわ」と彼女は言った。

「窓だ！」とロジャーが声をかけた。

彼は、なかば失神状態のシルヴィアをそばにある椅子に掛けさせると、ふたたび応接間をかけ抜けた。フランキーもそのあとを追った。二人は家をグルッとひと回りすると、書斎の窓に出た。窓は閉まっていた。二人はガラス窓に顔をくっつけて中をのぞきこんだ。夕日は西に傾き、陽のひかりもさして明るくはなかったが、中の様子ははっきりわかった。

ヘンリイ・バッシントン－フレンチは机にうつぶせになっていた。こめかみの弾痕がありありと目に入った。彼の手から落ちたままピストルが、床に転がっていた。

「自殺だわ」フランキーが言った。「ああ、恐ろしい！」

「ちょっと、下がって」とロジャーが言った。「ガラスを割るから」

彼は上着で手をくるむと、窓ガラスを思いきり強くたたいた。ガラスは、こっぱみじんに砕けた。ロジャーが破片を窓枠から注意深く抜き取ると、二人は書斎に入っていった。彼らがそうしているあいだに、バッシントン－フレンチ夫人とニコルソン博士が、テラス沿いにあわててかけつけてきた。

「先生が、先生がいらっしゃいましたよ」とシルヴィアが言った。「なにがあったの、ヘンリイに――ヘンリイは？」

夫人はうつぶせになって倒れている姿を一目見ると、絶叫した。ロジャーがまた、窓から急いで外へ出て行くと、ニコルソン博士がシルヴィアのからだをロジャーの腕に引き渡した。

「夫人を連れて行ってください」博士は短く命じた。「看病を頼みます。飲めるようだったら、ブランディを少しね。これ以上、夫人に見せてはいけない」

博士は窓から中に入ると、フランキーと一緒になった。

博士はゆっくりと首を振った。

「痛ましいことだ」と彼は言った。「気の毒に、とても治療には耐えられないと思ったのですな。じつに悲劇です」

博士は死体にかがみこんだが、またからだを起こした。

「もはや手を施す余地はない。まず即死だったのにちがいありません。遺書でもあるかな。たいていはあるものだが」

フランキーは博士のそばまで近寄った。ごく簡単に走り書きしたばかりの一枚の紙きれが、バッシントン‐フレンチの肘のところにあった。それがなんなのかは、考えるまでもないことだった。

これが最善の解決策だと思う（とヘンリイ・バッシントン－フレンチは記していた）。この致命的な悪癖は、私の骨の髄までしみこんでしまったのだから、いまとなってはとても治療する勇気がない。シルヴィアとトミイのために、私のなし得る最良の方法をとるつもりだ。おまえたちの幸せを心から祈る。ゆるしておくれ……

フランキーは、のどのつまる思いだった。

「どこにも触ってはなりません」とニコルソン博士は言った。「むろん、検死審問がありますからな。警察に知らせましょう」

博士の合図にしたがって、フランキーはドアのほうへ歩いて行った。彼女はそこで立ちどまった。

「あら、鍵穴に鍵がさしこんでありませんわ」

「鍵がない？　それでは、彼のポケットでしょう」

博士は死体にひざまずくと、ポケットの中をていねいに調べた。その上着のポケットから、博士は鍵を取り出した。

彼がそれを鍵穴にさしこむと、ピッタリ合った。二人はそろってホールに出た。博士はまっすぐ電話に向かって歩いて行った。
フランキーはひざがガクガク震え出し、突然、めまいをおぼえた。

23　モイラの失踪

それから一時間ばかりのち、フランキーはボビイを電話口に呼び出した。

「ホウキンス？　こんにちは、ボビイ、あなた、事件を聞いた？　もう知っているの？　すぐにあたしたち、どこかで会わなくちゃならないわ。明日の早朝が一番いいと思うの。あたし、朝食まえに散歩に出るわ。八時にね――場所は今日会ったところよ」

フランキーは、ボビイが他人の耳を警戒して、「かしこまりました、ご令嬢さま」とうやうやしく三度目に言ったとき、受話器をかけた。

ボビイが先に約束の場所に来ていた。フランキーもさして彼を待たせなかった。彼女は顔色が悪く、いらいらしている様子だった。

「おはよう、ボビイ、恐ろしいじゃない？　あたし、一晩中まんじりともできなかったわ」

「くわしいことは、まだ聞いていないんだ。バッシントン－フレンチ氏がピストル自殺をしたという話だけど、ほんとにそうなの？」

「そうなのよ。シルヴィアが麻薬中毒の治療を受けるように、彼を説きふせたわけ。彼もそれに同意したんだけれど、あとになってから、治療を受ける勇気がくじけてしまったのじゃないかと思うの。彼は書斎に閉じこもると、ドアに鍵をかけ、紙きれに簡単な書き置きを残して――それから――それから、自分を射ったんだわ。ボビイ、ほんとに恐ろしい。あたし、こわいわ――」

「わかってるよ」とボビイがしずかに言った。

二人はしばらく黙りこんでしまった。

「だからあたし、今日であの家からおさらばすることにするわ」と、フランキーが口を開いた。

「まあ、そうだろうな。彼女はどうなの？――バッシントン－フレンチ夫人のことだけど」

「お気の毒に、夫人はすっかり虚脱状態だわ。まだ彼女とは会っていないのよ――あたしたちが死体を発見してからね。さっとひどいショックだったと思うわ」

ボビイはうなずいた。

「十一時ごろ、車を回してちょうだい」とフランキーはつづけた。

ボビイは答えなかった。フランキーは、いらだたしげに彼の顔を見つめた。

「いったいどうしたのよ、ボビイ？　まるで、何マイルも遠くにいるみたいだわ」

「ごめん、じつは——」

「なあに？」

「いやね、ぼくはちょっと考えていたんだ。つまりね、まさか——その、まさかまちがいはないいんだろうね？」

「まちがいはないって、どういうこと？」

「つまり、彼が自殺だということだよ」

「ああ、そのことね」彼女はしばらく考えてから言った。「大丈夫よ、自殺だったわ」

「たしかなのかい？　ねえ、フランキー、ぼくたちはニコルソンが二人の人間を殺そうとしているという、モイラの話を聞いたよね。いいかい、そのうちの一人が死んだんだよ」

フランキーはふたたび考えこんだ。だが、彼女はまた頭を振った。

「やっぱり自殺にちがいないわ。あたし、ロジャーとお庭にいたとき銃声を聞いたのよ。二人とも、大急ぎで応接間をかけ抜けると、ホールに行ったのよ。書斎のドアは、内側から鍵がかかっていたわ。そこで二人は窓に回ったの。窓も錠が下りていたので、ロジャーがガラスを割ったわ。ニコルソンがやって来たのは、それからあとですもの」

ボビイは、フランキーの説明を吟味してみた。

「やっぱり、まちがいはなさそうだな。でもね、ニコルソンもうまいときにひょっこり姿をあらわしたものじゃないか」

「なんでも、お昼すぎごろステッキを忘れて行ったものだから、それを取りに来たんですって」

ボビイは、考えていくにつれて眉をひそめた。

「ねえ、フランキー。もしニコルソンがバッシントン－フレンチを射ったんだとしたら――」

「まず、バッシントン－フレンチに書き置きを書かしておいてからね？」

「書き置きなんて、偽造しようと思えばあんな簡単にできるものはないさ。筆跡のちがいなんか、興奮していたからという理由で片がつくからね」

「そうね、たしかにそれもほんとうだわ。さあ、先を聞かせて」

「ニコルソンはバッシントン－フレンチを射った、そして書き置きを残してから書斎を飛び出し、外からドアに鍵をかけたんだ――それから、いかにもいま着いたような顔をして、数分後に姿をあらわす」

フランキーは、〝残念でした〟といわんばかりに頭を振った。

「グッド・アイデアだわ――だけど駄目なの。まず第一に、書斎の鍵はヘンリイ・バッシントン－フレンチのポケットの中に――」

「それを見つけたのは、いったいだれなんだ？」

「それは、むろん、ニコルソンだったけど――」

「ほれごらん。ポケットに入っていたように見せかけることなんか、朝飯《あさめし》前じゃないか」

「だけど、あたしは目を皿のようにしてずっと見張っていたのよ。たしかにあの鍵はポケットに入っていたわ」

「手品師の手品を観ているお客さんも、みんな口をそろえて言うよ。〝ほんとに帽子の中にウサギが入っていたのよ！〟ってね。もしニコルソンがすごい知能犯なら、そんな子供だましの早業ぐらい、造作もないことさ」

「たしかに、あなたのその推理は正しいかもしれない、だけど正直に言ってね、ボビイ、とても不可能な話だわ。シルヴィア・バッシントン－フレンチはあの銃声が聞こえたとき、お屋敷の中にいたんですもの。銃声を聞きつけると同時に、夫人はホールに飛び出したのよ。ニコルソンがピストルを射って書斎のドアから出てくれば、当然、彼女の目に留まるはずじゃないの。おまけに夫人は、博士が車で玄関に乗りつけたということを、みんなに話したわ。夫人は、ロジャーとあたしが家の外を回っているときに博士がやって来るのを見て、玄関まで迎えに行き、それから書斎の窓のところまで案内してきたのよ。ボビイ、こんなこと言うのはあたしだって癪にさわるんだけど、彼にはちゃんとしたアリバイがあるの」

「原則として、ぼくはアリバイのある人間を疑うことにしているのさ」

「あたしだってそうだわ。だけど、このアリバイだけはあなたにだってくつがえせないわよ」

「そうだね。シルヴィア・バッシントン－フレンチの言葉は充分信用できるのだからね」

「そうですとも」

「まあね」ボビイは溜め息をもらしながら言った。「これでは自殺ということにならざるを得ないだろうな。気の毒に。ところで、つぎに打つぼくたちの手は、フランキー？」

「ケイマン夫妻だわ」とフランキーが言った。「どうしてあたしたち、この夫婦をもっと前に追及しなかったのかしら。ケイマン夫妻の住所が書いてある手紙、まだとってあるでしょうね？」

「あるとも。検死審問のとき、あの夫妻が判事に告げたのと同じ住所だよ。パディントンのセント・レオナーズ・ガーデン十七番地だ」

「あたしたち、この夫婦の追及をうっかりしていたと思わない？」

「そのとおりだね。それにしても、フランキー、あの連中はとっくに高飛びしちゃったと、ぼくはにらんでいるんだよ。ケイマン夫妻は、かなりしたたかな連中だとぼくは思うね」

「たとえ、あの夫婦が逃げてしまったとしても、あたしにはなにか手がかりがつかめると思うわ」

「おいおい——どうして〝あたし〟なんだい？」

「だって、こんどもあなたは顔を出さないほうがいいと思うんだもの。ちょうどロジャーを悪玉と考えていたときに、あたしがここにやって来たのとおなじよ。あなたの顔はあの連中に知られているけれど、あたしはそうじゃないわ」

「でも、どうやってあの夫婦に近づくつもりなんだ？」とボビイがたずねた。

「そうね、保守党の運動員かなにかに化けるつもりよ、リーフレットを持って行ってね」

「そいつは名案だ」とボビイは言った。「しかしね、さっきも言ったけど、あの連中はきっとどこかへ逃げて行ってしまってるよ。ところで、あとひとつ考えなければならないことがあるんだ――モイラのことさ」

「まあ、そうだった」とフランキーは言った。「あたし、彼女のことをすっかり忘れてしまっていたわ」

「どうもそうらしいね」ボビイはそっけない態度で言った。

「あなたの言うとおりだわ」とフランキーは考えこみながら言った。「なにか、彼女のために手を打たなければ」

ボビイはうなずいた。彼の目には、あの追いつめられたモイラの脅えきっている顔が浮かび上がってきた。そこには、なにか悲劇の影があった。ボビイは、あのアラン・カーステアーズのポケットから彼女の写真を取り出してながめた瞬間から、その悲劇の影をいつも感じていたのだ。

「ああ、ぼくがはじめてグレインジに忍び込んだあの夜の彼女の顔を、きみに見せたいくらいだ！　彼女は恐怖に気も狂わんばかりだったよ――ねえ、フランキー、しかも、彼女の言うとおりになった。彼女の気のせいでも妄想でもないんだよ。そんなものじゃないんだ。もしニコルソンがシルヴィア・バッシントン－フレンチと結婚したがっているのなら、二人の邪魔者を抹殺しなければならないんだよ。そのうちのひとりは抹殺されてしまった。いまやモイラの命は風前の灯なんだよ。もし、少しでも遅れたら、それこそ取り返しのつかないことになるんだ」

フランキーは、ボビイの熱烈な言葉に動かされて真剣になった。

「ボビイ、あなたの言うとおりよ。さあ、グズグズしちゃいられないわ。あたしたちどうすればいいかしら？」

「とにかく、あのグレインジから逃げ出すように、彼女を説得しなければならないよ——いますぐにでもね」

フランキーはうなずいた。

「じゃあ、こうしたらいいわ。モイラはこれからウェールズに行くのよ——うちのお城にね。あそこなら絶対安全よ、それこそ、神のみぞ知るだわ」

「きみにそうしてもらえるなら、それに越したことはないよ、フランキー」

「そんなこと、いとも簡単よ。うちの父なんか、だれが出入りしようが気がつかないんですもの。それにモイラなら、うちの父も気に入るわ——世の男性ならだれだってそうでしょうけど——彼女はいかにも女性的なひとですもの。どうして男性は、か弱い女性がお好きなんでしょうね」

「モイラがとりわけか弱い女性だとは、ぼくには思えないね」とボビイが言った。「とんでもない。彼女はまるで、蛇に食べられるのをただ手をこまねいてじっと待っている小鳥みたいなひとよ」

「じゃ、彼女にどうしろって言うんだい？」

「たくさんあるじゃないの」フランキーは語気を強めた。

「ぼくにはわからないな。彼女にはお金もないし、頼りになる友だちもいないし――」

「もうたくさんよ。まるで、女子友愛協会に女の子の保護を頼みこむみたいにくどくど言わないで」

「ごめん」とボビイ。

一瞬、気まずい沈黙が広がった。

「いいわ」フランキーはご機嫌をなおすと言った。「じゃ、どうせ取りかかるのなら大至急やりましょうよ」

「ああ、そうだね。だけど、ほんとに、きみみたいに親切なひとはいないよ――」

「いいのよ」フランキーは、ボビイの言葉をさえぎった。「まるでモイラに手足も、舌も、おつむもないみたいなゴタクをあなたが並べ立てなければ、彼女を助けることぐらい、あたし、ちっとも気にならないのよ」

「どうもぼくには、なぜそんなことをきみが言うのかさっぱりわからないな」

「もういいのよ、さあ、そんな話はやめましょう。あたしが言いたいのは〝どうせやるなら、さっさとやりましょう〟ってことなの。これ、なにかの引用だったかしら？」

「そいつは〝レディ・マクベス〟の台詞じゃないか、先をおつづけなされ、マクベス夫人」

「あたしがいつも思っていることだけど」フランキーは、突然、脱線してしまった。「マクベス夫人はね、人生にすっかり退屈し――それにご主人のマクベスにも飽きちゃったものだから、ただそれだけの理由で、マクベスをたきつけてあんなにも殺人を重ねさせたのよ。マクベスは、妻が退屈して錯乱してしまうくらいの、気の弱い、味もそっけもない男だったにちがいないの。ところが生まれてはじめて人を殺してからというものは、ひどく男を上げたつもりになって、これまでの劣等感の埋め合わせに、狂信的なほど自己中心的な人間になっていくのよ」

「一冊の本が軽く出来上がるね、フランキー」

「だめよ、文才はないんだから。ところで、なんのお話をしていたんだっけ？ そうそう、モイラの救出だったわね。それじゃ、十時半に車を回してね。あたし、グレインジに行ってモイラを訪ね、もしニコルソンがその場にいなかったら、あたしのところへ泊まりに来ると言った彼女の約束を思い出させて、車で連れ出すことにするわ」

「そいつはうまいな、フランキー。それだったら、ぐずぐずしていないですむからね。なにしろ、またなにか起こりそうな気がして、ぼくは気が気じゃないんだ」

「じゃ、十時半にね」とフランキーは言った。

彼女がメロウェイ・コートにもどってくると、もう九時半になっていた。朝食がテーブルに運ばれたばかりのところで、ロジャーは自分でコーヒーを注いでいた。彼は顔色が悪く、疲れきっている様子だった。

「おはよう」とフランキーが挨拶した。「なんだか、ゆうべは一晩中うつらうつらしていて、とうとう七時に起きて、散歩に行ってきましたの」

「こんなゴタゴタであなたにまでご迷惑をかけて、ほんとに申し訳ありませんね」とロジャーは言った。

「シルヴィアはいかが？」

「昨夜、鎮静剤を服ませたのですよ。きっとまだ、休んでいることでしょう。かわいそうに、ぼくは彼女のことが気の毒でならないのです。心からヘンリイを愛していましたからね」

「よくわかりますわ」

フランキーはそう言ったまましばらく押し黙っていたが、やがて、ロンドンに帰るむねを伝えた。

「ぼくも、きっとそうじゃないかと思っていたんですよ」とロジャーはいかにも残念そうに言った。「検死審問は金曜日です。もしあなたが証人として喚問されるようなことになったら、ご連絡させるようにしますよ。すべて検死官次第ですがね」

ロジャーは、コーヒー一杯にトースト一枚を詰めこむと、いろいろと厄介なことを片づけるために部屋から出て行った。フランキーには、ロジャーが気の毒で仕方がなかった。家族のものの自殺事件が、どれだけたくさんの世間のゴシップと好奇心をかきたてるものか、彼女にはわかりすぎるくらいわかっていた。そのとき、トミイが部屋に入ってきたので、彼女は我を忘れてその子の相手をしてやった。

ボビイは車で十時半きっかりに迎えに来た。フランキーの荷物が運び出された。彼女はトミイにさよならを言い、シルヴィア宛てに、お悔みとお別れの挨拶を書き残した。ベントレーは彼女を乗せると走り去った。

ボビイとフランキーの車はほどなくグレインジに着いた。そこはフランキーにははじめてだった。大きな鉄の門と、繁茂しすぎた灌木が彼女の心を圧倒した。

「薄気味の悪いところね」と彼女は言った。「モイラが恐怖に取りつかれるのも、これじゃ無理がないわ」

車を正面玄関に横づけした。ボビイが車から降りてベルを鳴らした。しばらくのあいだ、なんの返事もなかった。やっと、看護婦の装いをした女性がドアを開けた。

「ニコルソン夫人にお目にかかりたいのですが？」ボビイが言った。

看護婦はためらったが、やがてホールに身を引くとドアを大きく開けた。フランキーも車から飛び降りると、家の中に入っていった。後ろでドアが閉まった。そのドアは妙にこだまする、いやな音を立てた。そのドアの内側に、頑丈なかんぬきがついているのにフランキーは気がついた。じつに不合理な話なのだが、彼女は恐怖感におそわれた——まるで自分が、この邪悪な家の中に閉じ込められた囚人のような気がしたのだ。

〝そんなことがあるはずないじゃないの〟彼女は自分に言いきかせた。〝ボビイだって外の車で待っているんだし。あたしは堂々とこの家にやって来たんだわ。なにも起こりっこないわよ〟そしてフランキーは、自分のばかげた恐怖感を振り払うと、看護婦のあとについて階段をのぼり、廊下を通っていった。やがて、看護婦がひとつのドアをパッと開けた。そしてフランキーが通されたのは、明るい更紗木綿と生花で美しく装飾してある、ちいさな居間だった。彼女の胸は高鳴った。看護婦はなにやら口の中でつぶやくと、その部屋から出て行った。

五分ほどするとドアが開いて、ニコルソン博士が入ってきた。

フランキーは思わずビクッとしてしまったが、にこやかな微笑をたたえた笑顔でそれを隠し、博士と握手を交わした。

「おはようございます」と彼女は言った。

「よくおいでになりました、レディ・フランシス。まさか、バッシントン－フレンチ夫人について悪い知らせをお持ちになったわけではないでしょうな？」

「あたしが出てまいりましたときは、まだお寝《やす》みでしたわ」

「いや、お気の毒に。むろん、主治医が付きっきりでしょうが」

「それはもう」フランキーはちょっと間《ま》をおいてから言った。「あの――先生はお忙しいんでしょうから、お邪魔しては申し訳ありませんわ、ニコルソン先生。じつはあたし、奥さまにお目にかかりたいと思いまして、うかがいましたの」

「モイラにですか？　それはどうもご親切に」

彼女の気のせいだろうか、あるいはほんとに、淡いブルーの目が度の強い眼鏡の奥で、かすかではあるがキラッと光ったのか。

「いや、まったくご親切に」

「まだ、起きていらっしゃらないようでしたら」とフランキーは、せいいっぱいに微笑をたたえながら言った。「このまま、待たせていただきますわ」

「もう起きていますとも！」と博士は言った。

「まあ、そうですか。あたし、奥さまにぜひうちに遊びに来ていただこうと思ったものですから。だって、そうお約束になったんですもの」彼女はまたニッコリ笑って見せた。

「ほほう、これはどうもどうも、ほんとに恐縮ですな、レディ・フランシス。モイラも、さぞかし喜んだことでしょうに」

「と、おっしゃいますと？」フランキーは鋭くたずね返した。

ニコルソン博士は、みごとな純白の歯並びを見せながら微笑した。

「残念なことに、妻は今朝、外出してしまったのですよ」

「外出？」フランキーは茫然自失となったまま、たずねた。「いったいどちらへ？」

「なに、ほんの気晴らしにですよ。女性というものについて、あなたならよくご存じのはずですよね、レディ・フランシス。ここは、若い女性にとってはちょっと気の滅入るところですからな。モイラも、ときによると、気分転換に外出したくなるのですよ」

「行き先はご存じないんですの？」

「ロンドンだと思いますがね。買物と芝居、そういったところですよ」

博士の微笑ぐらい薄気味の悪いものにぶつかったのは生まれてはじめてだと、彼女はつくづく思った。

「今日これから、あたしもロンドンへ行こうと思いますの」と、彼女はわざと軽い口調で言った。「奥さまのお泊まりになるところは、どちらですの？」

「いつもなら、サヴォイ・ホテルですがね。ま、今日、明日中には、あれからも連絡があると思いますよ。どうも、妻は筆無精のほうでしてね。それに、私は夫婦間の完全なる自由を認めているものですから。おそらく、サヴォイ・ホテルに行かれたら、妻に会えるのじゃないかと思いますが」

博士はドアを開けた。フランキーは別れの握手を交わし、玄関のほうへ案内されて行った。先ほどの看護婦が見送りにそこに立っていた。フランキーは、いんぎんな、それでいてどことなく皮肉なひびきがこもっているニコルソン博士の声に送られて、そこを出た。

「いや、妻をわざわざ誘いに来ていただきまして、ありがとうございました、レディ・フランシス」

24 ケイマン夫妻を追って

フランキーがたったひとりで玄関から出てきたので、ボビイは運転手の無関心な態度をつづけるのにひと苦労だった。

フランキーが、「ステイヴァリイへもどって、ホウキンス」と、看護婦に当てつけるように言った。

車は車道を通って正門を出た。やがて、人通りのない道路にさしかかると、ボビイは車を停めてフランキーにもの問いたげな視線を投げた。

「どうだったの？」と彼はたずねた。

やや蒼ざめた顔で彼女は答えた。

「ボビイ、なんだかあたし、不安だわ。見たところどうも、モイラは外出している様子なの」

「外出？　今朝かい？」

「あるいは昨夜ね」

「ぼくたちに一言も言わずにかい？」

「ボビイ、あたしは信じないわ、そんなこと。あの男は、たしかに嘘をついているんだわ」

ボビイは顔面蒼白になった。彼はつぶやいた。

「しまった、遅かったか！　ああ、ぼくたちはなんて大ばかだったんだ！　昨日、彼女を帰すんじゃなかった」

「まさかあなた――まさか彼女が死んだとは思ってないでしょうね？」フランキーは震える声でささやいた。

「いいや」とボビイは強く言った、まるで自分に言いきかせるかのように。

二人とも、しばらくのあいだというものは押し黙っていた。やがてボビイが、ごくしずかな口調で自分の考えを述べはじめた。

「彼女はまだ生きているにちがいないよ。だって、死体の処置やなんかがあるからね。事故死かなにかのように見せかけなければならないからさ。いや、彼女は無理やりにどこかへ連れて行かれたか、さもなければ――そうだ、まだあのグレインジにいるにちがいないんだ」

「グレインジに?」

「グレインジに」

「あたしたち、どうしたらいいかしら?」

ボビイはしばらく考えこんでいた。

「きみには、しようと思ってもなにもできないと思うんだ」と、彼はやっと言った。

「きみはロンドンに帰ったほうがいいな。ケイマン夫妻を当たってみると、きみも言ってたじゃないか。そっちのほうを頼むよ」

「まあ、ボビイったら!」

「ねえ、フランキー、きみは、ここでは手も足も出ないよ。ここではきみの顔は知られているんだもの――そうさ、いまではきみのことを知らないものはひとりもいないんだからね。それにきみはロンドンへ帰るってみんなに公表しちゃったんだ――いったいそのきみに、なにができるというんだい? もうメロウェイには滞在できないし、アングラーズ・アームズ館に来て、泊まるわけにもいかないじゃないか。そんなことをしたら、この土地の噂の種子になってしまうさ。やっぱり、きみはロンドンへ引きあげるより仕方がないよ。ニコルソンは、きみをうすうす疑っているかもしれない。もっとも、きみがなにかを知っているとは、あの男にも確信はないはずだけどね。きみはロンドンに帰るんだ。ぼくがここに残るよ」

「アングラーズ・アームズ館に泊まるの？」

「いや、きみの運転手はいまから姿を消すことになるだろうよ。ぼくは、アンブルデヴァーに司令部をおいて——ここから十マイルばかりのところにあるんだ——もし、モイラがあのいまわしい家にまだいるのなら、ぼくは彼女を探し出してみせるよ」

フランキーはちょっと異議をはさんだ。

「だけどボビイ、あなた、用心してね」

「ぼくはヘビのごとく、ずる賢く立ち回るから大丈夫さ」

不承不承、フランキーも彼の提案を認めざるを得なかった。ボビイの言葉は、たしかに筋が通っていた。彼女自身は、この土地ではほんとうに身動きひとつとれないのだ。ボビイは、彼女を車でロンドンまで送った。ブルック街の屋敷に足を踏み入れたとたん、フランキーはなんだか見捨てられたような淋しい気がした。

だが、彼女はのんびりと構えているタイプの女性ではなかった。その日の午後三時には、流行に沿ってはいるものの、ごく地味なドレスを着た若い婦人が、パンフレットや新聞をかかえて、鼻眼鏡をかけた顔をきまじめそうにしかめながら、セント・レオナーズ・ガーデンに向かって歩いていた。

パディントンのセント・レオナーズ・ガーデンには、見るかげもない暗いじめじめした家が立ち並んでいた。その大部分は、荒れ放題にされたままだった。その区画全体が〝よき時代〟はとっくの昔に過ぎ去ったといった、わびしい雰囲気をただよわせていた。フランキーは、番地を見ながら歩きつづけた。そして突然、彼女は腹立たしさに表情をゆがめながら立ち止まった。

十七番地の家には、〈売家または貸家、家具なし〉の札が出ていたのだ。

フランキーは、鼻眼鏡としかつめらしい表情を、早速しまいこんだ。

どうやら、政党運動員の必要はなさそうだった。

何軒かの不動産屋の名前が書いてあった。フランキーは、そのうちの二軒を選んで手帳に書き留めた。それから作戦計画を立てると、それを実行に移した。

はじめの不動産屋は、ブレード街のゴードン＆ポーター商会だった。

「こんにちは」とフランキーは言った。「ケイマンさんとかいう方の住所を教えていただけません？　つい最近まで、セント・レオナーズ・ガーデン十七番地に住んでいたんですけど」

「ああ、わかりました」フランキーが声をかけた青年が答えた。「ですが、あそこにお住まいになっていたのは、ほんのわずかの間だけなんですよ。手前どもは、家主の方の代理をしているのです。ケイマンさんは、いつ外国の任地へ行くかもわからないからとおっしゃいまして、あの家を三ヵ月ごとの支払契約でお借りになったのです。もう、外国へ行かれたんだと思いますが」

「じゃ、彼の住所は、わかりませんわね？」

「そうなんですよ。あの方はただ、手前どもと契約をなさっただけでして」

「だけど、家を借りる前の住所があるはずですわね」

「ホテルでした——たしか、パディントン駅のG．W．R．ですよ」

「保証人は？」

「あの方は、三ヵ月分の家賃を前金でお支払いになり、ガス、電気代として頭金を置いていかれました」

「まあ！」フランキーはがっかりして言った。

フランキーは、その青年がいぶかしげに自分を見つめているのに気づいた。不動産屋というのは、客の〝階級〟を一目で当てるのがうまいものだ。青年は、フランキーがあのケイマン夫妻に関心を持つのが、どうしても納得がいかないといった表情だった。

「じつは、大金を貸してありましたの」とフランキーは出任せに言った。

たちまち青年の表情は驚きに変わった。

彼は途方に暮れている美人にすっかり同情して、通信ファイルをめくったりといろいろ調べてくれたが、ケイマン氏の、現在はおろか以前の住所の手がかりさえつかめなかった。

フランキーは青年に礼を言うと、そこを出た。彼女はタクシーを拾って、二番目の不動産屋に行った。こんどは、いまと同じようなことを繰り返して時間をつぶすような真似はしなかった。はじめの不動産屋が、ケイマンに家を貸した店だった。するとこんどの不動産屋は、家主に代わってあの家をまた貸しすることにだけ関係しているのだ。フランキーはそこの事務員に、あの家を見せてほしいと言った。

こんどは、事務員の顔に現われた驚きの色を消すために、彼女は女子寮に向く、安い家を探しているのだと説明した。驚きの色は事務員の表情からなくなった。フランキーは、セント・レオナーズ・ガーデン十七番地の家の鍵と、それから、見たくもないもう二軒の空家の鍵まで渡されたうえに、四軒目の紹介状までもらってその不動産屋を出た。

事務員がついて来ようとしないだけまだましだったわ、とフランキーは胸の中でつぶやいた。もっとも、不動産屋にしたって、家具付きのちゃんとした家の借手でないかぎり、そんなごていねいな応対はしてくれないのだろう。

フランキーが十七番地の家の玄関の鍵を開け、ドアを押し開けると、閉め切ってあった家の中のかびくさいにおいが彼女の鼻をついた。

とにかくそれは、安っぽい飾りつけとところどころはげ落ちているペンキ塗りの、薄よごれた、借りたい気持ちなど起こさせない家だった。フランキーは、順々に屋根裏から地下室まで見て回った。この家ときたら、引っ越すときの掃除もしていなかった。ひも、古新聞、曲がった釘、小道具類などが、あたりに散らばっていた。しかし、ケイマン自身のものといったら、手紙の切れはし一枚、彼女は見つけることができなかった。

わずかに、ひょっとしたら手がかりになるかもしれないと思えたのは、窓ぎわの椅子に開いたまま置かれている、ABC鉄道案内だけだった。その開かれているページに出ている駅名のどのひとつを見ても、なにか特別な意味を示すものはなにもなかった。しかし彼女は、自分が見つけようと思っていたものに比べていかにもみじめな代用物だったけれど、ひとまず手帳にそのページの駅名を全部書き写した。

ケイマン夫妻の追跡に関するかぎり、彼女は完全に壁に突き当たってしまった。

こんなことは覚悟の上だったわと思い返して、彼女は自分をなぐさめた。もしケイマン夫妻が法の網をくぐってやって来たのだとしたら、だれにも行き先を知られないように万全の注意を払うのは当然のことだ。なにひとつ手がかりを残さないということは、とりもなおさず、あの夫妻にはくさいところがあるという確固とした逆証明になるのではないか。

フランキーは不動産屋に家の鍵を返して、数日中にご返事すると口から出任せを言ったものの、彼女のがっかりした気持ちはどうしようもなかった。

彼女はすっかりしょげきって、さてこんどはどうしたらいいのかと考えてみながら、ハイド・パークのほうへ向かって歩いて行った。ものすごい突風を伴った激しい雨のおかげで、彼女の実りのない思案は中断された。タクシーは一台も見当たらなかった。フランキーは、すぐ近くにある地下鉄の駅に飛びこむと、お気に入りの帽子を雨から守った。彼女はピカデリー・サーカスまでの切符を買い、スタンドで二種類の新聞を買った。

地下鉄に乗ると――その時間はほとんどガラ空《あき》だった――いままで思案していた厄介な問題をキッパリ忘れて、新聞を開いてその中の記事に注意を集中することにした。

彼女は紙面のあっちこっちを拾い読みした。

交通事故による死亡者数。女子学生の謎の失踪。クラリッジでのピーター・ハムプトン卿夫人のパーティ。以前、億万長者の故ジョン・サヴィッジ氏の所有だった有名なヨット、アストラドラ号で事故を起こしたジョン・ミルキントン卿が快方に向かったこと。このヨットは悪運に取りつかれているのだろうか？　そのヨットの設計者は悲惨な最期をとげ、サヴィッジ氏は自殺し、ジョン・ミルキントン卿は奇蹟的に死を免れたのだ。

フランキーは新聞をひざに置くと、眉を寄せてしきりに思い出そうとした。

これまでにも二回、ジョン・サヴィッジ氏の名前を耳にしているのだ。一度は、シルヴィア・バッシントン－フレンチがアラン・カーステアーズの話をしたとき、それから二度目は、ボビイがリヴィントン大佐夫人とのやりとりをフランキーに報告してくれたときである。

アラン・カーステアーズはジョン・サヴィッジの友人だった。リヴィントン夫人は、アラン・カーステアーズがイギリスにやって来たのは、サヴィッジの死となにか関係があるのではないかと漠然と考えていたのだ。サヴィッジは、自分の病気を癌だと思いこんで自殺したのではないか。

もし――そうだわ、もしアラン・カーステアーズが、友人の死の原因に不審をいだいたとしたら？　もし彼が、すべてを究明するためにイギリスへ来たのだとしたら？　もし、サヴィッジの死をめぐる事情の中に、あたしとボビイとが途中から参加したお芝居の第一幕があるとしたら？

〝それは考えられることよ〟とフランキーは思った。〝そうよ、充分にあり得ることだわ〟

彼女は、この新しい局面にどう対処するのがいちばんいいか、じっくりと考えた。彼女には、ジョン・サヴィッジの友人知己について皆目知るところがなかった。すると突然、名案が彼女の頭に浮かんだ――それは彼の遺言書だった。彼の死をめぐってなにか疑わしい点があるならば、その遺言書から手がかりがつかめるはずだ。ロンドンのどこかに、一シリング払えば遺言書を読ませてくれるところがあるのを、フランキーは覚えていた。

電車が駅に入った。見ると、大英博物館前であった。乗り換えようと思っていたオクスフォード・サーカス駅を二つも乗り越してしまったのだ。

彼女は座席からとびあがると、地下鉄から降りた。駅から表に出たとたんに、ある考えが彼女の頭に浮かんだ。彼女は五分ばかり歩いて、ジェンキンソン&スプラッゲ法律事務所をおとずれた。

フランキーは丁重に迎えられ、すぐさま上席弁護士のスプラッゲ氏の個室に案内された。

スプラッゲ氏は、下へも置かぬほど愛想が良かった。彼の豊かで柔らかな声には、ひとの心を打ち解けさせるものがあった。なにかのいざこざを解決してもらうために彼のところへ相談をもちこむ貴族たちは、彼のその声を聞いただけで、心が和んでくるのだった。この広いロンドン中で、スプラッゲ氏ほど貴族たちの不名誉な秘密を握っているものはいないというもっぱらの評判だった。

「これはこれは、ようこそおいでくださいました、レディ・フランシス」とスプラッゲ氏は言った。「さあ、どうぞおかけください。椅子の座り心地はよろしゅうございましょうな？　結構、結構。まったくいい陽気でございますな。まさに小春日和ですな。ところで、マーチントン卿のご機嫌はいかがでございます？　さぞかし、お元気でいらっしゃいましょうな？」

フランキーは適当にあしらっていった。

やがてスプラッゲ氏はやおら鼻眼鏡をはずすと、いかにも顧問弁護士にふさわしい態度になった。

「ときに、レディ・フランシス」と彼は口を開いた。「どのようなご用件で、私どもの──その──むさくるしい事務所までご足労いただきましたので？」

〝ゆすりかね？〟と、老弁護士の眉毛がたずねているみたいだった。〝軽率な手紙でも書いたのかね？　それとも、好ましからざる男と関わり合いになったのかね？　仕立屋に訴えられでもしたのか？〟

彼の眉毛は、いかにもスプラッゲ弁護士の経験と収入にふさわしい慎重な態度で、フランキーを問い詰めているようだった。

「じつは、あるひとの遺言書が見たいんです」と彼女は言った。「ですけど、いったいどこへ行って、どんな手続きをしたら見られるのか、わからないんですの。たしか、一シリング払えば見られるところがありましたわね？」

「サマセットハウスにあります」とスプラッゲ氏は言った。「ですが、どういう遺言書なのです？　おたくの遺言書でしたら、いかようなことでもお話しできると存じますが。なんせ当事務所は、永年の歳月にわたって、おたく様の遺言書のかずかずを作成させていただいてまいったのでございますから」

「うちのじゃないんですの」とフランキーが言った。

「とおっしゃいますと？」とスプラッゲ氏。

依頼人を心から信用させてしまう彼の催眠術のような力にかかると、自分では話すつもりがなかったのに、フランキーはとうとうしゃべってしまった。

「あたし、サヴィッジ氏の遺言書が見たいんですの――ジョン・サヴィッジ氏の」

「なんとおっしゃいました？」スプラッゲ氏の声にはほんとにびっくりしたようなひびきがこもっていた。まったく意外なことだったのだ。「これはまた、おどろきましたな――いや、まったく」

彼の口調に尋常でないものがあったので、フランキーもびっくりして彼の顔を見た。

「いやはや。じつのところいったいどうしたものか、私にはわかりません。レディ・フランシス、いったいなぜその遺言書をごらんになりたいのか、その理由をお聞かせくださいませんか？」

「それが、あたし、申せませんの」

どういうわけか、スプラッゲ氏が日ごろの穏やかな、万事心得ている態度を失っていることに、フランキーは気がついた。彼はなにか思い悩んでいるようだった。

「じつは、あなたにご警告をしなければならないのでございます」

「警告ですって？」とフランキーは言った。

「さようでございます。きわめて漠然としていて、はっきりそれと申し上げるわけにはいかないのですが——なにごとか起こりつつあるのです。私といたしましては、なんとしてもお嬢さまをそのようないかがわしい事件に巻きこませたくはないのでございます」

だが、もう手遅れなのだ。弁護士が聞いたらびっくりして腰を抜かすようないかがわしい事件に、彼女はすでに巻きこまれているではないか。しかし彼女はただ黙って、いかにも物問いたげな表情で彼の顔を見つめていた。

「いや、なにからなにまで、おどろくべき偶然の一致でございます。たしかにあることが起こりつつあるのですよ――明らかにね。しかし、それがなんであるのか、ただいまのところ私からは申し上げられないのでございます」

フランキーはただ、まじまじと老弁護士の顔を見つづけていた。

「ある情報が、私の耳に入ったばかりなのでございます」スプラッゲ氏の胸は、憤りでふくれあがっていた。「私の偽者が現われたのでございますよ、レディ・フランシス。計画的に私の名前をかたったのでございます。いったい、このことをどうお考えになります?」

一瞬、ドキッとしただけで、フランキーはなにも言うことができなかった。

25　スプラッゲ氏の話

とうとうフランキーは、口ごもりながら言った——

「どうして、バレてしまったのかしら？」

いや、彼女はこんなことを言うつもりでは毛頭なかったのだ。一瞬、彼女は自分の愚かさに舌をかみ切ってしまいたい気持ちにおそわれたが、時すでに遅しだった。その言葉つきから、彼女がシッポを出したことに気がつかないようでは、スプラッゲ氏も弁護士失格というところだろう。

「おや、このことでなにかご存じでいらっしゃいますか、レディ・フランシス？」

「そうなんですの」

彼女はちょっとためらってから、息を深く吸いこむと口を開いた。

「全部、あたしの仕業なんです、スプラッゲさん」

「これはまた、どうしたことでしょう」とスプラッゲ氏。

その口調には、激怒している法律家と父親のような顧問弁護士とが、格闘している様子がありありとわかった。

「どういうわけで、こんなことになったので？」

「ほんの冗談だったんですの」とフランキーが蚊の鳴くような声で言った。「あたしたち——あの、あたしたち、なにかしたかったものですから」

「で、だれが」とスプラッゲ氏がたずねた。「この私に化けるなんて気を起こしたんでございますか？」

フランキーは弁護士の顔をじっと見つめていた。気転の早業で、なんとかこの場を切り抜けようとした。

「それは、ある若い公爵——」言いかけて彼女は口を閉じた。「あの、そのお名前は言えないことになっていますの。申し訳ないですけど」

だがフランキーは、これで形勢が好転したことがわかった。スプラッゲ氏が、はたしていっかいの牧師の息子の不埒な行動をゆるしたかどうかは疑問だったが、なにせ、貴族のこととなると、この老弁護士はからきし弱いので、若き公爵の無礼を大目に見る気になったのだ。彼は、ふだんの愛想のいい態度にもどった。

「そうでございましたか。いや、お若い方たちにはかないませんな」と、弁護士は人差し指を振り振り言った。「ですが、またなんということをしでかしたものでしょう。レディ・フランシス、ほんのもののはずみでしでかす一見無害な悪戯《いたずら》でも、どんなに厄介な法律上の問題にまで発展するか、それをお知りになったらきっとびっくりなさいますよ。ほんのばか騒ぎでも、法廷にまで持ちこまれる場合が、往々にしてあるものでございますからね」

「あなたって、ほんとにすばらしい方ですわ、スプラッゲさん」彼女は大真面目になって言った。「あたし、ほんとにそう思います。あなたのように考えてくださるひとなんて、ほかにいませんわ。あたし、ひどく恥じ入っていますわ」

「いやいや、レディ・フランシス」スプラッゲ氏は、まるで自分の娘にでも言うような口調で言った。

「いえ、ほんとうにそうなんです。でも、あなたの耳に入ったのは、リヴィントン夫人からだったと思いますけど——彼女はなんとおっしゃいましたの？」

「ここに、夫人の手紙があったと思いましたが。つい三十分ほど前に、封を切ったばかりでございますからね」

フランキーが手を差し出すと、弁護士は〝さあ、ばかな真似をすると、こういうハメになりますよ〟とでも言うような態度で、夫人の手紙を手渡した。

リヴィントン夫人の手紙は、つぎのようなものだった——

スプラッゲさま。あたくし、ついうっかりして先日拙宅までお越しくださいました折に、ご参考になったかもしれないことを申し忘れてしまいました。アラン・カーステアーズは、チッピング・サマートンとかいうところへ行くと申しておりました。これが、なにかのお役に立てば幸甚でございます。

お聞かせくださいましたマルトラヴァース事件のこと、とてもとても面白うございました。

右お知らせまで。

エディス・リヴィントン

「いかがです、きわめて重大な問題になりかねなかったのですよ」とスプラッゲ氏は、穏やかな口調ではあったが厳格に言った。「私は、由々しき問題が起こりつつあると見てとったのでございます。マルトラヴァース事件か、それとも、私どもの顧客であるカーステアーズ氏に関して——」

フランキーが彼の言葉をさえぎった。

たずねた。

「まあ、アラン・カーステアーズは、こちらの顧客でしたの?」彼女は息をはずませて

「そうでございますよ。ひと月ほど前ですが、イギリスへ来られた折ご相談にあずかり

ました。カーステアーズ氏をご存じなのですか、レディ・フランシス」

「ええ、知っているといってもいいと思いますわ」

「まことに魅力的な人物でございますな」とスプラッゲ氏は言った。「なんと申しまし

ょうか、あの方は——この息苦しい事務所の中に、大広原のすばらしい空気を吹きこん

でくださったようなものでしたよ」

「彼は、サヴィッジ氏の遺言書のことで相談に来たんでしょう?」

「ああ!」とスプラッゲ氏は言った。「では、あの方に当事務所をお勧めくださったの

は、あなただったのでございますか。あの方は、それがだれだったのか思い出せなかっ

たのですよ。いや、そうと知っていたら、もっとあの方のためにしてあげればよかった

と思いますよ」

「で、彼にどんなアドバイスをなさったの?」とフランキーはたずねた。「それとも、

職業上の秘密かしら?」

「いや、この場合はそうではございません」とスプラッゲ氏は微笑を浮かべながら言っ

た。「私の意見は、打つべき手はなにひとつない、ということだったのでございますよ――それも、サヴィッジ氏の身内の方が裁判に大金を注ぎこむとおっしゃるのなら話は別でございますがね。まあ、身内の方にはそのつもりはないし、また、そういうことをする立場でもないと、私は見てとったのでございます。私は、完全な勝算がないかぎり、話を法廷に持ち込むようなことは絶対にお勧めしないのでございます。法律というものは、レディ・フランシス、まことに手に負えない代物でしてね。法律に慣れていない人間にとってはまったく予断を許さないものでございます。まあ、法廷外で解決するというのが私の主義でございますから」

「でも、あのことは、なにからなにまで腑に落ちませんの」とフランキーは考え深げに言った。

彼女は、鋭い鋲がばらまかれている床の上を、裸足で歩くような興奮を感じた。ひとつでも鋲を踏んだら――すべては終わりなのだ。

「こういう問題は、お考えになるほどめずらしいことではございませんよ」とスプラッゲ氏は言った。

「自殺がですか？」フランキーはたずねた。

「いやいや、私の申しましたのは〝不当威圧〟のことでございますよ。サヴィッジ氏は抜け目のない実業家でございましたが、あの女の手にかかると、それこそ骨抜きのようにされてしまうのですからな。いや、あの女はそのことをよく知り抜いておったのにちがいありません」

「あの、はじめから、すっかりお話ししてくださいません？」フランキーは思い切ってこう言った。「カーステアアーズさんときたら――その、とても興奮しきっていて、あたし、お話を聞いていてもチンプンカンプンでしたの」

「事件そのものは、至極単純なものです」とスプラッゲ氏は言った。「いろいろな事実なら、ザッとお話しすることができますよ――まあ、だれの耳にでも入るようなことですし、お話ししたからといって、文句の出る筋合いのものでもございませんからね」

「じゃあ、すっかりお話ししてください」とフランキー。

「たまたまサヴィッジ氏は、去年の十一月に、アメリカからこのイギリスへ帰国の船旅をつづけていました。彼はご存じのとおり、近親者のいない億万長者でした。この帰路で、彼はある婦人――ええと、テンプルトン夫人とかいう女性と知り合ったのでございます。テンプルトン夫人のことについては、たいへんな美人で、どこかにご主人がいるということ以外、なにひとつ知られていないのです」

〝ケイマン夫妻だわ〟フランキーは心の中でつぶやいた。

「いや、船の旅というのは剣呑なものでございますからな」スプラッゲ氏は微笑を浮かべ、頭を振りながら言った。「サヴィッジ氏はたちまちのうちに、そのテンプルトン夫人の魅力のとりことなってしまいました。彼は、チッピング・サマートンにある彼女の小さな別荘に来て泊まらないかという夫人の招待を受けたのです。まあ、どの程度にサヴィッジ氏がその別荘に通ったものか、私も正確には存じませんが、彼がテンプルトン夫人にますます熱を上げていったことだけは断言できるのでございます。

　やがて、あの悲劇です。サヴィッジ氏は、かなり前から自分の健康に不安をいだいており、ある病気にかかっているのではないかということを、怖れていたわけで――」

「癌ね？」とフランキーが言った。

「ええ、その癌なのですよ。それが、彼の頭にこびりついて離れなかったようでございます。そのとき、彼はテンプルトン夫妻のところに泊まっておりました。彼らはロンドンに行って専門家の診察を受けるように、サヴィッジ氏を説得しました。で、彼はそのとおりにしたわけです。ところで、レディ・フランシス、私は率直に申し上げるのですが、その専門医というのは永年にわたってその分野の第一人者とうたわれてきた名医だったのですが、サヴィッジ氏には癌の徴候がなかったので、そのとおりのことを彼に話しました。その診断にもかかわらず、彼はあくまでも自分が癌であると思い込んでいたものだから、医師の言葉が信じられなかったのだと、医師は検死審問で証言したのです。ところでレディ・フランシス、なんの偏見も交じえずに、それに医者というものの態度を考慮にいれて、この問題を見てみますと、事態はいささか変わってくるのではないかと、私は思うのです。

もしサヴィッジ氏の病状を診て医者が首をひねったとしたら、真剣に話したり、陰気な顔をしたり、お金のかかる治療のことを言ったりして、癌ではないと患者を安心させはしても、なにか病気がひどく悪いのだという印象を患者に与えるのではないでしょうか。癌の場合、医者は患者にその事実を告げないものだと聞いているサヴィッジ氏は、おそらくこの医者の態度を自分なりに解釈したのでしょう。この医者の安心させるような言葉は、ほんの気休めにすぎないんだ――思っていたとおり、自分はやっぱり癌なのだとね。

まあ、いずれにせよ、サヴィッジ氏は深い絶望感におそわれながら、チッピング・サマートンに帰ってきたのです。いまや、足音を忍ばせて迫りくる苦痛に満ちた死だけしか、彼の目には入らなかったのです。たしか、彼の血統には癌で亡くなったひとが何人かいるという話です。それで、癌の苦しみだけは味わいたくないと彼は決心したのですね。彼は弁護士を呼び寄せました――著名な法律事務所を開いている立派な弁護士です

——その場で遺言書を作成させると、サヴィッジ氏は署名して、その弁護士に保管を依頼したのです。その夜、サヴィッジ氏はクロラールを多量に服用したのです。ながい苦しみに満ちた死よりも、短い苦痛のない死を選ぶという書き置きを残してね。サヴィッジ氏は遺言書によって、遺産税を差し引いた手取り七十万ポンドをテンプルトン夫人に残し、その残金は特定の慈善事業に寄贈したのでございます」

スプラッゲ氏は、椅子に背をもたせかけた。いまや彼は楽しそうだった。

「陪審員は、〝精神異常時の自殺〟という、お決まりの同情的評決を下しました。しかし、〝精神異常時の自殺〟であったがゆえに、遺言書を作成したときもまた、〝精神の異常〟をきたしていたという結論にはならないのです。遺言書作成時に、精神異常をきたしていたと判断した陪審員は、ひとりもいなかったと思いますね。その遺言書は、故人が明らかに健全な精神状態にあり、完全な意識を保っていたと証言する弁護士の立会いのもとに作成されたのですからな。また、不当威圧によって作成されたものだということも、証明できないと思うのですよ。サヴィッジ氏は近親者の相続権をうばったわけでもないのです——彼の唯一の血縁関係者は、めったに会ったこともない、遠くに住んでいるいとこたちだけなのです。たしか、オーストラリアに住んでいるという話ですが」

ここで、スプラッゲ氏はひと息ついた。

「カーステアーズ氏が主張なさったのは、あのような遺言書の内容はサヴィッジ氏の性格にまったく相反しているという点だったのです。サヴィッジ氏は、慈善事業というものをぜんぜん好まなかったばかりか、遺産は血縁のものに相続されるべきものだという考えを、常日頃から深くいだいていたというのです。しかしながら、カーステアーズ氏はこうした考えを裏づける証拠書類を持っていなかったのです。それに、そのとき私がカーステアーズ氏に申しましたように、人間の考えというものは変わるものですからね。その遺言書をめぐって争うとなると、相手はテンプルトン夫人のみならず、寄贈を受けた慈善団体ということになります。おまけに、その遺言書は検認済みだったのでございますよ」

「当時、問題は起こらなかったのですか？」とフランキーが質問した。

「今も申し上げたとおり、サヴィッジ氏の血縁の方はこのイギリスには住んでいませんでしたからね。それに、この件についてはほとんど知らないといっていいくらいなのです。この問題を取りあげたのは、カーステアーズ氏だったのですよ。彼はアフリカの奥地から帰ってくると、この件の詳細を知るに及んで、なんらかの手が打てないものかとそれを調べにイギリスにやって来たというわけなのです。私は彼に、できることはなにもないという自分の見解をはっきりと伝えました。〝占有は九分の勝目〟と申しますように、すでにテンプルトン夫人の手に遺産は入ってしまっているのですからな。おまけに、夫人はイギリスから南フランスへ移住してしまったと聞いています。夫人はこの件に関する限り、いかなる通信も拒絶してしまいました。それで私は、遺言書を作成した弁護士の意見を求めたらどうかとカーステアーズ氏に申し上げたのですが、彼はその必要はないし、打つ手もないと決定し――いや、あるいは、言葉を換えて言いますと、この件については疑義はきわめて多く、当時ならなんらかの打つべき手段はあったのだが、もういまとなっては手遅れだという、私の判断に従われたのでございます」

「そうでしたの」とフランキーは言った。「で、そのテンプルトン夫人のことについては、だれにもなにひとつ、わかっていないんですの？」

スプラッゲ氏は首を振り、唇をすぼめた。

「サヴィッジ氏のような世の中の裏の裏まで知り抜いているような方が、ああやすやすと手玉に取られるはずがないのでございますが――それがどうも――」スプラッゲ氏は、自分ではよくわかっているくせに手を出したあげくに、なんとか法廷外で始末をつけようと相談にやって来た無数の依頼人の姿を思い浮かべながら、悲しげに首を振った。

フランキーは腰をあげた。

「男のひとって、ほんとに変ですのね」

彼女は手を差しのべた。

「お邪魔しましたわ、スプラッゲさん、あなたはとてもいい方ですのね、ほんとに。あたし、お詫びしますわ、すみませんでした」

「お若い方のいたずらも、よほど注意なさらないといけませんよ」スプラッゲ氏は頭を振り振り言った。

「あなたって、まるで天使みたいな方ね」とフランキーが言った。

彼女は弁護士の手を強く握りしめると、事務所を出た。

スプラッゲ氏はまた、自分の机の前の椅子に坐った。

彼は考えていた。

「ある若い公爵だと――」

若いといえる公爵は二人しかいなかった。

どっちだろう、いったい？

老弁護士は貴族名鑑を手にした。

26 夜の冒険

モイラの不可解きわまる失踪は、ボビイをものすごく悩ました。彼はなんどもなんども自分に言いきかせた。一足飛びに結論を出すのはどうかしている——モイラが、見ているかもしれない人間がうようよしている家の中で殺されたなんて想像するのは、あまりにも空想じみているじゃないか——おそらく彼女がいなくなったのは、ごく簡単な理由からなのさ、最悪の場合でも、あのグレインジに監禁されているというところだろう——

モイラが自分の意志でステイヴァリイを去ったとは、一瞬たりともボビイには信じられなかった。自分に一言の説明もなしに彼女が姿をくらますなんてことは、絶対にありっこないと彼は確信していた。しかも彼女は、どこにも行くところがないと、あれほど強く言っていたじゃないか。

そうだ、たしかにあの陰険なニコルソン博士が、失踪事件の裏にいるのだ。なにかから、彼はモイラの動静を探知して、時を移さず反撃に出たのにちがいない。あの薄気味の悪い家のどこかにモイラは監禁されたまま、外部との連絡をいっさい絶たれているのだ。

　だが、モイラは長く囚われの身のままでいることは、できないかもしれないのだ。ボビイの頭には、モイラが訴えた言葉のひとつひとつが刻みこまれていた。彼女の恐怖は強い想像力のしわざでもなければ、気のせいでもない。あれはすべて、うむを言わせぬ冷酷な事実なのだ。

　ニコルソンはその妻を亡きものにしようとしているのだ。彼の計画は、何回か挫折したのだ。今は、彼女が恐怖の秘密を他のものに洩らしたせいで、彼に監禁されるはめになってしまったのだ。博士はすばやく彼女を片づけるか、それともなにもしないでいるか、そのどちらかなのだ。はたして彼に、行動に出る勇気があるだろうか？

　彼ならきっとやるにちがいない、とボビイは信じた。それに、たとえ第三者の耳に妻の恐怖が入ったとしても、彼らには証拠がないということをニコルソンはちゃんと知り抜いているにちがいない。それにまた、彼はフランキーだけをうまく丸めこんでしまえばいいと思いこんでいるに決まっている。彼がはじめからフランキーのことを怪しいとにらんでいたことは、大いにあり得ることだ。あの〈自動車事故〉のことを根掘り葉掘り聞いたことが、なによりの証拠のように思われる。しかし、レディ・フランシスの運転手をしている自分が変装していると疑われているとは、ボビイにはどうしても思えなかった。

そうだ、ニコルソンはモイラを殺すにちがいない。彼女の死体は、おそらくステイヴァリイ村から遠く離れたところで発見されるのだ。海岸に溺死体となって打ち上げられるかもしれないし、崖の下で発見されるかもしれない。いずれにしろ〝事故死〟のように見せかけられることはまちがいない。ニコルソンの奥の手はいつも〝事故〟なのだ。だが、そのような〝事故〟を計画して実行に移すには、時間がかかるだろうとボビイは思った――そう長い時間でなくても、ある程度の時間はかかるさ。とにかく、ニコルソンは行動に出るはめに立たされているのだ――彼は考えていたよりも早く行動しなければならなくなったのだ。それにしても、計画から実行に移すまでに少なくとも二十四時間は必要だと考えるのは、理にかなっていると思われた。

もし、モイラがあのグレインジにいるのなら、その時間内にボビイは彼女を探し出してやるつもりだった。

彼はフランキーをブルック街まで送ると、早速その実行にとりかかった。バジャーと共同経営しているガレージには近づかない方が得策だと、彼は判断した。彼の知っているかぎりでは、見張りがいるかもしれないのだ。ホウキンスとしての自分は、まだ疑われていないと彼は信じていた。だが、その運転手のホウキンスも、いまや姿を消さんとしているのである。

その日の夕刻、安ものの濃紺の背広姿の口髭のあるひとりの青年が、アンブルデヴァーの雑踏する小さな町にあらわれた。その青年は、駅のそばのホテルにジョージ・パーカーという名前で部屋を取ると、旅行鞄を預けて町にぶらぶら出て、オートバイを借りる交渉にかかった。

その夜の十時、帽子をかぶりゴーグルをかけた青年が、オートバイに乗ってステイヴァリイの村を通り抜け、グレインジ近くの人気のない淋しいところで停まった。

オートバイを手ごろな草むらの中に突っこむと、ボビイは道路の様子をうかがった。あたりにはひとっ子ひとり見あたらなかった。

やがて彼は小さなドアのあるところまで、高い塀に沿ってブラブラと歩いていった。この前来たときと同じように、そのドアには鍵がかかっていなかった。さらに一度、道路の様子をうかがって、あたりにだれもいないこともたしかめてから、ボビイはそのドアからソッと忍びこんだ。彼は上着のポケットに手をつっこんでみた。軍隊用のピストルでふくれていた。ピストルの感触に彼は心強いものを感じた。

グレインジの庭内は、水を打ったように静まりかえっていた。

ボビイは、よく悪党が闖入者に備えて根城の周りにチータのような猛獣を放っておくという、身の毛のよだつような話を思い出して、ニンマリと笑ってしまった。それに比べると、このニコルソン博士はかんぬきぐらいで満足しているのだが、まだそのほかにも手抜かりがあった。あの小さなドアは、鍵もかけずに開け放しになっているではないか。悪党にしては、ニコルソン博士はなさけなくなるほど不用心だぞ。

〝よく飼い馴らされたニシキヘビもいなければ、チータもいないし、電流を通した鉄条網もないじゃないか――あの男は、あきれるくらい時代遅れなんだな〟とボビイは心の中でつぶやいた。

もっとも、こんなことを彼が考えたのは、なによりも、もっぱら自分を元気づけるためだった。彼はモイラのことを考えるたびに、胸が変にギュッとしめつけられるような感じがした。

彼女の顔が闇の中に浮かび上がった――唇をブルブル震わせ、あの大きな目を恐怖に見開いて――そうだ、はじめて彼女を目のあたりにしたのは、ちょうどここだったじゃないか。彼女に腕を回して支えてやった感触を思い出すと、ボビイはゾクッとするような興奮を感じた――

モイラ——彼女はいま、どこにいるんだ？　あの邪悪な医者は、いったい彼女をどうしたんだ？　ああ、彼女が生きてさえいてくれたら……

「生きているに決まっている」ボビイは真剣につぶやいた。「もうこれ以上、あれこれ考えるのはよそう」

彼は家の周りを注意深く調べた。二階の窓のいくつかには電灯がついていた。階下にも電灯のついている窓がひとつあった。

その窓に向かってボビイはソロソロと這って行った。カーテンが引かれてはいたものの、すこし隙間があいていた。彼は窓台に膝を置くと、ソッとからだを引き上げた。そして、カーテンの隙間から、中をのぞきこんだ。

男の腕と肩がなにかを書いているように動いているのが、ボビイの目に入った。やがて、その男が姿勢を換えたので、横顔が見えた。ニコルソン博士だった。

それは奇妙な局面だった。医者は見られているとは露知らず、ペンを走らせているのだ。ボビイは、なんとも言いようのない不思議な感情におそわれた。男は、窓ガラスさえなければ手を伸ばして触れられるくらい近いところにいるではないか。

ぼくははじめてニコルソン博士を間近に見ているのだ、という実感がボビイに起こった。大きくてガッシリとした鼻、張り出している顎、青々とした髭のそりあと。それはまさに、エネルギッシュな横顔だった。耳は小さく、頭にぴったり貼りついていて、耳たぶが頬とひとつになっているのに、ボビイは気がついた。こういう耳には、なにか特別の意味があるとよく言うではないか。

医者は書きものをつづけていた——落ち着いて、ゆっくりと。適当な言葉を見つけようとするのか、ちょっと書く手をとめてから、また書きすすめていく。彼のペンは紙の上をサラサラと走りつづけた。男は一度、鼻眼鏡をはずして、それを磨くと、またかけた。

ボビイは溜め息をつくと、音もなく地面にすべりおりた。どうやら、ニコルソンはまだしばらくは書きものをつづけるらしい。いまが、家の中に忍びこむ絶好のチャンスじゃないか。

もしニコルソンが書斎で書きものをしているあいだに、二階の窓から忍びこむことができれば、夜中の適当な時間を見計らって、この建物中をくまなく調べられるというものだ。

彼はもう一度、家の周りを回ってみてから、二階の窓の一つを選んだ。サッシは上まで開けられていたが、いまはだれもその部屋にはいないのか、電灯がついていなかった。おまけに、その窓のすぐそばには手ごろな木があって、忍びこむにはおあつらえむきだった。

間髪を入れず、ボビイはその木に登りはじめた。万事順調だったので、窓の出っ張りを手を伸ばしてつかもうとした瞬間、乗っかっていた枝がポキッと不気味な音を立てて折れ、ボビイは下のアジサイの茂みの中にまっさかさまに落ちてしまった。だが、アジサイの茂みのおかげで、幸いにも頭を地面にたたきつけずにすんだのである。

ニコルソンの書斎の窓は、同じ側でもかなり離れたところにあった。医者の叫ぶ声、それから窓を開ける音が、ボビイの耳に聞こえた。墜落のショックから立ち直ったボビイは、すばやく立ち上がると、からだにからみついているアジサイを引きちぎって、真っ暗闇の中を一目散に突っ走り、例の小さなドアに通じている小道にかけこみ、しばらく行ってから、灌木の茂みに飛びこんだ。

話し声が聞こえ、荒らされたアジサイの茂みのあたりで、懐中電灯の動きまわるのがボビイに見えた。彼はじっと息を殺していた。彼らは小道のほうにやって来るかもしれないのだ。もしやって来て、ドアが開いているのを発見したら、だれかが脱走したものと見てとって、それ以上探すのは思いとどまるだろう。

だが、数分たってもだれひとりやって来なかった。やがて、大声でなにかをたずねているニコルソンの声が聞こえた。ボビイには医者の言葉が聞きとれなかったが、いかにも無教育そうな、しわがれた返事が耳に入った。

「みんな揃ってる、先生。ひとまわり見てきた」

話し声がしだいに消えていき、懐中電灯の光も見えなくなった。どうやらみんな、家の中に引きあげたようだった。

あたりに気をくばりながら、ボビイは灌木の茂みの中から出てきた。彼は小道に立つと、耳をそば立てた。あたりは静まりかえっていた。彼は家のほうに向かって、一、二歩踏み出した。

するとそのとき、暗闇の中から、なにものかが彼の後頭部に一撃を加えた。彼は前にのめった——真っ暗闇の中に……

27　〝兄は殺されたんです〞

　金曜日の朝、グリーンのベントレーが、アンブルデヴァーのステーション・ホテルの外で停まった。

　フランキーは、二人で決めたジョージ・パーカーという変名のボビイ宛に、自分はヘンリイ・バッシントン－フレンチの検死審問に証人として喚問されたから、ロンドンから行く途中でアンブルデヴァーに立ち寄ると、電報を打っておいたのだ。

　会合の場所を指定する電報がボビイから来るのを彼女は待っていたのだが、梨の礫《つぶて》なので、ホテルへじかに出向いたわけなのである。

「パーカーさまですか？」ホテルのボーイが言った。「そういうお名前の方はお泊まりになっていらっしゃらないようですけど、見てまいりましょう」

　しばらくすると、男はもどってきた。

「水曜日の夕方、こちらへお見えになったそうです。お荷物を預けられたまま、遅くなるかもしれないとおっしゃって出て行かれたという話です。お荷物はまだこちらにあるのですが、取りに来られていないようです」

フランキーは突然、めまいにおそわれた。彼女はそばのテーブルにつかまって自分のからだを支えた。

「ご気分でもお悪いのですか？」と男は心配するように彼女をながめた。

フランキーは首を振った。

「大丈夫よ」やっとの思いで彼女は言った。「なにか、あたしに言い残して行かなかったかしら？」

男はまた、そこを離れて行ったたが、頭を振り振りもどってきた。

「その方宛てに電報が来ておりますが、それだけです」

男は、もの問いたげに彼女を見つめた。

「なにか私にできますことがあれば？」と男はたずねた。

フランキーは首を振った。

いまはただ、彼女はそこから離れたかった。つぎになにをなすべきか、それを考える時間がほしかった。

「ほんとにもう大丈夫」彼女はこう言うと、ベントレーに乗って走り去った。

男はその後ろ姿を見送りながら、いかにも小賢しげにうなずいて見せた。

「ははん、男が雲隠れしたんだな」と彼はつぶやいた。「すっぽかしを食らわせて、ズラかったというわけだ。ちょっとイカす女だけど、相手の男というのはどんな野郎かな」

男は受付の若い女の子にたずねてみたが、彼女は覚えていなかった。

「二人づれの貴族だろう」ボーイは知ったかぶりの口をきいた。「内密の結婚としゃれたわけだが――男が袖にしたのさ」

一方、フランキーは、ステイヴァリイ村に向かって車を走らせていた。さまざまな相反する感情が、彼女の心の中で渦を巻いていた。

どうしてボビイはステーション・ホテルに戻らなかったのかしら？　その理由は二つしか考えられなかった。相手を追ってどこか遠くまで行ってしまったのか――それとも――なにか、なにか、悪いことが起こったんだわ。ベントレーが危うく道から飛び出しそうになった。間一髪というところで彼女はハンドルを切った。

あたしって、ほんとにおばかさんだわ――取り越し苦労をしすぎるのよ。そうですとも、むろんボビイは大丈夫だわ。彼は相手を追いかけているのに決まっている――そうですとも、そうに決まっているわ。

だけど、なぜボビイは一言も連絡してこないのかしら？

これはかなり厄介な疑問だった、だが、答えられないこともない。さっと連絡しようにもできない状況なんだわ——時間がないか、あるいは機会がなくて——ボビイは、連絡ぐらいしなくてもこのあたしが慌てたりしないことをよく知っているのよ。そうだわ、万事順調なのよ——そうにちがいないわ。

検死審問はまるで夢のように終わった。ロジャーとシルヴィアがいた——喪服姿の彼女はとても美しかった。彼女の姿は非常に印象的だったし、胸に迫るものがあった。フランキーは、まるで舞台の俳優の演技に見とれているように、夫人に見とれている自分に気がついた。

審理はきわめて手際よく運ばれていった。バッシントン－フレンチ家はこの地方でも名門であった。故人の未亡人と弟の感情を刺激しないように、あらゆる配慮がなされていた。

フランキーとロジャーが証言を行なった——ニコルソン博士も証言した——故人の書き置きが提出された。審理は滞りなく進み、評決が下った——〝精神異常時の自殺〟

スプラッゲ氏の言葉を借りれば、〝同情的な〟評決だった。

二つの事件が、フランキーの頭の中で結びついた。〝精神異常時の自殺〟が二回。この二つの事件に、はたして関連性があるのか——いや、あり得るだろうか？

ヘンリイの死が純然たる自殺であることを、フランキーは充分知っていた。なぜなら、彼女はその現場にいたのだから。ボビイの他殺説は、根拠がないものとして破棄されなければならなかった。ニコルソン博士のアリバイは完璧だった——未亡人自身がそれを裏づけているではないか。

フランキーとニコルソン博士は、ほかのひとたちが立ち去ったあとも、まだ残っていた。検死官はシルヴィアと握手を交わし、二言三言お悔みの言葉を述べて出て行った。

「フランキー、あなたに手紙が何通か来ていると思いましたけど」とシルヴィアが言った。「あたくし、失礼して、これから帰って休ませていただいていいかしら。ほんとにおそろしいことだわ」

彼女は身を震わせると、部屋から出て行った。ニコルソンは鎮静剤のことをなにか口にしながら、一緒についていった。

フランキーはロジャーのほうを向いた。

「ねえロジャー、ボビイが行方不明なんですの」

「行方不明？」

「そうなんです！」

「いったいどこで、どういうわけです？」

フランキーはごくかいつまんで口早に説明した。

「で、それ以来、消息がないんですね？」

「そうなの、どうお考えになって？」

「どうも不吉な予感がしますね」とロジャーはゆっくり答えた。

フランキーは、全身から力が抜けるようだった。

「まさか、まさかあなたは――？」

「ああ！　大丈夫だとは思いますけど、シッ！　ニコルソンが来ましたよ」

博士は、いつものように足音を立てずに部屋へ入って来た。彼は手をもみ合わせながら、微笑を浮かべていた。

「万事うまくいきましたな。いや、実際、デイヴィッドソン博士はソツがないし、なかなか思いやりもありましたよ。彼が検死官だったことは、大いに幸運だったと思っていいかもしれませんぞ」

「ほんとにそうですわね」とフランキーは機械的に言った。

「検死審問といっても、検死官によってはたいへんな違いがありますからな、レディ・フランシス。いわば検死審問の運びは、検死官の腕にかかっているわけです。なにしろ、検死官には広汎な権限があるのでね。検死官次第で、検死審問が簡単に進むこと、またこじれることもあるのです。ま、今回は、あらゆる点で満足すべきものでした」

「名演技でしたわ、ほんとに」フランキーはこわばった声で言った。

ニコルソンは、びっくりして彼女の顔を見つめた。

「レディ・フランシスの気持ちは、ぼくにもわかるんです」とロジャーが言った。「ぼくも同じ気持ちなんです。兄は殺されたんですよ、ニコルソン博士」

ロジャーは博士の後ろに立っていたので、フランキーが見たように、博士の目に驚愕のいろがきらめくのを見ることができなかった。

「ほんとにそう思うんです」ロジャーは、口を開きかけたニコルソンをさえぎるように言った。「法的には殺人罪は成立しないかもしれないが、明らかに他殺ですよ。兄を麻薬の奴隷にした野獣どもは、いわば兄を殴り殺したも同然ですからね」

ロジャーはからだの位置を少し動かしたので、彼は怒りに燃えるその目で、こんどはまっすぐにニコルソンの目をのぞきこんでいた。

「やつらには必ず復讐してやりますよ」と彼は言った。その言葉は、まるで脅迫するようにひびいた。

ニコルソン博士はロジャーの目に射すくめられて、その淡いブルーの目を伏せてしまった。彼は悲しげに首を振った。

「あなたの意見に異議をとなえるつもりはありません」とニコルソンは言った。「麻薬中毒に関するかぎり、私はあなたよりくわしく知っています、バッシントン－フレンチさん。人を麻薬中毒にするということは、もっとも憎むべき犯罪です」

フランキーの頭の中では、さまざまな考えが飛び交っていた――とりわけ、ある一つの考えが。

〝そんなこと、ありっこないわ〟彼女は自分に言いきかせていた。〝だって、そうだとしたら、あまりにも恐ろしすぎるもの。だけど――博士のアリバイはすべて夫人の言葉にかかっているのよ。でも、そうだとすると――〟

彼女はニコルソンに話しかけられているのに気がつくと、ハッと我に返った。

「車でおいでになったのですね、レディ・フランシス？　こんどはなかったでしょうな、事故は？」

フランキーにはただもう、博士の微笑がにくらしくてたまらなかった。

「ええ、あまり事故ばかりに縁があるのもどうかと思いますわ――そうじゃございませんか？」

一瞬、博士の瞼がピクピクッと動いたような気がしたけど、あたしの気のせいだったかしら、とフランキーは思った。

「こんどは、運転手が運転してきたのではありませんか？」

「うちの運転手は」とフランキーは言った。「行方不明になってしまいましたの」

彼女は、ニコルソンの顔を直視した。

「ほんとですか？」

「グレインジに行く途中までは、消息がわかっていますの」フランキーはつづけた。

ニコルソンは眉をつりあげた。

「なんですと？　うちの台所になにかおいしいものでもありましたかな？」博士の口調には、面白がっているようなひびきがあった。「とても、そうとは思えんが」

「でも、彼が消息を絶ったのは、あそこなんですわ」

「いや、これはドラマチックですな。どうやらあなたは、この辺の噂話を信じすぎているきらいがありますよ。田舎の噂というものは、きわめてあてにならないものです。じつはこの私も、とんでもない噂を耳にしているんですよ」博士はここでちょっと言葉を切ると、かすかだがその口調を変えて話しだした。「私の妻とあなたの運転手とが、川べりで語り合っているのを見たという話さえ、私の耳に入ってくるのですからな」ここでまた彼は間《ま》をおいた。「ところで、おたくの運転手はなかなか優秀な青年らしいですな、レディ・フランシス」

〝ははん、博士は、モイラと運転手が駆け落ちしたように見せかけようとしているのかしら？　これが、奥の手なのかしら？〟とフランキーは胸の中でつぶやいた。

彼女は声を高めて言った——

「ホウキンスは、ざらにある運転手とわけがちがいますわ」

「いや、たしかにそうらしいですな」とニコルソン。

彼はロジャーのほうを向いた。

「それではこれで失礼します。あなたとバッシントン－フレンチ夫人には、心からのお悔みを申し上げますよ」

ロジャーは博士と並んでホールのほうへ出て行った。フランキーは、そのあとにつづいた。ホールのテーブルの上に、彼女宛の手紙が二通置いてあった。一通は請求書だった。あとの一通は——

彼女の胸は早鐘を打った。

それはボビイの筆跡だった。

ニコルソンとロジャーは玄関口に立っていた。

彼女は手紙の封を切った。

フランキー、ぼくは最後の追いこみをかけている。大至急、チッピング・サマートンに来てほしい。車より、汽車のほうがいいな。ベントレーじゃ目立ちすぎて駄目だ。汽車の旅はあまり快適じゃないけど、そのほうが安全だからね。チューダー・コテイジという家に来るんだ。道順を教えておくから、ひとに聞かないように。(ここで、その道順が説明してあった)よくわかったかい？　だれにも言っちゃいけないよ。(ここのところには太いアンダーラインが引いてあった)だれにもね。

ボビイ

フランキーは興奮して、その手紙を手の中でにぎりつぶした。

ああ、無事だったんだわ。

ボビイの身には、なにも恐ろしいことは起こらなかったんだ。

彼は追跡していたのだ——しかも偶然に、彼女と同じものを。彼女はサマセットハウスへ行って、ジョン・サヴィッジの遺言書を調べてみたのだ。ローズ・エミリイ・テンプルトンは、チッピング・サマートンのチューダー・コテイジのエドガー・テンプルトンの妻と記載されていた。しかもこのことは、セント・レオナーズ・ガーデンの空家にページを開いたまま残されていた、あのＡＢＣ鉄道案内とも符合するではないか。開かれていたページには、チッピング・サマートンという駅名があったのだ。ケイマン夫妻は、チッピング・サマートンに向かったことになるではないか。

なにからなにまで、ピッタリと符合するのだ。これでいいよ、最後の追いこみだ。

ロジャー・バッシントン－フレンチがもどってきた。

「手紙になにか面白いことでも書いてありましたか？」彼はさりげなくたずねた。一瞬、彼女はためらった。だれにも言うなって、ボビイは手紙に書いているけれど、このロジャーも指しているのではないだろうか？

それから、あの太いアンダーラインを思い浮かべた。それに、ついさっき浮かんだ恐ろしい考えも思い出した。もしあれが事実なら、ロジャーはそれとはまったく知らずに、フランキーとボビイを裏切ることになるかもしれないのだ。彼女は、自分の疑惑をほのめかす気にはなれなかった……

彼女は心を決めて言った。

「いいえ、とくになんにもありませんでしたわ」

だが彼女は二十四時間もしないうちに、自分のこの決心をひどく後悔するはめになるのだ。

それからの二、三時間というもの、彼女は自動車を禁じたボビイの指示を、一度ならずうらめしく思った。チッピング・サマートンは直線コースならさして遠くはないのだが、その汽車は三回も乗り換えなければならなかった。そのたびに田舎の駅でながながと味気なく待たされて、おまけに、せっかちなフランキーにとっては、この悠長な旅行方法はとても我慢のできるものではなかった。

しかし、ボビイの言にも一理あると彼女も認めざるを得なかった。ベントレーはたしかに人目につく車だった。

そのベントレーをメロウェイに預けて行く彼女の口実はかなりいい加減なものだったが、とっさのことなので、それ以上のいい知恵が彼女には思い浮かばなかったのである。

きわめて慎重で思慮深い汽車がチッピング・サマートンの小さな駅にすべりこんだときは、もうあたりはすっかり夕闇につつまれていた。フランキーには、それが真夜中のように思えた。のろのろした汽車のおかげで何十時間も乗っていたような錯覚におそわれたのだ。

おまけに雨まで降りだしてきて、フランキーはいっそうみじめな気持ちになった。

フランキーは首のところまでコートのボタンをかけると、駅のランプの光でボビイの手紙にもう一度目を通し、道順をはっきりと頭にたたみこんでから歩き出した。

教えられた道順はわかりやすかった。フランキーは、前方に村の灯を見て左に曲がり、急勾配の丘につづいている小道を上っていった。その小道を上りつめたところに、二またの道があり、その右の道を彼女は進んだ。やがて、彼女の眼下には村の家並が、そして、前方には松の木立ちが見えてきた。とうとうフランキーは、こぎれいな木の門の前に出た。マッチをすって見てみると、そこにはチューダー・コテイジと書かれていた。

あたりには人の気配がなかった。フランキーは門のかけがねをはずすと、中にすべりこんだ。彼女は松の木立ちを通して家の輪郭を見分けることができた。彼女は木立ちの中に立った。そこからは、家の様子が手にとるようにはっきりと見えた。やがて、彼女は胸をドキドキさせながら、できるだけ上手にフクロウの鳴き声をまねた。それから二、三分が経過したが、なんの手応えもなかった。彼女はもう一度、フクロウの鳴きまねをしてみた。

コテイジのドアが開いた。そして運転手の制服を着た人影があたりの様子をうかがっているのが、彼女の目に入った。ボビイ！　その人影は、手まねきをするような身ぶりを示すと、ドアを少し開けたまま家の中に引っこんだ。

フランキーは木立ちから出ると、そのドアに近寄っていった。どの窓にも灯りはついていなかった。あたりは真の闇で、死んだように静まりかえっていた。

　フランキーは暗いホールの敷居を慎重にまたいだ。彼女は立ちどまると、あたりを見回した。

「ボビイ?」彼女はささやいた。

　怪しい匂いが、彼女の鼻をおそった。前にこの匂いを嗅いだことがあったけど、どこでだったかしら――この強くて、甘い匂いを?

〝クロロフォルムだわ〟こう思った瞬間、たくましい腕が彼女を背後から抱きしめた。彼女が悲鳴を上げようと口を開けたとたん、濡れた布がその口をおおった。甘ったるい匂いが、彼女の鼻孔を満たした。

　フランキーは死物狂いになって手足をばたつかせた。だが、しょせん無駄だった。猛烈にあがいてはみたものの、全身の力がだんだん抜けていくのがわかった。やがて耳鳴りがガンガンしだし、息がつまりそうになった。そして彼女はなにもわからなくなってしまった……

28　危機一髪

　フランキーが意識を回復したときにまず感じたことは、頭がひどく重いことだった。クロロフォルムの後味というものは、およそロマンチックじゃなかった。彼女は手足をしばられたまま、ひどく硬い木の床にころがっていた。彼女がやっとの思いで自分のからだをころがすと、危うく壊れた石炭入れに頭をぶつけそうになった。それから、さんざんな目にあった。

　数分後、フランキーはきちんと坐ることができないまでも、あたりの様子に目を配ることができるようになった。

　彼女のすぐそばで、かすかなうめき声がした。彼女は自分の周りをうかがった。彼女にわかったかぎりでは、どうやらここは、屋根裏らしかった。明かりといえば、屋根の天窓から射しこむだけだったが、そのときはもう、ごくわずかな光しか射しこんでいなかった。すぐに、真っ暗になってしまうにちがいない。壁には破れた絵が何枚か立て掛けてあり、破損した鉄のベッドや壊れた椅子、さっき頭をぶつけそうになった石炭入れなどが、放り出されていた。

うめき声は、部屋の隅のほうから聞こえてくるらしかった。

フランキーをしばってある縄は、それほどきつくはなかった。それで、蟹の横這い式に動くことは可能だった。彼女はほこりだらけの床を這っていった。

「ボビイ！」と彼女は叫んだ。

ああ、やっぱりボビイだった。彼もまた、手足をしばられていた。おまけに猿ぐつわまでかまされているではないか。

その猿ぐつわも、ボビイの努力でどうやらゆるみかけていた。フランキーはそれに力を貸すことになった。しばられてはいるものの、彼女の手は多少の役には立った。最後に彼女の歯で猿ぐつわを力いっぱい引っぱると、とうとうはずれた。

苦しい息の下から、ボビイは叫ぼうとしていた。

「フランキー！」

「あなたと会えてうれしいわ。だけどあたしたち、どうやらドジを踏んだようね」

「まあね、いわゆる〝罠にかかった〟というやつだよ」とボビイは憂うつそうに言った。

「いったい、どうやって奴らはあなたを捕まえたの？　あの手紙をあたしに書いてから、捕まってしまったの？」

「どんな手紙？　ぼくは手紙なんか書かなかったよ」

「まあ！　それでわかったわ」フランキーは目をまん丸にしながら言った。「なんてあたし、おばかさんだったんでしょう！　だれにも言うなって書いてあったことも、そう考えれば怪しかったのに」

「ねえ、フランキー、まずぼくに起こったことから話すよ。それからきみの話を聞くことにしよう」

彼はグレインジにおける冒険と、不運な結末を説明した。

「そしてぼくは、このいまいましい場所へと押し込められたのさ。お盆に食べものと飲みものがあったんだ。ものすごくおなかがすいていたものだから、ぼくは少し食べちゃったんだ。きっと薬が入っていたにちがいないよ。だって、食べたらすぐにぼくは眠ってしまったんだからね。今日は何曜日？」

「金曜日よ」

「ぼくは水曜日の夜になぐり倒されたんだよ。ちくしょう、じゃその間、ぼくはずっと意識不明だったんだ。さあ、こんどはきみの話をしてくれないか？」

フランキーは、スプラッゲ氏から聞いた話からはじめて、この家のドアのところでボビイらしき人影を見たところまで、冒険談をくわしく物語った。

「それからあたし、クロロフォルムをかがされたのよ」こう言って、彼女は話を結んだ。

「ああ、ボビイ、胸がムカムカして、石炭入れの中にすっかり吐いてしまったのよ!」

「いや、そういうところはきみ、なかなか機略に富んでいるんだね、フランキー」とボビイは誉めた。「しかも、手足をしばられているというのにね! ところで問題は、われわれはこれからどうするかということだ。これまでは、ぼくたちの思いどおりに進展してきたんだけど、いまや形勢は逆転してしまったからね」

「あたし、ロジャーにあなたの手紙のことを話しておきさえすればよかったのに」とフランキーは嘆いた。「話してしまおうかとよっぽど思ったのだけど——あなたの手紙の言いつけをよく守ってだれにも言わなかったのよ」

「すると、ぼくたちがどこにいるか、だれも知らないということになるんだね」とボビイは深刻そうに言った。「ねえフランキー、ぼくのおかげで、とんでもない目にきみをあわせてしまったね」

「あたしたち、ちょっと自信を持ちすぎたんだわ」フランキーはかぼそい声を出した。

「ぼくにどうしてもわからない点は、なぜ奴らがぼくたちをひと思いに片づけてしまわなかったか、ということなんだ。あのニコルソンが、こんなことで二の足を踏むとはどうしたって思えないからね」とボビイが思いにふけるように言った。

「あの男には、なにか計画があるのよ」フランキーはかすかに肩を震わせながら言った。

「それじゃ、ぼくたちも計画を練ろうじゃないか。とにかくここから脱出しなければならないんだよ、フランキー。それには、どうしたらいいかな？」

「大声で叫んだら」

「そうだね、だれかが通りすがりに聞きつけるかもしれないな。しかし、ニコルソンがきみに猿ぐつわをかまさなかったところを見ると、その方法が成功する可能性はまずないと思うな。きみの手はぼくよりはきつくしばられていないね。ぼくの歯でそいつが解けるかどうかやってみよう」

それからの五分間、ボビイはかかりつけの歯医者を信頼した上で、縄との格闘をはじめた。

「小説だと、こんなことは朝飯前の話なんだけど」ボビイがあえぎながら言った。「なんだか、ちっともゆるくなったような気がしないな」

「いいえ、ゆるくなってきたわ。あらっ！　だれか来るわ」

彼女はころがりながら、ボビイのそばから離れた。階段を上ってくる重苦しい足音が聞こえてきた。ドアの下の隙間から、光が射しこんだ。それから、鍵を回す音がした。

ドアが、ゆっくり開いた。

「いかがですかね、かわいいお二人さん？」ニコルソン博士の声だった。

彼は片手にローソクを持っていた。目をおおうほど帽子をまぶかにかぶり、襟を立てた厚いコートを着てはいるものの、彼の声はどこで聞こうとまぎれもないものだった。

彼の目は、強度の眼鏡の奥から青白くかがやいていた。

彼はからかうように、二人に向かって頭を振って見せた。

「あなたらしくもない、お嬢さん、あっけなく罠にかかるなんてね」

ボビイもフランキーも押し黙っていた。明らかにニコルソンの独壇場だったので、なんと返答していいかわからなかったのだ。

ニコルソンはローソクを椅子の上に置いた。

「まあいずれにせよ、あなた方の居心地がいいかどうか、見せていただきましょう」

彼はボビイの縄を調べると、満足そうにうなずいた。それからフランキーの縄を点検すると、彼は頭を振った。

「私の若いときには、よくこんなことを聞かされたものですよ、フォークの前には指が使われた——指の前には歯が使われたとね。どうです、お友だちの歯がずいぶん活躍したのではありませんか」

どっしりとした、背の壊れたオーク材の椅子が部屋の片隅にあった。ニコルソンはフランキーを抱きかかえると、その椅子に坐らせて、しっかりとくくりつけた。

「さして苦しくはないでしょう？　なに、長いことはありませんからね」

フランキーはやっと口を開いた。

「いったい、あたしたちをどうなさるつもり？」

ニコルソンはドアのほうへ歩いて行くと、ローソクをとりあげた。

「あなたは、この私が事故を好みすぎるといって罵倒しましたね。レディ・フランシス、たぶん、そうなのでしょう。とにかく私は、もう一度事故を起こすつもりです」

「それはどういう意味なんだ」とボビイが言った。

「それが知りたいですかな？　よろしい、教えてあげましょう。レディ・フランシス・ダーウェントは、横に運転手を同乗させたまま、自分で車を運転していた。彼女は道をまちがえ、石切り場に通じている廃道に入っていく。車は崖から墜落、レディ・フランシスと運転手は即死」

静かな間があった。それからボビイが口を開いた。

「だが、思いどおりに行くかね。計画はどこまでも計画さ、実現するとはかぎらないよ。

きみの仲間のひとりがウェールズでやったようにね」

「いや、モルヒネに対するきみの抵抗力には、たしかに驚いたよ――まあ、われわれの立場から言えば、まことに遺憾だったがね。しかし、こんどはもう心配はご無用だ。きみとレディ・フランシスは、冷たいむくろとなって発見されることになるからね」

ボビイは思わず身を震わせた。ニコルソンの口調には、言うにいわれぬ妙なひびきがこもっていた――いわば、傑作を仕上げようとしている芸術家の口調だった。

〝あいつは愉しんでいるんだ〟とボビイは思った。〝舌なめずりをして愉しんでいるのだ〟

彼は必要以上にニコルソンを愉しませたくはなかった。ボビイはごくさりげない口調で言った。

「おまえは誤算しているぞ――とくにレディ・フランシスに関することでな」

「そうよ」とフランキーは言った。「あんたがまんまと作り上げたボビイの偽手紙で、だれにも言うなと書いてあったわね。あたしは、ひとりのひとだけにはしゃべっておいたのよ。ロジャー・バッシントン‐フレンチにね。あのひとは、あんたのことをなにからなにまで知っているのよ。あたしたちの身になにか起こったら、それはだれの仕業か彼にはちゃんとわかってしまうわ。さっさとあたしたちをここから出して、できるだけ早くイギリスから逃げ出したほうが、あんたの身のためよ」

ニコルソンはしばらく押し黙っていた。やがて口を開いた。

「なかなか、気のきいたこけおどしじゃないか——まあ、そういうことにしておくか」

彼はドアのほうを向いた。

「おまえは奥さんをどうしたんだ？　この人でなしめ！」とボビイが叫んだ。「彼女まで殺してしまったのか？」

「モイラはまだ生きているよ。あとどのくらい命がもつものか、わからんがね。そいつは事情によりけりだ」

ニコルソンはそう言うと、小ばかにするように、頭を軽く下げた。

「ごきげんよう。準備が整うまでには、あと二時間はかかるだろう。せいぜい話し合って愉しむことだな。必要にならないかぎり、猿ぐつわはかませないからね。おわかりか？　大声を張り上げてみろ、すぐ飛んできて、声が出せないようにしてやるからな」

彼は出て行った。ドアがしまり、鍵がかかった。

「そんなはずがあるものか、奴に、やすやすとやられてたまるものか」とボビイが言った。

だがボビイには、自分たちの身に起きようとしている絶望的な事態が避けられるとは、とても思えなかった。

「小説だと、間一髪というところで、いつも助けられるわね」と、わざと明るくフランキーは言った。

しかし、彼女にとってもお先まっ暗だった。事実、彼女はすっかり闘志を失ってしまっていた。

「どう考えても、すべてのことが信じがたい」ボビイは、まるでだれかに訴えるかのように言った。「あまりにも現実離れしている。ニコルソン自身が、ほんものにはとても見えなかったじゃないか。危機一髪というところで助けが来てくれればいいんだが、でも、いったいだれが助けに来てくれるというんだ」

「ああ、あたしさえ、ロジャーに話しておいたら」とフランキーは泣き声になった。

「ひょっとしたらニコルソンは、きみがロジャーに話したということを真に受けたかもしれないよ」

「だめよ、ぜんぜん鼻であしらわれてしまったわ。あの男は悪知恵に長けているもの」

「たしかに、ぼくたちにとっちゃ、手ごわいな」とボビイは憂うつそうに言った。「フランキー、この事件で、ぼくがいちばん頭をいためているのはなんだか知ってる?」

「いいえ。なんなの?」

「余命いくばくもないというのに、ぼくたちにはまだ、エヴァンズが何者なのかわからないということなんだよ」

「じゃ、ニコルソンに聞いてみましょうよ。この世での最期のお願いですもの、彼だって、いやだとは言わないわよ。あたしだって、気がかりのままじゃ死ぬに死ねないもの」

しばらく沈黙がつづいた。やがてボビイが言った――

「ねえ、大声で助けを呼んでみようよ――最後のチャンスをかけてさ。もうこれしかぼくらが助かる道はないんだ」

「まだ早いわよ。まず第一に、だれかに聞こえるとは思えないわ――さもなければ、あの男が猿ぐつわをかませないで放っておくものですか。第二に、おたがいに話もできずに、ただじっと殺されるのを待っているなんて、考えただけでゾッとするわ。最後の最後が来るまで、叫ぶのはよしましょうよ。あたし――あたし、あなたとお話ししていると、気が安まるのよ」彼女の言葉尻がかすかに震えた。

「ぼくは、きみをたいへんな目にあわせてしまったね、フランキー」

「ああ、もうそんなことは言わないで！　あなたには、とてもあたしを制するなんてできなかったわ。だって、あたし自分で好き好んで、事件の中に飛びこんだのですもの。

だけどボビイ、あの男はほんとにやるかしら、あたしたちのことだけど？」

「まずやるだろうな。なにしろ、あの男は徹底しているからね」

「ボビイ、ヘンリイ・バッシントン‐フレンチを殺したのはあの男だと、いまでも信じているの？」

「もし、可能性があったらね――」

「それは可能だわ――一つのことを認めればよ。つまり、シルヴィア・バッシントン‐フレンチがグルになっていたとしたらね」

「フランキー！」

「わかってるわ。あたしだって、その考えが浮かんだときは、思わずゾッとしたもの。だけど、ピッタリ符合するわ。なぜシルヴィアは、モルヒネのことに気がつかなかったのかしら？　どうして彼女は、あたしたちがヘンリイをグレインジの代わりにどこかよその病院へ入れようと言ったら、あんなにまで反対したの？　それに、銃声がしたとき彼女は家の中にいたんだし――」

「すると、彼女が射ったのかもしれない」

「まさか！」

「いや、やったかもしれないよ。そして、書斎の鍵をヘンリイのポケットに入れさせるために、彼女はニコルソンに渡したのかもしれない」

「ああ、なにもかも正気の沙汰じゃないわ」フランキーは絶望的な声を出した。「まるでゆがんだ鏡を見ているみたい。一番まっとうだと思っていた人たちが、みんな悪人だなんて――みんな気持ちのいい、ごくあたりまえの人たちよ。一目で犯罪者だと見分けがつく方法はないものかしら――眉毛だとか、耳だとか、なにかで――」

「ああ、なんてことだ！」とボビイが叫んだ。

「いったい、どうしたの？」

「フランキー、さっきここに来たのは、ニコルソンじゃないんだ」

「あなた、気でも狂ったの？　それじゃ、いったいだれなの？」

「それはぼくにだってわからないよ――でも、ニコルソンでないことだけはたしかなんだ。はじめから、なんとなくぼくには腑に落ちなかったんだ。ただ、どこがおかしいのかわからなかったんだけど、いま、きみが耳のことを言ったものだから、それではっきりしたんだよ。こないだの晩、ぼくは窓の外からニコルソンを見ていたとき、とくに彼の耳が目についたんだよ――耳たぶがほっぺたにくっついていたんだ。ところが、今晩の男は――奴の耳はそうじゃなかったんだよ」

「だけど、それがどうしたというの？」とフランキーは、気のないたずね方をした。

「じつに利口な男がニコルソンに化けているんだよ」

「なんですって——いったいだれにそんな真似ができるかしら？」

「バッシントン‐フレンチ」とボビイがささやいた。「ロジャー・バッシントン‐フレンチだ！　ぼくたちは事件の発端から犯人を見つけておきながら、まるで馬鹿みたいに、にせものを追いかけていたんだよ」

「バッシントン‐フレンチ」とフランキーはつぶやくように言った。「ボビイ、あなたの言うとおりだわ。彼にちがいないわ。あたしが事故のことでニコルソンを皮肉ったときに、その場に居合わせたのはロジャーだけだったんですもの」

「これでいよいよ望みの綱も切れたわけだ。ロジャー・バッシントン‐フレンチがなにかの奇蹟で、ぼくたちの行方を嗅ぎつけてくれるかもしれないと、心中ひそかに期待していたんだがなあ、これで万事休すだよ。モイラは監禁されているし、きみとぼくは手足をしばられている。ぼくたちがここにいることを嗅ぎつけてくれそうなひとはだれもいないんだ。ゲームオーバーだよ、フランキー」

　そうボビイが言い終わった瞬間、屋根の上でなにか物音がした。すると、ものすごい音を立てて、大きな人間のからだが天窓から落ちてきた。

　真っ暗闇なので、なにも見えなかった。

「いったいどうしたというんだ——」ボビイが言いかけた。

ガラスの破片が散乱した中から、声がした。

「ボ、ボ、ボ、ボビイ」

「こいつは驚いた！」とボビイは言った。「バジャーだ！」

29 バジャーの話

グズグズしてはいられなかった。すでに、階下から物音が聞こえてきたのだ。

「大急ぎだ、バジャー！」とボビイが言った。「ぼくの靴を片方引っぱれ！　なにも聞かずに早くするんだ！　力いっぱい引っぱれ！　よし、その靴を部屋の真ん中に置いて、ベッドの下にもぐるんだ！　早く！」

足音が階段を上ってきた。鍵がカチリと回った。

ニコルソン——にせのニコルソンがローソクを片手に、ドアの入口に立っていた。

ボビイとフランキーは前と同じ姿勢でしばられたままだったが、床の中央にはガラスの破片がかたまっていて、その中央に靴が片方落ちているのにニコルソンは気がついた。

彼はびっくりして、靴からボビイへと視線を移した。ボビイの左足には靴がなかった。

「こいつはおどろいた、ちょっとしたアクロバットだな」と彼はそっけなく言った。

彼はボビイのそばにやって来ると、しばってある縄をあらためてから、さらに二カ所、結び足した。彼はけげんな顔をしてボビイを見つめた。

「いったいどうやって、あの天窓に靴がぶつけられたんだね。とても信じられん、マジシャンのフーディーニそこのけじゃないか」

彼は二人の顔を見てから、天窓に視線を移すと、肩をすくめて部屋から出て行った。

「出て来い、バジャー」

バジャーは、ベッドの下から這い出してきた。彼はポケット・ナイフを取り出すと、縄を切って、二人を自由にした。

「これで楽になったよ」ボビイは手足を思う存分伸ばした。「ヒュー、きつかった！ところでフランキー、ニコルソンのこと、どう思う？」

「あなたの言ったとおりだわ。あれはロジャー・バッシントン‐フレンチよ。ロジャーがニコルソンに化けているんだと考えると、はっきりそれがわかるわ。だけど、それにしても名演技ね」

「あの口調、鼻眼鏡、本物そっくりだよ」と、ボビイ。

「ぼくはね、オクスフォード大学でバ、バ、バッシントン‐フレンチという男と一緒だったけどね、た、た、た、たいへんな名優だったよ。だけど、わ、わ、わるい奴でね。お、お、おやじの名前を小切手に偽筆でサインして、さ、さ、さぎみたいなことをしたんだ。お、お、お、おやじさんが、もみ消したけどね」

　ボビイもフランキーも、同じことを考えていた。秘密を打ち明けないほうがいいと相手にもされなかったこのバジャーが、かくも貴重な情報を二人にもたらそうとは！

「偽造といえば」フランキーが考え深げに言った。「あなたの名前で来たあの手紙も、ほんとにそっくりだったわ、ボビイ。あなたの筆跡をどうやって知ったのかしら？」

「奴がケイマン夫妻の仲間なら、あのエヴァンズの件でぼくの手紙を見ているはずさ」

　バジャーが訴えるような口調で言った。

「こ、こ、これから、どうするんだい？」

「入口のドアの陰に隠れるんだ。まあ、かなり時間がかかるかもしれないけど、奴がこの部屋に入ってきたら、きみとぼくとが奴の後ろから飛びかかって、奴を腰が抜けるほどびっくりさせてやろうじゃないか。どうだい、バジャー、いっちょう、乗らないか？」

「む、む、むろん、やるとも！」とバジャー。

「フランキーは、奴の足音がしてきたら自分の椅子に坐っていてくれたほうがいいね。ドアを開けるとすぐきみが奴の目に入るはずだから、奴は安心してノコノコ入ってくるさ」

「わかったわ。あなたとバジャーがあの男を倒したら、あたしも一緒になって足首かなんかに噛みついてやるわ」

「そいつはいいな、ひとつ頼んだよ。それではここに坐って、バジャーの話を聞こうじゃないか。どういう奇蹟で、バジャーは天窓からやって来ることになったんだい、そいつが知りたいね」

「こ、こ、こういうわけなんだ」バジャーが言った。「き、き、きみが行っちゃってから、ちょっと、や、や、や、やっかいなことが持ち上がったんだよ」

彼はここで一息ついた。それから、つっかえつっかえしながらも、話が進められた。借金、債権者、執行官——いかにもバジャーらしいカタストロフィーだった。ボビイは出発の際に住所も告げずに、ただベントレーでステイヴァリイへ行くとしかバジャーに言わなかった。そこでバジャーはステイヴァリイ村へやって来たのだ。

「き、き、きみなら、ぼくにご、ご、五ポンド貸してくれると思ったのさ」とバジャーが説明した。

思わず、ボビイは良心が痛んだ。彼は、このバジャーの事業を手伝うためにロンドンへやって来たのだ。それなのに、フランキーと探偵ごっこに夢中になったあげく、仕事を捨ててかえりみなかったではないか。しかも、バジャーときたら、今のいまでさえ非難めいたことはなにひとつ言わないのだ。

バジャーは、ボビイの秘密の仕事の邪魔立てをするような気持ちは毛頭なかった。ただ、グリーンのベントレーのような車だったら、スティヴァリイのような小さな村でならすぐに見つかるだろうと、彼は考えたのだ。

事実、バジャーは、スティヴァリイ村に着く前にベントレーを見つけたのだ。車はある酒場の前に駐まっていたのだ――空のままで。

「そ、そ、そこでぼくは思いついたんだ」とバジャーはつづけた。「きみをちょっとばかり、お、お、おどろかせてやろうとね。う、う、うしろの座席に膝かけやな、な、なにかがあったけど、だれも乗っていなかったんだ。ぼくは、そ、そ、そこに乗りこんで、膝かけをひ、ひ、ひっかぶったのさ。き、き、きみを、び、び、びっくり仰天させてやろうと思ってね」

ところが、実際に起こったことはこうだった。グリーンの制服を着た運転手が酒場から出て来たが、膝かけの下からバジャーがのぞいてみると、その男がボビイではなかったのですっかり驚いてしまったのだ。バジャーは、なんとなく見覚えのある顔だと思ったがどうしても思い出せなかった。その男は、車に乗りこむとスタートさせた。

バジャーはほとほと困ってしまった。どうしたらいいものかわからなかったのだ。いまさら、釈明したり言い訳したりすることもできなかった。おまけに、時速六十マイルのスピードで車を飛ばしている相手に説明することは、容易ではなかったのだ。それで、じっと息を殺していて、車が停まったら忍び出ようと彼は決心したのだ。

やがて車は目的地に着いた。——そこはチューダー・コテイジだった。運転手は車をガレージに入れると、表から鍵をかけて行ってしまった。バジャーはガレージの中に閉じこめられてしまったのだ。ガレージの片側の壁には小さな窓があった。それから三十分ばかりすると、フランキーがコテイジに近づいてきて、口笛を鳴らし、その家の中に招じ入れられるのをバジャーはその窓から見ていたのだ。

なにからなにまで、腑に落ちなかった。こいつはなにかおかしいぞと、バジャーはやっと疑いはじめたのだ。いずれにしろ、自分の目でひとまわりあたってみて、どういうことなのかたしかめようと彼は決心した。

ガレージの中にころがっているいろいろな道具などを使って、彼はガレージのドアの鍵をこじ開けることができた。そして早速、調査にとりかかったのだ。一階の窓という窓のよろい戸は閉まっていた。しかし、屋根に上りさえしたら、二階の窓から中がのぞけると彼は考えたのだ。屋根には造作なく上ることができた。ガレージの壁に手ごろなパイプが屋根から下まで付いていたし、ガレージの屋根からコテイジの屋根に移るのも楽なものだった。コテイジの屋根を這いまわっているうちに、バジャーは天窓に行きあたった。あとは、自然の法則とバジャーの体重が事を運んでくれたのだった。

バジャーの説明が一段落すると、ボビイは思わず長い溜め息をついた。

「それにしても」と彼は畏敬の念を込めて言った。「きみという男は奇蹟だ――まったくすばらしい奇蹟だよ！　きみがいなかったら、フランキーとこのぼくは、一時間のちにはこの世とおさらばしていなければならなかったんだ、バジャー」

こんどはボビイが、自分とフランキーの活躍ぶりをバジャーにかいつまんで話して聞かせた。話が結末に近づいたころ、不意にボビイは口をつぐんだ。

「シッ！　だれか来るぞ。椅子に坐るんだ、フランキー。いよいよ、名優バッシントン＝フレンチがびっくり仰天する番だぞ！」

フランキーは壊れた椅子に腰をおろすと、わざとしょんぼりした風を装った。バジャーとボビイは、ドアの陰に隠れると身構えた。

足音が階段を上りきった。一条のローソクの光が、ドアの下の隙間から射しこんだ。鍵がカチリと回った。ドアが開いた。ローソクの光の中に、椅子にうなだれて坐っているフランキーの姿が浮かびあがった。彼らの看守が部屋の中に踏みこんだ。

待ってましたとばかりに、バジャーとボビイがいっせいに背後から飛びかかった。

勝負はあっけなく片づいた。不意を突かれて男はその場にたたき伏せられた。ローツクが横に大きく飛んだが、フランキーがすぐそれを拾い上げた。数秒後、三人の仲間はついさっきまで自分たちをしばっていた縄でこんどは逆に男をきつくしばりあげ、いかにも小気味よげにニヤニヤ笑いながら見下ろしていた。

「やあ、こんばんは、ミスタ・バッシントン－フレンチ」とボビイが言った——彼の浮き浮きした声にいくらか残酷な響きがこもっていたとしても、責めるものはあるまい。

「お葬式にはもってこいの晩ですね」

30 脱出

床の上でしばりあげられている男は、三人を見上げた。鼻眼鏡も帽子も、どこかにすっ飛んでしまっていた。もはや正体を隠そうにも隠しようがなかった。眉毛のあたりにメイキャップの跡がかすかに見られたが、それをのぞいたら、狐につままれたような表情を浮かべているロジャー・バッシントン－フレンチの顔だった。

彼はまるで独り言を愉しんでいるように、心地のいいテナーの地声で言った。

「じつに興味深いね。ぼくはね、きみのように縄で手足をしばりあげられていたら、靴を天窓にぶつけるなんて器用な真似は到底できるものじゃないと、ちゃんと知っていたはずなんだ。ところがどうだ、あの靴がガラスの破片の中にあったものだから、不可能とは知りつつも、ついうっかりそれに引っかかってしまったんだよ。人間の頭脳の限界をよく示している、興味深い事例さ」

だれも一言も言わなかった。彼はひとり、物思いにふけるような口調でつづけた。

「結局、きみたちの勝ちだったな。じつに意外な結果になったものだ。それに返すがえすも無念だ。きみたちの鼻を明かしてやったものとばかり考えていたんだが」

「そうよ、あなたには引っかかったわ。あのボビイの手紙を偽造したのはあなただったのね？」とフランキー。

「ぼくにはそういう才能があるんだよ」とロジャーは控え目に言った。

「それで、ボビイのことは？」

床の上にころがったまま、愛想のいい笑いを浮かべているロジャーは、他の三人の疑問をいちいち解いてやるのがうれしくてたまらない様子だった。

「ボビイがグレインジに行くことは、ぼくにはちゃんとわかっていたんだ。ぼくはただ、小道のそばの茂みの中に隠れて、待っていればよかったのさ。彼が木からころがり落ちて、あわてて逃げ出したとき、ぼくはもう彼のすぐ後ろにいたんだよ。騒ぎが静まるのを待ってから、ぼくは彼の後頭部をサンドバッグで一撃したわけさ。それから、車が置いてあるところまで彼を運び出し、車のトランクの中に押しこんで、このコテイジまで連れてくればそれでよかったんだ。そして夜明け前に、屋敷にもどったのさ」

「それで、モイラは？」とボビイは問いつめた。「彼女をおびき出したのか？」

ロジャーはクックックックッとのどの奥で笑った。ボビイの質問が面白くてたまらないといった様子だった。

「偽造というやつはなかなか役に立つ技術でね、ジョーンズさん」

「卑劣なやつだ！」とボビイが吐き出すように言った。

フランキーが横から口を出した。彼女にはまだいろいろと知りたいことがいっぱいあったし、彼らの囚人も愛想よくなんでも答えてくれそうだったからだ。

「どうして、ニコルソン博士なんかに変装したの？」と彼女がたずねた。

「なぜこのぼくが、かね？」彼は自分自身にきいているような口ぶりで言った。「一つには、あなた方二人をかついだら、さぞ面白いだろうなと思ったからさ。あの気の毒なニコルソンがこの事件に関係しているものと、あなたはすっかり信じこんでいたじゃないか」彼はそう言うと、大声を立てて笑った。フランキーはパッと頬を紅潮させた。

「それも彼が例のもったいぶった態度で、あの自動車事故のことを根掘り葉掘り、あなたにたずねたというだけのことでね。あれは、どんなことでもこまかく正確に知りたがる――あの男の悪い道楽なんだよ」

「じゃ、博士はまったくの潔白なのね？」とフランキーはゆっくり言った。

「まるでまだお腹の中にいる赤ちゃんみたいにね。もっとも、あの男のおかげでぼくはずいぶん助かったよ。あなたの自動車事故にぼくは注意を向けられたんだからね。そのことと、もうひとつの出来事で、こいつは見かけどおりの無邪気な娘じゃないぞと、ぼくはあなたを疑うようになったのさ。それから、ある朝あなたが電話をかけていたとき、ぼくはそのそばに立っていたんだが、あなたの運転手が『フランキー』というのがぼくの耳に入ったんだ。ぼくの耳はなかなかいいんでね。それに、ロンドンへ一緒の車で行きましょうか、とぼくがあなたに言ったことがある。あなたは同意はしたものの、ぼくが気が変わったからと言うと、あなたはホッとした顔をしたじゃありませんか。そのあと——」彼はここで言葉を切ると、大げさに肩をすくめて見せた。「あなたがニコルソンをますます黒だと思いこんでいくのをそばで見ているのは、ちょっと面白かったな。あの男はなんの罪もない老いぼれ医者にすぎないんだが、一見、映画に出てきそうな極悪非道な医者に見えるからね。ぼくは最後までだましとおしてやろうと思っていたんだ。あなた方にはわかりっこないんだからな。ところがごらんのとおり、どんな緻密な計画でもボロを出すときがあるものだね」

「もうひとつ、教えてもらいたいことがあるの」とフランキーが言った。「どうしても知りたくて、気が変になりそうなほどなの。エヴァンズって、だれのこと？」

「ああ！」とバッシントン‐フレンチは言った。「それじゃあ、あなたは知らなかったの？」

彼は声を立てて笑いこけた。

「こいつは面白いや、人間がどんなにばかな動物か、そのいい見本だよ」

「あたしたちのこと?」

「いや」とロジャーは言った。「この場合は、ぼくのことさ。エヴァンズがだれかあなた方にわかっていないのなら、ま、話すのはやめとこうか。ぼくのささやかな秘密として、胸に隠しておくことにしよう」

話はどうも妙なことになったものだ。彼らはバッシントン-フレンチを打ち負かして優位に立っているはずなのに、勝ったという実感がないのだ。縄でしばりあげられて、床の上にころがっている囚われの身なのに、この場を支配しているものはその男なのだ。

「ところで、これからどうするつもりだね」とロジャーがたずねた。

こう聞かれても、だれもまだ計画らしきものはもっていなかった。ボビイが、警察へでも知らせるかと、頼りなげにつぶやいた。

「まあ、それがいちばん無難だろうね」とロジャーが愉快そうに言った。「さ、警察に電話をかけて、ぼくを引き渡したまえ。せいぜい誘拐罪というところだな。ぼくにもそれだけは否認できないよ」彼はフランキーの顔を見上げた。「よこしまな情熱に駆られて、ついやってしまったとぼくは自白するよ」

フランキーは顔を紅潮させた。

「殺人については?」と彼女はたずねた。

「ねえ、いったい、どんな証拠があるんだね。なにひとつないじゃないか。よく考えてごらん、そうだということがわかるから」

「バジャー」とボビイが言った。「きみはここで見張っててくれ。ぼくは下へ行って、警察に電話をかけてくるから」

「気をつけてちょうだいね」とフランキーが言った。「この家の中には、仲間がいるかもしれないのよ」

「なに、ぼくひとりさ」とロジャーが言った。「ぼくひとりの仕業なんだからね」

「きさまの言うことなんか、だれが信じるものか」とボビイが荒々しく言った。

彼はかがみこむと、縄の結び目を調べた。

「大丈夫だ。きつくしばってある。じゃ、みんなで一緒に下へ行ったほうがいいよ。ドアに鍵をかけておこう」

「ひどく疑いぶかいね、おまえさんは」ロジャーが言った。「お望みならぼくのポケットにピストルがあるぜ。そいつがあれば余計、心強いだろう。いまのぼくには無用の物だから」

ロジャーのからかうような言葉を聞きながして、ボビイはかがむと凶器をポケットから引き出した。

「教えてくれて礼を言うよ。おかげで、気持ちがずっと落ち着いたよ」

「そりゃあよかったね」とロジャーが言った。「弾も入っているよ」

ボビイがローソクを手に持つと、床の上にロジャーを残したまま、彼らは屋根裏部屋から順々に出て行った。ボビイはドアに鍵をかけると、その鍵をポケットにしまった。

そしてピストルをにぎりしめた。

「ぼくが先頭になろう。さあ落ち着いて、こんどはヘマをしでかさないようにしよう」とボビイ。

「あ、あ、あいつは、か、か、かわった男だな?」とバジャーは、いま出て来た部屋のほうを顎でしゃくりながら言った。

「負けっぷりがいいわね」とフランキー。

いまになってもまだ彼女は、ロジャー・バッシントン‐フレンチの魅力から、完全に自由になったとは言えなかった。

グラグラする狭い梯子段を降りると、本階段の踊り場に出た。家の中には、物音一つしなかった。ボビイは、その手すりから下をのぞいた。電話はその下のホールにあった。

「まず、家の部屋を調べてみたほうがいいね。不意打ちを食らいたくないからな」

バジャーは、つぎつぎと部屋のドアを片っ端から開けていった。四つの寝室のうち、三つは空だった。四番目の部屋のベッドに、ほっそりとした人影が横たわっていた。

「モイラよ」とフランキーが叫び声をあげた。

ボビイとバジャーが中に飛びこんだ。モイラは、まるで死んだようにベッドに横たわっていたが、胸のあたりがかすかに動いていた。

「眠っているのか？」とボビイが言った。

「きっと、薬を服まされたんだわ」とフランキー。

彼女はあたりを見まわした。窓ぎわのテーブルの上に、エナメルの盆にのっている皮下注射器があった。そこには、小さなアルコール・ランプとモルヒネ用の注射針のようなものもあった。

「たぶん大丈夫だろうと思うけど、でも、お医者さまを呼んだほうがいいわ」とフランキーが言った。

「じゃ下へ行って、電話をかけよう」とボビイが言った。

三人は下のホールへ降りて行った。フランキーは、ひょっとしたら電話線が切断されているのではないかと思ったが、その心配は当たらなかった。電話はすぐ警察署につながったが、相手を納得させるのがたいへんだった。この田舎の警察署は、ボビイたちの電話をいたずらかなにかだと思いこんでいるのだ。

やっとのことで相手が納得したので、ボビイは溜め息をもらしながら受話器をかけた。医者も必要だとボビイが言ったら、巡査が一緒に連れて来てくれると約束した。

十分後、警部と巡査、それにひと目で医者とわかる初老の男を乗せた車が、コテイジに到着した。

ボビイとフランキーは出迎えるともう一度、申しわけ程度に事情を説明してから、彼らを屋根裏に案内した。ボビイがドアの鍵を開けた――そして、彼は茫然自失のていで、戸口に棒立ちになってしまった。床の真ん中には切断された縄が固まっていた。ガラスの割れた天窓の真下までベッドが引きずり出されていて、その上に椅子が載っていた。

ロジャー・バッシントン－フレンチは影も形もなかった。

ボビイ、バジャー、フランキーの三人は、ただあっけにとられて、口を開けたままだった。

「フーディーニのことを言ってたが、やつこそマジシャンの中のマジシャンだ。いったい、どうやってこの縄を切ったのだろう？」

「ポケットにナイフを隠していたにちがいないわ」とフランキー。

「そうだとしても、どうやってナイフが取り出せたんだい？　両手は後ろ手に固くしばられていたんだからね」

警部はゴホンと咳払いをした。電話を受けたときから抱いていた疑念が、またムクムクと頭をもたげてきたのである。すべてをいたずらだとにらむ気持ちが、まえより強くなった。

フランキーとボビイは長々と説明したが、話せば話すほど、まるで雲をつかむような印象を警察の連中に与えるのだった。

医者が、救いの神だった。

モイラが横たわっている部屋に連れて行くと、医者は一目見て、モルヒネか阿片を調合したものを注射されているのだと診断した。大したことはないから、あと四、五時間もすれば自然に目を覚ますだろうと言った。

それから医者は、近くにある病院に彼女をすぐ移したほうがいいと言った。

ほかにどうしたらいいか見当もつかなかったので、ボビイとフランキーは医者の提案に賛成した。二人は警部に氏名と住所を告げたものの、警部はフランキーの素性を頭からまったく信じていない様子だった。それでも、彼らはチューダー・コテイジから出ることを許されて、警部の口添えで、この村のセヴン・スターという旅館に部屋をとることができた。

　彼らは、自分たちが罪人のような目で見られているとひしひしと感じていたので、自分たちの部屋に引きこもれるのがうれしくてたまらなかった。ボビイとバジャーは二人部屋に、フランキーはごくごく小さな一人部屋に入った。

　それぞれ部屋に引きあげてから、ものの二、三分とたたないうちに、だれかがボビイの部屋のドアをノックした。

　フランキーだった。

「いいことを思いついたの」と彼女は言った。「あのばかな警部が、まだこの話をあたしたちのでっち上げだと思いこんでいるなら、あたしがクロロフォルムをかがされたというちゃんとした証拠があるわ」

「あるのかい？　どこに？」

「あの石炭入れの中にね」とフランキーは、きっぱり言った。

31　フランキーの質問

　つぎからつぎへと起こった冒険のおかげで疲れはてたフランキーは、その翌朝遅くまでグッスリと眠ってしまった。十時半になってようやっと、彼女はさっきからボビイが待ちかまえている、小さなコーヒー・ルームに降りてきた。

「やあ、フランキー、やっとお目覚めだね」

「あんまり張り切らないでちょうだいな」こう言うと、フランキーは椅子に腰をおろした。

「きみはなににする？　タラに卵、それからベーコンにコールド・ハム――」

「あたしはトーストと薄い紅茶がいいわ」フランキーは彼に最後まで言わせないで言った。「あなたったら、今朝はどうしたの？」

「きっと、あのサンドバッグで頭を一撃されたせいさ。たぶん、脳細胞の癒着でもはがれたんだろうよ。からだ中にエネルギーがみなぎって、名案がつぎからつぎへと浮かびあがってくるんだ。そいつを即、実行に移したくって、ウズウズしているわけさ」

「じゃ、どうしてすぐかからないの？」とフランキーはものうげな口調で言った。

「もう一仕事したんだよ。ついさっき三十分ばかり、ハモンド警部と話をしたんだからね。昨夜の一件は、悪戯ということにしておくより仕方がないな、いまのところはね」

「まあ、だってボビイ――」

「だから、いまのところは、と言っただろ。とにかく、この事件をぼくたちは徹底的に調べてみなくちゃならない。犯人をつきとめたんだから、あとは、あくまでも追跡することだよ。ぼくたちがロジャー・バッシントン‐フレンチを追っているのは誘拐罪のためじゃなく、殺人罪のためなんだからね」

「きっとあたしたち彼を捕まえてみせるわ」とフランキーが元気づいて言った。

「むろんだとも」とボビイは同意するように言った。「もう少しお茶を飲んだら」

「モイラの具合はどうなの？」

「かなり悪いんだよ。意識は回復したんだけれど、神経がすごくたかぶっているんだ。すっかり脅えきっているんだ。彼女はロンドンへ行ってしまったよ――クイーンズゲイトの療養所に。そこなら安心していられる、と彼女は言うんだ。彼女にはここが怖くてたまらなかったんだ」

「彼女はまえからとても臆病だったわ」とフランキーは言った。

「そりゃあ、あのロジャー・バッシントン－フレンチのような冷血な殺人鬼があたりにうろついていたんじゃあ、誰だっておじけづくさ」

「でも、あの男は彼女を殺すつもりはなかったのよ。あの男が狙っていたのは、このあたしたちなんだわ」

「奴はいまのところ、わが身のことに忙しくて、とてもぼくたちのほうには頭が回らないだろうよ。さあ、フランキー、さっそく仕事にとりかからなくちゃならないよ。まず、ジョン・サヴィッジ氏の死と遺言書からとりかかるんだ。どうも、臭いところがある。あの遺言書が偽造されたか、あるいはサヴィッジは殺されたのだ」

「バッシントン－フレンチがこれに関係しているなら、きっとその遺言書は偽造されたものだわ」とフランキーは考えこみながら言った。「偽造は、あの男のお手のものですものね」

「ひょっとしたら偽造と殺人の両方かもしれないぞ。ぼくたちはそれを探りださなければならないんだ」

　フランキーはうなずいた。

「あたし、サヴィッジの遺言書を見て、それをノートしておいたのがあるわ。証人には、料理人のローズ・チャドリイと庭師のアルバート・ミーアがなっているの。この二人ならすぐに見つかるわ。それから、あの遺言書を作成した弁護士ね――エルフォード&ライという法律事務所よ――スプラッゲさんは、とても信頼のできる事務所だと言っていたわ」

「よし、わかった、じゃぼくたちはそこからはじめよう。きみがその弁護士を探してくれたほうがいいな。きみのほうがぼくなんかより探し出しやすいだろうからね。ぼくは証人のローズ・チャドリイとアルバート・ミーアの二人を探すよ」

「バジャーはどうするの？」

「どうせあいつは、お昼まで起きやしないさ――あいつのことは心配しなくたっていいんだよ」

「あたしたち、いずれあのひとの問題を片づけてあげなくちゃならないわね。なんといったって、あたしの命の恩人ですもの」

「だけどまたあいつは、たちまち火の車になってしまうよ。そうだ！　ところで、こいつをきみはどう思う？」

ボビイは彼女の前に、よごれた厚紙を差し出した。それは一枚の写真だった。

「ケイマン氏じゃないの」フランキーはすぐに言った。「どこでこれを見つけたの？」

「きのうの夜だよ。電話機の後ろに落ちていたんだ」

「じゃ、テンプルトン夫妻がだれかということは、はっきりしたわけね。ちょっと待って」

そのとき、ウェイトレスがトーストを持ってテーブルに近寄ってきた。フランキーはその写真を見せた。

「このひと、だれだかご存じ？」と彼女はたずねた。

ウェイトレスはその写真に見入った、軽く頭をかしげながら。

「あら、この方をお見かけしたことがありますわ——でも、はっきり思い出せませんけど。ああ、そうですわ、この紳士はチューダー・コテイジの方ですわ——テンプルトンさん。でも、いまはいらっしゃいません——たしか、どこか外国にいらっしゃいましたの」

「どんなひとだったのかしら？」とフランキー。

「はっきり言えませんわ。ほんのたまにしか、お見えになりませんでしたもの——ときたま、週末においでになっただけですわ。ご主人のほうはあまりお見受けしませんでした。テンプルトン夫人は、とてもいい方でしたわ。でも、あのご夫婦がチューダー・コテイジにお住まいになっていたのはほんの短い期間でした——わずか半年ほどでしたわ。

たいへんなお金持ちが死んで、その遺産がごっそりテンプルトン夫人の手に入りましたの。それであのご夫婦は、外国へいらっしゃったのですわ。ですけど、あのチューダー・コテイジはお売りになったわけではありませんの。たしかときどき、週末だけ、ひとに貸していらっしゃると思いますわ。でも、あれだけお金が入ったのですから、またもどってきてお住みになるとは思えませんけど」

「ローズ・チャドリイという料理人があの家にいたでしょう？」

だが、そのウェイトレスは、料理人などには興味がないようだった。金持ちの紳士から一財産遺されることだけが、彼女の空想をかきたてるのだ。ウェイトレスはただ、はっきりわかりませんとフランキーに答えると、空になったトースト立てをテーブルから取って、引き下がった。

「なかなか順調じゃないの」とフランキーは言った。「ケイマン夫妻はここに来ることはあきらめたけれど、仲間のためにあの家を売らないでとってあるんだわ」

二人は、ボビイの意見にしたがって別行動をとることにした。フランキーは近くの店で二、三の身の回り品を買って身づくろいをすると、ベントレーに乗って出かけていった。ボビイは庭師のアルバート・ミーアを探しに出かけた。

二人はお昼に会った。

「どうだった？」とボビイが聞いた。

フランキーは頭を振った。

「ぜんぜん偽造の痕跡はなかったわ」とフランキーはがっかりした口調で言った。「あたし、エルフォードさんと長い時間しゃべったのよ。かなりの年配の人だったわ。彼は、昨夜のあたしたちの事件を耳に入れていて、くわしい話をさかんに聞きたがったわ。このあたりでは、胸をわくわくさせるようなことがあまりないのね。とにかく、その男をうまく手なずけることがすぐできたのよ。そこであたし、サヴィッジの件を話したの——まるであたしがサヴィッジの身内の者と会って、その遺言書が偽造だというようなことを耳にした口振りでね。ところが、たいへんな剣幕だったわ——偽造だなんて問題外だと言うの。その遺言書が郵送されてきたりしたわけじゃないのよ。エルフォードさんがサヴィッジ氏本人に会うやいなや、サヴィッジ氏はその場ですぐ遺言書を作成してくれと言ったんですって。エルフォードさんはひとまず事務所に引きあげて、その遺言書を形式に従ってきちんと作ろうとしたかったの——弁護士がどういうやり方をするか知っているでしょう——やたらに書類ばかり作りたがる、あれよ——」

「ぼくにはわからないね」とボビイは言った。「ぼくは遺言書なんか作ったことがないもの」

「あたしはあるわ——二回。二回目のは今朝作ったの。だって、そうでもしなければ、弁護士に会う口実がないんですもの」

「するときみの遺産はだれのところへ行くんだ？」

「あなたよ」

「ずいぶん無茶なことをしたものだな。もしロジャー・バッシントン－フレンチがきみを殺すことに成功したら、それこそぼくは絞首刑だよ！」

「あらあたし、そこまでは考えなかったわ」とフランキーは言った。「まあそういうわけで、サヴィッジ氏がさかんに急き立てるし、頑固に言い張るものだから、エルフォードさんもその場で遺言書を書きあげて、あのメイドと庭師を呼んで証人になってもらったの。そして、エルフォードさんはその遺言書を保管したというわけ」

「それじゃ、偽造の余地はぜんぜんないな」とボビイも同意した。

「そうなのよ。目の前で本人が署名するところを見たら、とても偽造だなんていえないわ。それからもうひとつのこと——殺人についてだけれど、もういまとなっては時間が経ちすぎていて、何かを探りだすのはとてもむずかしくなっているのよ。あの時に呼ばれた医者は、その後死んでしまったの。あたしたちがゆうべ会ったのは、新しいお医者さんだわ——ここに来て、まだふた月にしかならないんですって」

「どうも、ぼくたちに都合の悪い連中ばかり死ぬんだな」とボビイが言った。

「どうして、ほかにだれが死んだというの？」

「アルバート・ミーアさ」

「すると、その連中はみんな、消されてしまったんだと思ってるの？」

「それはちょっと、大ざっぱすぎるよ。アルバート・ミーアは疑問符ぐらい付けてやってもいいな――なにしろ七十二歳だからね」

「それもそうね。彼の場合は自然死と認めてもいいわ。ローズ・チャドリイのほうには、なにか収穫があった？」

「うん。彼女はテンプルトン家から暇をとって北イングランドへ行ったのだけれど、また舞いもどってきて、ここで結婚したんだ。その相手の男とは十七年間も付き合っていたらしいんだ。残念なことに彼女はおつむが弱いんだよ。どうやら、なにも覚えていないらしいんだ。きみにならら、彼女からなにか引き出せるかもしれないけど」

「やってみるわ」とフランキーは言った。「あたし、そういうひとには自信があるのよ。ところで、バジャーはどうしたの？」

「ああ！　あいつのことをすっかり忘れていたよ」とボビイは言った。彼は椅子から立ちあがると部屋から出て行ったが、またすぐに戻ってきた。

「まだ眠っていたよ。やっといま起きたところだ。部屋の係が四回も起こしに行ったらしいんだが、ぜんぜん効果がなかったんだって」

「じゃあ、これから、そのおつむの弱いメイドさんに会いに行ったほうがいいわ」フランキーは腰をあげながら言った。「それからあたし、歯ブラシとナイトガウンとスポンジと、文明生活の必需品を二、三買わなくちゃ。昨夜は、すっかり原始生活に逆もどりだったわ、とてもそんなことを考える余裕がなかったんですもの。コートを脱いだだけで、あたしベッドに倒れちゃった」

「よくわかるよ。ぼくもそうだったもの」

「さあ、ローズ・チャドリイに会いに行きましょう」とフランキーは言った。

いまはプラット夫人になっているローズ・チャドリイは、陶器製の犬と家具で足の踏み場もないような、小さな家に住んでいた。プラット夫人はでっぷりと太った、いかにも頭のにぶそうな女だった。まるで魚のような濁った目をしていて、アデノイドにかかっているということが一目でわかる。

「やあ、また来ましたよ」とボビイは元気よく言った。

プラット夫人は苦しげに息をつきながら、二人の顔を無関心な目でながめた。

「あたしたち、あなたがテンプルトン家に奉公に上がっていたということを聞いて、とても興味を感じているのよ」とフランキーが説明した。

「はあ、お嬢さま」とプラット夫人が言った。

「いま、テンプルトン夫人は外国でお暮らしなんですってね」とフランキーは、いかにもテンプルトン家と親しげな様子を示しながら言った。

「そう聞いてます」とプラット夫人は答えた。

「あなたは、かなり長いあいだ、奉公していたんでしょう？」とフランキーがたずねた。

「あの、わたしがどこにでしょう、お嬢さま？」

「かなり長いあいだ、テンプルトン夫人のところによ」とフランキーは一語一語区切って、ゆっくりと話しかけた。

「そうでもないんです、お嬢さま。たった二カ月です」

「まあ！　そんなものだったかしら」

「長くいたのはグラディスです、お嬢さま。部屋付きのメイドの。あのひとは六カ月いました」

「じゃあメイドさんは二人だったのね？」

「そうです。あのひとが部屋付きのメイドで、わたしが台所のほうをやっていました」

「サヴィッジさんがお亡くなりになったとき、あなたはいたんでしょう？」

「あの、なんでしょうか、お嬢さま」

「あなたはね、サヴィッジさんがお亡くなりになったとき、いたんだったわね？」

「テンプルトンさんは死んでませんよ――少なくとも、わたしはそういう話は聞いておりませんです。旦那さまは外国に行かれました」

「テンプルトンさんじゃなくて――サヴィッジさんのことだよ」とボビイは言った。

プラット夫人はぼんやりと彼の顔を見た。

「テンプルトン夫人にすべての財産を遺した紳士のことよ」とフランキーが言った。

その瞬間、プラット夫人の顔にかすかな知性のひらめきのようなものがあらわれた。

「ああそうでした、お嬢さま！　検死審問が開かれた旦那さまのことですね」

「そうよ、そうよ」とフランキーは小躍りして言った。「その旦那さまは、ちょいちょいあのコテイジに来てお泊まりになったんでしょう？」

「そういうことは、わたしにはわからないのです、お嬢さま。わたしは奉公に上がったばかりで。グラディスならよく知っています」

「だけど、あなたはその旦那さまの遺言書の証人になったんじゃないの？」

プラット夫人はポカンとしていた。

「あなたは呼ばれて行って、その旦那さまが書類にサインするのを見たわね。それからあなたも、その書類にサインさせられたのよ」

また、夫人の顔に反応があらわれた。

「そうです、お嬢さま。わたしとアルバートでした。そんなこと、生まれてはじめてだったものですから、わたしはやりたくなかったんです。それで、わたし、グラディスに言いました。書類にサインするのはいやだって、ほんとにそうなんです。そうしたらグラディスが言ったんです、エルフォードさんもいるから大丈夫だって。あの方は弁護士だし、とても立派な紳士だからって」

「それから、どういうことになったの？」とボビイがたずねた。

「はあ？　なんでしょうか、旦那さま」

「あなたを呼んで、あなたにサインさせたのはだれなの？」とフランキーがきいた。

「奥さまです、お嬢さま。奥さまが台所にお見えになって、お庭へ行ってアルバートを呼んできてちょうだい、それから二人で一番いい寝室へ来てちょうだい、とわたしにおっしゃったんです（そのお部屋は、奥さまが、あの――紳士の方のためにまえの晩から空けておいたんです）。その紳士は、ロンドンからお帰りになると、すぐそのベッドでお休みになりました。わたしたちがそのお部屋へ入っていくと、その紳士はベッドの上にからだを起こしていましたが――とてもとても顔色が悪かったです。わたしはそのときはじめて、その方にお目にかかったのです。まるで、幽霊のような感じでした。そこには、エルフォードさんもいました。そしてとても優しい口調で、なにも怖がることはないからと言いました。それからその紳士がサインしたところに、わたしも自分の名前をサインするように言われました。それでわたしはそうしました。それから名前のあとに〝料理人〟と書き、住所も入れました。アルバートも同じようにしました。それからわたしはブルブル震えながらグラディスのところにもどりました。そして、あんな死人みたいな紳士は見たことがないよと言いました。そしたらグラディスが、あの方はまえの晩にはピンピンしていた、きっとロンドンでなにかあったのにちがいないわ、って。その紳士は朝早く、だれもまだ起きてこないうちに、ロンドンへ行かれたんです。それからわたしは、どんなことにせよ、自分の名前を書くのはいやだと言ったら、グラディスは、エルフォードさんがついていたんだから大丈夫よ、と言ったんです」

「それで、サヴィッジさん——その紳士が死んだのは——いつなの？」

「つぎの朝でした、お嬢さま。その方は、一晩中、自分の部屋に閉じこもったまま、だれもそばに寄せつけようとしなかったんです。朝になってグラディスがその方を起こしに行ったら、その方はすっかり冷たくなって死んでいたんです。そしてベッドのそばに書き置きがあったんです。〈検死官殿〉と表に書いてありました。それを見たとたんに、グラディスが金切り声を上げました。それから検死審問やいろんなことがあったんです。ふた月ほどたって、テンプルトン大人が、これから外国に行って暮らすからとわたしに言いました。でも、奥さまは、わたしのために、北イングランドのたいへんお給金のいい奉公先をお世話してくださいました。それから、とてもいいプレゼントやいろいろなことをしてくださったんです。ほんとにお気持ちの優しい奥さまでしたわ、テンプルトン夫人は」

プラット夫人は、いまや、自分のおしゃべりにわれを忘れて悦に入っていた。

フランキーは腰をあげた。

「あなたからいろいろとお聞きできてとてもよかったわ」彼女はさいふから紙幣を一枚抜き出した。「これ、取っておいてくださらない——ほんの気持ちですけど。すっかりお邪魔してしまいましたもの」

「そうですか、どうもありがとうございます、お嬢さま。それでは、ごめんください」

フランキーは顔を赤らめると、そそくさと退散した。ボビイは、しばらくしてから彼女のあとを追った。彼はしきりになにか考えているようだった。

「どうやらこれで、彼女の知っていることは全部引き出せたわけだね」

「そうね」とフランキーが言った。「これでつじつまがあったわね。サヴィッジが遺言書を作ったことには疑いの余地はないようだし、彼が癌を恐れていたのもほんとだったようね。彼らがハーリイ街の医者を買収するなんて、できっこないわ。サヴィッジが遺言書を作成したチャンスを捉えて、彼の気持ちが変わらないその晩のうちに、あの連中が彼を片づけてしまったのではないかしら。だけど、どうやってそれを証明することができるか、あたしたちばかりか、だれにだってむずかしいわ」

「そうなんだよ。テンプルトン夫人がサヴィッジに眠り薬のようなものを服ませたことは充分に考えられるけれど、それを証明することができないんだ。バッシントン－フレンチが検死官宛の書き置きを偽造したのかもしれないが、そいつもいまとなっては証明することができないんだよ。おそらくその書き置きは、検死審問に証拠として提出されたあと、もうとっくに処分されてしまっただろうからね」

「またまた、はじめの問題に逆もどりね――つまり、バッシントン－フレンチとその一味は、あたしたちになにを発見されるのを恐れているのか、という問題よ」

「なにか、とくに変だと思うことはないかい？」

「いいえ、別にないけど――ひとつだけ。どうしてテンプルトン夫人は、庭師を外からわざわざ呼んできて遺言書に署名させたのかしら、家の中にもうひとりメイドがいたというのに。なぜ、そのメイドに頼まなかったのかしら？」

「フランキー、いまのきみの言い方は面白いね」とボビイが言った。

彼の口調が尋常でなかったので、フランキーはびっくりしてボビイの顔を見つめた。

「どうして？」

「ぼくが残っていたのは、グラディスの名前と住所をプラット夫人に聞くためだったんだ」

「それで？」

「そのヽメヽイヽドヽのヽ名ヽ前ヽはヽエヽヴヽァヽンヽズヽだヽっヽたヽのヽだヽ」

32 エヴァンズ

フランキーは思わず息をのんだ。

ボビイの声は興奮に上ずった。

「ねえ、きみはカーステアーズと同じ質問をしたんだよ。なぜ、そのメイドに頼まなかったのかい、なぜ、エヴァンズに頼まなかったのか？」

「まあ！　ボビイ、あたしたち、とうとう謎が解けたのね？」

「きっと、あのカーステアーズも同じ疑問をいだいたのさ。彼もまたぼくたちと同じように、いろいろと調べて歩いたのだ——臭い点があるのではないかと——そしてぼくたちと同じように、彼もこの同じ疑問にぶつかったんだ。おまけに、彼がウェールズにやって来たのは、じつはその疑問のためだとぼくは思うんだ。グラディス・エヴァンズという名前はウェールズ人特有の名前だからね——エヴァンズはおそらくウェールズ人の娘なんだよ。彼はマーチボルトまで彼女を探しにきたのだが、何者かが彼のあとをつけていて——そしてそのために、彼は彼女に行き着くことができなかったんだ」

「なぜ、エヴァンズに頼まなかったのか？」とフランキーは言った。「ここに問題の鍵があるにちがいないわ。ほんの、取るに足りないことだけれど——とても重要ななにかがね。家の中にメイドが二人もいたというのに、なぜわざわざ、庭師を呼びにやったのかしら？」

「たぶん、チャドリイとアルバート・ミーアは二人とも抜けていたのだが、それにひきかえ、エヴァンズはなかなか頭の切れるメイドだったからだよ！」

「だけど、それだけじゃ理由にならないわ。弁護士のエルフォードさんだってそこに居合わせたんだし、彼だってとても抜け目のない男よ。ああ！　ボビイ、すべての鍵はそこにあるのよ——そうよ、そうなんだわ。あたしたちにその理由さえわかったら。問題はエヴァンズだわ。なぜ、チャドリイとミーアに頼んで、エヴァンズに頼まなかったのか？」

突然、彼女は言葉を切ると、両手で目を覆った。

「ああ、わかってきたわ。なにか頭の中でひらめいたの。もうすぐわかるわ」

しばらくのあいだ、彼女はまるで死んだように動かなかったが、やがて手をおろすと、その目に不気味な光をたたえながらボビイの顔を見つめた。

「ボビイ」彼女は言った。「もしもよ、ある家に滞在することがあったら、どっちのメイドにチップをあげる？」

「そりゃむろん、部屋付きのメイドのほうにやるさ」とボビイはキョトンとした顔をして言った。「だれが料理人にチップなどやるものか。だいいち顔も見ないわけだからね」

「そうよ、それに料理人だって、あなたの顔を見ないわ。まあ、かなり長いあいだ滞在でもすれば、あなたの姿をチラッと見ることぐらいはあってもね。ところが部屋付きのメイドは、食事のお給仕をしたり、あなたに呼ばれたり、コーヒーを運んできたりするのよ」

「いったいきみはなにが言いたいんだい、フランキー？」

「あの連中は、エヴァンズに遺言書の署名をさせるわけにはいかなかったのよ――なぜなら、あの遺言書を作成したのがサヴィッジ氏でないということが、エヴァンズにばれてしまうから」

「なんだって、フランキー、それはどういうことなんだ？　じゃあ、いったい、だれだったというんだ？」

「むろん、バッシントン-フレンチよ！　彼がサヴィッジになりすましたのがわからない？　あたし、賭けてもいいけど、あのお医者さまのところへ行って、癌のことで大騒ぎをやってきたのはバッシントン‐フレンチだったのよ。そのあとで弁護士を呼んだわけ——サヴィッジ氏とは面識がなく、しかも、サヴィッジ氏が遺言書に署名し、同じく二人の証人が署名するのを見たと宣誓することができる弁護士をね。しかも証人の一人は彼の顔を見たこともなかったのだし、もう一人は目もろくろく見えない老人で、この人もまたサヴィッジの顔を見たこともなかったにちがいないのよ。これでわかったかしら？」

「だけど、ほんもののサヴィッジは、そのあいだどこにいたんだろう？」

「彼は元気で帰って来たのよ。それからたぶん、連中が眠り薬を服ませて、屋根裏部屋にでも放りこんでおいたんだわ。そして、十二時間ばかりそこに押しこんでいた間に、ロジャー・バッシントン‐フレンチはサヴィッジになりすましていたというわけ。一芝居終わると、サヴィッジは自分のベッドにもどされて、クロラールを服まされたのよ。その翌朝、エヴァンズは彼が死んでいるのを発見する」

「すごい、きみの推理はぜったいに当たってるよ。だけど、ぼくたちにそれを証明することができるかな？」

「それが——その——あたしにもわからないのよ。ローズ・チャドリイに——つまりプラット夫人のことだけれど――本物のサヴィッジの写真を見せたらどうかしら？　〝これは遺言書に署名したひとではありません〟と、彼女に言えるかしらね？」

「そいつはどうも怪しいね。なにしろ、あのとおりおつむが弱いからな」とボビイは言った。

「それだから、彼女は証人に選ばれたのね。でも、まだほかに手はあるわよ。筆跡鑑定家だったら、その署名がにせものだということを見破ることができるはずだわ」

「だけど、検死審問のときはだめだったじゃないか」

「それは、だれも異議を唱えなかったからよ。遺言書が偽造されるチャンスなんて、考えられなかったんですもの。だけど、いまはちがうわ」

「ぼくたちがしなければならないことがひとつある」とボビイは言った。「エヴァンズを探しだすことさ。彼女だったら、きっといろいろなことをぼくたちに話してくれるだろうからね。彼女はテンプルトン家に半年も奉公していたんじゃないか」

　フランキーはうめき声を上げた。

「だけど探しだすんだって、たいへんなことだわ」

「郵便局で聞いてみたらどうだろう？」とボビイが提案した。

　ちょうど二人は郵便局の前を通りかかったところだった。それは郵便局というよりも、雑貨屋といった感じだった。

フランキーはその中に威勢よく飛びこむと、早速仕事にかかった。そこには、女の局長のほかにはだれもいなかった。

——いかにも詮索好きらしい鼻をした若い女性だった。

フランキーは二シリングの切手を買って、

「でもあたしが住んでいるところよりも、きっとこちらのほうが、いつもお天気がいいと思いますわ。あたしはウェールズに住んでいますの——マーチボルトよ。それこそ、どんなに雨が多いか、あなたにはとてもおわかりにならないでしょうね」

その詮索好きを連想させる鼻をした若い女性は、こちらでも雨は多いし、先週の銀行休日にはそれこそひどい降り方だった、というようなことをしゃべった。

それからフランキーは言った。

「マーチボルトにこの土地の出身者がいますのよ。あなた、ご存じないかしら。彼女の名前はエヴァンズ——グラディス・エヴァンズというのですけど」

その若い女性は少しも不審に思わなかった。

「ええ、知っていますとも。彼女はここのチューダー・コテイジに奉公していたんですわ。でも彼女はここの生まれじゃないんですの。ウェールズの出身で、故郷に帰って結婚しましたわ——いまはロバーツという名前ですの」

「そうそう」とフランキーは言った。「住所をご存じないかしら？　あたし、レインコートを借りたままになっていて、返すのを忘れていたんです。住所がわかれば、彼女に郵送したいと思いますの」

「ええ、わかると思いますわ」と局長は答えた。「ときどき彼女から葉書をもらいますから。いま、夫婦そろって奉公しているという話ですわ。ちょっとお待ちになってくださいね」

彼女は席を立つと、隅のほうでごそごそとかきまわしていたが、やがて一枚の紙きれを手にしてもどってきた。

「これですわ」彼女はそういって、それをカウンター越しに差し出した。

ボビイとフランキーが一緒にのぞきこんだ。それは、彼らが夢にも考えなかった住所だった。

ウェールズ
マーチボルト
牧師館気付
ミセス・ロバーツ

33　オリエント・カフェの騒動

ボビイとフランキーは、どうやって自分たちの面目をつぶさずにその郵便局から出てこられたのか、さっぱりわからなかった。

外に出たとたんに、ふたりは同時に顔を見合わせると、お腹の皮がよじれるほど笑いころげた。

「なあんだ、ずっと牧師館にいたのか！」ボビイは苦しい息の下から言った。

「あたしったら、四百八十人のエヴァンズを調べたのよ」とフランキーはうらめしそうに言った。

「これでやっとわかったよ。エヴァンズがだれだかぼくたちに見当がつかないのを見ると、バッシントン－フレンチがどうしてあんなに面白がっていたのかがね！」

「むろん、あの連中の立場からみれば、こんなに危険なことはなかったのよ。だって、あなたとエヴァンズは同じ屋根の下に住んでいたんですもの」

「ああいけない、バジャーのためになんとかしてやらなくちゃあ。きみ、お金持っているかい、フランキー？」

「虹の果つるところ、なつかしきわが家へ、というところね」とフランキーは言った。

「さあ、行こう」とボビイは言った。「つぎの舞台はマーチボルトだ」

フランキーはバッグを開くと、ひとつかみのお札を取りだした。

「これを彼にあげてちょうだい。このお金で債権者となんとか話をつけるといいわ。それから、父があのガレージを買って、彼をマネージャーにすると言っておいてね」

「これでよしと」とボビイは言った。「重要なのは、できるだけ早く出発することだ」

「なぜ、そんなにあわてるの？」

「ぼくにもわからないんだけれど——でも、なにかが起こりそうな気がするんだ」

「まあ恐いわ。さ、大急ぎで行きましょう」

「ぼくはバジャーの件を片づけてくるから、きみはいつでも車でスタートできるようにしておいてくれ」

「あたし、永遠に歯ブラシが買えないのね」とフランキー。

それから五分後、二人の車は全速力でチッピング・サマートンから飛び出していった。さすがにボビイも、文句がつけられないくらいのスピードだった。

だがそれにもかかわらず、フランキーが突然言った。

「ねえ、ボビイ、こんなスピードじゃだめだわ」

ボビイは速度計に目をやった。そのとき針は八十マイルを指していた。彼はさりげなく言った。

「これ以上出そうとしたって無理だよ」

「小型飛行機《エア・タクシー》に乗ればいいわ。ミードショット飛行場ならたった七マイルのところよ」

とフランキー。

「そいつは名案だ！」とボビイ。

「そうすれば、二時間で家に着くわ」

「よし」とボビイは言った。「エア・タクシーにしよう」

すべてが、まるで夢の中の出来事のような色彩を帯びはじめてきた。なぜこうもマーチボルトへ帰るのを急ぐのか？　ボビイにもわからなかった。それにフランキーにだって、わかってやしないのだと彼は思った。ただ、予感がするのだ。

ミードショット飛行場に着くと、フランキーはドナルド・キング氏を探した。姿をあらわしたのはいかにもだらしない様子の青年だった。彼はフランキーをひと目みると、〝へー〟というような顔をした。

「なあんだフランキー、一年も会わなかったじゃないか。なんの用だい？」

「あたし、エア・タクシーがいるのよ。あなた、そういうお仕事でしょう？」

「まあそうだがね。どこへ行こうというのさ？」

「大急ぎで家に帰りたいの」とフランキー。

ドナルド・キング氏は眉をつりあげた。

「それだけかい？」と彼はたずねた。

「それだけっていうわけじゃないけど、まあおもな用件だわ」

「よしわかった！　すぐ手配できるよ」

「小切手でお払いするわ」とフランキーは言った。

五分後、二人を乗せた飛行機は飛び立った。

「フランキー、なぜぼくたちは飛行機なんかに乗ったんだろう？」

「あたしにもさっぱりわからないわ。ただ、こうせずにはいられない気がするの。あなたは？」

「不思議なことだけど、ぼくもそうなんだ。だけど、ぼくにもなぜなんだかわからない。まさか、あのロバーツ夫人が魔法のホウキに乗って飛び去ってしまうわけでもないのにね」

「それはわからないわ。あのバッシントン－フレンチがどんなことをしでかすか、あたしたちには見当がつかないじゃないの」

「ほんとにそうだ」とボビイは考えこみながら言った。

二人が目的地に着いたときには、すでに夕闇がせまっていた。飛行機は公園に着陸した。その五分後、ボビイとフランキーは、マーチントン卿のクライスラーに乗って、マーチボルトへ向かっていた。

二人の車は牧師館の正門前に停まった。館内の車道は狭いために、大型車のターンがむずかしかったのだ。

二人は車から飛び降りると、玄関に向かって走って行った。

〝これでいよいよわかるぞ〟とボビイは心の中でつぶやいた。〝ぼくたちのやっていることがなんであるか、そしてなんのためか、ということが〟

すらっとした人影が玄関の戸口のところに立っていた。フランキーとボビイは同時にその人影に気がついた。

「モイラ！」とフランキーは叫んだ。

モイラが振り返った。彼女はかすかに身をふらつかせていた。

「ああ！　あたし、お目にかかれてこんなにうれしいことはないわ。どうしたらいいのか、わからないんですもの」

「でもいったい、どうしてここにいらっしゃったの？」

「あなたときっと同じ理由からですわ」

「ではエヴァンズがだれだか、おわかりになったのですね？」とボビイがたずねた。

モイラはうなずいた。

「そうなんです、話せば長い話になりますけど――」

「とにかく中に入りましょう」とボビイが言った。

だがモイラは後ずさりした。

「だめ、だめですわ」彼女は早口に言った。「どこかよそへ行ってお話ししましょう。お家に入る前に、お話ししなければならないことがあるんです。この町に、カフェかなにかないでしょうか？　あたしたちの入れるようなところが？」

「そうですね」とボビイは玄関のドアからしぶしぶ離れながら言った。「だけどなぜ――」

モイラは足踏みをした。

「お話しすればおわかりになるんです。さ、早く！　ぐずぐずしてはいられませんわ」

二人はとうとう彼女に押しきられてしまった。本通りの中程にオリエント・カフェという店があった――貧弱な店の飾りつけに似合わない、立派な名前だった。三人はぞろぞろと入っていった。六時半で、店はガラ空きの時間だった。

三人は隅っこの小さなテーブルに着くと、ボビイがコーヒーを注文した。

「で、お話というのは？」とボビイが口を開いた。

「コーヒーが来るまで待ってくださいませんか」とモイラが言った。

ウェイトレスがぞんざいに、なまぬるいコーヒーを三人の前に置いていった。

「さ、お話を」とボビイがうながした。

「あたし、どこからお話ししていいのか、わかりませんの」とモイラが言った。「それは、ロンドン行きの汽車の中でのことでした。とても信じられないような偶然の一致だったのです。あたしが通路を歩いて行きますと――」

突然、彼女は言葉をのんだ。彼女の椅子はドアに面していた。そしていま、彼女は身を乗り出して前方をじっと見つめていた。

「あの男があたしをつけてきたのにちがいありません」と彼女は言った。

「だれです？」ボビイとフランキーが同時に叫んだ。

「バッシントン‐フレンチ」とモイラはささやくように言った。

「彼を見たんですか？」

「この店の外にいますわ。あたし、赤毛の女と一緒にいるのを見たんです」「ケイマン夫人だわ」とフランキーが叫んだ。

彼女とボビイは椅子からパッと跳び上がると、ドアに向かって突進した。モイラがあわてて引き止めようとして叫んだが、そんなことぐらいではとてもだめだった。二人は本通りを左右に見渡したが、バッシントン - フレンチの姿はどこにもなかった。

モイラが、二人のそばにやって来た。

「あの男はいなくなりまして？」と彼女は声を震わせてたずねた。「ああ！　用心してくださいね。あの男は危険ですわ――ほんとうに危険なんです」

「ぼくたちがこうして一緒にいるかぎり、あいつには指一本だって触れさせるものですか」とボビイが言った。

「元気を出すのよ、モイラ」とフランキーが言った。「気弱になっちゃだめだわ」

「いまのところ、ぼくたちにもなにもできやしない」とボビイは先頭に立ってテーブルにもどりながら言った。「さあ、さっきの話をつづけてください、モイラ」

彼はコーヒーのカップを口に持っていった。フランキーがバランスを失ってボビイのほうに倒れかかり、コーヒーがテーブルの上にこぼれた。

「ごめんなさいね」とフランキーが言った。

彼女はディナーの支度がしてある隣のテーブルに手を伸ばした。そこには、オリーヴオイルとヴィネガーの入ったガラス瓶の調味料入れがあった。

フランキーの奇妙な行動に、ボビイは思わず目を見張った。彼女はヴィネガーの入っている瓶を取ると、その中身を茶こぼしに捨てた。そして自分のコーヒーをそのガラス瓶の中に注ぎはじめた。

「頭が変になったのかい、フランキー？」とボビイが聞いた。「いったいそれはなんの真似なんだ？」

「ジョージ・アーバスノットに分析してもらうために、このコーヒーのサンプルをとっているのよ」とフランキーは答えた。

彼女はモイラのほうに向きなおった。

「これでゲームは終わったわ、モイラ！　ついさっき、あのドアのところにあたしたちが立っていたとき、すべてがいっぺんにわかったの！　あたしがわざとボビイのひじを押して彼のコーヒーをこぼさせたとき、あなたの表情を見てしまったのよ。バッシントン－フレンチを探させるためにあたしたちをドアに走らせておいて、あなたはあたしたちのコーヒーの中になにか入れたんだわ。ゲームオーバーよ、ニコルソン夫人、それともテンプルトン夫人とでもお呼びしましょうか」

「テンプルトンだって?」とボビイが叫んだ。

「この女の顔をよく見てごらんなさい」とフランキーが叫んだ。「これでもまだ彼女が否定するようなら、牧師館まで来てもらって、ロバーツ夫人がなんというか聞いてみたらいいわ」

ボビイは、モイラの顔を食い入るように見つめた。凶暴な怒りに形相を一変した、追い詰められた鬼気迫る顔が、そこにあった。美しい唇をカッと開くと、悪罵がつづけざまに飛びだした。

モイラはハンドバッグの中を手探りしていた。

ボビイはまだ茫然自失の態だったが、きわどい瞬間に行動に移った。ピストルを叩き上げたのは彼の手だった。

弾はフランキーの頭上をかすめ、オリエント・カフェの壁にめりこんだ。

ウェイトレスのひとりが駆けだしたのは、この店はじまって以来の出来事だった。金切り声を張りあげながら、彼女は本通りを突っ走っていった。

「助けて! 人殺し! お巡りさん!」

34 南米からの手紙

それから数週間後のことだった。

フランキーは一通の手紙を受け取った。それには、あまり知られてない南米のある共和国の切手が貼ってあった。

彼女はそれを読み終わると、ボビイに手渡した。

つぎのような文面だった——

親愛なるフランキー——心からあなたに祝福を送ろう！　あなたと、あの若い海軍のお友だちは、ぼくの一生をかけた計画を完膚無きまでに叩きつぶしてくれたね。ぼくは用意周到に計画を立てたのだが。

きっと、事件の全容をあなたはお知りになりたいでしょうね？　ぼくの女友だちは、ぼくのことをなにからなにまで吐いてしまったのだから（意地悪なんですよ——

—女というやつは意地悪なのが通り相場ですがね！）。いまさらぼくが不利益を招くようなことを認めても、これ以上損をするということもないでしょう。それにぼくは生まれ変わったんだ。あのロジャー・バッシントン‐フレンチは死んだのです。どうやらぼくは、生まれたときからわるいやつだったんでしょうな。オクスフォード大学にいたときでさえ、ちょっとした過ちをしでかしたんですからね。ぼくはばかだったんだ、だってバレるに決まっていたんだから。まあ、親父のおかげで助かったけれど、そのおかげでぼくは植民地行きということになったのです。

それからまもなく、ぼくはモイラとその一味に加わったのです。モイラという女は根っからのワルでした。彼女はわずか十五歳のときに、いっぱしの犯罪者だったのですよ。ぼくが彼女に会ったときには、ちょうど足もとに火がつくような騒ぎだったのです。アメリカの警察に、彼女は追われていたんです。

彼女とぼくは愛し合っていました。結婚することにしたんですが、その前に片づけてしまわなければならない二、三の計画がありました。

その手はじめに、彼女はニコルソンと結婚したのです。そうすることによって、彼女はかたぎの世界に入り、警察の目をくらましてしまったのです。ニコルソンは精神病院を開くために、ちょうどイギリスに渡ってきたばかりでした。彼は、病院に適した家をできるだけ安く貰おうと探していたのです。そこでモイラが、彼をグレインジへ引っぱっていったというわけですよ。

彼女は依然として一味のギャングと麻薬の仕事をしていたのです。ニコルソンはそれとは気がつかずに、彼女の便宜を大いにはかっていたというわけです。

ぼくには昔から、二つの野心がありました。

メロウェイの所有者になることと、巨額の大金を思うがままに支配することです。チャールズ二世の時代、先祖のひとりに傑物が出たんですよ。ところがそれ以来、バッシントン－フレンチ家は衰亡の一途を辿り、微々たる存在になってしまったのです。しかしぼくには、もう一度家名を挽回する自信がありました。それにはまず、金がなければならなかったのです。

モイラは一味と連絡するために、何度かカナダへ渡りました。ニコルソンは彼女を熱愛していたので、彼女の言うことならどんなことでも、頭から信じていたのです。まあ、男というものはたいていそうですがね。麻薬の仕事は秘密を要するので、彼女はいろいろな変名を使って旅行をしました。モイラがサヴィッジに会ったときは、テンプルトン夫人という名前で旅をしていたのです。彼女はサヴィッジのことをなにからなにまで知っていました。彼が億万長者だということもむろん知っていましたから、彼女はあらゆる手練手管を使ったわけですよ。サヴィッジはたちまち彼女の魅力のとりことなりましたが、正気を失うまでには至らなかったのです。

けれども、ぼくたちにはある計画がありました。その筋書きは、あなたもよくご存じのとおりです。あなたがケイマンという名前で知っている男が、無神経な亭主の役を演じたのです。サヴィッジは、一度ならずチューダー・コテイジに誘いこまれました。三度目のときに、彼はぼくたちの罠に落ちてしまったのです。詳しいことはお聞かせするまでもないでしょうね――あなたはよくご存じのことなのだから。すべては順調に運びました。モイラは全財産を握って外国へ行ったように見せかけたが――その実、ステイヴァリイ村のグレインジに舞い戻っていたのです。

一方、ぼくは自分の計画を練りに練っていました。ヘンリイと子供のトミイを消してしまわなければならなかったのです。トミイ坊やにはすっかり手こずりましたよ。二回とも抜け目なく仕組んだ事故が失敗したんですからね。ヘンリイの場合には、事故に見せかけるつもりはありませんでした。彼は、狩りの怪我がもとでひどいリュウマチに悩んでいたのです。そこでぼくは彼にモルヒネを勧めました。彼はなんのためらいもなくモルヒネを服みました。ヘンリイはほんとに単純な男でしたよ。たちまち中毒になってしまったのです。ぼくたちの計画では、彼はその治療のためにグレインジに入院し、そこで自殺をするか、モルヒネを服みすぎて死ぬことになっていたのです。それはモイラの仕事で、ぼくはそのことには少しもタッチしないことになっていました。

ところが、あのカーステアーズのばか者が動きだしたのです。どうやらサヴィッジが、テンプルトン夫人についての手紙と、彼女の写真までそれに同封して、船から彼宛に送ったらしいのです。それからすぐにカーステアーズは猛獣狩りの旅に出ました。彼が帰ってきてサヴィッジの死とその遺言書のことを耳にすると、どうしても彼にはそれが腑に落ちなかったのでしょう。彼の耳には、その話が真実として響かなかったのだと思います。サヴィッジが自分の健康のことで悩んだり、癌に対して特別の恐怖を抱いていたとは、到底カーステアーズには信じられなかったのです。おまけに遺言書の条項もまるでサヴィッジらしからぬもののように彼には思えたのです。どちらかというとサヴィッジは、抜け目のない実業家であって、小綺麗な女と浮気ぐらいはするかもしれないが、女に巨額な財産を残し、その残りを慈善事業に寄贈するなどということは、カーステアーズには到底信じられなかったのですよ。慈善事業の件はぼくの発案でした。それはいかにも立派な行為に見えますし、世間の目もごまかすことができますからね。

カーステアーズはサヴィッジの件を調べようと決心して、イギリスに渡ってきました。彼はせんさくにかかったのです。

たちまちぼくたちには悪運が訪れました。カーステアーズの友人が彼を昼食に連れて来て、そこでピアノの上に載っているモイラの写真を見たのです。彼はそれが、サヴィッジから送られてきた写真の女性であることに気がつきました。彼はチッピング・サマートンに出かけて行って調べはじめたのです。

モイラとぼくは緊張しました——ぼくはよく取り越し苦労をするくせがあるのですよ。しかしカーステアーズはなかなかの切れ者でした。

ぼくは彼のあとを追ってチッピング・サマートンへ行きました。彼は、料理人のローズ・チャドリイを探し当てることができませんでした。彼女は北イングランドへ行ってしまったのですからね。ところが彼はエヴァンズを嗅ぎだすと、彼女の新しい結婚名を突きとめて、マーチボルトへ出発したのです。

事態は容易ならぬことになりました。もしエヴァンズが、テンプルトン夫人とニコルソン夫人とを同一人と認めたら、じつにやっかいなことになりますからね。おまけにエヴァンズはかなり長いあいだあの家に奉公していたのですから、どの程度のことまで彼女が知っているか、ぼくたちには確信がなかったのです。

ぼくは、カーステアーズをどうしても消さなければならないと決めました。彼はまさに、ぼくたちにとって命とりの存在だったのです。チャンスが到来しました。もやが立ちこめてきたとき、ぼくは彼の背後に忍び寄りました。そしてひと突きで彼を崖から落としたのです。

しかし、それでもまだ、ぼくには安心ができませんでした。いったい彼がどんな証拠を握っていたのかぼくにはわからなかったからです。ところが、あなたの海軍のお友だちがまんまとぼくの思うツボにはまってくれたのですよ。ほんのちょっとのあいだですが、死体の番をするために、ぼくはたったひとりで残ったのですが——それだけでぼくの目的を果たすには充分でした。カーステアーズはモイラの写真を持っていました——おそらく、はっきりと身元をたしかめるために写真屋から手にいれたのでしょうね。ぼくはその写真や、手紙や、とにかく彼の身元がわかるような品物を彼のポケットから抜き取りました。それからぼくは、一味の一人の写真をその代わりに入れておいたのです。

万事はうまくいきました。にせものの妹と義弟がかけつけてきて、カーステアーズの身元を確認しました。なにもかもがうまくいったように思ったのですがね。ところが、あなたのお友だちのボビイがぼくたちの計画をめちゃくちゃにしてしまったのです。どうやらカーステアーズは息を引き取る間際に意識を回復して、ボビイになにか言い残した様子なのです。彼はエヴァンズのことを言っていたのですよ——そしてエヴァンズはボビイが住んでいる牧師館に奉公していたのですからね。

たしかにぼくたちも、このときは慌てていたんです。いささか正気の沙汰ではなかったのですね。モイラは、ボビイを消してしまわなければならないと盛んに言い張りました。そこで、ぼくたちはある計画にとりかかったのですが、失敗してしまったのです。するとモイラは、こんどは自分がやってみると言いました。彼女は車でマーチボルトへ行きました。彼女はチャンスをあざやかにつかむと——ボビイが眠っているあいだに、彼のビールの中にモルヒネを入れたのです。ところが、あのタフな青年は死にませんでした。要するに、ぼくたちはついてなかったんですよ。

前にもあなたに言ったように、あなたが見掛けどおりのただのお嬢さんじゃないのではないか、とぼくが思いはじめたのは、じつは自動車事故を根掘り葉掘りたずねたニコルソンのおかげだったのです。ところで、ある晩ぼくに会うために抜け出してきたモイラが、ボビイと顔を合わせたときの彼女のショックを想像してみてください。彼女にはボビイであることがすぐにわかったのです——なにしろ彼女は、いつか彼が眠っていたときにじっくりとその顔を見ていたのですからね。彼女が失神しかけるほどびっくりしたのも当然でしょう。ところが彼女は、ボビイが疑っているのが自分でないことを見てとると、たちまち立ち直って一芝居打つ気になったのです。

彼女は旅館にボビイを訪ねると、とてつもない話をして聞かせたのです。彼ときたらまるで小羊のように、その話を鵜呑みにしたのです。モイラは、アラン・カーステアーズを昔の恋人のように思い込ませ、ニコルソンから命を狙われているような話をでっちあげたのです。それからまた、彼女はあなたがぼくに抱いている疑惑を解くように懸命に努力をしたのです。ぼくもまた、それと同じようにモイラへの疑惑がなくなるように、あなたに働きかけたのです。いかにも彼女が弱々しく、頼りない女性であるとけなしたりしてね——ところが実際のモイラときたら、眉ひとつ動かさずに何人もの人間を消すだけの、クソ度胸をもった女だったのですからね！

まさに事態は深刻でした。すでにぼくたちは金を握っていました。それに、ヘンリイを殺害する計画も着々と進んでいたのです。トミイを片づけるのは、そう急ぎませんでした。少し待つぐらいの余裕は、ぼくにもありました。それにニコルソンだって、時がくれば始末するのは簡単なことですからね。しかし、あなたとボビイは、ぼくたちにとって脅威の存在だったのです。あなたはグレインジに疑惑の目を向けていましたからね。

ヘンリイの死が自殺ではなかったということを知るのも、あなたにとって興味のあることでしょう。ぼくが彼を殺しました！　あの庭であなたとお話をしていたとき、もうぐずぐずしてはいられないとぼくは見てとったのです――そしてぼくはまっすぐ家に入ると、ヘンリイを片づけてしまったのです。

ちょうどあのとき飛んできてくれた飛行機が、ぼくにチャンスをくれたのです。ぼくはヘンリイの書斎に入って行くと、机で書きものをしている彼のそばに坐るなり、こう言いました。「ねえ、ヘンリイ――」そしてぼくは彼を射ってしまったのです！　ピストルの銃声は、飛行機の爆音で消されてしまったのです。そこでぼくは涙を誘うような書き置きをしたため、ピストルからぼくの指紋を拭い去って、ヘンリイの手に押しつけてから、床に落としたのですよ。ぼくはヘンリイのポケットに書斎の鍵を入れておきました。そして廊下に出ると、外側から食堂の鍵で鍵をかけたのです。その鍵は書斎の鍵にもピッタリ合うのですよ。

煙突の中に仕掛けておいた爆竹が、その四分後に正確に破裂したことは、いまさらくわしく説明するまでもないことでしょう。

すべては鮮やかに運びました。あなたとぼくは庭に一緒にいて〝銃声〟を聞いたのですからね。完全な自殺ではありませんか！　嫌疑をかぶるためにわざわざ飛び出してきたのが、あのあわれなニコルソンだったのです。あの間抜けはステッキかなにかを取りに戻ってきたのですからね！

いうまでもなく、ボビイの騎士《ナイト》ぶりは、モイラにとって少々わずらわしいものでした。それで彼女はあのコテイジに行ってしまったのです。おそらく、彼女の不在をあれこれ説明するニコルソンが、かえってあなた方の疑惑を深めるにちがいないとぼくたちは思っていたのです。

モイラがその正体をあますところなく現わしたのは、あのコテイジでした。彼女は、屋根裏の物音からぼくがやられたと見てとるや、われとわが腕に多量のモルヒネを注射して、ベッドに横たわったのです。あなた方がみんなで電話をかけに降りて行ったすきに、彼女は屋根裏部屋に駆け上がってきて、ぼくの縄を解いてくれたのです。そのうちにモルヒネが効いてきました、医者が着いたころには、彼女はほんものの昏睡状態に陥っていたのでした。

それにもかかわらず、モイラの気力は一向に衰えませんでした。あなた方がエヴァンズを突き止めて、サヴィッジの遺言書と自殺がどういう方法ででっちあげられたかを嗅ぎつけられるのが、彼女には心配だったのです。それにまた、カーステアーズがマーチボルトへ来る前にエヴァンズに手紙を出しはしなかったかと、彼女は気にかけていたのですよ。モイラはロンドンの病院に入院するようなふりをして、その実、マーチボルトへ大急ぎで駆けつけたのです——そして玄関の戸口であなた方とバッタリ顔を合わせてしまった！　こうなったら、あなた方ふたりを抹殺するよりほかにないと彼女は考えました。彼女の手口はじつに無暴なものでしたが、それでも結構うまくいったのではないでしょうか。あの店のウェイトレスが、あなた方と一緒に入ってきた女をはっきり覚えているかどうか、疑問ですからね。モイラはあなた方を殺してからロンドンに舞いもどって、病室でおとなしく寝ていればよかったのです。あなたとボビイさえいなくなれば、すべては平穏無事におさまっていたのですからね。

ところが、あなたはモイラの正体を見破ってしまった——彼女は逆上しました。そしてそのために、裁判のときになって、彼女はこのぼくまで道連れにしたのです！

たぶん、ぼくは彼女に、少し飽きていたのでしょう……

しかし、まさか彼女がそれに気づいているとは思いもしませんでした。

彼女は金を持っていたんですよ――ぼくの金をね！　もしぼくが彼女と結婚していたら、それこそほんとうに彼女に飽きてしまったことでしょう。ぼくは、変化がないとだめなんです。

それで、ぼくはふたたびここで新しい生活に入ろうと思います……こうなったのもみんな、あなたと、あのしゃくに障るボビイ・ジョーンズという若者のお陰です。

だけど、ぼくはきっと成功してみせますよ！

それとも失敗するに決まっていますかね？

いまだにぼくは、改心していませんからね。

一度で成功しなかったら、何度でも、何度でも、やってみることです。

さようなら、お嬢さん――それとも、いずれまたお目にかかりましょう。将来のことはだれにもわかりませんからね？

あなたの愛すべき敵、大胆なる悪党より

ロジャー・バッシントン－フレンチ

35 その後の牧師館

ボビイはその手紙を返した。フランキーは溜め息をもらしながら、それを受けとった。

「彼は本当にすばらしい男性ね」と彼女は言った。

「きみはずーっと彼に熱を上げていたよ」とボビイは冷ややかに言った。

「だって、あのひとには魅力があったわ」とフランキーは言った。「モイラにもね」と付け加えた。

ボビイは赤くなった。

「はじめからおしまいまで、事件を解く鍵がこの牧師館の中にあったなんて、ほんとに不思議だね。だけど、カーステアーズが実際にエヴァンズ――つまりロバーツ夫人のことだけど、彼女に手紙を書いていたことは、きみも知っているだろう?」

フランキーはうなずいた。

「その文面には、彼が会いに行くから、国際的な凶悪犯として警察から手配されていると信ずるに足る、テンプルトン夫人の情報を提供してほしいとあったのだよ。

ところが、カーステアーズが崖から突き落とされたときでも、ロバーツ夫人は、その手紙とこの事件とを結びつけて考えようとはしなかったんだ」とボビイは苦々しく言った。

「だってそれは、崖から墜落したひとの名前がプリチャードだったんですもの。それに、あの死体の身元確認はあざやかな手口だったわ。プリチャードという名前の男が崖から突き落とされたのなら、カーステアーズであるはずがないじゃない？　それが健全な考え方というものよ」

「ところが妙なことには、ロバーツ夫人はケイマンに気づいていたということなんだ」とボビイがつづけた。「ロバーツがケイマンを案内したときに、彼女はチラッと彼の姿を見たんだよ。そして、いまのはだれかと夫にたずねたんだ。ケイマンさんだと夫が言うと、ロバーツ夫人はこういったものさ。〝あら変ね、あたしが前にご奉公に上がっていた家の旦那さまと瓜二つなんだけど〟」

「でも、とがめられないでしょ？」とフランキーは言った。「あのバッシントン－フレンチでさえ一度や二度はボロを出したのに、あたしはばかみたいに、それに気がつかなかったんだから」

「あの男がボロを出した？」

「そうなの、シルヴィアが新聞に出ている写真がカーステアーズにそっくりだと言ったら、あのひと、そんなに似てやしないよと答えたのよ――つまり、彼が死体の顔を見たことになるわ。しかもそのあとで、彼はあたしにこう言ったの、死体の顔なんか一度も見なかったって」

「だけど、いったいどうやってきみはモイラの正体を見破ったんだい、フランキー？」

「それはね、テンプルトン夫人の評判からだったと思うわ」とフランキーは夢見るように言った。「みんなが夫人のことを、とてもいい方だって言ってたのよ。ところが、それはケイマン夫人には、ピッタリと当てはまらないように思ったの。彼女のことを、〝いい奥さま〟だなんて言う奉公人はひとりもいないでしょうからね。それから、あたしたちが牧師館に駆けつけたら、そこにモイラがいるじゃないの。そこで突然、なにかがあたしの頭にひらめいたのよ――もしモイラがテンプルトン夫人だったら？」

「すごいもんだね、きみは」

「あたし、シルヴィアのことがとても気の毒で仕方がないのよ。モイラがロジャーのことまで裁判で吐いてしまったものだから、シルヴィアに対する世間の風当たりは激しいでしょうね。もっとも、ニコルソン博士が彼女の力になってあげているわ。あたし、あのふたりが結婚したとしても、べつに不思議だとは思わないわ」

「どうやらこれで、すべてがめでたしめでたしというわけだね」とボビイが言った。

「バジャーもガレージでうまくやっているし——これもきみのお父さんのお陰だけれど、ぼくもすばらしい仕事にありつけたんだ」

「あれがすばらしい仕事ですって？」

「すごい給料でケニヤのコーヒー園のマネージャーになれたということかい？　そりゃ、ぼくはそう思うよ。いつも夢に描いていたような仕事なんだもの」

　彼はちょっと間を置いた。

「ケニヤへだって、ずいぶんたくさんのひとが旅行に来るんだよ」と彼は意味ありげにそう言った。

「そこに、住んでいるひとだってずいぶんいるし」とフランキーがとりすまして言った。

「ああ！　フランキー、きみは、きみは——」彼は赤くなって口ごもったが、落ち着きを取りもどした。「き、きみはいやかい？」

「いやじゃないわ」とフランキーは言った。「つまり、いいわよ」

「ぼくは、むかしからずっときみのことを思ってたんだよ」とボビイは息苦しそうに言った。「だけど、まずいだろうと思って——ぼくはいつもみじめな気持ちだったんだ」

「それであの日、ゴルフ場で、あなたはあんなに無愛想だったのね？」

「うん、ぼくはとてもやりきれなかったのさ」

「ふーん」とフランキーは言った。「モイラのことはどうなの？」

　ボビイは気まずそうな顔をした。

「彼女の顔に、惹きつけられはしたけどね」と彼は素直に言った。

「あたしの顔よりきれいだもの」とフランキーはおおらかに言った。

「いや、そうじゃないんだ——だけどちょっと、頭にこびりついて離れないような感じだったんだ。それから、ぼくたちが屋根裏部屋にいたとき、きみがじつに勇敢なのを見た瞬間から——そうなんだ、モイラの顔はぼくの頭の中から消えてしまったのさ。もう彼女の身になにが起きてもどうだっていいような気持ちになってしまったんだ。きみだけしかいなかったんだ——ぼくの心の中には。きみはほんとにすばらしかったよ！　すごく勇敢だったもの」

「だけどあたし、内心ではびくびくしていたのよ。震えが止まらないくらいだったわ。でも、あなたに誉めてもらいたかったの」

「ぼくは誉めたじゃないか。いまだってそうさ。いままでも、これからもそうだよ。ほんとにケニヤへ行くの、いやなんじゃないね？」

「ええ、喜んで行くわ。あたし、イギリスには飽き飽きしてしまったんですもの」

「フランキー」

「ボビイ」

「どうぞ、お入りください」と言って牧師はドアを開くと、婦人会の連中を案内しようとした。

牧師はあわててドアを閉めると、さかんに謝った。

「その――私の息子でして――目下――あの――婚約中なのです」

婦人会のメンバーのひとりが、まあ、ほんとにそのようで、と茶目っけたっぷりに言った。

「いや、なかなかいい子でしてな」と牧師は言った。「一時は人生を真面目に考えないようなところもあったのですが、いまではすっかり心を入れ替えましてね。あの子は、コーヒー園のマネージャーになるのでケニヤへ出かけるのですよ」

婦人会のひとりが、もうひとりの耳もとでささやいた――

「あなた、ごらんになりました？　あの子がキスしていたのは、レディ・フランシス・ダーウェントでしたわね？」

一時間もしないうちに、このニュースはマーチボルトじゅうに広がった。

解説

ミステリ評論家
日下 三蔵

アガサ・クリスティーのミステリといえば、まずエルキュール・ポアロ、次いでミス・マープルが頭に浮かぶだろう。他にもトミーとタペンスがあり、パーカー・パインがあり、クリスティーにはシリーズものが実に多い。ミステリ長篇六十六作のうち、シリーズ・キャラクターがまったく登場しない作品は、わずかに十本しかないのだから、そうした印象も当然かもしれない。

あまり陽の当たらない（?）観のあるノン・シリーズ作品のうち、クリスティーの代表作に数えられるほど高い評価を得ているのは、おそらく『そして誰もいなくなった』ぐらいのものだろう。確かにこれは超絶的な傑作だから別格として、残る九冊からどれか一つを選べといわれたら、迷うことなく本書をお勧めしたい。謎解き、冒険、ロマンスの要素が渾然一体となった、非常に完成度の高い作品だからである。

クリスティーの作家活動は一九二〇年から七六年までの長きに亘っているので、三四年に刊行された本書『なぜ、エヴァンズに頼まなかったのか？』*Why Didn't They Ask Evans?* は、比較的初期の作品といえる。同年には『オリエント急行の殺人』『三幕の殺人』が発表されており、まさに脂の乗り切った時期に書かれたものなのだ。


ボビイ・ジョーンズは、ウェールズの海辺の小さな町マーチボルトの牧師館の四男坊である。海軍を退役して仕事のないボビイは、トーマス医師とゴルフのラウンド中に、崖から落ちて瀕死の男を発見する。だが、医師が人を呼びに行っている間に、男は「なぜ、エヴァンズに頼まなかったのか？」という謎の言葉を遺して絶命してしまった。ボビイは男のポケットから彼の顔にかけるハンカチを取り出すとき、そこに入っていた美しい女性の写真を見てしまう――。

やがて死体のそばで番をしていたボビイの前に、バッシントン－フレンチと名乗る男が現れた。マーチボルトに家を探しに来たという彼は、夜の祈禱の時間に遅れそうなボビイに代わって見張りを引き受けてくれるのだった。

翌朝、ロンドンへ向かう汽車に乗り込んだボビイは、幼馴染みの伯爵令嬢フランシス

・ダーウェント（フランキー）と久しぶりに再会する。昨夜の事故に興味を示したフランキーは、殺人ではないかと不穏な憶測を述べ、検屍廷を傍聴にいくと言い出す始末だった。新聞記事によると男の所持していた写真がケイマン夫人のものであることが判明し、駆けつけた夫人によって被害者はその兄のアレックス・プリチャード氏であることが確認されたという。検屍廷は平凡な事故として終了し、ケイマン夫妻が牧師館のボビイを訪ねてプリチャード氏の臨終の様子を詳しく聞きたがった他には、特に変わったことも起こらなかった。

だが、ボビイが何者かにモルヒネを盛られて危うく毒殺されかかるに及んで、事態は急展開を見せ始める。ボビイは自分でも気づかぬうちに犯人にとって都合の悪いことを見聞きしてしまったのではないか？　被害者の遺したダイイング・メッセージ「なぜ、エヴァンズに頼まなかったのか？」とはどういう意味なのか？　そして肝心のエヴァンズとは果たして誰なのか——？　フランキーは持ち前の行動力を発揮して、事件の真相を探り始めるのだが……。

トミーとタペンスの活躍する『秘密機関』もそうだったが、若いカップルの冒険的推理行を描かせると、クリスティーの筆は実に滑らかである。読者は二人と共にちりばめられた手がかりを拾い集めながら、事件の成り行きが気になって仕方がなくなることだろう。それほど多くない登場人物のうち、誰と誰が犯人なのか（複数犯であることは早い段階で明らかにされている）、またその狙いは何なのか。スリリングな知恵比べの過程と最後に待ち受ける大胆極まりない真相は、まさにクリスティーの真骨頂。誰もが「ああ、楽しいミステリを読んだなあ」という幸せな気分に浸れることは請け合いである。

ちなみに本書のアメリカ版のタイトルは *The Boomerang Clue*（ブーメランの手がかり）となっていて、ダイイング・メッセージを起点に一進一退を繰り返すストーリー展開をやや直接的に表しているのだが、最後まで読んでからこのタイトルをもう一度ながめてみると、そこに込められた二重の意味にニヤリとすることだろう。

なお、本書の初訳は「別冊宝石」のクリスティー特集号に一挙掲載された。他に以下のようなテキストがある。（4、5、7は児童書）

1『なぜエヴァンスに頼まなかったんだ?』平井イサク訳　「宝石別冊55号　世界探偵小説全集18」56年5月

2『なぜ、エヴァンズに頼まなかったのか?』田村隆一訳　ハヤカワ・ポケット・ミステリ526／59年12月　↓　ハヤカワ・ミステリ文庫／81年12月　↓　クリスティー文庫／04年3月　※本書
3『謎のエヴァンス』長沼弘毅訳（創元推理文庫／60年5月）
4『海辺の殺人』野長瀬正夫訳　金の星社／少女世界推理名作選集8／62年10月
5『すりかえられた顔／金の小箱のなぞ』福島正実訳　高文社／ミステリ・ダイジェスト・シリーズ2／63年2月　↓『すりかえられた顔』偕成社／世界探偵名作シリーズ6／69年5月
※『金の小箱のなぞ』は『エッジウェア卿の死』のダイジェスト版
6『謎のエヴァンズ殺人事件』蕗沢忠枝訳（新潮文庫／89年2月）
7『なぜエヴァンズにいわない?』茅野美ど里訳（偕成社文庫／04年2月）

訳者略歴　1923年生，1943年明治大学文芸科卒，1998年没，詩人，英米文学翻訳家　訳書『夜明けのヴァンパイア』ライス，『マギンティ夫人は死んだ』クリスティー（以上早川書房刊）他多数

なぜ、エヴァンズに頼《たの》まなかったのか?

〈クリスティー文庫 78〉

二〇〇四年三月　十五日　発行
二〇二四年十月二十五日　八刷
（定価はカバーに表示してあります）

著者　アガサ・クリスティー
訳者　田《た》村《むら》隆《りゅう》一《いち》
発行者　早川　浩
発行所　株式会社　早川書房
郵便番号一〇一 - 〇〇四六
東京都千代田区神田多町二ノ二
電話　〇三 - 三二五二 - 三一一一
振替　〇〇一六〇 - 三 - 四七七九九
https://www.hayakawa-online.co.jp

乱丁・落丁本は小社制作部宛お送り下さい。
送料小社負担にてお取りかえいたします。

印刷・星野精版印刷株式会社　製本・株式会社フォーネット社
Printed and bound in Japan
ISBN978-4-15-130078-3 C0197

本書は活字が大きく読みやすい〈トールサイズ〉です。

世　親

三枝充悳

世親菩薩立像（興福寺所蔵）写真提供：東京国立博物館

○および括弧内は現代名
●仏教関係地
ヒンドゥークシュ山脈
カラコルム山脈
カーブル
プルシャプラ
(ペシャワール)
タクシャシラー
(タキシラ)
カシュミール
ガンダーラ
ラホール
ヒマラヤ山脈
インダス川
デリー
ジャムナー川
ガンジス川
マトゥラー
アグラ
カトマンドゥ
コーサラ
ヴァイシャーリー
アヨーディヤー
ヴィデーハ
ラージプターナ
カーシー
パータリプトラ(パトナ)
アヴァンティー
カウシャーンビー
マガダ
ナーランダー
ラージャグリハ
ブッダガヤー
ヴァーラーナシー
(ベナレス)
スラーシュトラ
サーンチー
ヴィンドヤ山脈
アラビア海
カティアーヴァール半島
ウッジャイニー
ヴァラビー
ナルバダー川
カルカッタ

北部インド関係地図

学術文庫版へのまえがき

いまから二十年あまり前の一九八三年に、拙著『ヴァスバンドゥ』は「人類の知的遺産」第十四巻として刊行された。今般、その漢訳名により、『世親《せしん》』が「学術文庫」の一冊に加えられることになった。

世親の名は中国仏教・日本仏教に親しい。

世親の「親」は親鸞の親であり、その「鸞」は中国浄土教の高僧の曇鸞《どんらん》による。このことは本書でもわずかながら触れている（三三ページ）。なお親鸞は真諦《しんたい》・菩提流支《ぼだいるし》などにならって天親《てんじん》と呼んでいる（三一ページ）。世親が『浄土論』（正確には『無量寿経《むりょうじゅきょう》優婆提舎《うばだいしゃ》』）の、曇鸞がその註の『浄土論註』（正確には『無量寿経優婆提舎願生偈《がんしょうげ》註』）の著者であることによる。ただし本書はこの世親の浄土教によるひまはなかった。

世親は『倶舎論《くしゃろん》』の著者として、また『唯識《ゆいしき》二十論』『唯識三十頌《じゅ》』を著わした唯識の確立者として、あまりにも重要であり、本書は専《もっぱ》らこの二つに専念して、その内容を詳細に述べる。

近来、仏教学の基礎としての倶舎の重要性が、また広く唯識学独自の一種の精神分析が、世界中に広く知られることになった。本書もその一層の発展に寄与したいと希《ねが》っている。

二〇〇四年一月十日

三枝充悳

原本まえがき

ゴータマ・ブッダすなわち釈尊を創始とする仏教が、ブッダ（覚者）の字義と伝統とにもとづいて、さとりの宗教であることは揺るがない。しかしながら、さとりとは何かを明らかにすることは、きわめてむずかしい。さとりは、さとらなければ、さとれない、という性格に由来する。

さとりは、わかるでもないし、認識する・知るでもない。体験する・直観するといいかえたとしても、なお、さとりの一部にすぎぬ。

さとりはまよいに対応する。まよえる凡夫《ぼんぷ》がさとれる聖者《しょうじゃ》に転じた彼方に、ではなくて、凡夫が聖者に聞き、聞こうとつとめ、聖者が凡夫に語りかけ、凡夫を導いて、まよいからさとりに近づけ到らしめようとするところに、仏教はある。ここに仏教のすくいがあり、慈悲があり、ときに方便その他がある。

二千五百年の昔、インド中部の一角に発した仏教は、やがてインド全土に、そして東アジア一帯に伝えられ、普及した。地域ごとそれぞれに栄枯盛衰を重ねるなかで、諸民族・諸国家の文化や風習の伝統と深くかかわり、わが国はもとより、東洋思想における最も重要な軸となって、今日もなお生き、輝く。

世親《せしん》（以下、ヴァスバンドゥ）がそのなかに占める位置の解説は、本書（の「はじめに」以下）に譲るとしても、もしも仏教史にヴァスバンドゥの登場がなかったならば、仏教思想を学ぶ途の開拓は、至難というよりは不可能に陥ったであろう。ヴァスバンドゥの諸業績は、仏教史上おそらく最も鋭利なかれの智によって、仏教の根幹をなす思想をみごとに裁断し且《か》つ総合し、さとりに導く教義を万人に提示した。

ヴァスバンドゥほど多岐にわたった仏教者はかつていない。その全体像は到底一冊の書には尽くし得ない。本書は、いちおう思想家ヴァスバンドゥを焦点とし、その枠の倶舎《くしゃ》について述べ、そしてとくに近来注目を集めている唯識《ゆいしき》思想に多くのページを割《さ》いた。

ただしここにそれを果たしたのは、畏友の横山紘一君による。本書執筆の依頼を受けたおよそ十年ほど前から、内外の諸資料を集めて乱読は続けたものの、篤実な研究に没入できぬまま、本書の大半は、専門とすることの久しい横山君に執筆を依頼せざるを得なかった。

以前から、とくに右の間に、私自身は或るヴァスバンドゥ像を懐《いだ》き、修訂や補正を加えつつあっても、固まってはいない。その塑像をいちおう本書冒頭の拙文に触れるが、それは多数意見とかなりの径庭がある。

仏教学におけるヴァスバンドゥ研究はあまりにも多く、あるいは最大とも称されよう。諸見はすでにヴァスバンドゥ没後まもなくインドに発して現在に及び、まさに百花繚乱《ひゃっかりょうらん》を競うなかで、横山君と私とのあいだも必ずしも会通《えつう》しない。第Ⅰ部の「はじめに」と1、第Ⅳ部の4、そして地図と年表とを三枝が、そのほかは横山君が記述した。
本書の完成は一に講談社の朝倉光男氏の御尽力による。深甚の謝意を申しあげる。

三枝充悳

一九八二年十二月

目次

III　ヴァスバンドゥの著作

世親

I　ヴァスバンドゥ（世親）の生涯

はじめに

1　インド仏教史の概括（本書末尾の「仏教関係年表」参照）

本書はこのシリーズ（原著「人類の知的遺産」）の『ゴータマ・ブッダ』『ナーガールジュナ』に続く最後の巻に当たるので、ここにインド仏教史の概括を、或る独自の視点から試みよう。

ゴータマ・ブッダ＝釈尊によって創始された仏教は、インド仏教史のみについても、おおよそ初期と中期と後期とに分けられよう。

初期仏教（わが国では原始仏教と呼ぶ人が多い）は、釈尊が教えを説き、それを聴き、ついで他に伝え、伝え聞いた人がまた他に語りつぐという伝承を中心に、そのなかで、たとえば九部十二部経の分類（名称のみ伝わる）や、現在に伝わる経蔵・律蔵・論蔵のいわゆる三蔵（トリ・ピタカ、ティ・ピタカ）、とくにその経蔵（多くの経のあつまっているくら）の編集と整備がおこなわれ、その思想の内容云々は別としても、インド全土に仏教が拡大・普及・発展していった時期の総称である。それは、紀元前三世紀にはじめて全インドを統一したマウリヤ王朝の第三代アショーカ王（前二六八―二三二在位）の時代に、いわばクライマックスを迎える。

その繁栄と隆盛とは、同時にまた、それに専念する出家者の独立に通じ、やがて出家集団の膨脹が、その内部に多様を、さらには異論や反目をはらんで、分裂へと進む。こうして発生した諸部派は、みずからの位置と正当性の確立のために、部派教団の規律を定める律蔵をあらためて強化する傍ら、伝承にもとづく釈尊の教えをアーガマ（伝来の意）にまとめる。アーガマは現在漢訳の「阿含《あごん》」、パーリ語の「ニカーヤ」（部の意）としてあり、さらにいわばその註を兼ねつつ自説を述べる「論」＝アビダルマ（abhidharma, abhidhamma）が、部派ごとにつくられる。こうして中期へと移る。

いくつかの部派は、いよいよその力を増し、貯えて、多くは僧院にこもり、みずからの修行・実践と、教義・教理の樹立に没頭する。その趨勢《すうせい》が強まれば強まるほど、仏教へのいわばより直接的な参加を渇望する群の人々は、多数の在家信者とあいたずさえて、ほぼ紀元前後を中心に、或るムーヴメント（運動）をまきおこす。かれらはやがてみずからを「大乗」と呼ぶが、この名称の裏には、実はスローガンは大きく（実態は必ずしもつねに伴うとはかぎらない）という覚悟が秘められているのかもしれぬ。しかもそれは当初は華美でもないし豪華でもなく、かなり長い期間を要して、おそらくは秘めやかに進行したところから、その展開は多彩・多種となる。

現在の学説では、ナーガールジュナ（龍樹、一五〇―二五〇年ごろ）までを初期大乗と称し、この時代に後述する数多くの大乗経典が、釈尊ではない新しい無名のブッダたちによって語られ、つくられ、整備されて行く。その多くのものが、とくに中国に朝鮮半島に日本に伝えられて、日本人が古来親しんできた諸経典の大半は、この時代の成立にかかる。

大乗仏教運動は、その後も続いて、中期大乗を迎える。再び経が生まれ、論がつくられる（上述のインド仏教史の後期は最後に触れる）。もとよりこの時代にも、さらにはその後も、右に記した部派仏教は併行しておこなわれたが、仏教史全体から眺めるならば、かつておそらく紀元前後を中心とした初期仏教の伝承―部派の活躍―初期大乗の胎動といった活気はやや薄れている。

それは六二九―四五年の玄奘《げんじょう》のインド旅行メモに如実に示され、それが整えられた『大唐西域記』は、なまなましい玄奘の歎《なげ》きを伝える。しかしそれでも、各地に多くの大小の寺院があり、僧の集《つど》いや研究に衰退の気配は見えなかった。玄奘の意図を反映しているとはいえ、いわゆる西域の十八をふくんで、計百の地域（国とある）の諸寺院を訪ねたなかでも、大乗仏教は二十五、大小兼学は十五、小乗（＝部派）はのこりの六十、うち説一切有部《せついっさいうぶ》（以下「有部」と略す）の十四と正量部《しょうりょうぶ》の十九とが目立っている。それより約四十年おくれる義浄《ぎじょう》の記録（六七一―九五年、『南海寄帰内法伝』）も、それほど多くへだたるところはない。なおこの時代は、先の分類によればすでに後期に属する。

2　初期の大乗経典とナーガールジュナ

初期大乗を飾る般若《はんにゃ》・維摩《ゆいま》・華厳《けごん》・浄土・法華《ほっけ》・三昧《ざんまい》などの諸経は、いちおうはアーガマと同じ体裁を粧いながら、説き明かす内容はそれぞれかなり異なり、般若と維摩という二経の連繫のほかは、相互の関連は決して密とはいえず、各経は或る地域をかぎって一部のみにおこなわれた様相が濃い。

般若経の空《くう》と般若ハラミツ、維摩経の理論としては不可説、実践における慈悲、そして在家中心、華厳経の唯心《ゆいしん》と法界《ほっかい》とをめぐり十という完全数にもとづく壮大な体系構成や、善財童子の菩薩行、あるいはまた極楽世界の賛美と阿弥陀仏の誓願中の大慈悲とを説く浄土教経典、はじめて小乗の語を用いつつ、すべてを包括する一（仏）乗を、さらに久遠《くおん》の本仏を明かす法華経、さまざまな禅法をそれぞれに示す諸三昧経典その他。

ナーガールジュナの根幹をなす空観《くうがん》は、主に般若経の空《くう》を受けつつ、部派の一部に強固に樹立された体系そのものを根底から解体し、同時に釈尊への還帰による仏教の本流をめざして、幅広く且つ奥行の深い途を貫こうとする。ここにもたらされた思想は、仏教の術語でいえば「縁起」、私の翻訳語によれば「関係性―関係主義」と、そしてそれに導かれる「無自《むじ》性《しょう》―空」すなわち「実体を排除し尽くした完全なる自由」といい得よう。

そのなかにたとえば「生死即涅槃《しょうじそくねはん》」のごとき、あるいは「二諦《たい》（二つの真理）」その他が説かれるとはいえ、その論理の矛先《ほこさき》は、当然のこととして、いわば一々のこと・ものの本質へと向かう、哲学的にいえば「存在」そのものの追究となり、仏教の「性《しょう》」のカテゴリーに属する。

ナーガールジュナは、かなり多くをいわば認識論的なシェーマに論議を費すとはいえ、すでにかれに獲得された「さとり」の境は、言語表現その他を超えており、とくに段階的ないし組織的な実践の道程の解明は、薄い。

3　中期の仏教の諸相

初期仏教以来（今日まで）仏教は一貫して「こころ」を説き、論ずる。実は「こころ」がさとり、しかし多くはまよう。

部派仏教の学匠たちはその「こころ」の動きと様態とを見つめて、その分析―統合を軸とする理論体系に熱中し、それはますます精緻となる。最大の部派を誇った有部は、とくにそれに集注して、『大毘婆沙論《だいびばしゃろん》』（玄奘の漢訳本二百巻）という厖大《ぼうだい》な書が編集されるなかに、論争しあう諸説をあまねく集積する。

「こころ」から、人の生へ、ひとりの私についても、その過去と未来へ、そして「もの」へと出て行く傾向が高まり、理論はいっそう微細・綿密を極めて、一部の実体化は不可避となる。

その複雑に錯綜した凹凸の多い議論をみごとに裁断して、初期のヴァスバンドゥは名著『倶舎論《くしゃろん》』を著わし、明快な措定と論理とにより、当時までの仏教思想を簡潔且《か》つ過不足なく構成する。かれ以後（もちろん現在もなお）、有部をふくめたいわゆる小乗仏教の堅固な構築を学び、ひいては仏教の学問的ないし思想的（哲学的）側面を修めるのには、何はともあれ、すべて『倶舎論』に依拠する。

しかもここには、前述の「性」を中心とする論のほかに、こころの現われる現象を、そしてまた、ものの諸現象をも説き尽くして、仏教の術語によれば「相」が、きわめて多岐に扱われている。

中期大乗が初期大乗から発展した二大潮流に、如来蔵経《にょらいぞう》・勝鬘経《しょうまん》・涅槃《ねはん》経などの如来蔵―仏性《ぶっしょう》を説く経典群と、大乗阿毘達磨《あびだつま》経（現存しない）・解深密経《げじんみつ》により推進された唯識系とがある。いずれもヨーガに専念した瑜伽《ゆが》行派《ぎょう》の人々の作によるものの、しいていえば、如来蔵系は（こころの）「性」を、唯識系が「相」を追究する（のちに楞伽経《りょうが》や大乗起信論などは両者を統合する）。

マイトレーヤ―アサンガ（無著《むじゃく》）―ヴァスバンドゥ（天親《てんじん》・世親）の系譜は、右の両者に深くかかわりながらも、唯識系においてとくに名が知られ、うち、ヴァスバンドゥはその傾斜がますます濃い。

神秘のヴェールを伴うマイトレーヤについて、その実在の人物であったか否かは、とくに問う要もない。ほぼすべてはアサンガにおいて、一挙に「さとり」そのものが達せられてある。それは大乗仏教の精髄を謳《うた》うアサンガ『摂《しょう》大乗論』に結晶し、唯識思想を透徹した「さとり」において頂点にもたらしつつ、しかも実践を、精神の集注を、分別をこえた智を、意識の基層の変貌（転依《てんね》）などを論じ尽くす。なおチベット伝によれば、如来蔵系の最も重要なテクストの『究竟《くっきょう》一乗《いちじょう》宝性《ほうしょう》論』（宝性論と略す）の著者も、マイトレーヤ—アサンガに帰せられる（漢訳は堅慧《けんね》造をいうが、この人についてはほかに知られず、位置さえ定かでない）。

このあとに邦訳を掲げる真諦《しんたい》（パラマールタ）のヴァスバンドゥ伝（以下たんに「伝」とする）によれば、ヴァスバンドゥはアサンガの弟である。同書はまた、アヨーディヤー国において小乗の学に専念し、『倶舎論』によって盛名を馳《は》せていたヴァスバンドゥを、二人の故国であるプルシャプラ（ペシャワール）で活躍していたアサンガが呼び寄せて、大乗に転向させたという。ヴァスバンドゥの大乗への転向は（同書はとくに触れないが、後述するように、『大唐西域記《だいとうさいいきき》』およびターラナータの伝記は、その転機に十地《じゅうじ》経の名を挙げている）、アサンガ説の継承と発展につらなるとはいえ、マイトレーヤ—アサンガについて上述した

「性」と「相」との兼備が、ヴァスバンドゥでは「相」の深化に向かい、したがって専ら唯識系において、その本領を発揮する。

そのみごとな結晶が『唯識二十論』『唯識三十頌』であり、それぞれ二十二と三十との偈《げ》頌《じゅ》（詩の形式の作品）のなかに、ときには譬喩《ひゆ》を、またヴァスバンドゥ創始の新たなる術語（たとえばパリナーマ＝転変）を混じえつつ、前者に、他の説をのこらず批判し尽くし、後者に、唯識説の粋を必要且つ十分に論じ明かして、とくに「一切の存在は識（別）のみ」という教えと、それにいたる詳細な分析が階梯《かいてい》を追って提示され、最後に「さとり」の本体ともいうべき「真如《しんにょ》」に到達する。

しかしながら、それならばヴァスバンドゥ自身は、ついにこの「真如」「さとり」にいたりついていたか。従来の研究書は、ニュアンスの差こそあれ、すべて一様に「然り」とする。それに対して、私の懐くヴァスバンドゥ像には、なおいまだアンビヴァレントの影の漂うことを、否定しきれない。

その根拠に、しかしそれほど確固たるものを、いまの私は有しないとはいえ、ともあれ、その二、三を掲げよう。

たとえば、ヴァスバンドゥの著作には、真諦訳『仏性論《ぶっしょうろん》』がある。しかしこれと上述の宝性論との近似が、専門家（たとえば服部正明および高崎直道の諸著）に示され、また真諦にはもともと如来蔵系への傾斜があって、とくに『大乗起信論』の翻訳はその軌跡を物語る。

なお上述の「伝」の末尾は、ヴァスバンドゥの註釈した大乗の論書を、「摂大乗・三宝性・甘露門等」といい、書名はここに三つしかない。その中間の「三宝性」(三宝の第一は仏であることから)を『仏性論』と以下の拙訳には註記してはおいたものの、その前後の二が明らかなる「釈」であるのと、『仏性論』は異なっている。また「三宝性」の「三」をはずせば「宝性」となる可能性もある(真諦みずからのなんらかの意図が隠匿《いんとく》されているのではないか。なお『甘露門』については後述する)。

そして右に記した『摂大乗論釈』のなかに見える如来蔵への言及が、皮相とまではいわなくても、形式的すぎることとは、その研究者たちが一致して指摘する。

その他、ヴァスバンドゥは大乗転向後(右の「伝」はアサンガ没後)、あまりにも多くの大乗経典に註釈を施《ほどこ》している。それはもとより、かれの多才と精励とを裏書する。しかし同時に、その諸註釈には、ほとんどかれの「さとり」の到達は示されていないこと、上述の唯識研究の冴えさえ稀薄であることなどが、たえず私の疑念を、強めこそすれ、払拭《ふっしょく》しきれないでいる。いわば、鋭利すぎたかれの智が「さとり」への超越・「さとり」の安住を妨げたのではないか。

そのようななかに、「伝」の最後にある

雖迹居凡地理実難思議也

のなかの「凡地」が、私のヴァスバンドゥ像を一段と強化する。右の文を私は、その（ヴァスバンドゥの）行跡は日常あたりまえの境地にあり〔とくに神秘的なところはない〕けれども、到達して説かれている理そのものは実に思議することも困難である。と訳した。後述するように、真諦の生年の四九九年とヴァスバンドゥの没年のおよそ四八〇年との年代の接近から、いかにヴァスバンドゥ礼賛と尊崇とその流布に奔走した真諦ではあっても、敢えてヴァスバンドゥの迹《しゃく》を「凡地」としている、もしくはせざるを得なかった、そのような史実のいとぐちが潜んでいるかに見える。

〔以上のヴァスバンドゥ像は、たとえ後述する二人説を採用したとしても、右の一部を控えるのみで、『倶舎論』、『唯識三十頌』を著述したヴァスバンドゥについて消しがたい。それがフラウヴァルナー（わが国でフラウワルナーとされるのは誤り。ドイツ語の wa にワの音はない。ただヴァをバに強制する悪しき現代日本語表記法への危惧から、ワを残す余地はある）とシュミットハウゼンその他あまたの論証に全く及ばないことは十分に自覚しつつ、敢えて私観を述べた。〕

4　インド仏教の後期

アサンガ―ヴァスバンドゥにおいて、唯識はその頂きを極め、また別の系譜では、ほぼ同時代に、如来蔵系もその全容をあらわして、広く流布した。

ヴァスバンドゥ以後は、その継承はあっても、とくに目立った発展はなく、むしろ唯識の議論のいっそうの整合を目ざして、ますます精密な解釈が進行する。それはもともと〔上述した〕「相」の解明を基盤としたことにもとづくのであろう。

その系譜は、中期から後期にかけて、さらに詳細な解明が、仏教論理学へとつらなって行き、ときにはナーガールジュナの系譜を引くいわゆる中観派《ちゆうがんは》の復興を刺戟する。これらは、学問的にはきわめて興味深い多くの問題を提供するというメリットが、しかしより極端な専門化を促《うなが》さざるを得ないディレンマに誘《いざ》なう。

〔とくに仏教論理学にせよ、中観と唯識との、それぞれ内部の、また両者の複雑多岐な論争にせよ、その徹底はいわば「相」の傾斜がきわまって、「性」の稀薄を招きかねない。〕

一方、それら窮屈な学や研究をひとまず別として、仏教そのものの本質に、救済―慈悲または方便―実践の方法をモットーに、それ以前から奥深く揺れてくすぶり続けていた新たなる〔大乗〕仏教が、燎原《りようげん》の火のごとく燃えさかる。いうまでもなく、密教―金剛《こんごう》乗がそれである。

しかしながら、ヴァスバンドゥは密教に全くといってよいほど関心を払っていない。換言すれば、密教はヴァスバンドゥの視野に入らないところから、密教への言及はすべて省く。一二〇三年、密教の最後の拠点であったヴィクラマシラーの大寺院がイスラームの徹底的破壊を受け、すでに衰勢に瀕《ひん》していた仏教は、あまたの遺跡のみを残して、その伝統をインドから絶ってしまう。

〔なお仏教の或るものはなおインドに伝えられて行く。たとえばヒンドゥー教にシヴァ神と並ぶヴィシュヌ神は十種の変身が知られ、その第九の化身にブッダを立てている。また最良のインド哲学概説書とされるマーダヴァ（十四世紀）の『全哲学綱要』は、一章を仏教（の批判）にあてるなど。〕

5　とくにヴァスバンドゥについて

①ヴァスバンドゥの古い伝記は、真諦の『婆《ば》藪《す》槃《ばん》豆《ず》伝《でん》』（以下の拙訳「伝」）に知られ、またそれに約百年おくれて、玄奘《げんじょう》はとくに『大唐西域記』（水谷真成の邦訳、中国古典文学大系22、平凡社。以下これを「西域記」として引用する）中に述べる。

ヴァスバンドゥ（Vasubandhu）を、真諦は婆藪槃豆と、玄奘は伐蘇畔度と音写する。また真諦は（すでに菩《ぼ》提《だい》流《る》支《し》・勒《ろく》那《な》摩《ま》提《だい》・仏《ぶつ》陀《だ》扇《せん》多《た》や毘《び》目《もく》智《ち》仙《せん》も）天親《てんじん》と、玄奘は（旧は「訛謬なり」として）世《せ》親《しん》と訳す。玄奘の訳場に列した神泰はその『倶《く》舎《しゃ》論《ろん》疏《しょ》』第一に、天親という訳の誤まりを詳説する（「西域記」一七一ページ註）。

天親と世親という二つの訳語の相違は、一見明白のように、ヴァスバンドゥのヴァスにある。vasu の語は、インド最古の文献である『リグ・ヴェーダ』に頻出し、動詞の vas（光る・輝く）を語根として、「輝く」「明るい」「すばらしい」「よい」などをあらわす形容詞で、主神インドラを修飾し、ときにその異名ともなる。したがって真諦（および上記の人々）がそれを「天」と訳したのは、妥当と評されよう。

玄奘が真諦に対する反撥はあまりに激しい（袴谷憲昭「仏教史の中の玄奘」にくわしい。桑山正進・袴谷『玄奘』大蔵出版）。その系譜の法相宗《ほっそうしゅう》の人々はいっそう急であり、玄奘の新訳以後は、世親に統一された（ただしたとえば『大乗百法明門論』天親菩薩造・唐玄奘訳〔大正大蔵経三十一巻〕の例もないではない。しかしこの書の偽作説もある）。

付言を加えると、経典類の記載や経録に、天親と世親とが現に混在しているのを、そのまま往時に適用することには、困難があり疑問も多い。これらはすべて伝承・書写・統制ときには摩《す》り替えなどを受けており、のちに集大成されて最初に木版に刻んだ宋版（九七一―八三年）までに、あるいはその後も、或る変更の加えられた可能性が潜んでいる。

②後述するとおり、ヴァスバンドゥの年代には諸説あるが、ここでは約四〇〇―八〇年とした。それによって、ヴァスバンドゥ以後のインド諸仏教者の連絡が密になる。また最近まで有力視された約三二〇―四〇〇年説をとると、四〇〇年代に中国に渡来したクマーラジーヴァ（鳩摩羅什《くまらじゅう》・羅什）その他がヴァスバンドゥ（とマイトレーヤとアサンガ）に関して伝えている真偽不審や疑問は、依然として残る（その他の論証はすでに諸研究書にくわしい）。

そのさい、諸伝記にしたがってアサンガをヴァスバンドゥの兄とすれば、アサンガの年代も約三九〇―四七〇年となろう。しかしこのアサンガの年代には、なお疑点が残り、なかには困難視する研究もある。

それならば、両者の兄弟関係を切り、アサンガを数十年過去に戻し、ないしは後述するヴァスバンドゥ二人説によらざるを得ない。

しかしこれらすべてが断定を拒んでいる。いずれにせよ、歴史の諸相は、一つをつつくと、すぐに他へ、その他がまた別へと関連し影響して、まさしく藪《やぶ》に迷いこんで出口不明となる。

③ヴァスバンドゥの主著の倶舎・唯識について、本書は詳述する。そのほか多数の大乗経典への註釈が現存するほか、真諦の「伝」は「甘露門」の名をあげる。以下の拙訳中にはこれが『無量寿経優婆《むりょうじゅきょううば》提舎《だいしゃ》（願生偈《がんしょうげ》）』とされ得る旨の註を加えたが、菩提流支訳の本書（いわゆる『浄土論』）は、また特異な書である（山口益『世親の浄土論』法蔵館がある）。

ここにはその内容には立ちいらないけれども、本書の中国・日本の浄土門への影響・感化はすこぶる大きい。すなわち、中国では浄土教の祖のひとりの曇鸞がこれに『浄土論註』を書き、専らそれを受けて日本浄土教を推進した親鸞がいる。かれはそれまでの善導と源信による善信、道綽と法然すなわち源空による綽空《しゃくくう》の名を更めて、天親と曇鸞から改名した。親鸞の全著作中にヴァスバンドゥの名の引用は計四十五回を超え、生涯敬慕し続けた七高僧のなかで最も多い。

1 『婆藪槃豆伝』

『婆《ば》藪《す》槃《ばん》豆《ず》伝《でん》』一巻は、五四六年に南海を経て中国に渡来した真諦《しんたい》（パラマールタ Paramārtha）訳と伝えられる。

真諦は四九九年に中インドやや西よりウッジャイニーのバラモンの家に生まれ、インドの諸学問を学んでのち、仏教―大乗仏教を修め、マイトレーヤ―アサンガ―ヴァスバンドゥの如来蔵・唯識の教義にとくに傾倒した。修学の地はインド半島西部のつけ根のヴァラビーとされる。ヴァスバンドゥの没年四八〇年からすれば、一世代ほどの差しかなく、おそらく真諦は右の三人ゆかりの地を遍歴し、かれらから面授された人々に話を聞いているのではないか。崇仏の名の高い梁の武帝に招かれて渡航し、五四八年に武帝に見《まみ》える。ときに真諦四十九歳。しかしその直後に反乱がおこり、武帝は翌年没、梁も五五七年滅びて陳となる。陳の内情も平穏はまれで、五八九年隋に滅ぼされ、ここにようやく隋の中国全土統一を見るものの、それより二十年前に、真諦は世を去っていた。

中国における真諦はまさしく波瀾と不運・不幸とに翻弄された。二十二年間、わずかの時期を除いて安住の地も少ない。いわば放浪のなかに、時に応じてパトロンがあらわれ、訳経に従事するけれども、訳場もそろわず、訳文の統一その他を満たし得ぬことが多く、さらにのちに散逸したものもある。とはいえ、三八部一一八巻（別説もある）を訳出し、中国の四大翻訳家（鳩摩羅什・玄奘・不空とともに）のひとりとされる。その間しばしば帰国を企てたが果たさず、失望のあまり自殺をはかったこともある。陳の都の建康への帰還も叶えられず、愛する弟子にも先立たれて、絶望と失意とのうちに、五六九年異国に没した。ときに七十歳。

右の「伝」は、真諦訳とあるけれども、おそらく真諦の創作であろうと私は考える。以下の拙訳に明らかなように、真諦がインドで得た諸知識を盛りこんで、ヴァスバンドゥにかかわる記事は半ばにも満たない。才気に富んだこの文は、現代風にいえば、卓絶した当時のノン・フィクションとも評されよう。

それは『大正《たいしょう》新脩《しんしゅう》大蔵経《だいぞうきょう》』五〇巻一八八―一九一ページの実質三ページあまり。その底本の高麗本は誤まりが多く、それらを下註に宋本・元本・明本の三本などが示して補っている。ここにはその三本とくに宋本と元本とに依拠する。なお本書の標題を高麗本は『婆藪槃豆法師伝』とするが、宇井伯寿（「真諦三蔵伝の研究」――『印度哲学研究』第六、岩波書店の一〇〇ページ）は「法師の号は開元録第十三を除いては古い経録にはない」という。

この「伝」は校訂も不充分で訳語に統一を欠く。邦訳にあたって、全体を八分割し、見出しなどを補った。また、①（　）は原文の文字ときに文章を示す。②〔　〕は訳者の補註。

③原文に固有名詞の音写と翻訳とが混じりあい、なるべく原文にそったけれども、弥勒《みろく》をマイトレーヤ、閻浮提《えんぶだい》や天竺《てんじく》をインドに変えたなど。④原文の〈訳為〉は〈訳せば「 」〉とし、〈法師〉その他二、三の語はそのままとした。⑤後註は最小限にとどめる。⑥高楠順次郎のフランス語訳（一九〇四年）と英語訳（一九〇五年）は参照し得なかった。

本書中には明瞭な誤まりが幾つかあり、とくに『八犍度論』（別訳『発智論《ほっちろん》』）の著者カーティヤーヤニープトラを『大毘婆沙論』に直結させるのは、史実に反する。両者の間には百年余の距《へだた》りがある。また後者の文を馬鳴《めみょう》（アシュヴァゴーシャ）に帰すのも奇で、あるいは馬鳴造・真諦訳『大乗起信論』に関連するのかもしれぬ。

§（以下、原典）

ヴァスバンドゥ（婆藪槃豆）法師は北インド（天竺）のプルシャプラ（富婁沙富羅）〔Puruṣapura　現在のパキスタンのガンダーラ地方のペシャワール〕国の人である。

1　プルシャプラの地名の由来

〔プルシャプラという地名のうち〕、プルシャは訳せば「丈夫〔ますらお〕」、プラは訳せば

「土〔都市、国〕」である。

『ヴィシュヌ・プラーナ』（『毘《び》捜紐《しゅぬ》天王世《てんおうせ》伝《でん》』[1]）〔Viṣṇu-purāṇa〕につぎのようにいう。

　これ〔＝ヴィシュヌ〕はインドラ（帝釈）〔Indra　インド神話の中心の神〕の弟である。

　インドラはかれを派遣して、インド（閻浮《えんぶ》提《だい》）〔Jaṃbūdvīpa　（ス）メール山の南にひろがる大洲〕に誕生してその地の王となり、〔悪神の〕アスラ（阿修羅）〔Asura　天でないものとされ、悪神の代表、のち仏教に入る〕を降伏させようとした。〔こうして〕かれはインドにヴァスデーヴァ（婆藪提婆）〔Vāsudeva　クリシュナすなわちヴィシュヌの父〕王の子として生まれた。

〔そのとき〕アスラがおり、インドラダマナ（因陀羅陀摩那、因陀羅は「帝釈」の名、陀摩那は訳せば「伏」。このアスラはつねにインドラと戦い争っていて、インドラを降伏させ得るというところからこの名がある。ヴィヤーカラナ（毘伽羅論）〔vyākaraṇa　文法学をいい、インドの重要な学問の一つ〕にアスラを解釈して「非善戯」〔善戯に非ず〕というのは、まさにこの名をもって訳したのであろう。すなわち、神々はつねに善をもって戯楽をなすのに、このアスラはつねに悪をもって戯楽をなすところから、この名がある。また非天と名づけることもできる）〔Indradamana〕という名であった。

　このアスラに妹がおり、プラバーヴァティー（波羅頗婆底、波羅頗は訳せば「明」、婆底は訳せば「妃」）〔Prabhāvatī〕という名であった。この女は容貌がはなはだすぐれていた。

ところでアスラはヴィシュヌ神を殺害しようと欲していたために、とくにこの妹を引き出して、たぶらかさせようとした。まずは呪術を現じて、その力でインドの地の或る地域を暗くしておき、自分みずからはその暗闇のなかにいて人からは見えないようにし、一方、妹を別の明るいところに止《とど》まっているようにした。そうしたうえで、アスラは妹に語っていう。「もしも誰れかが汝を妻にすることがかなえられるよう望んだならば、汝は〔その男に〕つぎのように話しなさい、『私の兄は大力があります。もしも私を妻にしたいと望まれるならば、かならず私の兄と衝突がおこるでしょう。それでもなお、私の兄と戦い争うことをお考えになっておられるのであれば、それなら結構ですけど』と。」

〔そのようなところへ〕ヴィシュヌ神が現われて、しばらくしてから明るいところにこの女がいるのを眼にすると、かれの心は大いに悦び、そこで女にたずねていう、「あなたはどなたですか。」

女は答えていう、「私はアスラの童女〔おとめ〕です。」

ヴィシュヌ神はいう、「多くのアスラの女はこれまでもずっと多くの神々に嫁《とつ》いでいます。ところが私にはすでに妻がいませんし、またあなたには夫がいません。〔ですから〕いまここに互いに夫婦になりたいと望みますが、私のこの意にしたがうことがかなえられるでしょうか、かなえられないでしょうか。」

女はそこでその兄が先にいったとおりに、ヴィシュヌ神に答えた。

ヴィシュヌ神はいう、「あなたはいま私の身を惜しんでおられるからこそ、そのようなことをいうのであり、すなわちあなたはもはや私を愛しているのです。私としてもどうして互いの愛を放置しておかれましょう。私には大力がありますから、十分にあなたの兄と戦い争うことができます。」

〔こうして〕女はついにヴィシュヌ神の申しいれを受けいれて、その場で夫婦になった。

〔「これは計画どおりになった、しめた」とばかりに〕アスラはそれからしばらくしてから明るいところに出て行って、ヴィシュヌ神に詰問する、「汝はどうして私の妹を取って妻としたのか。」

ヴィシュヌ神は答えていう、「もしも私が丈夫〔ますらお〕でないならば、汝の妹を取って妻としたことを非難攻撃してもよいけれども、私はこのとおり丈夫〔ますらお〕であり、しかも妻がいない。汝の妹は童女〔おとめ〕であり、夫はいない。私がいま汝の妹を取って妻としたのは、まさしくこれ理にかなっており、怪しまれるようなどんないわれがあろうか。」

アスラはいう、「汝はよくまあぬけぬけとみずから丈夫〔ますらお〕といえたものだ。ほんとうに丈夫〔ますらお〕であるならば、尋常にこの私に戦いをいどんでこい。戦って、汝が勝ったならば、妹が汝に嫁ぐのを許してやろう。」

ヴィシュヌ神はいう、「汝が信用しないなら、さあ、これから、共にこの場で決めようではないか。」

そこで両者はそれぞれ武器を手にして、互いに斬ったり刺したりした。ところが、ヴィシュヌ神はこれこそナーラーヤナ（那羅延）〔Nārāyaṇa　大力の力士〕の身体であるから、斬っても刺しても、その身体にはどうしても入ることができず、〔不死身である〕。それに対して、ヴィシュヌ神がアスラの頭を斬り、断ち切ると、その頭はすぐにまた元どおりに復し、手も臂《ひじ》も身体のその他の個所もみなことごとくそのとおりになる。断ち切るところごと、どんなところであろうと、すぐにまた元どおりに復す。こうして決戦は早朝から夕方まで及び、斬ったり刺したり、休むことなく続いたけれども、アスラには死の状態がおこらない。

〔さすがに〕ヴィシュヌ神もだんだんと力が尽きて、しだいに疲労困憊《こんぱい》に達してきた。ところがアスラのほうは、夜に入ると、その力がそこで一転して強化してくる。そこでヴィシュヌ神の妻となったその女は、自分の夫がそれにかなわなくなってしまうのを心配して、〔或る計略を夫に暗示するために〕そこでウトパラ（欝波羅）〔utpala　青蓮華《しょうれんげ》〕の花を取ってくると、それを割《さ》いて二片に分かち、その各片をそれぞれ離れ離れに放り投げた。そうしてから、この妻はこの二片の中間をむこうへ行ったりこちらに戻ってきたりした。ヴィシュヌ神はそれを見るとすぐにその妻の意とするところを理解し、アスラの身体をつかまえ、それを割いて二片に分かち、その各片をそれぞれ離れ離れに放り投げておき、ヴィシュヌ神がその二片の中間をむこうへ行ったりこちらに戻ってきたりしているうちに、アスラはこれによってここについにその命《いのち》が切れた。

〔これには実はつぎのいわれがある。〕アスラはこれよりまえに、仙人についてその恩恵を願い、「どうか私の身体は、たとえ斬られたり刺されたりしましても、すぐにまた元どおりに復しますように」と乞うてあった。仙人は〔その願いを受けいれて〕この恩恵をアスラに施してあったところから、そのあと、ヴィシュヌ神に斬られたり刺されたりしても、それでも命を失うことはなかった。しかし仙人は神々にこのアスラを殺させようと望んでいたために、その身体を割いたときには、元どおりに復すという恩を施さないでおいた。それゆえ、右のあとの場合には、このように身体を割かれたことによって命を失ってしまった。

こうしてヴィシュヌ神は〔アスラを征伐して〕この地にこれ以後ずっと住み、丈夫〔ますらお〕の才能を内外に鮮明にしたところから、これにちなんで、この名を立てて、丈夫〔ますらお〕の国と称することになった。

2　ヴァスバンドゥの生まれ

この地に国師であるバラモンで、カウシカ（嬌尸迦）〔Kauśika〕という姓のものがおり、三人の子があって、みな同じくヴァスバンドゥ（婆藪槃豆、婆藪は訳せば「天」、槃豆は訳せぱ「親」と名づけた。おおよそインドでは子に名をつけるのにこのようなきまりがあって、同一の名ではあるけれども、それと同時にまた別の名をつけて、それで明らかにする。

第三子のヴァスバンドゥは説一切有部《せついっさいうぶ》（薩婆多部《さつぱたぶ》）〔Sarvāsti-vādin　略して「有部」ともいい、部派のうち保守派の代表の一つ〕において出家し、その最高の位であるアラカン（阿羅漢）〔Arhat　尊敬されて供養を受けるのにふさわしい聖者〕果を得たが、別名をヴィリンチヴァッサ（比隣持跋婆、比隣持はその母の名であり、跋婆は訳せば「子」「児」。このヴァッサの名は人間にも動物にも通じて、たとえば牛の子もまたヴァッサと名づけることがあり、この国では牛の子をヴァッサ〝犢長子《とくちょうし》〟と呼んでいる）〔Viriñci-vatsa〕といった。

3　アサンガ（無著）について

〔第一子の〕ヴァスバンドゥは〔もともと大乗の〕ボサツの資質をそなえた人であったが、やはりまた説一切有部において出家し、そのあと禅定《ぜんじょう》を修めて、一切の欲望から離脱することができた。それから「空《くう》」の意義内容について深く考えぬいたけれども、その完全な理解に入ることができず、〔絶望のあまり〕自殺して果てようと思いたった。

〔小乗の聖者である〕ピンドーラ（賓頭盧）〔Piṇḍola〕アラカンは東のほうのヴィデーハ（毘提訶）〔Videha　現在インドのビハール州北部〕にいたが、この様子をじっと見ており、かなたからかけつけてきて、かれのために小乗の「空」の考えを説いたところ、かれはその教えのとおりに「空」を観察して、直ちにその理解に入ることができた。〔こうしてかれは〕小乗仏教の説く「空」の考えを獲得したとはいえ、心のなかではなおまだそれに満足・安住するにいたらず、その深い理はこんなところに止まるはずのものであるまいといい、そこでこのような理由から、常人の及ばない神通力を現じ、それに乗じてトゥシタ（兜率陀）〔Tuṣita　将来に仏となるボサツの住所、かつて釈尊もおり、いまは弥勒ボサツがいると信ぜられる〕天に昇って行き、そこを住所としているマイトレーヤ（弥勒）〔Maitreya〕ボサツに教えを乞い、種々質問した。〔マイトレーヤは〕かれのために大乗の「空」の考えを説いた。

かれは〔その説法を受けて〕再びインドの地に還ってきて、その説法にしたがってどこまでも深く考えに考えぬいているあいだに、ついにその深く考えているそのさなかに悟りを得ることができ、そのときには大地が六種に震動し、こうしてようやく大乗の説く「空」の考えを獲得することができた。このことにちなんで、アサンガ（阿僧伽、訳せば「無著《むじゃく》」）〔Asaṅga〕と名づける。

〔アサンガは〕このあともしばしばトゥシタ天に昇って行って、マイトレーヤに大乗仏教の経の意義内容について訊ね問い、マイトレーヤはそれを広く解説して、アサンガはそのたびごとに得るところがあった。そしてこの地上に還ってきては、みずから聞いたところを人々

に説明したけれども、それを聞いた人々はその多くがそれを信じようとしなかった。(2)

そこで無著法師はマイトレーヤにみずからつぎのような願《がん》を発した。

「私はいま生あるものたちに大乗をのこらず理解して信ずるようにさせたいと望んでいます。マイトレーヤ大師よ、どうかこの地上におりてきてくださって、大乗を解説し、多くの生あるものたちにみな理解をともなった信を得るようにさせてくださることを、ひたすらお願いいたします。」

マイトレーヤはそこで無著のこの願いを受けいれて、そのとおりに、夜になると、地上にくだり、大光明を放って、広く有縁《うえん》のものたちを集め、説法の建物において『十七地経《じゆうしちじ》』〔現存の『瑜伽師地論《ゆがしじろん》』の最初の「本地分」に相当〕を口にとなえて説いた。そのようにして口にとなえて説いて行くたびごとに、その教義の内容を解説して、こうして四ヵ月間、毎夜を経過して、その『十七地経』の解説をすべて完了した。

このときに、多くの人々はみな同じように一つの建物のなかでマイトレーヤの説法を聴いたさいに、ただひとり無著法師だけがマイトレーヤ・ボサツに近づくことができ、他の人々はただはるか遠くにその声を聞くことができたにすぎなかった。

〔この間〕夜にはみな一緒にマイトレーヤの説法を聴き、昼のあいだは無著法師がさらに他の人々のためにマイトレーヤの説いたところを一つ一つ解釈して示した。これによって、この大勢の人々はみな大乗仏教のマイトレーヤ・ボサツの教えを信ずるようになった。

無著法師は〔マイトレーヤの教えた〕日光三昧（三摩提《さんまだい》）〔samādhi　禅定の究極のもの〕を実修し、マイトレーヤの説のとおりに学を修めて、ついにはこの禅定の三昧を獲得した。こうしてこの禅定の三昧によって、それ以後は、むかし理解の及ばなかったところまでもことごとく理解し通達《つうだつ》することができるようになり、見たところも聞いたところもいつまでも記憶して忘れないようになった。

仏がむかし説いた『華厳経』などの多くの大乗経典の全部が、いまだその意義内容が理解されないであったけれども、マイトレーヤはトゥシタ天〔に戻り、そこで、〕すべてを無著のために多くの大乗経典の意義内容について解説し、こうして無著法師はそれらをあわせてことごとくに通達して、みなよく記憶に止めて保持し、のちにインドのこの地において大乗経典のウパデーシャ（優波提舎）〔upadeśa　註釈〕をつくって、仏の説いた一切の大乗の教えを解釈した。

4　ヴァスバンドゥの初期とその名

第二子のヴァスバンドゥもまた説一切有部において出家し、学問がきわめて広く、実に多くのことを聞いて知っており、古書・聖典にあまねく通じていた。その神わざに近い才能はとびぬけてすぐれており、かれに匹敵し得るものはひとりとしていなかった。その徳に満ちた正しいおこないは清く気高く、誰れも肩をならべることはむずかしかった。
兄〔はアサンガ（無著）〕と弟〔はヴィリンチヴァッサ〕とすでに別名があり、それで呼ばれていたので、ここに法師〔かれ〕だけがひとりヴァスバンドゥと称した。

5　ヴァスバンドゥ以前の論書

仏が入滅されてからあと〔およそ〕五百年を経たときに、ひとりのアラカン〔小乗の最高の聖者〕がいて、名をカーティヤーヤニープトラ（迦旃延子）〔Kātyāyanīputra〕という。母の姓がカーティヤーヤニーであり、その母によって右の名がある〔プトラ＝子〕。かれは先に説一切有部において出家し、もともとインドの人であったけれども、のちにカシュミール（罽賓）国へ行った。

カシュミールはインドの西北にあり、そこでかれは五百人のアラカンと五百人のボサツと一緒になって、説一切有部のアビダルマ（阿毘達磨）〔abhidharma　論、論書〕を選び集め、八つのグランタ（伽蘭他）〔grantha　章〕として制作した。すなわちここで『八犍度〔論〕』といっているものである。このグランタは訳せば「結」または「節」である。それは、その教義の諸分野が各々互いに結合して関連しあっているところから「結」といい、また教義を集約していて分散しないようにできているところから「結」といい、さらに教義の諸分野が各々区分があるところから「節」という。そしてまたこの文書を称して『発慧《ほっえ》論』ともいう〔このテクストは僧伽提婆《そがだいば》と竺仏念《じくぶつねん》の共訳『八犍度論』と玄奘訳『発智論』とが現存する〕。

『八犍度論』の説明

〔カーティヤーヤニープトラは〕神通力と願力とをもって、広く遠くにも近くにも公けにつぎのように宣言した。

「もしもこれまでに仏の説かれたアビダルマ〔論書〕について聞いているところがありましたら、その語られたものの多い・少ないにかかわらず、それぞれ、それらをすべて私のもとへお送りください。」

これを聞いて、あるいは人々も、あるいは神も、多くの龍も、ヤクシャ（夜叉）〔yakṣa 半神、仏教では守護神また悪鬼〕も、さらにはアカニシュタ（阿迦尼師吒）〔akaniṣṭha 色界の諸天の一つ〕などの多くの天も、それまでに仏の説かれたアビダルマを聞いたことのあるものたちは、あるいはそれが広範囲のものも、あるいは一部分の略したものも、さらには一句や一詩までも、ことごとくカーティヤーヤニープトラに送られてきた。

そこでカーティヤーヤニープトラは多くのアラカンおよび多くのボサツと一緒に、それらのなかの中心となる教義に相当するものを選び出して、それらがスートラ（修多羅）〔sūtra

経〕とヴィナヤ（毘那耶）〔vinaya　律＝教団の規定〕とに互いに食い違ってそむくことのない場合には、そのときはそこで選んで記録しておき、もしも互いに食い違ってそむいている場合には、そのときはすぐに破棄して捨てて行った。

こうして採用された文や句を、その教義の内容の互いに関連するところにしたがって分類し、それらのなかで、智慧の教義を明かすものは智慧の章（結）のなかに収め、また禅定の教義を明かすものは禅定の章（結）のなかに収めて、その他のものもすべてこのように分類して収めた〔現存の『八犍度論』は雑・結・智・行・四大・根・定・見、また『発智論』は雑・結・智・業・大種・根・定・見のそれぞれ八品＝八章より成る〕。

こうして〔このテクストは〕八つの章より成り、合計五万の詩がある。

このテクストの註釈と馬鳴ボサツ

この八つの章をつくりおわってから、さらにこの註釈書（毘婆沙）〔vibhāṣa〕をつくって、それを註釈しようと望んでいた。

〔ときに〕馬鳴〔アシュヴァゴーシャ Aśvaghoṣa の訳〕ボサツはシュラーヴァスティー（舎衛）〔Śrāvastī〕国のシャーケータ（婆枳多）〔Sāketa　そのやや南の町、なお「娑」はしばしば「婆」と書かれる〕の地の人で、八種のヴィヤーカラナ（毘伽羅論）〔vyākaraṇa　文法書〕および四つのヴェーダ（皮陀）〔Veda　インド最古の神話をふくむ宗教賛歌〕と六つの論〔ヴェーダの六補助学〕とに通暁《つうぎょう》して〔インドの伝統的学問をすべて獲得していたうえに、仏教内部で分裂した諸部派すなわちいわゆる小乗のすべての〕十八部のそれぞれの三種の全テクスト〔経蔵と律蔵と論蔵〕について、それらの文の根本となるところも、学ぶべき個所も、伝統の作法の帰結も、すべて理解していた。

カーティヤーヤニープトラは人を派遣してシュラーヴァスティー国に行かせ、馬鳴に〔かれのくわしい〕文や句の制作を請うと、馬鳴はやがてまもなくカシュミールに到着した。カーティヤーヤニープトラはそこで順を追って八章を解釈して行き、それらを多くのアラカンと多くのボサツはその場で共に調べ究《きわ》め区分した。そのさい教義の意味内容に決着のついたときには、それにしたがって馬鳴がそれを文章につくって行き、こうして十二年を要して、註釈書〔毘婆沙〕をさす〕をつくり、それが完成した。それはおよそ百万の詩から成る〔毘婆沙は訳せば「広解《こうげ》」〕。

この記述の制作がすでに完成してから、カーティヤーヤニープトラは石に刻んで一つの規範を立てていう。

「今後この教えを学ぶ人々はカシュミール国から外部に持ち出すことはできない。『八犍度論』〔八結〕の文と句および『大毘婆沙論』の文と句ともまたすべて国から外部に持ち出すことはできない。それは、他の〔小乗の〕部派のものおよび大乗の人々がこの正しい教えを汚して破壊することを恐れるからである。」

このような規範を立てることを国王に申し出ると、国王もまたこの趣意に同意した。もともとカシュミール国はまわりの四方に山があって城のごとくであり、門が一つあるだけで、その門から出入する。

そこで多くの聖人たちは願力をもって多くのヤクシャ神を帰依させて門を守らせ、「もしもこの教えを学ぼうと望むものはかならずカシュミール国に来ること。それならば差し支えない」とした。また多くの聖人たちは願力をもって五百のヤクシャ神を布施《ふせ》の施主《せしゅ》〔いまの檀家〕にして、「もしも〔カシュミール国に来て〕この教えを学ぶものたちに、かれらが生活して行くための援助の品々を布施し、不足して欠乏するところがないように」としておいた。

ヴァシャスバドラの話

アヨーディヤー〔阿踰闍〕〔Ayodhyā　中インドの北、現在のラクノーの東方一二〇キロ〕国にひとりの法師がおり、名をヴァシャスバドラ（婆娑須跋陀羅）〔Vaśasubhadra〕といった。かれは聡明で大智があり、聞いたことをその場で記憶する能力があった。

かれは『八犍度論』『大毘婆沙論』（八結毘婆沙）を学んでその教義をカシュミール以外の国にも広く伝えて流通《るずう》するようにしたい、と望んでいた。

そこでこの法師はみずからの行先をくらまし、愚かな狂人になりすまして、カシュミール国に出かけて行った。かれはつねに大勢の人々の集まりのなかで教えを聴いていたが、その立ちいふるまいがはずれており、失言し、笑うのも風変わりであった。或るときには、大勢の人々の集まりのさなかで、『大毘婆沙論』の教義を論じあっているところに、かれは突如として〔仏教とは無関係の〕『ラーマーヤナ』（羅摩延伝）〔Rāmāyaṇa インドの大叙事詩の一つ〕の質問をしたりしたので、多くの人々はかれを軽視しており、仏教のことを聞いても、それを記録に止めることはなかった。

かれは十二年間〔もここに止まり〕そのあいだに『大毘婆沙論』を聴くことが数遍にも及び、その文と意義内容とにすでに熟達して、それを口にとなえて記憶し、心中にしまいこんだ。

さてそれから本国に還ろうとして、カシュミール国を去るのに、その門の側《わき》まで行くと、多くのヤクシャ神が大声をあげて、「すぐれたアビダルマの論師がいま出国しようとしている」といっせいにとなえたので、即座にとらえられて、大勢の人々の集まりのなかにつれ戻された。そこで多くの人々が一緒になって、かれをあれこれ調べて質問すると、かれの語ることばはまちがいや誤まりばかり、何をいっているのか互いに理解できないので、かれらはみな、「こいつは狂人だ」といって、すぐに放り出されて自由になった。

こうして法師はそのあとまた門を出ようとすると、今度もまた多くの〔ヤクシャ〕神たちがいっせいに大声をあげたために、とらえられてつれ戻され、ついにそのうわさが国王にまで達した。そこで国王はまた大勢の人々の集まりのなかで、さらに調べて質問するようにと命じたので、多くの人々が重ねてかれを調べ質問したけれども、今回もまた先の場合と同じように、何をいっているのか互いに理解できなかった。

このようなことを三回くりかえしてから、去ってはまたつれ戻されることが四回目に達すると、多くの〔ヤクシャ〕神たちはかれを送り返してつれ戻したけれども、多くの人々は〔もはやばからしくなってしまい〕再び調べて質問しようともしなくなり、多くのヤクシャ神たちにかれを放逐させ、国外に出させた。

法師はすでに本国に到達すると、直ちに近くにも遠くにもあまねく述べ示して、みながすぐに聞き知るような場所で、つぎのようにいった。

「私はこれまでにカシュミール国の『大毘婆沙論』を学んで会得《えとく》し、その文も教義もすっかりそなえている。それについて学ぶ能力のあるものは、至急私のところに来て、それを受けとりなさい。」

そこで四方から雲のように大勢の人々が集まってきた。法師はすでに衰え年老いていたので、この教えを発表していっても完了しないのではないかと恐れて、多くの学徒にとにかく大いそぎでこれを受けとらせようと、発表するごとにつぎつぎとそれを書きとっていって、とうとう完成することができた。カシュミールの諸師はあとになってからこの教えがもはやすでに他の国の人々に伝わり流れていることを聞いて、それぞれ歎き、ためいきをついた。

6　サーンキヤ学派のヴィンドヤヴァーシン

仏が入滅《にゅうめつ》されてからあと〔およそ〕九百年にいたり、そのころ外道《げどう》〔仏教以外のもの〕のヴィンドヤヴァーシン（頻闍訶婆娑）〔Vindhyavāsin〕という名のものがいた（頻闍訶は山の名、婆娑は訳せば「住」。この外道はこの山に住んでいたところから、それにちなんで名とした）。そこには竜王がいて、名をヴァールシャガンヤ（毘梨沙伽那）〔Vārṣagaṇya〕といい、ヴィンドヤ山の下の池のなかに住んでいた。この竜王はよくサーンキヤ論（僧佉）〔Sāṃkhya　インド正統哲学の一つ、きわめて古い〕を理解していた。

この外道は竜王がよく〔サーンキヤ論を〕理解していることを知り、ぜひとも竜王についてその学問を受けたいと欲した。そのころ竜王はつねに変身して仙人の姿・形をとり、木の葉でつくった家屋のなかに住んでいたので、外道は出かけて行き、その竜王のもとに達して、ぜひともついて学びたいという考えを申し述べると、竜王はすぐにそれを許可した。

そこで外道は華《はな》を採ってきて、一つの大きな籠《かご》に満たし、頭にその華籠をのせて、竜王のところへやってきた。そして竜工のまわりをぐるっと一巡し〔これがインドの礼儀〕、そのたびに一つの華をとっては投げ、それによって竜王に供養した。そしてさらに、一つの華を〔竜王のところへ〕投げては一つの詩（偈《げ》）をつくり、竜王の徳をほめたたえたところ、竜王はそこでつくられた詩の意義内容について、その一詩ごとに、あるいは聞きいれ、あるいは反論しては、その華を外道に放り投げた。

こうしてその外道は、反論されたり立論されているうちに、詩の意義内容がすでにきちんと立てられて行き、そのさい投げられた華を再び投げ返した。このようにして、一つの華籠のなかの華を全部投げおわったときには、全部の詩についてくわしい反論もまた擁護論もふくめて、ことごとく成就した。

竜王はその外道の聡明をほめて、かれのためにサーンキヤ論を解説して外道に語っていう。

「汝はこの論をみな修得しおわったならば、それを慎重に守って行き、けっして改め変えてはならない。」

実は竜王はこの外道が自分よりも勝れていることを危惧《きぐ》していたところから、このようにとくに説いておいた。

ところでこの外道は聴いて得られたとおりについて行き、それらをいろいろに選んでみると、どうしても論理が整然としていなかったり、あるいは文や句が巧みでなかったり、意義内容が正しくなかったりするところがあったので、それらをことごとく改め変えてしまった。

竜王はこうして論をすべて講義しおわり、外道の著述もまた完了した。そこですぐにその著述したところの論を竜王に呈出すると、竜王は外道が制作したその勝れた書物を見て、大いに怒りと嫉妬を生じて、外道にいう。

「私は先に汝に私の論じたことを改め変えることはできないと命じておいたにもかかわらず、汝はどうして改め変えてしまっているのか。今後汝の著述したものはけっして広く世に告げて行なわれることのあり得ないようにせよ。」

外道は答えていう。

「先生はもともと私に、論が完成したあとには改め変えることはできないとは命ぜられましたが、論を説いている最中に改め変えることはできない、とは私に命ぜられませんでした。私は先生の教えにはそむいてはおりません。どうしてお叱りを受けるのでしょうか。どうか、先生、私に御恩を賜り、私の身体がこわれてしまわないあいだは、この論のこわれることのないよう、ぜひともお願いいたします。」

そこで〔竜王は〕これを許した。

このようにして、この外道はこの論を得てのち、心は高ぶり傲慢になって、みずからいう。

「この〔サーンキヤの〕教えは最大であり、これ以上にすぐれたものは存在しない。ただ釈迦の教えが世間にはさかんに行なわれていて、多くの人々は大部分がこの〔仏教の〕教えのほうが偉大だとしている。私はどうしてもこれを破ってしまわなければならぬ。」

そこで外道はアヨーディヤー国に入って行って、自分の頭をもって論義〔討論戦〕に賭け、太鼓を打ちならしていう。

「私は論義を欲している。もしも私が論義に敗れ負けたならば、私の頭を斬りおとしなさい。もしも相手が敗れ負けたならば、よろしくその頭〔を斬るぞと〕さとしておきなさい。」

国王のヴィクラマーディトヤ〔馝柯羅摩阿祑多、訳せば「正勤日《しょうごんじつ》」〕〔Vikramāditya 剛勇な太陽〕はこのことを知ると、すぐにこの外道を呼んで、これに訊ねたところ、外道はいう。

「王は国の主であります。シャモン〔沙門〕〔Śramaṇa 出家修行者〕とバラモンとの全般にわたって、心のなかでとくに一方だけにかたよって可愛がることはないでありましょう。もしもつねに修行している教えを有するものでありますれば、当然のことながら、その是非を試すべきでありましょう。私はいま釈迦の弟子〔である仏教者〕と〔論義を交わし〕、どちらがすぐれ、どちらが劣っているかを、きっぱりと判決したいと思います。その各々がかならずその頭を賭けて誓いを立てるべきでありましょう。」

王はそこでこれを聴きいれて許可し、人を派遣して、国内の多くの法師に、「誰れかよくこの外道とわたりあうものがおろうか。もしもわたりあうことのできるものがあるならば、かれと論義せよ」と訊ねた。

このとき、マノーラタ〔摩㲋羅他、訳せば「心願」〕〔Manoratha〕法師やヴァスバンドゥ法師などの多くのすぐれた法師たちは、ことごとく他国に出かけており、国内にはいなかった。

ただヴァスバンドゥの師であるブッダミトラ〔仏陀蜜多羅、訳せば「覚親」〕〔Buddha-mitra〕法師が〔国内に止まって〕いた。この法師はもと仏教の大学者ではあったけれども、すでに老境に入っており、その心・精神状態もぼんやりとして弱っていて、議論して説くのも疲れ果ててかすかであった。法師はいう。

「私たちの仏法に関して傑出したものたちは、すべて他国に出かけて国内にいない。とはいえ、外道がいま勢力さかんに跳梁しているのを、そのまま勝手に放置しておくことはできない。私がいま正しく自分みずからそのことにぶつかって行こう。」

そこで法師は国王に返答すると、王はやがて期日を定めて、ひろく大勢の人々を論義の会場に集めさせ、こうして外道と法師とを論義させた。

外道は質問していう。

「仏教修行者はいったい教義を立てようとしているのか、それとも否定しようとしているのか。」

法師は答えていう。

「われわれは大海のごとくであり、どんなものでも受けいれないものはない。それに対して、汝は土のかたまりのごとくであり、そのなかに入れば直ちに沈んでしまうであろう。汝の心が楽しみねがうとおりにまかせよう。」

　外道はいう。

「それならば仏教修行者はここに或る教義を立てなさい。私がそれに反論して汝を論破してみせよう。」

　法師はそこで「無常」の教義を立てていう。

「一切のつくられたものは各刹那《せつな》ごとに滅して行く。なぜかといえば、一刹那の過ぎたあとには、それは見られないからである。」

　さらに種々の道理をもって、この教義を説き尽くした。この法師の説くところを、外道は一たび聞くと、それをすぐに口にとなえてそのとおりにいってから、外道はしだいしだいに道理を立ててそれを論破して行った。そして法師に〔その意見や自説を〕口にとなえさせたが、もはや口にとなえるのを続けて行くことはできなくなってしまった。こうして法師は自分の論を擁護しようとしたけれども、擁護することができなくなってしまった。この結果、法師は敗れ負けた。

　外道はいう。

「汝はもともとバラモンの生まれ。私もまたバラモンの生まれであるから、殺すということは受けいれられない。汝はいまやかならず自分の背を鞭で打って、それにより私が勝利を得たことを人々に鮮明ならしめるべきであろう。」

そこでそれはそのとおりに実行された。

王は三十万の金をあたえて外道を賞《ほ》めた。外道はその金を受けとってから、その国内です べての人々に施しをするよう、それをばらまいた。それからは再びヴィンドヤ〔山〕に還っ て行き、石窟のなかに入りこんで、呪術の力をもってヤクシャ神女の稠林《ちゅうりん》〔繁茂する林、生 死の林〕という名のものを呼び出して、この神女からつぎのような恩恵のあたえられるよう 乞う。

「どうか願わくは、私の死後は私の身体を変じて石となし、こわれそこなうことが永久にあ りませんように。」

〔ヤクシャ〕神女はすぐにこれを許可したので、この外道はみずから石でその石窟をふさい でしまい、そのなかで命《いのち》を捨てると、その身体は直ちに石になった。

〔外道がヤクシャ神女に〕このような願をなした理由は、それより以前に、かれの師の竜王 に恩を乞うて、「どうか願わくは、私の身体がまだこわれてしまわない以前には、私の著述 したサーンキヤ論書もまた、こわれてほろびることがありませんように」と願を立てていた ことによる。

そのようなところから、このサーンキヤ論は現在もなお存在している。

7　ヴァスバンドゥの『倶舎論』

その後、ヴァスバンドゥは〔アヨーディヤー国に〕還ってきて、右のような事件のあったことを聞き、歎き恨み憤慨のやむところがなかったけれども、もはや〔国内では〕この外道に会うことができないので、人を派遣してヴィンドヤ山に行かせて、この外道を探し求め、その傲慢を折伏《しゃくぶく》し、それによって師の恥を雪辱したいと欲した。しかし外道のほうはその身体がすでに石になってしまっており、天親〔ヴァスバンドゥ〕の憤懣《ふんまん》はいっそうつのるばかりであった。そこでかれはここに『七十真実論』をつくり、それによって、外道のつくったサーンキヤ論をみごとに論破した。こうして、サーンキヤ論ははじめからおわりまですべて崩れ去って、そのなかの一句さえも立てることができなかった。

多くの外道はこのために憂い苦しんで、みずからの命をそこなわんばかりであった。〔天親は〕その〔めざす〕外道には会わなかったけれども、外道が完成した教えの根本はすでに破壊し、それから派生するこまかい教えもよりどころがまったくなくなってしまい、こうしてここに師の讐《あだ》に報い恥をそそぐことがなされた。

多くの人々はみなそれを聞いて大いに祝い喜び、うれしがった。国王はそこで三十万の金をあたえて法師を賞《ほ》めると、法師はこの金を三つに分けて、アヨーディヤー国に三つの寺、すなわち第一はビクニ〔尼〕の寺、第二は説一切有部の寺、第三は大乗部の寺を建てた。

法師はその後さらに正しい仏法を成立させようとして、まず『大毘婆沙論』を学び、その教義にすっかり通達してからのちに、多くの人々のために『大毘婆沙論』の教義を講義した。そのさい一日講義すると、そこで一詩をつくって、その一日に説いたところの教義をそれに収め、赤銅〔色の〕葉に字を刻んでこの詩を書いて、それを酒に酔っている象の頭のうえに打ちつけて〔どこからも見えるように掲げ〕、太鼓を打ちならして広く一般の人々につぎのように告げた。

「誰れかこの詩の意義を論破することのできるものがいるだろうか。論破することのできるものは出てくるように。」

このようにして、しだいに進んで行って、六百余の詩をつくり、それに『大毘婆沙論』の教義を収めた。その詩は一つ一つの全部がすべてそのようにして〔つくられ、標示されたが〕、ついにひとりとして論破し得るものはいなかった。これがすなわち『倶舎論』のなかにある詩である。

この詩がすっかり完成したあと、かれは五十斤の金とこの詩とをもって、カシュミールの多くのビバシャ師〔論師〕に寄贈したところ、それを見たもの聞いたものたちは大いに歓喜していう。「われわれの正しい仏法がすでに広くあまねく述べられている。」

しかしながら、詩のなかの一語一語はその意味内容がきわめて奥深く、十分にすべてを理解することは不可能であった。そこで今度は、五十斤の金を、以前に送られてきた五十斤の金に加えて百斤の金にして、それを法師に送り、法師に、散文の文章をつくってこの詩の意義を解説してもらいたいと乞うた。そこで法師はそれに散文の文章をつくって詩を解説したが、そのさい、説一切有部の教義を当てておいて、かたよっているところがあると、それらを経《きょう》〔量《りょう》〕部の教義をもって論破して付け加えて行き、こうして完成したものを『阿毘達磨倶舎論』と名づけた。この論が完成してからあと、カシュミールに寄贈したところ、その地の論師たちは、かれらの執《と》っていた教義のこわされているのを見て、それぞれ憂い苦しみを生じた。

〔ところでアヨーディヤー国の〕正勤日王の太子はバーラーディトヤ（婆羅帙底也、婆羅は訳せば「新」、帙底也は訳せば「日」）〔Bālāditya〕という名であった。王はすでに太子を法師のもとで受戒させており、また王妃は出家して法師の弟子となっていた。太子はそのあと王位に上ると、母〔である前王妃〕と子〔の自分〕とが同調して、法師をそこに止め、アヨーディヤー国に住んでいてほしい、そして自分たちの供養を受けてほしい、と懇請したところ、法師はこれを許可した。

この新日王の妹の夫はバラモンで、名をヴァスラータ（婆修羅多）〔Vasurāta〕といったが、かれは外道の法師で、ヴィヤーカラナ（毘伽羅論）〔vyākaraṇa　文法学〕を理解していた。天親が『倶舎論』をつくりおわったとき、この外道はヴィヤーカラナの教義によって、法師の立てている文と句とを論破していう。

「〔『倶舎論』の文と句とは〕ヴィヤーカラナの説くところと相違している。法師はこれをどのように擁護するのか。もしも擁護することができないならば、この論はこわれてしまうであろう。」

法師はいう。

「私がもしもヴィヤーカラナを理解していないとするならば、どうしてよくこれほどきわめて奥深い・なんとも表現できないような教義を理解することができるであろうか〔ヴィヤーカラナを理解しているからこそ、その奥深い教義が理解できたのである〕。」

こういって法師は論をつくってヴィヤーカラナの三十二章を論破して行くと、それははじめからおわりまでみなこわれてしまった。そのためにこのヴィヤーカラナは失われて、ただこの『倶舎論』だけがあることになった。

王は十万の金をもって法師に捧げ、王の母は二十万の金を法師に捧げた。法師はこの金を三つに分けて、プルシャプラ（丈夫国）とカシュミール国とアヨーディヤー国とに各々一つの寺を建てた。

ところで先の外道は恥じて怒り、法師を降伏させようと欲して、人を派遣してインド（天竺）に行かせ、サンガバドラ（僧伽跋陀羅）〔Saṅghabhadra〕(3)法師に、アヨーディヤー国に来て『倶舎論』を論破することを請うた。このサンガバドラ法師が到着すると、まもなく二つの論をつくった。第一は『光三摩耶論《こうさんまや》』（三摩耶は訳せば「義類」）〔現存の『顕宗論《けんしゅう》』〕であり、一万の詩があって、そこにはまったく『大毘婆沙論』の教義を述べている。第二は『随実論』〔現存の『順正理論』〕であり、十二万の詩があって、『大毘婆沙論』の教義を擁護し『俱舎論』を論破している。この二つの論が完成したあと、〔サンガバドラは〕天親を呼んで、さらに両者が互いに向かいあって共に論じ対決しようとした。しかし天親は、それをたとえ論破しようとも、結局は『俱舎論』の教義がこわれることはあり得ないということを知っていたので、もはやその『俱舎論』にもとづいて互いに向かいあって共に論じ対決するようなことはしなかった。〔天親〕法師はいう。

「私はいまやすでに年老いている。汝の意の望むとおり、したいようにしなさい。というのは、私がむかしこの『俱舎論』をつくって『大毘婆沙論』の教義を論破したさいも同様に、その論にもとづいて、あなたと互いに向かいあって共に論じ対決するということはしなかった。あなたがいま〔あらたに〕論をつくったからといって、どうして私を呼ぶ必要があろう。智慧のある人々はみずからその是非をかならずや知るであろう。」

8　ヴァスバンドゥの大乗への転向

〔ヴァスバンドゥ〕法師はそれ以前にあまねく十八の部派全体の教義に通達しており、実にみごとに小乗仏教を理解して、小乗仏教にとらわれており、そのために大乗仏教は信じておらず、「大乗（摩訶衍《まかえん》）〔Mahāyāna〕はこれ仏説にあらず」といっていた。

アサンガ法師はすでに前からこの弟が人よりはるかにすぐれて聡明であり、知識も理解も深く広く、内外にわたって兼ね通じていることを見ていたので、〔ヴァスバンドゥが〕論をつくって大乗仏教を破壊することを心配していた。

アサンガ法師はプルシャプラ〔丈夫国〕にずっと住みついていたが、使者を派遣してアヨーディヤー国に行かせ、ヴァスバンドゥに、「私はいま病いが重い、汝は急いで来るように」と報告させた。そこで、天親は直ちにその使者について本国に還り、こうして兄と互いに会った。病いのもとを質問すると、兄は答えていう。

「私はいま心に重い病いをもっている。それは汝のために生じたものだ。」

そこで天親はまた質問していう、「どんな理由を〔兄に〕お送りしたのですか。」

兄はいう、「汝は大乗仏教を信じないで、つねにそれをそしり攻撃してばかりいる。このような罪業によってかならずや永久に悪道に沈んでしまうだろう。私はいまそれが心配でならず苦しんでおり、そのために私の命はおそらくまっとうしないのではないか。」

天親はこれを聞いて驚きおそれて、直ちに兄に、大乗を解説してくださいと請うた。兄はそこで天親のために大乗仏教の重要な教義を略説したところ、〔天親〕法師は聡明であるうえに、とくに深い知識をもっていたために、即座にその場で、大乗の理がたしかに小乗をはるかに凌駕していることを、悟り知ることができた。

〔天親は〕こうして兄についてあまねく大乗仏教の教義を学び、やがてのちには、兄が理解しているとおりにことごとく通達してその意義内容を理解することができるようになり、ついには明らかに考えに考えぬいて、その内容が前後一貫してすべて理と相応しており、そむいたり違反したりすることがなく、ここにはじめて、小乗仏教は失であり大乗仏教は得であるとすることを、身をもって体験した。

〔天親は〕「もしも大乗がなかったならば、三乗〔大乗および声聞《しょうもん》・縁覚《えんがく》の小乗の二乗〕とされる全仏教の道も、それによって得られる果もなかったであろう。かつてむかしは大乗仏教についてそしり攻撃して、それを心から信じきることが生じてこなかった。このむかしの罪業があるところから、かならず悪道に入るのではないかがまことに心配でならない」と深くみずから咎《とが》め責めて、これまでのあやまちを懺悔《さんげ》したいと欲した。そこで出かけて行って兄の許にいたり、みずからの愚かな迷いをのこらず述べて、「いまは懺悔したいと思います。以前にはあやまちについてまだ知りませんでした。どうしたらそれを免れることができるのでしょうか」といい、またいう、「私はむかし舌によって、そのためにそしりや攻撃のことばを生じていました。いま私の舌を割《さ》いて、それによってこの罪をあやまるべきでしょうか。」

兄はいう、「汝がたとえ舌を割いたとしても、それでもなおこの罪をほろぼすことはできない。汝がもしもほんとうにこの罪をほろぼしたいと欲するならば、それにはまさに或る手段・方便をなすべきである。」

〔天親〕法師はそこで兄にその罪をほろぼす手段・方便を説いてくれるように請うた。

兄はいう、「汝の舌は非常に巧みにみごとに大乗をそしり攻撃してきた。汝がもしもその罪をほろぼしたいと欲するならば、まさに非常に巧みにみごとに大乗仏教を解説すべきである。[4]」

アサンガ法師がなくなってからあと、天親はさらに大乗の論〔書〕をつくり、また多くの大乗の経〔典〕すなわち華厳《けごん》経・涅槃《ねはん》経・法華《ほっけ》経・般若《はんにゃ》経・維摩《ゆいま》経・勝鬘《しょうまん》経などを解釈した。多くの大乗の経論はことごとくこの〔天親〕法師のつくったものである。

〔天親法師は〕また唯識論をつくり、『摂《しょう》大乗〔論〕』『三宝性〔論〕』〔『仏性《ぶっしょう》論』であろう〕『甘露門』〔甘露の原語 amṛta が阿弥陀に通ずる可能性もあるところから『無量寿経優婆提舎《むりょうじゅきょううばだいしゃ》〔願生偈《がんしょうげ》〕』ではないか〕などの多くの大乗の論〔書〕を註釈した。

およそこの〔天親〕法師のつくったものは、文義精妙〔文の意義内容がきわめてすぐれていて立派〕であり、それを見たり聞いたりすることのあるものは、ひとりとして信じないものはいない。それゆえインドとその周辺の地域との大乗・小乗を学ぶ人々は、ことごとく法師のつくった論をもって、学の基本としている。また他の部派および外道の論師たちも、法師の名を聞くと、畏《おそ》れて降伏しないものはいない。

〔天親法師は〕アヨーディヤー国において命をおえたが、なくなったときの年齢は八十であった。

その行跡は日常あたりまえの境地にあり〔とくに神秘的なところはない〕けれども、到達して説かれている理そのものは実に思議することも困難である。(5)

註

1 プラーナ研究を専門とする松濤誠達氏によれば、プルシャプラ伝説は『ヴィシュヌ・プラーナ』には見あたらず、『毘捜紐天王世伝』を同書に比定するのは適切ではないという。なおクリシュナすなわちヴィシュヌがヴィダルバ（Vidarbha）王のビーシュマカ（Bhīṣmaka）の娘であるルクミニー（Rukminī）を奪い、ルクミニーの兄のルクミン（Rukmin）と戦う説話は、現在の『ヴィシュヌ・プラーナ』五・二六ほか、多くのプラーナに見える、ただしその内容や人名が全く一致しない、またプラバーヴァティーの名による別の説話もある、と松濤氏は指摘する。

2 「西域記」一七二ページは、無著が慈氏（マイトレーヤ）ボサツの天宮に昇って、幾つかの論を受けたと記するのみで、マイトレーヤ下生の記事はない。さらに無著の弟子の師子覚にからませて、トゥシタ天への上生を説く。

3 サンガバドラについては「西域記」一三二ページ。またかれとヴァスバンドゥとの論争については同一五二―一五三ページ。また同一三三ページ註二に、両者の師をスカンディラ（悟入）という。

4 アサンガによるヴァスバンドゥの大乗転向の記事は「西域記」一七三ページ。ここにも「舌」のことを記すが、転向の動機を、アサンガの弟子のとなえる『十地経』をヴァスバンドゥが聞いたとする。なお「西域記」も二人を兄弟と扱う。

5　このあとに付記と見なされるつぎの一文がある。「以上ここに説いたのは、天親などの兄弟についての記述である。そしてこのあとには、真諦三蔵阿闍梨《あじゃり》〔高僧〕が台城から出て、東に入り、広州にいたって、さらに重ねて大乗の諸論を訳したことを記している。さらには〔真諦の〕遷化〔逝去〕のあとのことが後代に伝えられている。」

2　ターラナータの伝えるヴァスバンドゥの伝記

つぎにチベット人ターラナータの著わした『インド仏教史』の伝えるヴァスバンドゥの生涯を紹介してみよう。

ターラナータ（一五七五―一六一五？）はチベット名をクンガニンポといい、チベットのツァン州に生まれる。青年時代にインドに留学、各地の仏跡を巡礼しつつ仏教を学ぶ。のち師ブッダグプタとともに帰国、サキャ派の支派ジョナン派に属し、三十五歳のとき『インド仏教史』（正式名は Dam-paḥi chos-rin-po-che ḥphags-paḥi yul-du ji-ltar dar-baḥi tshul gsal-bar bston-pa dgos-ḥdod kun-ḥbyuṅ　妙なる法宝が聖なる国にどのように広まったかを明説しあらゆる所願を生ずる〔書〕）を著わした。晩年蒙古にて布教活動を行ない、かの地で遷化する。

本書はプトンの『仏教史』とともにチベット人の手になる二大インド仏教史の一つであり、それまでの仏教史に関する数多くの資料を参考にしつつ阿《あ》闍世《じゃせ》王《おう》の時代から後期大乗仏教、さらには密教時代にいたるまでのインド仏教史を豊富な史実・史伝を織り込みながら詳細に記述したものであり、インド仏教史の研究に欠くことのできない貴重な書である。

いま以下の二訳を参考にしつつヴァスバンドゥに関する箇所を邦訳してみよう。

○ Tāranātha's Geschichte des Buddhismus in Indien aus dem Tibetischen Übersetzt von Anton Schiefner, St. Petersburg: Commissionäre der Kaiserlichen Akademie der Wissenschaften, 1869, S.118-125.

○ターラナータ著、寺本婉雅訳『印度仏教史』（国書刊行会、昭和四十九年、一八三―一八八ページ）。

1　出生および小乗から大乗への転向

〔アサンガの〕弟ヴァスバンドゥはチベットでは聖アサンガの双子兄弟であるとも、法《ダルマ》のうえでの兄弟であるともいわれているが、聖なる国〔インド〕の学者のあいだではそのように伝えられていない。すなわち、かれの父となれる人は三ヴェーダ〔の知識〕をもつバラモンであり、阿《あ》闍梨《じゃり》聖アサンガが出家したあとに〔ヴァスバンドゥ〕が生まれ、この二人の阿闍梨は同じ母をもつ兄弟であると〔伝えられている〕。聡明な智慧をつけるための儀式（Medhājanana）を受けてから広い学識と三昧《サマーディ》とを得るまでは兄のアサンガの場合と似ている。かのナーランダで出家し、声聞の三蔵を究めつくしたのち、さらに阿毘達磨《アビダルマ》を究めるために、〔小乗〕十八の学派の教説を決定するために、また知（vidyā）の道を究めつくすために、カシミールに来り、阿闍梨サンガバドラ（Saṅghabhadra 衆賢《しゅげん》）に師事して、ヴァイバーシカと、十八学派それぞれの論書《シャーストラ》と、各学派のもつ不同の経典《スートラ》と戒律《ヴィナヤ》との相違点と、外道のもつ六見のあらゆる教義と、因明《いんみょう》（論理学）のあらゆる方法とに精通して博学となったのち、その国において多年にわたって理（nyāya）と非理とを区別して、声聞の諸蔵を解釈した。その後、〔インドの〕中心地方に帰る途中、盗賊や道の夜叉《やしゃ》神に道をさえぎられることなく、マガダに到着した。

そこでまた数年間滞在し、多くの声聞の僧伽《サンガ》で、智慧ある教えをたびたび説いた。そのとき、聖アサンガの作った『五部〔瑜伽師〕地論』*を見て大乗を理解せず、〔アサンガがその教説を〕最高神《アディデーヴァ》のところで聴聞したことを信ぜず、〝ああ、アサンガは森林で十二年間三昧を修行したのに、いまだ三昧を完成せず、大象の背にも重荷となるような教説を作ったものよ〟と叫んだ。

＊「五部瑜伽師地論」とは玄奘によって百巻に訳出されている『瑜伽師地論』（大正大蔵経 No. 1579）のこと。本地分・摂決択《しょうけっちゃく》分・摂釈分・摂異門分・摂事分の五章より構成されているから五部という。

とにかく浅薄な語で非難したので〔それを兄アサンガは聞いて〕、いまや教化すべきときであると考えて、ある比丘には『無尽意菩薩経』を受持せしめ、また他の比丘には『十地経』を受持せしめ、『無尽意菩薩経』を読誦し、そのあとに『十地経』を読誦せよと命じて、

〔二人の比丘を〕弟のもとに行かしめた。

この二人が夕方に『無尽意菩薩経』を読誦したとき、〔ヴァスバンドゥは〕この大乗は因は善であり果は怠惰な道であると考えた。翌朝、『十地経』を読誦したとき、〔かれは〕因も果も二つとも善であると考えた。そして誹謗《ひぼう》することによって大罪を犯したのであるから、その誹謗した舌を切断しようと決心し、ナイフを探したとき、かの二人の比丘は「このために舌を切断したとて何のためになろうか。罪を懺悔する方法は兄がもっているから聖者のもとに行き質問すべきである」と語った。そこで〔ヴァスバンドゥは〕聖アサンガのもとに行き――これに関してチベットの伝承によれば――大乗のあらゆる法を見おわってから、兄弟が法《ダルマ》に関する論義を始めたとき、弟は弁才が迅速であるが兄は弁才が迅速ではなかったのに善い答えをするので、その原因を尋ねると、〔兄は〕〃イダム神（守護神）に尋ねてから答える〃と返答した。弟もまた〔神の〕姿の現われるのを願ったが、〔兄は〕いまはそのときではないと語って、罪を滅する方法を教えた、とこのように伝承されているが、インドの記述にはこのようなものはなく、道理からしても不適当であることは明白である〔その理由は以下のようである〕。聖アサンガのもとで大乗の諸経典を聞いてから、師《グル》と論戦したり、あるいは師に質問することなしに、書物を見てそれに精通するなどということは、昔のよき時代の諸賢者の行為にはなかったし、またよき時代には阿闍梨と論戦しなかったと説かれているといわれることのごときは、〔ヴァスバンドゥが〕聖アサンガと論戦したといわれることとどうして一致することができようか。アサンガはマイトレーヤから教えを授かったと衆人の語るところであるから、ヴァスバンドゥがそれを知らずして〔兄に善答の原因を〕質問したこと、それとイダム神〔の出現を〕願ったということはどうみても適当ではない。

これに関してはインドの伝承によればつぎのようである。前述したつづきであるが、罪を滅する方法を尋ねたとき、聖者はアジタ王（マイトレーヤ）に祈願して、〝汝よ、どうか大乗の法を広く説示し、多くの経典に註釈をほどこし、仏頂《ぶっちょう》尊勝陀羅尼《そんしょうだらに》の明呪《みょうじゅ》を十万回唱えて下さい〟と語った。兄のもとで大乗のあらゆる法をただ一度聞いただけで理解し、ある真言の阿闍梨師より真言に入る門を授かってから、五百陀羅尼経を読誦し、秘密主の明呪を唱えてそれを成就し、真実の意味を理解して、すぐれた三昧を身につけ、そのとき、人間界にあるあらゆる仏陀の語を理解したので、師（世尊）の入滅後には阿闍梨ヴァスバンドゥのような多聞はいないといわれた。

かれは声聞の三蔵中にある五百の経典を、四十九集に編集した『聖《しょう》宝積経《ほうしゃく》』『華厳経』『大宝集経《だいほうじゅ》』それぞれにおいて数えあげ、そのほか『十万般若』などの大乗の大小経典五百集と五百の真言陀羅尼との、これらすべての語の意味をあますところなく理解した。かれは毎年そのたびごとにそれらを読誦した。すなわちごま油の桶の中に入ってから、昼夜たえることなく十五日間、それらを一気に読誦しおわり、『八千般若』を毎日読誦しても、毎回一、二チュツォ〔チュツォは時間の単位、一チュツォは二十四分〕で読誦しおわった。この阿闍梨が大乗に入ったとき、声聞蔵を記憶した約五百人の学者も大乗に入った。

2　論書の作成

聖アサンガが入滅したのち、ナーランダの和尚となり、さまざまの法門を説くことによって毎日、種々の異なった見解をしりぞけ、他人に出家の戒を授け、自らも出家者、比丘の和尚、阿闍梨として振る舞い、各人の堕罪をただし、自らは十法行を犯すことなく行じ、他の一千人に毎日十法行すべてを行ぜしめ、とくに大乗の不同の経典の教えを毎日二十回にわたって絶えることなく説き、日没時には教えの精髄をまとめ、論点と主要点を要約し、夜中にほんの少し眠って最高神《アディデーヴァ》より教えを聞き、明け方に真実の三昧に入った。そのあいだ、折り折りに論書を作り、外道の非難に反論した。

かれは『二万五千般若波羅蜜多《はらみた》』『無尽意菩薩示教』『十地（経）』『三宝憶念』『五手印経』『縁起経』『荘厳経（論）』『二分別（論）』などの大乗・小乗の大きな経典あるいは小さな経典を註釈する諸論書、および五十部ほどの他の注釈書を作成し、自著としては「八部の註釈《プラカラナ》」を作った。そして仏頂尊勝〔陀羅尼〕を十万回読誦してその明呪を成就したのち、秘密主の姿を眼前に見て無量三昧を獲得した。

この阿闍梨が作った『縁起経　釈《ヴリッチィ》』などほかの三註釈書を「八部の註釈《プラカラナ》」にかぞえいれ

ることはここ（チベット）では一般にいわれているけれども、vṛtti《ヴリッチィ》という語はprakaraṇa《プラカラナ》ということばと関係なく、vyākhyāyukti を prakaraṇa と名づけるのもむずかしい。prakaraṇa は主要な意味それぞれを説くある一つの論書の名であるから、『荘厳経』のような大きな根本書につけられず、ましてやそのことばを註釈したものにつけられないことはいうまでもない。「八部の註釈《プラカラナ》」のうち、あるものにはプラカラナという名があり、あるものにはその名がなくて、首尾一貫していない。

3　布教活動と入滅

この阿闍梨は遠方の辺境には行かず、たいていはマガダ国に住み、そこで荒廃した諸道場を復興し、大乗の道場を新たに百八ヵ所に建立したので、マガダ国のいたるところは道場でみちあふれた。東方のガウラ国には一度だけ行き、そこで集まった無量の人びとに多くの経典を説いたとき、諸天は黄金の花を雨ふらし、あらゆる乞食者《こつじきしゃ》も大きな花束をそれぞれ得た。〔かれは〕その国にも百八の道場を建てた。

オディビィシャ国にバラモンのマクシカによって招待され、そこで大乗教団の一万二千人に三ヵ月にわたって説法したことによってバラモンの家に五つの宝の源が出現し、その国のバラモン・居士・王たちは信心をおこし、そこにまた百八の道場を建てた。南方などの地方において阿闍梨はいくども教化を行ない、道場はそのすべてをまとめれば〔教化した数〕と同じほどあり、六百五十四の道場を建立したといわれる。

阿闍梨聖アサンガの時代よりも大乗の教団の数はこの時代のほうが多く、諸国のすべてをまとめれば、大乗の比丘は六万人いたといわれる。阿闍梨自身と生活を共にする比丘もおよそ一千人おり、かれらのすべては戒律を具し多聞なる人びとだけであった。この阿闍梨がどこに住もうとも、あらゆるところで、鬼神によって資財の供養を受ける、宝の源が出現する、などの不思議な出来事がつねに起こった。思惟中の智神通によって、善・悪についての一切の質問に、正しく教えを垂れ、王舎城の火災の際には真力呪を呪誦して消火し、ドュシャナーンタプラの町で疫病が発生した際も真力呪を呪誦して鎮め、明呪の力によって身命に関する威力を得るなどの不思議な出来事はあとを絶たなかった。壮年あるいは晩年に、約五百人の外道の論敵者を論破し、広くバラモンと外道五百人を仏教に入らしめ、最後に千人の弟子に囲まれてネパール国に行き、そこでも道場を建て、教団の数は数多く、無限に増えた。居士が法衣を着て耕作しているのをみて、師の教えが衰微していると考え、教団内で説法し、仏頂尊勝陀羅尼を前と後ろからぎゃくに三回読誦したのち、そのまま入滅し、しばらくは「法の太陽が没した」といわれた。そこに弟子たちは塔を建てた。

3　ヴァスバンドゥ二人説について

フラウヴァルナーの二人説

ヴァスバンドゥの年代については、すでに十九世紀の末から、ワシリエフ、ケルン、ビューラー、レヴィ、ペリなどヨーロッパの諸学者によって論じられ、日本においても今世紀初頭から、舟橋水哉、望月信亨、高楠順次郎の諸氏によってヴァスバンドゥ年代論に関する論争が開始された。そして大きくわければ、ヴァスバンドゥを紀元後四世紀に、あるいは五世紀に位置せしめる二つの年代論が対決した。

これについて一九五一年、フラウヴァルナーが「ヴァスバンドゥ二人説」という注目すべき説をとなえ、学界に大きな波紋をよびおこした。いまかれの論文 "On the Date of the Buddhist Master of Law Vasubandhu" (Serie Orientale Roma III) によってその主張と結論とをまとめて紹介してみよう。

かれは漢文の諸資料、とくにパラマールタ（真諦　四九九―五六九）と玄奘（六〇〇―六六四）とに関係する著作の所説を検討することによって、ヴァスバンドゥの年代について、(i)仏滅後一千百年、(ii)一千年、(iii)九百年の三説があることを指摘する。(i)はパラマールタ訳

『婆藪槃豆法師伝』*、窺基《きき》の『成唯識論述記《じょうゆいしきろんじゅつき》』、パラマールタ訳『摂大乗論釈』への道基の序文に、(ii)は玄奘の『大唐西域記』『大慈恩寺三蔵法師伝』に、(iii)は『成唯識論述記』に引用されたパラマールタの『中辺分別論疏』、慧祥の『法華伝記』に引用されたパラマールタの記述に、それぞれ散見される説である。すなわち(i)と(iii)はパラマールタ系の論書に、(ii)は玄奘系の論書にそれぞれみとめられる説である。

＊『婆藪槃豆法師伝』では実際には「仏滅後九百年」となっているが（本書三四ページ参照）、慧沼の『成唯識論了義灯』に同箇所が引用され、そこでは「仏滅後一千一百余年」となっていることから『法師伝』の九百年を一千百年に訂正するが、これには問題がある。

このうち(i)の一千百年説については、かれは普光の『倶舎論記』にある「真諦（パラマールタ）云く、仏涅槃後、いまにいたるまで一千二百六十五年」という一文とパラマールタの中国在住年代（五四六―五六九）とを考え合わせて、仏滅後一千百年といわれるヴァスバンドゥの年代は紀元後四〇〇年であると計算した。(ii)の玄奘系の仏滅後千年説については、『成唯識論述記』にある十大論師に関する「〔世親と〕同時に唯だ親勝・火辨の二大論師ありて此の頌釈を造り、千一百年後に余の八論師方《まさ》に斯《こ》の釈を造る」という一文と余師中のダルマパーラ（護法）の生存年代（五三〇―六一）とを考え合わせて仏滅後千年といわれるヴァスバンドゥの年代は、やはり紀元後四〇〇年から五〇〇年にわたる五世紀であると結論した。したがって(ii)と(iii)からは同じ年代が結果され、したがって年代について、大きく①仏滅後九百年とみる説と、②仏滅後一千百年（玄奘系では千年）すなわち五世紀とみる説との二つの説となる。

さてフラウヴァルナーは、前説①は広く主張されているから、また後説②はパラマールタと玄奘というもっとも信用するにたる権威に基づいた説であるから、両説のいずれをも否定すべきでないという前提のもとに、ヤショーミトラの『阿毘達磨俱舍論釈』に『俱舍論』の作者の以前に「古ヴァスバンドゥ」という別人の存在を示唆していることにヒントを得て、①と②との両説は、ヴァスバンドゥという同一の名をもつ、つぎのようなまったく別人の二人について語られたものであるという仮説をとなえた。

①一人はアサンガの弟としてのヴァスバンドゥ（古ヴァスバンドゥ）

②もう一人は『俱舍論』の作者としてのヴァスバンドゥ（新ヴァスバンドゥ）

そして後者については、ヴァスバンドゥが寵愛《ちょうあい》をうけた二人の王すなわちヴィクラマーディトヤ王とバーラーディトヤ王とを、グプタ王朝の第五代スカンダグプタと第七代ナラシンハグプタとの両王であると推定し、かれらの年代から察して新ヴァスバンドゥの年代は四〇〇—八〇年ごろであると結論した。前者については、ヴァスバンドゥ作とされながらもその真偽に疑問がもたれる提婆菩薩造・婆藪開士釈『百論』と、天親菩薩造『発菩提心論』の二書をヴァスバンドゥの撰述と断定し、この二書が羅什（三四四—四一三。四〇一年に中国に到る）によって訳されていることから、古ヴァスバンドゥを紀元後四世紀に位置せしめ、さらに『法華伝記』にある羅什が僧肇《そうじょう》に語ったことば、『雑阿毘曇心論《ぞうあびどんしんろん》』の序偈にある「無《む》依《え》虚空論」に対する割註、さらには世親造・金剛仙釈とされる『金剛仙論』に説かれる師資《しし》相承《そうじょう》説を検討することによって、古ヴァスバンドゥの年代を三二〇―八〇年ごろであると結論した。

かれは両ヴァスバンドゥの生涯をつぎのようにまとめた。

①（古ヴァスバンドゥ）かれはおそらく三二〇年ごろに生まれた。かれの故郷はプルシャプラ（いまのペシャワール）である。かれの父カウシカはバラモンであり、国師の任にあった。ヴァスバンドゥには兄アサンガと弟ヴィリンチヴァッサという二人の兄弟がいた。若いとき、説一切有部《せついっさいうぶ》に属し五百とも伝えられる多くの著作を書いたが、それらはまもなく忘れられ散失してしまった。それらの一冊がダルマシュリー（法勝）の『阿毘曇心論』にたいする註釈『雑阿毘曇心論』であったであろう。のちにかれは兄アサンガの影響によって大乗に転向し、五百と伝えられる大乗の論書を作った。かれの大乗の著作として、アーリヤデーヴァの『百論』にたいする註釈、マイトレーヤの『中辺分別論』にたいする註釈、さらには『十地経論』『妙法蓮華経憂波提舎』『金剛般若経論』『発菩提心論』がある。大乗に貢献したかれの活動にたいし、まもなくよき伝説が語られるにいたった。かれは兄アサンガより早く、おそらく三八〇年ごろに没した。

②（新ヴァスバンドゥ）かれはおよそ四〇〇年ごろに生まれた。かれの生誕地の家系は未詳であり、ブッダミトラがかれの師であったことを知りうるのみである。かれ自身は説一切有部に属したが、経量部的傾向をも強めていった。かれは全盛期にスカンダグプタ王とナラシンハグプタ王とから寵愛をうけた。とくに後者は即位後ヴァスバンドゥをいまのオウダであるアヨーディヤー国に招聘《しょうへい》しかれを尊敬した。若いヴァスバンドゥを有名にした最初の著作は『七十真実論』であり、かれはそのなかで、以前かれの師ブッダミトラを負かしたサーンキヤの論師ヴィンドヤヴァーシンを論破した。かれの主著は『阿毘達磨倶舎論』であり、このなかでかれは説一切有部の教理に明確な形を与えた。しかしそれに対するかれ自身の註釈は経量部的傾向を強くもっている。『阿毘達磨倶舎論』を著わしたのち、文典家ヴァスラータの論難をしりぞけた。しかし、正統的な毘婆沙《びばしゃ》派の立場から『倶舎論』を批判した毘婆沙師サンガバドラ（衆賢）との論争は高齢を理由にことわった。かれは四八〇年ごろ、八十歳でアヨーディヤー国にて没した。

さてフラウヴァルナーは以上のようにヴァスバンドゥ二人説をとなえたが、ヴァスバンドゥの作に帰せられる諸作品のおのおのが、古・新いずれのヴァスバンドゥに帰せられるかという問題の解釈について、今後の内容研究をまって可能であるという理由で、この論文ではなんら言及しなかった。

フラウヴァルナーのヴァスバンドゥ二人説を思想内容的に裏づけたのが、かれの弟子シュミットハウゼンである。

一九六七年に発表した論文 “Sautrāntika-Voraussetzungen in Viṃśatikā und Triṃśikā” (WZ-KSO. Band XI) のなかでヴァスバンドゥの『唯識二十論』と『唯識三十頌』の思想を検討し、両者ともに経量部の影響のあることをつぎのように指摘した。

『唯識二十論』を検討すれば、この作品では瑜伽行派の説く八識説という〈八層からなる心の相続〉に基づいて唯識性が展開されているのではなく、経量部の説く〈一層の心の相続〉に基づいて展開されている。これはつぎの事実から明白である。①『唯識二十論』では業の習気《じっけ》(vāsanā) の荷負者がアーラヤ識 (ālayavijñāna) とよばれず、識の相続 (vijñāna-saṃtāna) とよばれる。②経量部の術語である「識の相続転変差別《しゃべつ》」(vijñāna-saṃtāna-pariṇāma-viśeṣa) がみとめられる。③五色根《ごしきこん》(五内処) に関する見解。④心 (citta) と意 (manas) と識 (vijñāna) とを同義語と解釈する。⑤現量としての感覚知と分別としての意識とを区別する。

これに対して『唯識三十頌』は〈八層からなる心の相続〉(八識説) を唱えるが、しかしそこにも〈一層的な心の相続〉と〈その転変〉という経量部的思想の痕跡が明白にみとめられる。

シュミットハウゼンはこのように『唯識二十論』と『唯識三十頌』には経量部的要素が認められることから、この両論書の作成を『阿毘達磨倶舎論』の著者に帰した。そして、そのような経量部的要素が、やはりヴァスバンドゥ作といわれる諸註釈、すなわちマイトレーヤとアサンガとの著作に対する諸註釈に認められないという事実*から、フラウヴァルナーのヴァスバンドゥ二人説を擁護するにいたったのである。

*しかし、すくなくとも『大乗荘厳経論』(Mahāyānasūtrālaṃkāra, p. 152. 1. 21) には「相続転変差別」(saṃtati-pariṇāma-viśeṣa) という語がみとめられる。

フラウヴァルナーのヴァスバンドゥ二人説は、その後、学界に大きな波紋をよびおこした。しかし、「氏の所論を通観するに、その用いた資料は既に高楠、ペリ其の他の学者によって論じられたものばかりでほとんど目新しいものは見当たらない。……今迄の所論に存した矛盾や無理を新しい解釈によって消し去った点もたしかに認められるが、大胆な仮説が先立って資料に対する解釈を引きずって行った感のあるのを否めない」(八七ページ掲載の論文⑭)、あるいは「自説を盛りたてるために、玉石混淆《ぎょくせきこんこう》の資料を利用している」(八八ページ論文⑰)などと評され、資料のとり扱い方における問題点や論理の矛盾点がいくつか指摘され、ヴァスバンドゥ二人説に疑問をもつ学者も少なくはない。

諸学者のヴァスバンドゥ年代論のまとめ

十九世紀末にヨーロッパの学者によってひきおこされたヴァスバンドゥ年代論争は、その後現代にいたるまでほぼ一世紀にもわたって日本内外の学者によってつづけられてきた。いま、それら諸説をまとめてみよう（カッコ内の番号は八六―八八ページ掲載の論文の番号を示す）。

A、三世紀―四世紀説
○椎尾辨匡（⑪）…二七〇―三五〇年。もしくはややくだる時期。

B、四世紀説
○ビューラー（④）
○舟橋水哉（⑤）…新ヴァスバンドゥと古ヴァスバンドゥとの二人説を認め、新ヴァスバンドゥをも羅什以前に、すなわち四世紀におく。
○ペリ（⑩）…四世紀に生活し、三五〇年もしくはややおくれて入滅。
○宇井伯寿（⑫）…約三二〇―四〇〇年。

C、四世紀―五世紀説
○荻原雲来（⑧）…約三九〇―四七〇年。

D、五世紀説
○レヴィ（⑨）…五世紀前半。

○望月信亨（⑥）…五世紀。
○高楠順次郎（⑦）…約四二〇—五〇〇年。
○干潟竜祥（⑮）…五年前後のふくみをもって三説をたて、そのうち約四〇〇—八〇年をもっとも妥当な年代とみる。

E、六世紀説
○ケルン（①）
○ワシリエフ（②）
○ダッフ（③）

F、二人説
○フラウヴァルナー（⑬）…古ヴァスバンドゥ　約三二〇—八〇年。
新ヴァスバンドゥ　約四〇〇—八〇年。

さて、右の諸説のうち、ヴァスバンドゥ二人説はさておいて、一人説の立場からすれば、四〇〇—八〇年説が最も無理のない年代論であると現在考えられている（⑰）。
最後にヴァスバンドゥの年代論に関する諸文献を列記しておこう。

① Kern: Buddhismus und seine Geschichte in Indien II.S.517.
② Wassilieff: Buddhismus, S.78,205,215.
③ M. Duff: Chronology of India.

④ Bühler: Die indischen Inschriften, Wien, 1890, p. 79.
⑤舟橋水哉、『無尽燈』（七の三、五、十）所収。1902.
⑥望月信亨、『宗粋雑誌』（六の五、七）所収。
⑦高楠順次郎：A Study of Paramārtha's Life of Vasubandhu and the Date of Vasubandhu, JRAS, 1905.
⑧荻原雲来：Bodhisattvabhūmi, ein dogmatischer Text der Nordbuddhisten, Leipzig, 1908.
⑨ S. Lévi: Asanga, Mahāyānasūtrālaṃkāra, Paris, Tome II, traduction, introduction, index, 1911, p.2.
⑩ N. Pêri: A propos de la date de Vasubandhu, BEFEO, XI, 1911.
⑪椎尾辨匡「高楠博士及びペリ氏の世親年代論について」（『哲学雑誌』三〇九号）。
⑫宇井伯寿『印度哲学史』1929, p.387.
⑬ E. Frauwallner: On the Date of the Buddhist Master of Law Vasubandhu, Serie Orientale Roma III, 1951.
⑭桜部建「フラウワルナー氏の世親年代論について」（『印仏研』一ノ一、pp.202—208, 1952.）
⑮干潟竜祥「世親年代考」（『宮本正尊教授還暦記念論文集印度学仏教学論集』三〇六―三一二

三ページ所収、1954)。

⑯平川彰等著『倶舎論索引』part I, Introduction, pp.II-X, The Date of Vasubandhu-The Discussion on Two Vasubandhu, 1973.

⑰平川彰『インド仏教史』下巻、1979, pp.101-106.

II

ヴァスバンドゥの思想

1　『倶舎論』における思想

1　概説

『倶舎論』作成の由来と本論の特徴

ヴァスバンドゥが小乗時代に書いた主著『阿毘達磨倶舎論《あびだつまくしゃろん》』はサンスクリットでAbhidharmakośabhāṣya（アビダルマ・コーシャ・ヴァーシュヤ）といい「存在分析の蔵《くら》」に対する註釈という意味である。まず本書成立の由来を述べよう。

第I部「ヴァスバンドゥの生涯」ですでに述べたように、ヴァスバンドゥは、はじめ小乗の説一切有部《せついっさいうぶ》に属した。この派の学派名サルヴァ・アスティ・ヴァーディン（Sarvâstivādin）は、「存在のあらゆる《サルヴァ》構成要素《ダルマ》の実在《アスティ》を認める学派」という意味であり、北インドのカシュミールを中心に勢力をはった、最も有力な小乗学派であった。この学派は戒・律・論の三蔵中、論蔵（註釈書）の作成を重んじ、初期の時代『集異門足論《しゅういもんそくろん》』『法蘊《ほううん》足論』『施設《せせつ》足論』『識身《しきしん》足論』『界身《かいしん》足論』『品類《ほんるい》足論』（まとめて「六足論」といわれる）の六論を作成した。その後、紀元前二世紀の中ごろ、カーティヤーヤニープトラ（迦多衍尼子）が『発智論』を著わしたことによって説一切有部の教義が確立した。そしてこの『発智論』に対する註釈書『大毘婆沙論《だいびばしゃろん》』がカニシカ王（ほぼ一二九―一五三在位）の時代に（一説によればカニシカ王のあとに）編纂された。本書は漢訳で二百巻にもおよぶ大部な分量をもち、説一切有部内の諸説、他派の学説、さらには外道の説を論破して、もって説一切有部の正統説を宣揚しようとするのが目的であった。

ガンダーラ国のプルシャプラ（現在のアフガニスタンのペシャワール）に生まれたヴァスバンドゥは、長じてカシュミール国に留学、説一切有部の教説を学んだ。のち故郷に帰り、『大毘婆沙論』を講義し、その大要を六百余頌にまとめた。そしてそれを銅版に刻してカシュミールの論師に送ったところ、内容理解の困難のため、その説明を求められ、註釈をほどこしてまとめたのが『倶舎論』である。

したがって『倶舎論』はかたちのうえでは厖大《ぼうだい》な『大毘婆沙論』をまとめた綱要書である。しかし本書の特徴は、『大毘婆沙論』の所説を逐次解釈したものではなく、きわめて理路整然とした新たな構成のもとにその所説を要約し、しかもたんに説一切有部の説に盲従することなく、説一切有部の所説でもかれが非とするところがあれば、それを経量部の立場より批判したところにある。本書が「理長為宗《りちょういしゅう》」（理の長ずるをもって宗と為す、すなわち、他宗の所説でもその道理がすぐれていれば、それをも採用する立場）といわれるゆえんである。これによって、ヴァスバンドゥは説一切有部に属しながらも、経量部的傾向をもっていたことがわかる。この事実はまた、のちにかれが瑜伽行《ゆがぎょう》唯識派に転向するようになる伏線でもあった。なぜなら瑜伽行唯識派は経量部的傾向をもち、経量部から派生したともいわれているからである。

『倶舎論』の構成

『倶舎論』は主要な八つの品《ほん》と付論的な一つの品とから構成される。いまその構成を表示してみよう（『国訳大蔵経』論部第十一巻の「阿毘達磨倶舎論解題」〔訳者荻原雲来・木村泰賢記〕より転写）。

- ㈠原　理　論
  - 界品（諸法の体を明らかにした部門）
  - 根品（諸法の用《ゆう》を明らかにした部門）
- ㈡事実的世界観
  - 世間品（果としての世界）──苦
  - 業品（世界の因）
  - 随眠《ずいめん》品（世界の縁）
  - （業品・随眠品）──集

(三)理想的世界観
- 賢聖《けんじょう》品（理想界）――滅
- 智品（理想界への因）┐
- 定品（理想界への縁）┘――道

(四)付　論　破我品

右の表から、『倶舎論』がいかに深い思索のもとに巧みに組織構成されているかがわかる。漢訳で三十巻にもおよぶ『倶舎論』の内容すべてにふれることは、かぎられた本書の枚数では不可能であるから、要点のみを抽出し、理解をたすけるために適宜図表を用いながら簡潔に説明してみよう。

2　存在分類法

アビダルマについて

『阿毘達磨倶舎論』の阿毘達磨《あびだつま》はサンスクリットでアビダルマ（abhidharma）という。このうち「アビ」とは「対する」「向かう」を原意とする。つまりアビダルマとは「ダルマを研究する、分析する」という意味である。ではダルマとは何か。

仏教が主張する三つの綱領（三法印）の一つに「諸法無我」がある。この場合の「法《ほう》」とはサンスクリットでダルマといい、存在（存在するもの）を意味する。したがって諸法無我とは「あらゆる存在《ダルマ》には固定的実体《アートマン》はない」という意味である。ところで法《ダルマ》は基本的には釈尊によって説かれた教法である。たとえば存在分析については蘊《うん》・処・界、真理については十二縁起・四諦《したい》、修行方法については八聖道・三十七菩提分法などの教理である。ところで教理としての教法《ダルマ》はその裏に存在としての法《ダルマ》を前提とする。自己の肉体と精神、自己をとりまく自然界、さらには現象界を超えた非現象界、すなわち存在するかぎりのありとあらゆる存在《ダルマ》の真実の相《すがた》を概念で表現したのが教法としての法《ダルマ》である。したがってアビダルマとは、教法を分析・研究することであると同時に、それは存在そのものを分析・研究することである。アビダルマの論師たちは、このように存在するかぎりのありとあらゆる存在（一切法）の分析に力を注いだ。しかしその分析は、たんに分析のための分析ではない。真のアビダルマ（勝義のアビダルマ）とは「涅槃の法《ダルマ》に対する清らかな智慧」であるといわれるように、存在の分析は、それによって無我をさとり、涅槃に達することを目的とする。『倶舎論』の「界品」と「根品」には、存在を基本的構成要素に分析し、それらをどのように分類するかが説かれている。以下、それを簡単にまとめてみよう。

初期仏教いらいの存在分類法

仏教に古くからある存在分類法は五蘊《ごうん》説である。五蘊の蘊はサンスクリットでスカンダといい、原意は集合あるいは集合体であるが、仏教では存在の構成要素の意味に用いる。五蘊とはつぎの五つの構成要素をいう。

(1)色　(2)受　(3)想　(4)行　(5)識

色《しき》（ルーパ）とは物質をいう。元来は五蘊説は人間存在の構成要素を意味していたから、色とは、肉体を形成する「五つの感覚器官」（五根）をさしたが、のちに広く自然界にも目が向けられ、加えて感覚器官の対象となる「五つの認識対象」（五境）をも意味するようになり、さらに部派仏教にいたって、具体的な行為（表業）のとどめる「潜在的な残気・影響」（無表色《むひょうじき》）も色《しき》のなかに加えられた。このように感覚器官とその認識対象というように、物質がわれわれの認識領域の枠《わく》内でとらえられている点に仏教の物質観の特徴がある。

つぎの受（ヴェーダナー）とは、苦しい、楽しい、苦しくもなく楽しくもない、という三つの感受作用をいう。

想（サンジュナー）とは、対象が何であるかを認知する知覚作用をいう。

行《ぎょう》（サンスカーラ）とは、元来は潜在的な印象あるいは潜在的な創造力を意味する語であり、仏教では、行為を生みだす意志作用（チェータナー）をさす。

識（ヴィジュニャーナ）とは広く感覚・知覚・思考作用を総称したもので、認識作用一般をいう。

現代的表現でいえば、右の五つのうち、色は物質に、受から識までは心《こころ》にそれぞれ相当する。物質が色という一グループであるのに心《こころ》が四グループにも分類されていることは仏教がいかに心の分析に力を注いだかを物語っている。

のちに心作用の分析がすすみ、こまかいさまざまな心の活動を行蘊のなかに分類するにいたった。ところで、さまざまな心的活動のうちで「受」と「想」との二つをとくに別に立てて一グループとする理由を『倶舎論』巻一は「受と想の二作用は、争いを生みだす根源であり、生死輪廻《しょうじりんね》する原因となるから」と説明する。たしかにわれわれは、ある対象を快適で楽しいと感受してそれに執著《しゅうじゃく》する。また対象をことばによって把握するが、その多くはまちがった見解である。この事物への執著とまちがった見解とが争いと生死輪廻との最も力強い原因となるから、とくに受と想との二つを別立するという。典型的な情的作用（受）と知的作用（想）とを争いと生死の原因ととらえる考え方はすこぶる仏教的であり、注目すべき所説である。

初期仏教いらいの存在分類法としてこのほかに十二処説、十八界説がある。前者は存在を「六つの感覚器官」（内の六処）と「六つの認識対象」（外の六処）とに分類したもの、後者は存在を「六つの感覚器官」（六根界）と「六つの認識対象」（六境界《きょうがい》）と「六つの認識作用」（六識界）とに分類したものである。この十二処・十八界と五蘊との相互関係は、のちに図表にして示す（一〇一ページ参照）。

説一切有部の新分類法（五位七十五法）

さて、前述した五蘊には現象的存在（有為法《うい》）のみがふくまれ、非現象的存在（無為法）は除外されている。またこまかい心作用（心所法《しんじょ》）や、物質でも心《こころ》でもない存在（心不相応行法）が十二処説と十八界説とでは法処あるいは法界という一グループにのみ分類される。このようなそれまでの不備な点を改善するために新たに説一切有部によって作りだされたのが「五位七十五法」という存在分類法である。この分類法は『品類足論』に初出するが、『倶舎論』もそれをそのまま踏襲している。五位七十五法とは、法《ダルマ》すなわち存在するものを七十五種類に分類し、それらを大きく五つのグループに大別する方法である。いまこれを表示してみよう。

㈠色　法（十一）……眼根《げんこん》・耳《じ》根・鼻根・舌根・身根・色境・声《しょう》境・香境・味境・触《そく》境・無表色
㈡心《しん》　王《のう》（一）
㈢心所法（四十六）……大地法（十）……受・想・思・触・欲・慧・念・作意《さい》・勝解《しょうげ》・三摩地
　大善地法（十）……信・勤《ごん》・捨・慚《ざん》・愧《き》・無《む》貪《とん》・無《む》瞋《しん》・不害・軽《きょう》安《あん》・不放逸

大煩悩地法（六）……無明・放逸・懈怠《けたい》・不信・惛沈《こんじん》・掉挙《じょうご》
大不善地法（二）……無慚《むざん》・無愧《むき》
小煩悩地法（十）……忿《ふん》・覆《ふく》・慳《けん》・嫉・悩《のう》・害・恨・諂《てん》・誑《おう》・憍《きょう》
不定法（八）……悪作《おさ》・睡眠・尋・伺・貪《とん》・瞋《しん》・慢・疑

㈣心不相応行法（十四）……得・非得・衆同分《しゅどうぶん》・無想果・無想定《むそうじょう》・滅尽定《めつじんじょう》・命根《みょうこん》・生・住・異・滅・名身《みょうじん》・句身・文身《もんじん》

㈤無為法（三）……虚空・択滅《ちゃくめつ》・非択滅

色《しき》とは前述したように（九五ページ参照）、いわゆる物質的なものをいう。

心王とは、認識作用をつかさどる中心的な心作用をいう。別すれば、眼識・耳識・鼻識・舌識・身識・意識の六つにわかれる。

心所《しんじょ》法とは詳しくは心所有《しんしょう》法（心《こころ》が有《ゆう》するところの存在）といい、右の心王とともに活動するこまかい心作用をいう。心所はまた大地法以下六グループに分類される。右の表に示されるように、われわれの心の働きをきめこまかに分析し、数多くの心的活動を発見したところにアビダルマ仏教の特徴がある。右の四十六の心所は瑜伽行唯識派に――数のうえで五十一に増加したとはいえ――そっくりそのままひきつがれていった（各心所の説明については本書二四一—二六二ページまでを参照のこと）。

つぎの、心不相応行とは、物質（色）あるいはこころ（心）のいずれでもない（相応しない）現象（行）をいう。存在するものといえば、われわれは物質かあるいはこころのいずれかを想像し、それ以外のものを考えることができない。しかし説一切有部は存在に対する深い洞察を通して、物・心いずれでもない実在物を考えだした。そしてそれによって現象をより根源的にあるいは原理的に把握しかつ説明しようとした。たとえば、最初の「得」とは、あるなにものかを得《う》る場合、とくに精神的にあるものを得る場合——たとえば涅槃を得るという場合、それを得る「こころ」と、得られる「もの」以外に、得るという現象を現象たらしめる「得」という、いわば原理的なるものが実在すると考える。

また最後の名・句・文は心不相応行のなかでも最も代表的なものであり、名とは単語、句とは文章、文とは単語や文章を構成する文字をいう。総じていえば名・句・文とはことばないし概念である。しかしこの場合のことばないし概念は具体的に音声となって発せられたものではなく、音声となる以前の、いわば〝潜在的概念〟とでもいうべきものである。

ところで経量部は、このようにことばは実在するとみる説一切有部のいわば概念実在論に反対し、音声のみでよく事物の意味を理解せしめることができ、潜在的なことばの実在を考える必要はないと反論する（『倶舎論』巻五）。『倶舎論』の作者ヴァスバンドゥはそのいずれの立場にくみするかは明言していないが、この経量部の見解は心不相応行を物質とこころの関係の上に仮《か》りに設定された存在（仮有《けう》）とみる瑜伽行唯識派の立場に通ずる。

以上、色ないし心不相応行の四つは、具体的に生じた現象的存在であるのに対して、最後の無為法は、いわば非現象的存在をいう。現象的存在を有為（サンスクリタ）という。有為はつぎのような性質をもつ存在である。

①さまざまな原因によって作られたもの。

②生じ変化し消滅してゆくもの。

③時間と空間、あるいは因果の法則に縛られるもの。

したがって有為法と対立する無為法は、諸原因によって作られず、生じ変化し消滅しなく、時空や因果律に拘束されない存在をいう。

三つの無為のうち「虚空」とは、そのなかにいかなるものも存在しない広大無辺な空間をいう。「択滅」とは智慧によって煩悩を滅してえられる涅槃をいう。「非択滅」とは、現象となるべき縁《えん》（原因）がないために現象となりえなかった存在をいう。

さて、五蘊ないし五位七十五法の分類はけっして自然科学的な目を通してなされたものではない。『倶舎論』巻一に「こころに愚《おろ》かなために我《が》に執するひとに対して五蘊を、物質に愚かなために我に執するひとに対して十二処を、こころと物質とに愚かなために我に執するひとに対して十八界をそれぞれ説く」と述べられているように、仏教で諸存在を分析するのは、すなわちアビダルマするのは、自己存在にはなんら固定的実体はない、すなわち無我で

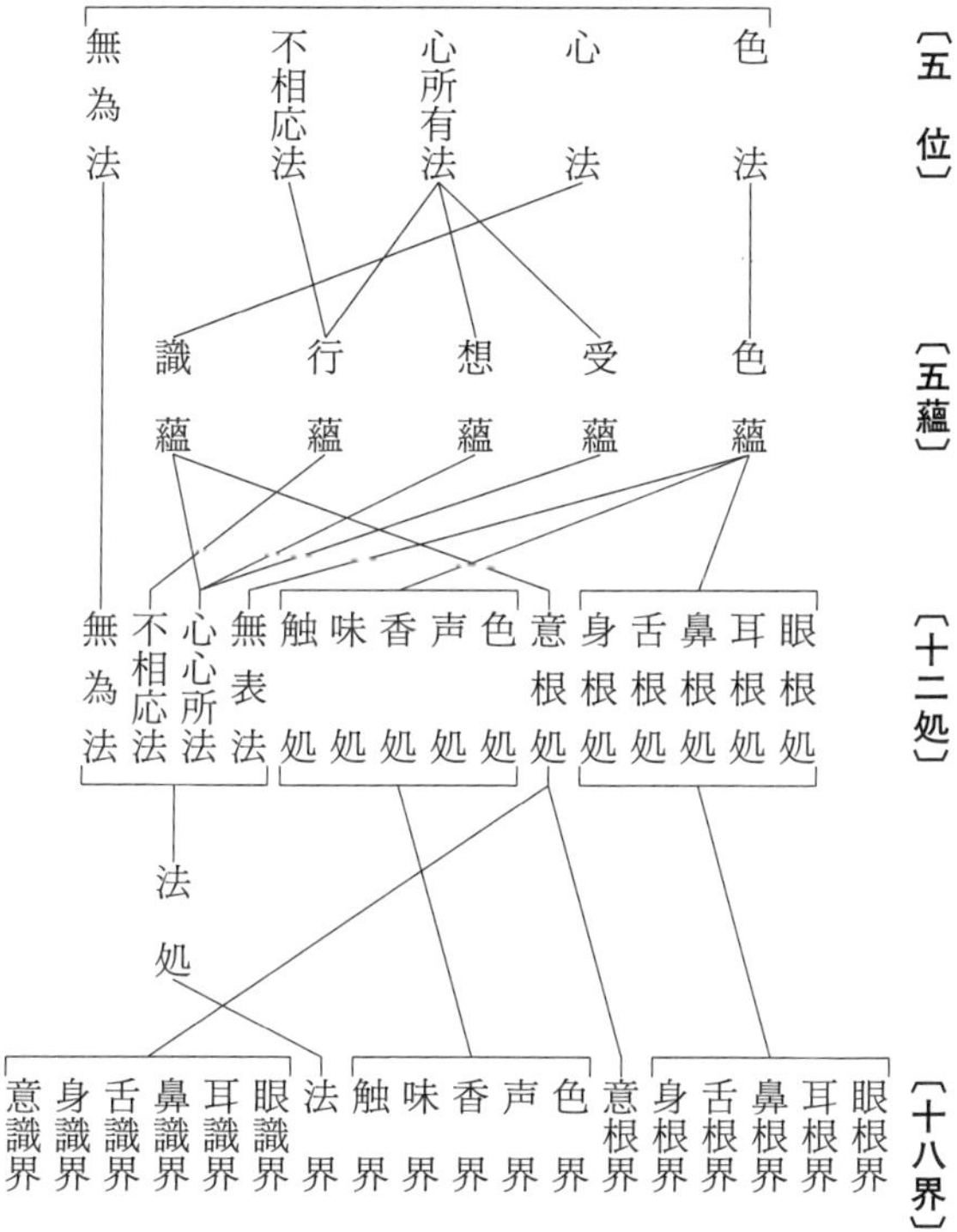

五位，五蘊・十二処・十八界の相互関係

あるとさとるため、または無我を教示するためである。この点が自然科学的分類法と大きく相違する点である。

最後に、五位、五蘊・十二処・十八界の相互関係を図表（前ページ）にまとめておこう。

3　宇宙論

自然界と生物界

『倶舎論』の「世間品」には宇宙の生成と形態、およびそこに住む生きものの種類について詳しく論じられ、それまでの仏教的宇宙観が巧みにまとめられている。以下、その所説を略説してみよう。

まず宇宙は大きく器世間《きせけん》（自然界）と有情世間《うじょうせけん》（生物界）とにわけられる。「世間」とは世界のこと。世間の原語ローカ（loka）は「壊《こわ》れる」という動詞ルジュ（ruj）に由来すると語義解釈されるように、世界は生成と破壊とをくりかえす無常なるものととらえられている。「器」とは自然のこと。その原語ヴァージャナの原意は、ものを容《い》れる容器の意味。したがってその中に生きものを収容し維持するものが自然であるという意図のもとに自然界を器世間とよぶのであろう。「有情」とは生きものの総称。その原語はサットヴァであり、ときには衆生《しゅじょう》とも漢訳される。のちに述べるように、有情は下は地獄の最下層、無間《むけん》地獄から無色界の最上層、非想非非想処《ひそうひひそうじょ》にいたるまで、さまざまな生存状態で存在する。

以下、自然界と生物界とにわけて、その形態やあり方を説明してみよう。そのまえに、以後の理解をたすけるために、仏教の説く宇宙のあり方をおおまかに図示しておこう（この図は宇宙の上下的な各層の名称を羅列したものである）。

色界	第四禅	色究竟天
		善見天
		善現天
		無熱天
		無煩天
		広果天
		福生天
		無雲天
	第三禅	遍浄天
		無量浄天
		少浄天
	第二禅	極光浄天
		無量光天
		少光天
	初禅	大梵天
		梵輔天
		梵衆天
欲界	六欲天	他化自在天
		楽変化天
		覩史多天
		夜摩天

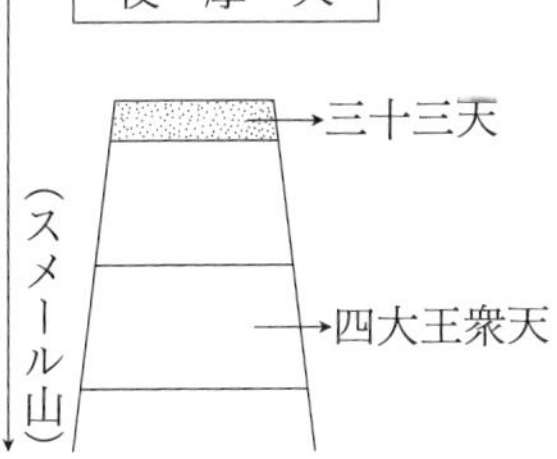

自然界の生成

生きものが棲息する大地を支えているのが風輪・水輪・金輪《こんりん》の三つの円輪体である。このうちまず最初に風輪が形成され、つづいてその上に水輪が、さらにその上位に金輪が生成する。『倶舎論』の説くその形態を略示するとつぎのようである。

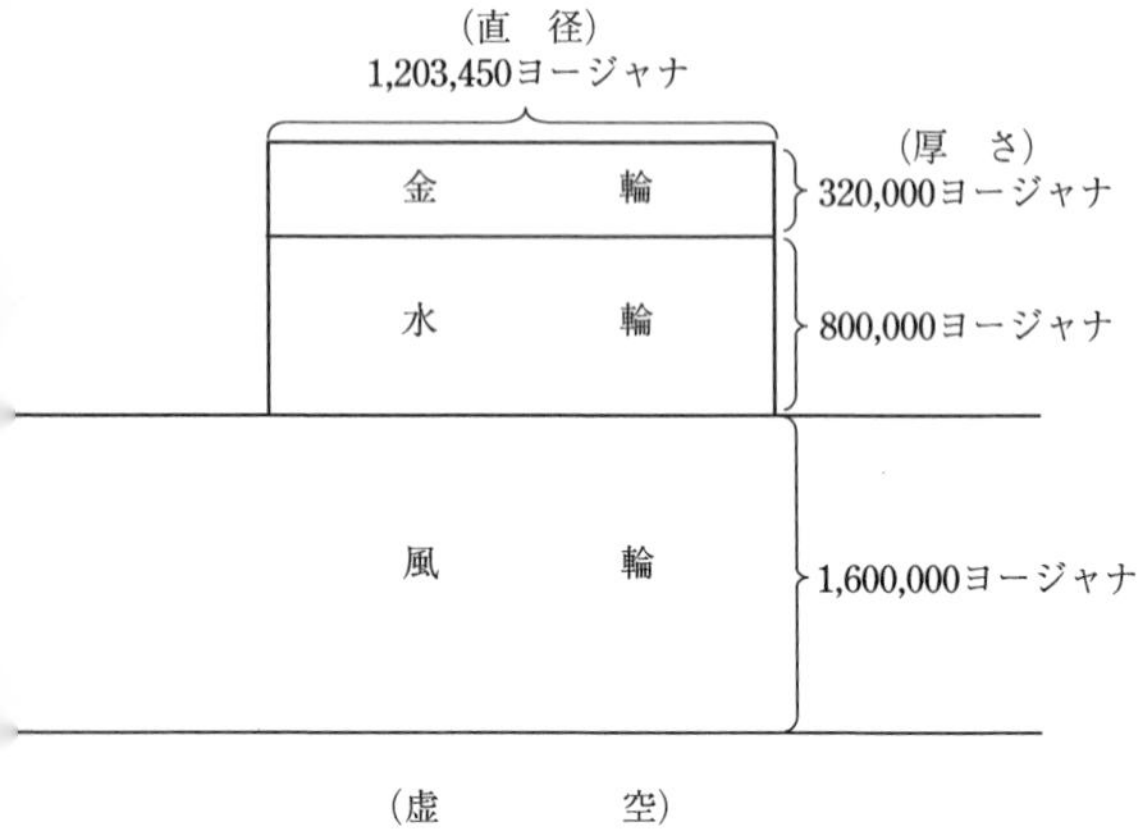
(直　径)
1,203,450ヨージャナ
(厚　さ)
金　輪
320,000ヨージャナ
水　輪
800,000ヨージャナ
風　輪
1,600,000ヨージャナ
(虚　空)

虚空の中に浮かぶ三輪

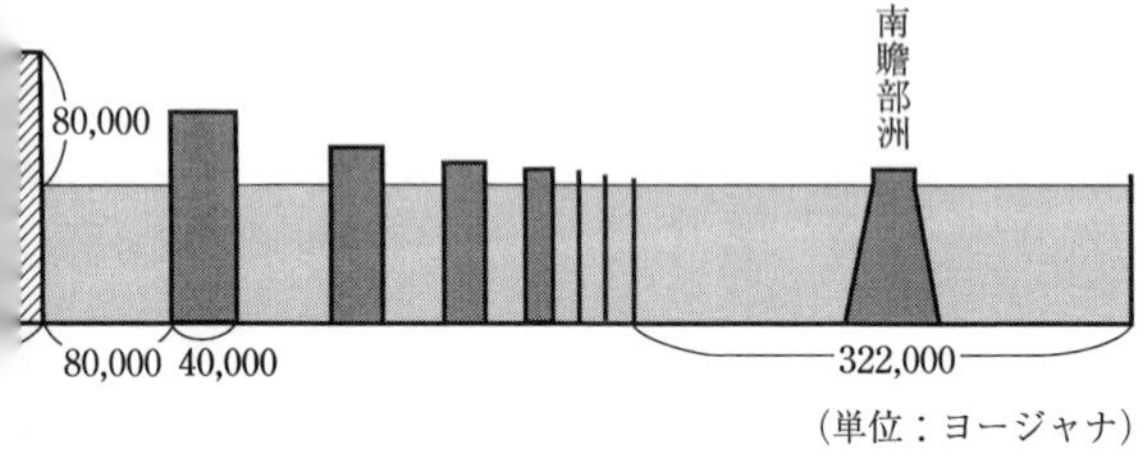
南贍部洲
80,000
80,000
40,000
322,000
(単位：ヨージャナ)

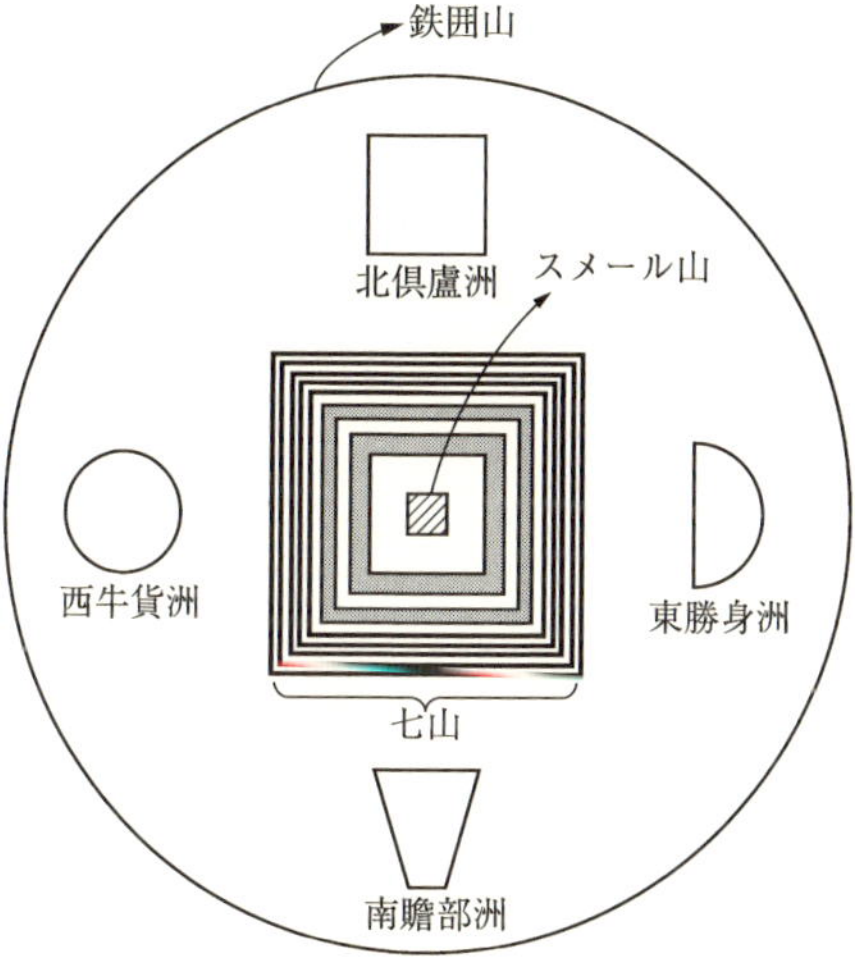

四洲の大きさは実際の比率より大きく拡大して描かれている。たとえば，南贍部洲の上辺はスメール山の一辺の長さ（80,000ヨージャナ）の $\frac{1}{40}$ の2,0
ヨージャナである。

金輪の上の大地と海
A. 上から見た図

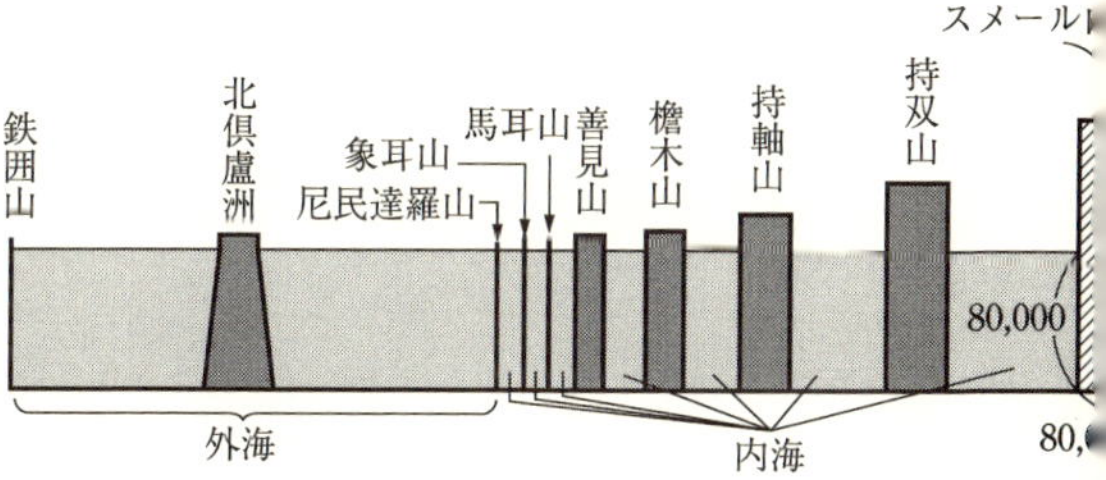

金輪の上の大地と海
B. 北から南へかけての断面図

一〇四ページの図は横からみた側面図。上からみれば、金輪と水輪とは半径一二〇万三四五〇ヨージャナ（ヨージャナ〔由旬《ゆじゅん》〕とはインドの長さの単位で一ヨージャナは約七キロメートル）の円形となる。風輪は、厚さは一六〇万ヨージャナと限定があるが、直径には際限がない。これら三輪は虚空のなかに浮かんでいる。

注目すべきは、これらの、いわば宇宙の基盤体が形成される原因である。『倶舎論』ではその原因として「あらゆる生きものに共通する業の力」が考えられている。「業感縁起《ごうかんえんぎ》」ということばでいい表わされるように、仏教はあらゆる現象は生きもの（有情）の行為（業《カルマ》）によって生成されると主張する。このうち、ある個人が、男性あるいは女性のいずれとして生まれるか、からだは大きいか小さいか、長命か短命か、などといった個人とのみかかわる現象は、その個人に特有の業が原因となって生成されるが、自然界、広くは宇宙という、あらゆる生きものが共有する現象は、あらゆる生きものに共通の業によってひきおこされるという。宇宙ができ上がる原因は何か、原動力は何か——われわれは、これに対して、あるいは自然科学的に、たとえば宇宙膨張説でもって答えようとする。あるいは宗教的に、神の創造説によって答えることもできよう。仏教は、そのいずれでもない「あらゆる生きものの共通の業力」という注目すべき考えでこの問題に答える。

地上の形態

三輪の最上部である金輪の上に、われわれが生棲《せいせい》している大地と海とが形成される。大地は中心に位置する須弥山《しゅみせん》（スメール山）とそれをとりまく八つの山、さらに四つの大陸（四洲）とから構成される。まず、その形態をおおまかに図に示してみよう（一〇五ページ上の図と一〇四～五ページの下図）。

中央の須弥山の須弥《しゅみ》は原語Sumeru《スメール》の音訳。意訳して妙高山ともいい、ヒマラヤ山脈からヒントを得て想定されたといわれる、大地の中心に位置するもっとも重要な最大の山である。その周囲に持双山《じそうせん》・持軸山《じじく》・檐木山《えんぼく》・善見山《ぜんけん》・馬耳山《めに》・象耳山《ぞうに》・尼民達羅山《にみんだつら》の七つの山がとり囲み、尼民達羅山の外側に四つの大陸すなわち南に贍部洲《せんぶしゅう》、北に倶盧洲《くる》、東に勝身《しょうしん》洲、西に牛貨《ごけ》洲があり、外輪山とでもいうべき鉄囲山《てっちせん》が以上のすべてを包みこむかたちで大地のもっとも外側に位置している。

以上全部で九つの山と四つの大陸から大地が構成されているが、この外にそれぞれの山と山との間に全部で八つの海がある。そのうち尼民達羅山までの内側の七海を内海といい、尼民達羅山と鉄囲山との間の海を外海とよぶ。七つの内海の水は①甘い、②冷たい、③おいしい、④胃に軽い、⑤きれい、⑥腐らない、⑦飲むときのどをいためない、⑧飲んでもおなかをこわさない、などの八つの功徳をもつから八功徳水とよばれる。外海は塩水からなる。

須弥山は北面が金、東面が銀、南面が瑠璃《るり》、西面が水晶から作られ、持双山以下尼民達羅山までの七山は金、鉄囲山は鉄から構成されている。

四つの大陸のうち南の贍部洲はわれわれ人間や生きものが住む世界であるが、元来はインド人の住む陸地を意味したことから、その形はインド大陸に模している。東の勝身洲の形は半月形、西の牛貨洲は円形、北の倶盧洲は四角形である。これら三つの大陸は当時のインド人の陸地観にもとづいて成立したものである。すなわち勝身洲は今のティルフト地方にあったヴィデーハ国に、牛貨洲はパンジャーブ地方（五河地方）に、倶盧洲は、バラモン文明を築きあげたクル族の住地にそれぞれ由来すると考えられる。

地上の天

地上には人間と畜生と餓鬼《がき》とが住む。そして地上の贍部洲の地下には地獄が存在し、そこにはさまざまな様態で責めの苦しみを受けつつある生きものがいる。地獄は大きく等活《とうかつ》・黒縄《こくじょう》・衆合《しゅごう》・号叫《ごうきょう》・大叫《だいきょう》・炎熱《えんねつ》・大熱《だいねつ》・無間《むけん》の八つの熱地獄とその傍にある八つの寒地獄とにわけられる（地獄の説明は省略する）。

人間より一段と高い位にある生きものは天《てん》である。天の原語はデーヴァ deva であるが、この場合の天《デーヴァ》は、もともとは天空に住む生きもの、、、を意味することばであり、副次的にその生きものが住む場所をも意味する。

さて天は大きく地上に住む天（地居天《じごてん》）と天空に住む天（空居天《くうごてん》）とにわけられる。

このうち地居天とは須弥山の中腹までに住む四大王衆天とその頂上に住む三十三天とであ

る。須弥山はそのふもとから中腹にかけて四つの層からなるでっぱりによってとり囲まれ、その最下層から上に向かって順次、堅手神《けんじゅ》・持鬘神《じまん》・恒憍神《ごうきょう》・四大天王が住む。前の三神は最後の四大天王に属する部下である。四大天王とは持国、増長・広目・多聞の四天をいい、この四天とその部下とをまとめて四大王衆天とよぶ。

須弥山の頂上は正方形の広場となっており、そこに三十三の天が住む。その主《あるじ》が広場の中央の殊勝殿に住む帝釈天である。

空に住む天

三十三天の住む須弥山の頂上から無限の空間が広がっている。仏教的宇宙観によれば、そこは空虚な空間ではなく、数多くの諸天の住む場所である。それら空に住む諸天を表にまとめると一〇三ページのようになる。

この図表のうち、夜摩《やま》天より空に住する天がはじまる。夜摩天より他化自在《たけじざい》天にいたる四つの天は欲界すなわち貪欲に束縛された世界に属し、地上にある三十三天と四大王衆天とあわせて「六欲天」とよぶ。

梵衆《ぼんしゅ》天から色究竟《しきくきょう》天までの十七天は色界《しきかい》すなわち、清らな物質からできた世界に属する。色界は別名、「禅」あるいは「静慮《じょうりょ》」の世界ともいわれる。禅は原語でドゥヤーナ dhyāna といい、感覚を統制し、心を静めた特殊な精神統一の状態をいう。したがって色界に属する十七天は、たんに空間的につぎつぎと高所に展開する天と考えられているのではなく、本質的には、禅を修することによってしだいに深まりゆく心境を天にたとえて表現したものである。仏教の宇宙論が自然科学のそれと本質的に相異する点である。

色界の上に無色界《むしきかい》の世界が展開する。無色界とは、色《しき》すなわち物質・肉体的なるものはなにもなく、ただ精神的なるもののみが存在する世界である。この無色界はさらに空無《くうむ》辺処《へんじょ》

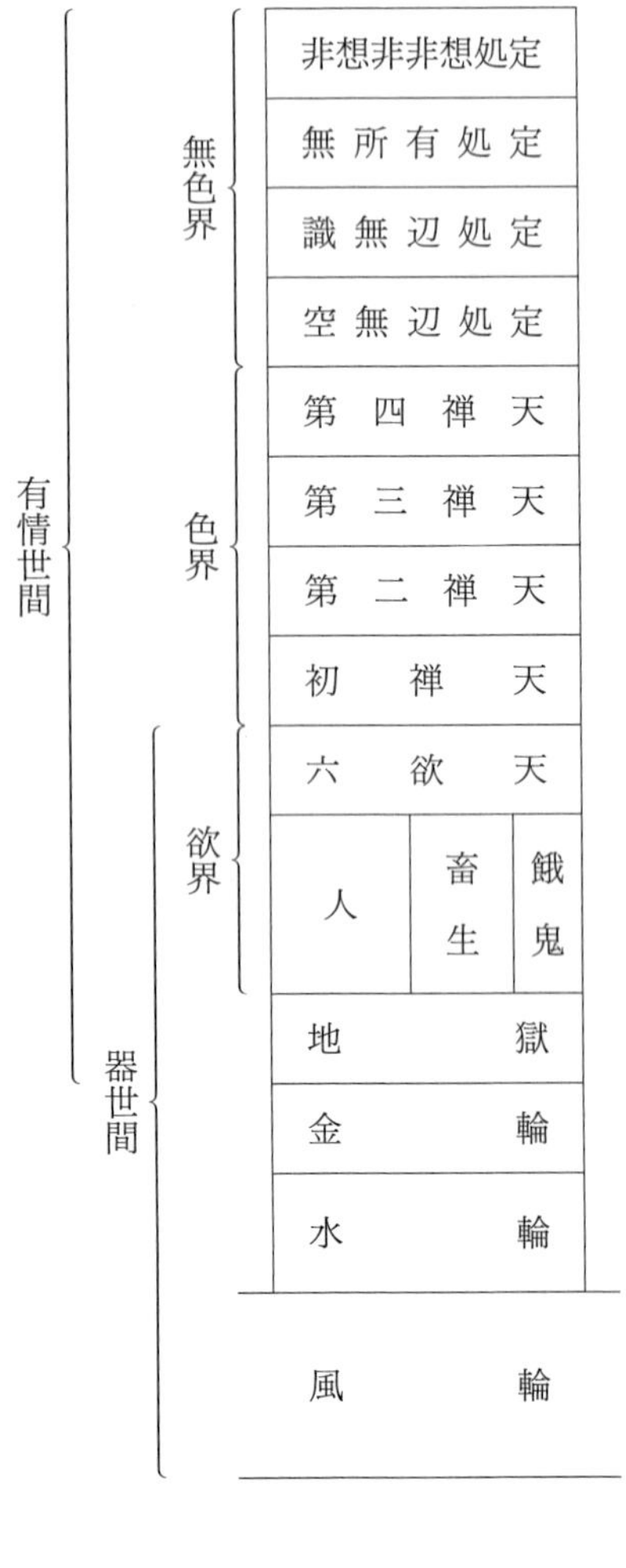

定《じょう》・識無辺処定《しきむへんじょ》・無所有処定《むしょうしょ》・非想非非想処定《ひそうひひそうじょ》との四つの段階にわかれる。この四つは順次、色界の禅よりもさらに心が静まった「定」（サマーディ）という精神状態の深まりゆく過程といえよう。最上層の非想非非想処定天を、存在（有《う》）の最高の頂《いただき》という意味で、「有頂天」とよぶことがある。

最下層の風輪から最上層の非想非非想処定までがいわゆる現象世界（有為の世界）であり、この中に自然的世界（器世間）と生命的世界（有情世間）とが展開され、生命的世界は、その心境の浅深によって欲界・色界・無色界の三世界に大別される。

4　実践論

生死輪廻の機構

初期仏教いらい、仏教に一貫する根本は「無我」である。のちに大乗になると、外界に実在すると考えられる事物的存在、あるいは存在のさまざまな構成要素（法《ダルマ》）は実体的存在ではないという「法無我」をも主張するにいたったが、『倶舎論』などの部派仏教の思想までは、生命的存在（人《にん》）は実体的存在ではない、すなわち無我であるという主張にとどまった。

「自分は存在する」とわれわれがふつう考えるような我《が》、あるいは仏教以外の学派が主張する究極的自己としての我《アートマン》はけっして存在しないというのが仏教の主張である。ところで、ここに問題が生じてくる。それは、我《が》がなければ、生死輪廻してゆくところの主体はなにかという疑問である。

これに対して『倶舎論』でヴァスバンドゥは、

「我《が》は存在せず、煩悩と業とによって形成される蘊《うん》のみがある」

と答える。つまり、存在するものは、自己を構成する色・受・想・行・識という五つの構成要素すなわち五蘊《ごうん》のみである。しかもそれら五蘊は、刹那に生滅するものであるから、五蘊から構成される自己存在のなかには、不変的・実体的な我《が》というものは存在しない、つまり、生死輪廻の過程において、輪廻の主体となるような一定不変の我というものは実在しない、と主張する。そして五蘊から構成される現在の自己存在は過去世の煩悩と業とを原因として形成され、さらに現在世の煩悩と業とを原因として未来の自己存在（すなわち生）が形成されるという。このように、輪廻の過程の内容を「煩悩」と「業」と「生」との三つの契

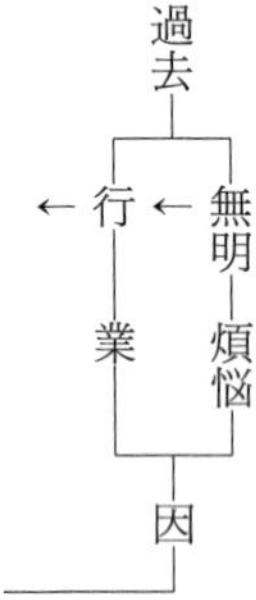

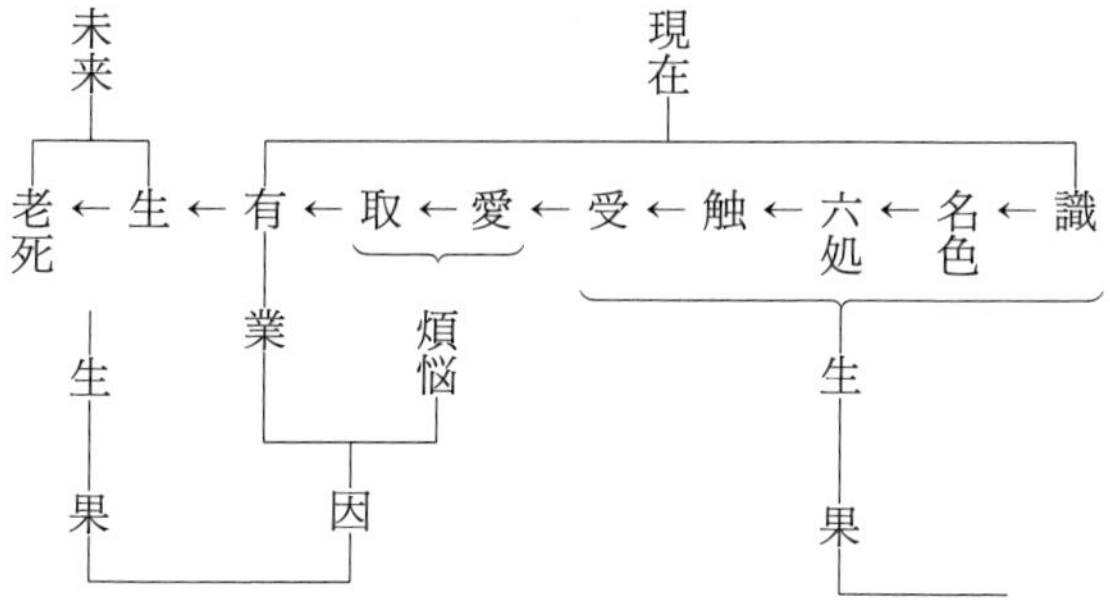
未来
現在
老死 ← 生 ← 有 ← 取 ← 愛 ← 受 ← 触 ← 六処 ← 名色 ← 識
業
煩悩
生
因
果
生
果

機にわけ、前二つを原因、後一つを結果とみて、それらの因果相続によって生死輪廻の機構を説明するところに説一切有部の特徴がある。

説一切有部はこの煩悩・業・生の三範疇によって十二支縁起を前図（一一二〜三ページ）のように過去・現在・未来の三世に配分する。

このように十二支縁起説の十二支を三世に配分し、過去と現在の因果、さらに現在と未来との因果としてとらえる見解は「三世両重の因果」といわれ、説一切有部が主張した縁起説である。個々の内容の説明は割愛するが、この説で注目すべきは、苦的存在としての生という結果を形成する原因を業《カルマ》とみる考えである。業によって結果がもたらされるという考え（業感縁起説）は、初期仏教いらいの主張であるが、この見解を十二支縁起との関係において明確にしたところに右の縁起説の特徴がある。

行為（業）の本質

仏教では行為のことを業（karman）といい、内容的に身業と語業と意業とにわける。身業とは身体による行為、語業は言葉による行為、意業は意志としての行為をそれぞれいう。意志のことを思《し》（cetanā）ともよぶから、意業は思業ともいわれる。

ところで行為はかならず意志がその根底の力となってひきおこされるものであるから、行為（業）は意志（思）との関係で分析する必要がある。そこで、身・語・意の三業は思との関係でつぎの二種にわけられる。

身業 ┐
語業 ┴── 思《し》已《い》業
意業 ──── 思業

意業すなわち精神的行為はその本質が意志すなわち思《し》であることから思業とよばれる。これに対して身体的行為（身業）と言語的行為（語業）とは、意志によってひきおこされたものであるから、思《し》已《い》業とよぶ。

意業は意志を本質とする点では各派ともに異存がない。ところが、意志によってひきおこされた身業と語業との本質は何であるかという点については経量部と説一切有部との間に異論がある。すなわち、経量部は業の本質を徹底的に意志（思）とみなし、身体を運動させようとする意志（動身思）が身体を通して具体的になったものが身業であり、同様に言葉を発しようとする意志（発語思）が音声によって具体的になったものが語業であると考える。これに対して説一切有部は、身業と語業の本質は意志ではなくて、身業は「身体の形」、語業は「音声」をそれぞれ本質とすると主張する。

両論の相違は、行為というものをその内的原因に重点をおいてみるか、あるいはその原因によって具体的にひきおこされた結果に重点をおいてみるかの立脚点の相違にもとづく。ヴァスバンドゥは『倶舎論』において両説および両説間の論争を紹介するにとどめているが、同じくヴァスバンドゥの作とされる『成業論《じょうごうろん》』においては、有部説を批難し、経量部の立場にくみしていることから考えて、ヴァスバンドゥは『倶舎論』でもやはり経量部の見解を支持していたといえるであろう。

顕在的行為と潜在的行為

身業は身体的行為であるから眼で見ることができる。語業は言語的行為であるから音声を耳で聞くことができる。このように身業と語業とは知覚されうる顕在的行為であることから両者を「表業」とよぶ。

ところで説一切有部は刹那生滅説をとって、あらゆる存在は生じた刹那に滅してゆくと考える。身業と語業もその例外ではない。ところが業は未来の結果を生ずる原因であるから、刹那に滅してゆく業は身心のなかになんらかの影響力あるいは残気をとどめていることになる。この、具体的には知覚されえないが、しかし身心に植えつけられた業の残気を「無表業」とよぶ。しかも説一切有部はそれを地・水・火・風の四元素からなる物質的なるものと考えて「無表色」とも名づける。

たとえば五戒を受けたとする。そのとき、受戒という行為の残気すなわち無表色が色心のなかにとどめられ、それが「非を防ぎ悪を止《とど》める力」となって以後の行為を規制するという。

ところが、ヴァスバンドゥが支持する経量部説ではこのような物質的な無表業をみとめない。そのかわりに「種子《しゅうじ》」という概念によって行為の潜在的な残気を表わす。すなわち、説一切有部では身業は「身体の形」、語業は「音声」という、いわば物質的なるもの（色）を本質とするという立場より、その二つの業によって熏《くん》じつけられる残気もやはり物質的なるものと考えた。これに対して経量部は身業と語業の本質を意志（思）とみる立場より、二業すなわち思によって熏じつけられた種子は心的なものであると考えた。

説一切有部は、たとえば福業を積めば、その行為によって無表色がそなわり、その力によって福業がますます増長されると説く。これに対して経量部は、たとえば布施を行なった場合、布施という行為の本質である思が種子を熏じ、その種子が「相続転変差別」して未来に福業増長という結果を生ずると説く。ここにいう「相続転変差別」（saṃtati-pariṇāma-viśeṣa）とは、熏じられた種子が刹那生滅をくりかえしつつ存在しつづけ、前後に変化しつつ、最後に新たな結果を生ずる特殊な力をもつにいたるまで種子の潜在的過程を表わす、経量部独特の用語である。ヴァスバンドゥもこの用語を重視し、のちに大乗に移ってから『成業論』の中でその概念を唯識的に用い、さらに『唯識二十論』での思索をへて、最後に『唯識三十頌』において、かれ独自の転変（pariṇāma）説をうちたてるにいたった（本書一三九ページ以下参照）。

修行の階位

まえに、われわれの現在の苦的生存は、過去の業の結果であるとのべた。ところで業は煩悩を原因として起こるものであるから、苦的存在を脱して安楽なる涅槃を得るために煩悩を断じなければならない。『倶舎論』「随眠品」で随眠すなわち煩悩が詳細に分析され、つづいて煩悩を断ずる原因を論ずる。さらに「賢聖品《けんじょうぼん》」で具体的に煩悩を断じてゆく修行の過程が叙述される。以下「賢聖品」の所説にしたがって『倶舎論』に説かれる修行の階位を略説してみよう。

まずおおまかに階位を示すとつぎのようになる。

(1)身器清浄《しんきしょうじょう》

(2)三《さん》　賢《げん》
- 五停心《ごじょうしん》
- 別相念住
- 総相念住

(3)四《し》善根《ぜんこん》
- 煖《なん》
- 頂
- 忍
- 世第一法

(4)見道《けんどう》
(5)修道《しゅどう》
(6)無学道

右のうち(1)—(3)の位は、いまださとりを得ていない凡夫の位であり、(4)—(6)はすでにさとりを得た聖者の位である。このうち見道と修道とは、聖者のうちでもさらに学ぶべきことを残している位であるから有学道《うがくどう》ともいう。最後の無学道とは、もはや学ぶべきことがなにも無くなった阿《あ》羅《ら》漢《かん》の位である。

「身器清浄」の位とは修行の最初の、いわば準備段階である。すなわち発心をおこして四《し》諦《たい》の真理をさとろうと決心した者は、まず戒を受けてそれを守り、聞くことから、思惟することから、禅定《ぜんじょう》を修することから生ずる三つの智慧（聞・思・修の三慧）を得るように修行する。そして(1)身心遠離《しんじんおんり》、(2)喜足少欲《きそくしょうよく》、(3)四聖種《ししょうしゅ》の三種の修行によって身体と心とを清浄にする。このうち、他の人びととの喧騒な交際を絶って閑居することが「身の遠離《おんり》」であり、悪い考えをおこさないことが「心の遠離」である。すでに獲得したもので満足することが「喜足」であり、いまだ獲得していないものを多く欲しないことが「少欲」である。最後の「四聖種」とは、衣服・食物・寝具に関して得られたもので満足し、「煩悩を断じて聖なる道を修行しよう」と願うことである。

以上は修行の準備段階であり、この準備ができたところで、いよいよ本格的な修行に入ってゆく。

三賢の最初の「五停心《ごじようしん》」とは不浄観・慈悲観・因縁観・界差別観・持息観の五つの観法《かんぽう》をいう。この五つの観法はある一人が五つすべてを修行するのではなくて、その人の性格・個性に応じてそのいくつかを選んで修行する。たとえば貪《むさぼ》りの多い人は不浄観、怒りの多い人は慈悲観、理に愚かな人は因縁観、自我を存在すると見る人は界差別観、心が乱れやすい人は持息観をそれぞれ修行しなければならない。『倶舎論』ではこれらのうち不浄観と持息観とを重視し、これら二つを修行に入る門と考える。

不浄観とは死体の不浄なること、すなわち死体に青瘀《しようお》などの斑点がでる、形がくずれる、鳥などに喰べられる、などを観じて、自己の肉体や他人の肉体に対する貪欲を断ずる修行である。

持息観とは、出る息《いき》・入る息に心を集中し、息の出入を数える、あるいは息の出入に随《したが》う、あるいは息を身体の一点にとどめてそれを観ずる修行である。この修行によって物事をあれこれと考えて心が乱れることを防ぐ。

以上、不浄観と持息観とによって心が寂静《じゃくじょう》となって静まる。すなわち止と観という二種の三昧のうちの止《し》（止寂した心）を得る。つづいて観（観察する心）を得るために別相念住と総相念住とを修する。念住とは存在を身・受・心・法の四つにわけその本質を見究める観法である。別相念住はこの四つの特質（相）を各別に対象として、身は不浄、受は苦、心は無常、法は無我と観じ、それによって物事を浄・楽・常・我とみる四つの誤った見解（四顚《してん》倒《どう》）を対治《たいじ》する。つぎに総相念住とは、身等の四つを一つの対象として、それらに共通な特質、すなわち無常・苦・無我・空を観ずる修行である。

つぎの四善根の四つの位は、いずれも四諦を観ずる修行段階である。すなわち、苦諦を無常・苦・空・無我、集諦《じったい》を因・集《じゅう》・生・縁、滅諦を滅・静・妙・離、道諦を道・如・行・出という合計して十六種の特質として観ずる。

このような観法によって四諦の理を理解してゆくわけであるが、その理解（智慧）が徐々に深まってゆく段階に応じて煖《なん》・頂・忍・世第一法の四つに分類する。煩悩を燃しつくす聖道の前兆であるから「煖」といい、高い頂きに登ったごとくにすぐれた悟りを得た心境となるから「頂」といい、もはや退くことのなき決定的な忍可すなわち理解を得るから「忍」といい、世間で最高の存在となるから「世第一法」という。

以上、世第一法までの智慧は世俗智であるが、この世第一法の直後に出世間智《しゅつせけんち》によって四諦の理を悟る段階が見道である。見道の心は詳しくは忍と智とにわかれ、前者によって煩悩を断じ、後者によって煩悩を断じた状態を獲得する。この忍と智とが四諦の一つ一つに、さらに欲界と上二界（色界・無色界）とに配されて全部で十六心となる。そして前の十五心が見道であり、最後の第十六心から修道となる。いずれにしてもこの見道の十五心によって四諦の真理を悟り、理に迷う煩悩が断ぜられる。

われわれには真理（理）に迷う煩悩以外に、具体的な事象（事）に迷う煩悩がある。この事に迷う多くの煩悩を漸次断じてゆく修行段階が修道である。

この修道の最後の金剛喩定《こんごうゆじょう》であらゆる煩悩を断じつくして最高の位に達して阿羅漢となる。阿羅漢になれば、もはや学ぶべきものが無いから無学道という。

2　唯識論書における思想

はじめに

ヴァスバンドゥの著作については、のちに「著作の概観」の箇所でより詳しく述べることにするが（一五七ページ参照）、いま、かれの著作を内容的に分類すると、(1)経典への註釈書、(2)マイトレーヤあるいはアサンガ作の論書に対する註釈書、(3)彼自身の手になる唯識に関する論書、(4)如来蔵に関する論書とにわけられる。これらのうち、唯識思想家としてのヴァスバンドゥ自身の思想は(3)群の論書、すなわち『唯識二十論』と『唯識三十頌《じゅ》』とに説示されているから、以下この二論の所説を通して、かれ自身の唯識的思想を解明してみよう。なお、のちに第III部「ヴァスバンドゥの著作」で『唯識二十論』の全訳を試みたのでその詳細な内容はその箇所を読んでいただきたい。また、唯識思想独白のさまざまな概念の説明は同じIII部の『唯識三十頌』の訳の後の註釈のなかで試みたから．ここでは「唯識無境」「アーラヤ識」「三自性」という三思想をとりあげてヴァスバンドゥ以前の見解と比較しながらかれの思想を浮きぼりにしてみよう。

1　唯識無境

「唯識」説の成立

唯識（vijñapti-mātra）という用語は、「唯《た》だ識のみが存在する」という瑜《ゆ》伽《が》行《ぎょう》唯識派の一大命題を表わすことばである。この語はこの派の最初期の論書である『瑜伽師地論』の古層（本地分）にはみとめられない。すでに阿《あ》頼《ら》耶《や》識《しき》は説かれているものの、「唯だ蘊のみ、唯だ行のみ、唯だ法のみ」という表現があるのみで、阿頼耶識とおよびそれより生ずる他の識との存在のみを認める唯心論にまでは発展していなかった。

「唯識」という用語がはじめて用いられたのは『解深密経《げじんみつきょう》』「分別瑜伽品」である。そこではヨーガすなわち止観の観（毘《び》鉢《ぱ》舎那《しゃな》）を行ずる瑜伽行者の心に現われる影像《ようぞう》が、心そのものであるのか、心と異なったものであるのかという問いに対して、

「異なっていない。なぜなら、その影像は唯だ識であるから」

と説かれる。このようにヨーガの体験を描写するなかで、はじめて「唯識」という語があらわれている点に注目しなければならない。唯識という考えの成立には『華厳経』の「三界は唯心なり」という考えが大きく影響を与えたといわれる。事実、ヴァスバンドゥも『唯識二

十論』の冒頭にこの『華厳経』の一文を引用して教証としている。しかし、それに加えて具体的には「ヨーガを修する心に現われてくる影像は唯だ識にすぎない」というヨーガ実践によって得られた体験こそが「唯識」という思想を生みだした根源力であろう。

『解深密経』では「毘鉢舎那中の影像は唯だ識のみである」といい、つづいて「色等として顕現する心の影像にして自性に住するものも、また心と異ならず、唯だ識のみである」という趣意のことを述べている。色等として顕現する心の影像とは、いろや形をした具体的な表象をいい、自性に住する影像とは、ヨーガの実践において有意的に作りだされた影像をいうのではなく、通常の感覚・知覚にあらわれてくる観念をいう。したがってそれらが心と異ならず、唯だ識のみにすぎないという言明のうらには、外界に事物が存在していないという見解が暗に意図されているといえよう。だが、そのような意識はいまだ表面には出ておらず、しかも「唯だ識のみで境は存在しない」（唯識無境）という表現もみとめられない。

「唯識無境」という思想が、表現的にも、また内容的にも確立したのはアサンガの『摂大乗論』においてである。すなわち「境（事物）は存在しないのに、唯だ識が境として顕現する」「これら諸《もろもろ》の識は境が存在しないから唯識である」などと説かれる。

ヴァスバンドゥの「唯識」に関する見解

ヴァスバンドゥもアサンガのこの考えをうけつぎ、自著の『唯識二十論』のなかで「それは唯識である、無境として顕現するから」（vijñapti-mātram evaitad anarthâvabhāsanāt）と述べ、また「無境なる識」（vijñaptir anarthā）という表現もあり、かれが唯識無境を強調したことが判明する。

ヴァスバンドゥは『唯識三十頌』のなかで「唯識」という概念に対する思索をさらに深めた。まず関係文を列記してみよう。

①「この識の転変は分別である。これによって分別されたものは存在しない。したがってこのすべては唯だ識のみのものである」（第十七頌）。

②「一切時において、その如くに存在するから（真如である）。それがまさに唯識性である」（第二十五頌）。

③「唯識性に識が住しないかぎり、二つの執著〔を生ずる〕潜在力は消滅しない」（第二十六頌）。

④「このすべては唯だ識のみであると理解するから、なにものかを現前に立たしめるので、唯だそれにのみ住しない」（第二十七頌）。

⑤「識が対象を認識しないとき、そのとき唯識性に住する。なぜなら認識されるもの（所取）が存在しないときは、それを認識しないからである」（第二十八頌）。

右の五文を検討するとき、唯識という用語が「唯識」と「唯識性」という二通りに使いわけられていることが判明する。すなわち、

(1)「一切は唯識である」という判断において用いられる唯識（右の五文中では、①と④）

(2)「唯識性に住する」という一つの修行の過程、心的境界を表わす場合に用いられる唯識性（③と⑤。②も内容的には同じものをさす）。

サンスクリットでは、前者として vijñapti-mātraka（①）、vijñapti-mātra（④）が、後者として vijñapti-mātratā（②）、vijñapti-mātratva（③）、vijñāna-mātratva（⑤）がそれぞれ用いられている。後者は vijñapti-mātra（あるいは vijñāna-mātra）に抽象名詞を作る -tā あるいは、-tva を付して前者と区別され「唯識性」と訳される。

このようにヴァスバンドゥが「唯識」と「唯識性」とを表現的にも内容的にも区別したところに、従来にみられなかった思想的発展をみとめることができる。『唯識三十頌』以前に、すでにマイトレーヤの『大乗荘厳経論』において、いわゆる「唯識観」という観法の組織体系化がはじまった（「真実品」「教授品」）。しかしそこでは「唯識」のかわりに「唯意言」(nanojalpa-mātra) が、また「唯識性に住する」のかわりに「唯心（citta-mātra）に住する」という表現が用いられている。「唯識」という概念を用いての修行は、マイトレーヤの『中辺分別論』（「相品」第六頌）を経て、ヴァスバンドゥによって完成されたといえよう。

とにかく、まずは「一切は唯識である」ということばによる判断を一つの手段として止観という三昧を深めてゆくと、その唯識という判断さえも消滅する、あるがままの真実の世界(真如)に突入する。この境界を「唯識性」という語で表現する。のちに前者の「唯識」は玄奘によって「遍計所執性《へんげしょしゅうしょう》たる虚妄《こもう》の唯識性」、真諦《しんたい》によって「方便唯識《ほうべんゆいしき》」とよばれたものであり、後者は、玄奘によって「円成 実性《えんじょうじっしょう》たる真実の唯識性」、真諦によって「正観唯識《しょうがんゆいしき》」とよばれたものである。

唯識無境の証明

「唯識性とは仏の境界である」と説かれるように、仏陀すなわち覚者になってはじめて唯識を根本的に直接的に理解することができる。だが、たとえばアサンガの『摂大乗論』のなかに「其れ未だ真智覚を得ない者は唯識中に於て云何《いかん》が比知する。教および理によって応《まさ》に比知すべし」と説かれるように、まずは理すなわち道理によって論理的に理解しなければならない。したがって瑜伽行唯識派の論師たちは、心をはなれて外界に事物が存在しないという自派の根本命題の論理的証明に力を注いだ。

最も広く用いられた論証は、『解深密経』とともに唯識思想を初めて打ち出したといわれる『大乗阿毘達磨経』いらい説かれている相違《そうい》識相智《しきそうち》・無《む》所縁識現可得智《しょえんしきげんかとくち》・応離功用無《む》顛倒《てんどう》智《ち》・随三智《ずいさんち》転智《てんち》の四智による証明である。これに関する詳しい論述は割愛するが、要を言えば、(i)もしも、外界に事物が存在するならば、現実におこるさまざまな認識が成立しえない、(ii)外界に事物が存在しなくても現実の認識が成立する、という二点より唯識無境を論証する。

この他に『瑜伽師地論』いらい説かれる「四尋思《しじんし》」というヨーガの観法を説明するなかにやはり唯識無境の論証がみとめられる。それは「名と義との相互客塵性《きゃくじんせい》」による証明である。名とは事物を指し示す名称であり、義とは、その名称によって指し示される事物をいう。ところでヨーガ行者は、具体的にこころのなかに現われてくる名称と事物との表象そのものの本質、および両者の相互関係に思索をこらし、名称と事物とは相互に客塵なるもの、すなわち、非本来的なるものであり、かつ同一のものではないと観察し、われわれが外界に存在すると考える事物は、ただたんに名称によって仮りに施設されたものにすぎないと結論する。

以上の二つの論証は、「智」あるいは「尋思」という、いわばヨーガという観法における観察にもとづいてなされたものである。

『唯識二十論』における証明

これに対してヴァスバンドゥは『唯識二十論』においてヨーガの観法をはなれて、より哲学的ないし論理的に唯識無境の証明を試みた。この論書で破斥の対象となる外界実在論者は外道では勝論派、仏教内では毘婆沙師《びばしゃし》と経量部とである。これら三派は外界に実在し、認識の対象となるものを次のようなものと考える。

(1)勝論派………諸部分をもつ単一なもの。
(2)毘婆沙師……間隙《かんげき》をもって結合した多くの原子。
(3)経量部………諸極微が間隙なくして結合した諸原子の和合体。

勝論派は事物は地・水・火・風の四原子より構成されるが、数多くの原子が一つに結合した複合体が知覚の対象となると考える。

これに対してヴァスバンドゥは「諸部分より別の全体はどこにも知覚されない」と反論する。多くの要素から構成されたもの、すなわち「仮りに和合したもの」は実在性をもたない、という仏教の縁起説にもとづいて、勝論派の主張をしりぞける。

毘婆沙師は逆に、その間にすきまをもって結合した数多くの原子が知覚の対象となるという。これに対してヴァスバンドゥは「原子の一つ一つは知覚されないから、(相互に結合した)多くの原子が知覚の対象となることはない」と反論する。

経量部の思想は『倶舎論』の中にも認められるように説一切有部、すなわち毘婆沙師とさまざまな点で相違する。しかし、外的事物の存在を認める点では同じである。ただ毘婆沙師は外的事物は直接に知覚されると考えるのに対して、経量部は外界の事物は、心に現われるその表象によって推量されると主張する。そして知覚の対象となるのは、毘婆沙師のように間隙をもって結合した諸原子ではなく、原子が間隙なくして結合した和合体であるという。これに対してヴァスバンドゥは「極微は一つの実体として成立しないから和合体は知覚の対象とはならない」と反論する。たとえば多くの原子が結合して一つの和合体を形成するならば、一つの原子に上下・左右・前後の六面に合計六つの原子が付着するから、一原子は六つの部分をもつことになり、それはさらに小さく分解されうることになり最小単位としての原子でありえない。またもしも一原子に大きさがなければそれがいくつ和合してもその和合体は大きさをもたない。以上の論理より、原子は一つの実体として成立しなくて、したがってそれが結合した和合体というものも存在しない、と結論する。

以上は、外境実在論に対して、主として事物が原子のどのような結合状態で構成されているか、および知覚される対象は、どのような構成状態であるのか、という点にしぼっての反論である（このほか、別のいくつかの観点からの論証もなされているが、これについては『唯識二十論』の本文を参照）。

いずれにせよ、ヴァスバンドゥが『唯識二十論』で外境実在論者の説を一つ一つ破斥し外界に事物が存在しないことを、その全書にわたって、さまざまの観点から組織的に立証を試みたことは、瑜伽行唯識派の歴史において、一つの画期的な出来事であったといえよう。アサンガの『摂大乗論』までが、「唯識無境」の宣揚の時代であったとするならば、ヴァスバンドゥは、「唯識無境」に対する組織的論証の時代を開いたといえよう。同時に、唯識無境の説に関して他派の攻撃が激しくなってきたしるしともいえよう。

またヴァスバンドゥ自身についていうならば、小乗時代の『倶舎論』では経量部の立場にくみしていたかれが、大乗転向以後、『唯識二十論』の制作時期には、すでに経量部の外界実在論をまったく否定し、唯識無境の立場に徹し切ったといえるであろう。

2　アーラヤ識

輪廻の主体としてのアーラヤ識

われわれはなぜ生死輪廻をくりかえしているのか。この問いに対して、仏教は総じて業感《ごうかん》縁起《えんぎ》という考えで答える。すなわち、自己存在という結果を生みだし、その存在の質を決定するのは業（行為）である、という考えである。たとえばこの世で善き行為を、あるいは悪い行為を行なえば、それに応じて来世に善き生存状態、あるいは悪い生存状態に生まれると考える。ここで問題となるのは、そのような業の影響を担って生まれかわり死にかわりする「輪廻の主体」とはなにか、という問いであった。

部派仏教においてこの問いかけへの思索が深まり、いくつかの部派で輪廻の主体を想定するにいたった。たとえば赤銅鍱部《しゃくどうようぶ》はそれを有分識《うぶんしき》、大衆部《だいしゅぶ》は根本識、化地部《けじぶ》は窮生死蘊《ぐうしょうじうん》とそれぞれよんだ。このような「輪廻の主体」追究の頂点において発見されたのがアーラヤ識である。

ヴァスバンドゥは『唯識三十頌』の第二頌でアーラヤ識について、「異熟《いじゆく》はアーラヤ識と称せられる識で、一切の種子をもつものである」と説明する。ここではアーラヤ識が「異熟」ということばで言いかえられている。異熟とは「異なって熟したもの」という意味で、過去世（あるいは現在世）の業を原因として現在世（あるいは未来世）に生じた結果、すなわち自己存在をいい、その自己存在の根本をなすものがアーラヤ識であると考え、アーラヤ識を異熟とよぶ。

この異熟すなわちアーラヤ識が現在世から未来世へと生まれかわる機構について、ヴァスバンドゥは『唯識三十頌』第十九頌で、

「業の習気は二種の執著の習気をともなって、まえの異熟が滅するとき、ほかの異熟が生ずる」

と説く。右の頌中の「まえの異熟」とは現世のアーラヤ識であり、「ほかの異熟」とは来世のアーラヤ識である。この来世のアーラヤ識を生み出す力が現世の業の習気、すなわち現世に行なった行為がアーラヤ識の内にとどめた残気（種子）である、というのが右の頌の意味である（詳しくは本書二八二ページを参照）。

このようにヴァスバンドゥも輪廻の主体としてアーラヤ識を考えたことは右の考察からして明白である。

身体を維持するアーラヤ識

まえに自己の根本をなすものがアーラヤ識であると述べた。それはつぎの二つの意味に解される。

(1)アーラヤ識は身体を維持するエネルギー的根源である。
(2)アーラヤ識はあらゆる存在を生み出す生成的根源である。

まず(1)について考えてみよう。

仏教は基本的には身体と心との独存を認めない。相互に依存しながら両者は存在しつづけることができると考える。

ところでここに問題が生じる。瑜伽行唯識派以前までは「心」すなわち「識」として眼識・耳識・鼻識・舌識・身識・意識の六種の識しかたてていない。ところがこれら六識は常に存在し働きつづけているわけではない。六識が活動していないときには身体はなにによって維持されているのか。このような疑問がおこってくる。

瑜伽行唯識派は、ふつうの意識ではけっして知覚されえないが、しかし心の深底で常に絶えることなく活動しつづける、いわば深層心理としてアーラヤ識を発見することによってこの疑問を解決した。寿命があるかぎり、いな、われわれが生死輪廻しつづけるかぎり、アーラヤ識は常に身体を維持しつづけて腐壊せしめることがないと考えるのである。

このような生命維持体としてアーラヤ識を考える傾向は、この識を初めて唱えたといわれる『解深密経』で特に強いことに注目すべきである。たとえば、アーラヤ識（阿頼耶識）という語よりも、「維持すること」を表わすアーダーナという語を用いたアーダーナ識（阿陀那識）という用語のほうが重んじられている。アーラヤ識は前に述べたように、輪廻の主体とはなにかという、いわば知的ないし論理的追究の結果としてたてられるにいたったこともけっして否定できない。しかしアーラヤ識はけっして知的要請の結果、想定されただけのものではない。瑜伽行唯識派とよばれるように、それは、特にヨーガ（瑜伽）を好む人がヨーガという心的内部への沈潜を通して見出《みいだ》した新たな発見物であった。

あらゆる存在を生みだす根源

根源体としてアーラヤ識のはたらきとしてもう一つ、あらゆる存在を生みだすはたらきをあげることができる。「一切は唯識である」すなわち「あらゆる存在は唯だ識にすぎない」という命題の中の「識」の原語はヴィジュニャプティ vijñapti である。この vijñapti は「知る」という動詞 vijñā の使役形から作られた名詞であり、「知らしめること」というのがその原意である。したがって「一切は唯識である」とは、換言すれば「あらゆる存在は現象として知らしめられたものにすぎない」ということになる。では「知らしめる」主体となるものはなにか――そこで瑜伽行唯識派は、その知らしめる根源体がアーラヤ識であると考えた。ここで「知らしめる」というように認識的なことばを用いた。この「知らしめる」を生成的に表現すれば「生みだす」ということになる。そこで、アーラヤ識は「あらゆる存在（一切）を生みだす可能力（種子）をもつもの」という意味でアーラヤ識を別名「一切種子識」とよぶ。ヴァスバンドゥも前述したように、『唯識三十頌』第二頌でアーラヤ識を「一切の種子を有するもの」（sarvabījakam）とよんでいる。

「唯識」とは唯だ識すなわち心的存在しかみとめない立場である。こころの外部に事物をみとめない。したがってわれわれがふつうこころを離れて存在すると考える自然界や身体をもこころに還元し、自然界も身体もこころが作りだしたものにすぎないと主張する。自然界や身体という事物的存在とは別に、眼識・耳識などの心的存在があり、これら心的存在もアーラヤ識から生みだされる。生みだされる識として眼識ないし意識の六つの識、あるいはこれにマナ識を加えて合計七つの識をたて、それらを総じて「転識」とよぶ。

アーラヤ識が生みだすものをまとめると二つのグループにわかれる。

①身体と自然界

②眼識などの転識

右の二つのうち、①はいわゆる「物質」とよばれるものである。ところでアーラヤ識も識といわれる以上、なんらかの認識作用をもつ。このアーラヤ識の認識対象が身体と自然界とである。つまり、アーラヤ識は身体と自然界とを生み出すと同時にそれら二つを対象として認識するという二重の働きを有することになる。この点が転識に対しては、アーラヤ識がそれらを唯だ生みだすにすぎない点と異なる。アーラヤ識が身体と自然界とをつねに生みだし、つねに認識しているからこそ、身体と自然界とは、いつ見てもそれは、一見変ることなき不変的物質として知覚されるのである。

識転変説への思想発展

『唯識三十頌』の意義は、ヴァスバンドゥがそれまでの唯識説をわずか三一の頌の中にまとめあげたことにあるが、そのほか、「識転変」という新たな概念を創設して、それによって「唯識」であることをより簡潔かつ明解に説明しようと試みたことも見逃してはならない。

識転変（vijñāna-pariṇāma）とは「識が変化する」という意味である。識とは眼識ないしアーラヤ識の八つの識をいう。転変についてはのちに詳しくまとめることにして、まずは、転変とは、八識の変化、もっとわかりやすくいえば、われわれのさまざまな心的活動の総称であると述べておこう。

ヴァスバンドゥの識転変は、かれの小乗時代の作『倶舎論』のなかにみられる経量部の「相続転変差別」がその淵源である。経量部は、ある業が時間的へだたりをへて、なんらかの結果を生みだすまでの業の潜伏過程を相続（saṃtati）と転変（pariṇāma）と差別（viśeṣa）という三つのことばで表現した。これら三つの意味はつぎのようである。

①相続――業によって植えつけられた種子が刹那生滅をくりかえしながら存在しつづけ

てゆくこと。

②転変——種子が前と後とで変化すること。

③差別——種子がつぎつぎと変化し、最後につぎの刹那に結果を生みだす特殊な力をもつようになること。

右の相続・転変・差別の思想をヴァスバンドゥは経量部から採用し、これを大乗転向後の作品の『成業論』と『唯識二十論』とのなかでしだいに唯識思想的に解釈し、最後に、『唯識三十頌』で自説を構成する最も重要な術語として識転変ということばを創りだしたのである。

まず『成業論』で相続をアーラヤ識でおきかえ、「アーラヤ識の転変差別」、さらに差別をとって「識の転変」とよぶにいたった。『唯識二十論』ではさらに思索が深まった。すなわちその第六頌と第七頌とで、地獄におちた人が獄卒などによって迫害の苦を受けることに対して、経量部は外界実在説の立場より、外界に実在する四大種すなわち地・水・火・風の四つの元素が地獄におちた人の業の力によって変化してできあがったものが、獄卒であり、獄卒のなぐるなどの動作であるという。これに対してヴァスバンドゥは識一元論の立場より、獄卒などの諸現象は、地獄におちた人の業の種子の結果ひきおこされる「識の転変（変化）」であるという見解に立つ。

転変がたんに種子の転変あるいはアーラヤ識の転変というように、潜在的現象の変化を意味するだけではなく、具体的に知覚される顕在的現象の変化をも識の転変で説明しようとしたところに右の見解の意義がある。

ヴァスバンドゥは右のような思想的発展の頂点に、潜在的と顕在的とのいずれの変化をも含む識転変説を『唯識三十頌』のなかでまとめあげた。

ヴァスバンドゥの識転変説

ではヴァスバンドゥは『唯識三十頌』で識転変をどのようにとらえているのであろうか。まず関係文を列記してみよう。

(1)「この識の転変は分別である」（第十七頌）。

(2)「じつに生命的存在（我《が》）と事物的存在（法）との設定はさまざまに行なわれるが、それは識の転変においてである」（第一頌）。

(3)「じつに識はあらゆる種子をもつものであり、相互の力によってかくのごとくかくのごとく転変する。それによってあれこれの分別が生ずる」（第十八頌）。

(1)より従来の分別（vikalpa）ということばが識転変ということばでおきかえられていることがわかる。分別とは、識の働き・作用を表わす総称であり、具体的には、感覚・知覚・思考などのさまざまな心の働きをいう。(2)は、その心の働きを「我と法との設定」という面にしぼって、生命的存在（我）や事物的存在（法）は実際には存在しないのに、それらを存在すると考える働きを識転変に帰する。そして転変をつぎの三種に分類する。

(1)異熟。

(2)思量とよばれるもの。

(3)対象を認識するもの。

(1)はアーラヤ識、(2)はマナ識、(3)は眼識ないし意識の六識に相当する。すなわち、(1)—(3)で八種の識すべてはふくまれる。つまり、八識すべてをその具体的働きから「転変」とよび、それを右の三種に分類したところにヴァスバンドゥの独創性をみとめることができる。また、前に掲げた第十八頌には一切種子識すなわちアーラヤ識の転変、およびその転変より分別が生ずることが説かれる。このうち一切種子識の転変は経量部の種子の相続転変差別の発展延長上に考えだされたものである。

ヴァスバンドゥが意図する転変の意味はつぎの三つにまとめることができよう。

①諸識すなわち分別であり、その基本的作用は我と法とを仮設することである。

②アーラヤ識の中で種子が変化成長すること。

③種子から分別（諸識）が生ずること。

右の三つの意味は転変を反省的にわけたものである。実際には識の全活動は因果連続の円環的活動であるから、ヴァスバンドゥはこの観点よりみて、こころのあらゆる活動一般を転変という語で総称しようとしたものと考えられる。

3　三自性

仏教思想史上における唯識思想の位置

唯識思想を初めて経典のかたちでまとめた『解深密経』のなかで、釈尊一生の教説を段階的に分類してそれらの優劣を判定することがなされている。それによると釈尊の教説は内容的につぎの三段階（三時）に分けられる。

(1)第一時――声聞乗のために「四諦」の教えを説く。

(2)第二時――大乗のために「一切法皆無自性無生無滅本来寂静自性涅槃」の教えを隠密相をもって説く。

(3)第三時――一切乗のために「一切法皆無自性無生無滅本来寂静自性涅槃無自性性」の教えを顕了相をもって説く。

第一時を有教《うきょう》、第二時を空教《くうきょう》、第三時を中道教《ちゅうどうきょう》とよぶ。第一時は、『阿含経』に代表される教えであり、四諦あるいは十二縁起の教説によって、自我は存在しない、すなわち無我であると説く時代である。存在するのは唯だ刹那に生滅する五つの構成要素（五蘊）のみであり、その蘊がたまたま因と縁とによって仮りに結合したものが自己という存在であるから、そこには自己とよばれる固定的・不変的実体はない、すなわち無我であるという。無我であるが、しかし五蘊という五つの構成要素は存在するとみるからこの時代の教えを「有教」とよぶ。

このように、こころをはなれてこころの外に事物があるという考えを否定するために次の第二時の教えすなわち「空教」が出現した。いわゆる『般若経』の無自性の教えである。『般若経』には、自己であろうが、事物であろうが、あらゆる存在(一切諸法)の存在性が否定される。そこを「一切法は皆な無自性である」という。「自性とは自ら存在すること」あるいは「自性とは作られないものであり、因と縁とによって存在するものではない」と定義されるように超時間的ないし超因果律的存在性をもつものをいう。そのような自性として の存在性を存在のさまざまな構成要素(諸法)に認めるそれまでの見解(その代表が説一切有部)に反対したのが、あくことなく否定のことばで終始する『般若経』を作成した人びとであった。のちにナーガールジュナが『般若経』の否定の論理を「縁起のゆえに無自性であり、無自性のゆえに空である」とまとめたが、このようにすべては因と縁とより生起するという仏教の基本的な現象生成観を前提として、あらゆる存在は無自性であり、空であると主張する。

唯識思想もこの『般若経』の空の思想を受けついだ。ただ、前にあげた『解深密経』の所説にもあるように、『般若経』で無自性・空を隠密相すなわち秘密のわかりにくいかたちで説くのに対して、唯識思想はそれを顕了相すなわち明瞭なはっきりしたかたちで説く点がちがうという。この顕了相としてうちだされたのが三自性・三無自性の教説である。

虚無主義への反駁

しかし、唯識思想、とりわけ三自性説がうちだされるにいたった理由はたんにそれだけではなかったようである。

『般若経』の否定の思想は決してすべてを否定しさる虚無主義でなく、ナーガールジュナの八不中道《はっぷちゅうどう》にみられるように、中道の宣揚をその目的とする。のちに瑜伽行唯識派でその存在が実有《じつう》として肯定される真如に相当するものが、すでに「諸法の実相」ということばで表現されている。

だが本来的にはそうであっても、表現的にはあらゆる存在を無自性あるいは空と否定する見解は、一歩まちがえば虚無主義に陥る危険がある。事実そのような虚無主義を主張する一群の人びとが出現したようである。たとえば『瑜伽師地論』ではそのような人びとは「悪取空者」とよばれ、一切の存在を否定する人びととして批判の対象となっている。『般若経』あるいは中観派の空の思想を虚無主義とみる人びとへの反駁として唯識思想が出現したという事情は最勝子の『瑜伽師地論釈』のつぎの箇所によく表現されている。

「仏涅槃後、魔事紛起して、部執競いて興こり、多く有見に著す。龍猛菩薩、極喜地《ごくきち》を証し、大乗無相の空教を採集し、中論等を造り、究めて真要を暢《の》べ、彼《か》の有見を除く。聖提婆等の諸大論師、百論等を造りて、弘く大義を闡《ひら》く。是に由《よつ》て衆生、復《ま》た空見に著す。無著菩薩、初地に位登し、法光定を証し、大神通を得、大慈尊に事《つか》え、此の論（瑜伽論）を説くことを請う。……」

右の一文から、部派仏教の有見と中観派の空見とを止揚した第三の立場、すなわち非有非無の中道説を確立しようとしておこったのが瑜伽行唯識派であることがわかる。この有と無とを止揚する非有非無の論理を裏づけるものとして生まれたのが三自性説である。

空に対する基本的論理

唯識説はあらゆる存在が決定的にまったく無自性であり、空であることに反対する。では一切が空であるとはどのようなことをいうのか。瑜伽行唯識派が空を論理的に説明するさいにかならず用いる一文につぎのようなものがある。

「これ（A）にかれ（B）が存在しないとき、これ（A）はかれ（B）として空であると如実に見る。さらにかれに残れるもの（C）、それは実に実在すると如実に知る」

この一文は物事を空とみてゆく修行の基本的方法を述べたものである。すなわち、あるAというもののなかにBというものが存在しないという意味で空であると見るが、さらにAのなかになお残っているもの、それは実在すると見る、そのような観法である。つまり低次の存在性をもつBの否定を通してAの中に、より高次の存在性をもつCの存在を見究めようとする観法である。この否定による肯定をつぎつぎと深め、最後に、もはやそのなかに、何ら否定さるべきものがなくなった、いわば絶対的肯定なるものを、瑜伽行唯識派は好んで「空性」あるいは「真如」ということばで表現する。

存在の三つの形態（三自性）

右の一文は、空観の基本的な方法を述べたものであると同時に、空の論理を総括的に表わしたものでもある。

さて、このなかでA・B・Cという三つの存在が示唆されている。この二つはそれぞれその存在のあり方を異にし、同時にその存在性の度合にも強弱がある。瑜伽行唯識派の人びとすなわち瑜伽行者たちは、右の方法にもとづく観法にしたがって、存在を静かに、深く、かつ如実に観察することによって、存在のあり方・形態を異にするA・B・Cという三つの存在物を区別し、それを最終的に三自性説としてまとめあげたと考えられる。A・B・Cはそれぞれつぎのように命名される。

B……遍計所執自性《へんげしょしゅうじしょう》。
A……依他起《えたき》自性。
C……円成実《えんじょうじつ》自性。

さて、これら三つの自性は諸経論ではどのようにとらえられているのであるのか。まず、三自性説をはじめて提唱した『解深密経』およびその流れをくむ『瑜伽師地論』の所説をまとめるとつぎのようになる。

遍計所執自性……ことばを起して、名称によって仮りに施設されたもの。

依他起自性………因と縁によって生じたもの。

円成実自性………あらゆる存在の真如。

このうち依他起自性とは因と縁とより生じたものをいうが、これはそれまで、「因縁所生《いんねんしょしょう》の法」とよばれていたもの、すなわち有為法一般に相応する。瑜伽行唯識派はそれまで用いられた「因縁所生の法」をとくに依他起自性（paratantra-svabhāva　他に依存する存在のあり方をもつもの）という名でよぶにいたった。因と縁とより生ずるものとは、現象的存在すなわち有為法を指すが、唯識説によれば、存在するものをすべて識に還元する立場より、有為法とは「識」に相当する。しかし『解深密経』や『瑜伽師地論』では、いまだ依他起自性が「識」であるとは明言されていない。

遍計所執自性とは、具体的にことばを発し、名称によって仮りに施設されたものをいう。「仮りに施設されたもの」という表現の裏には、このような事物は実際には存在しないことが意図されている。われわれは名称をある対象に付与して、それの存在を知覚する、もっと厳密にいえば、その対象がこころをはなれて実在すると考える。そのように具体的に名称によって認識され、しかもこころとは別の独立した存在物であると考えられた事物が遍計所執自性（parikalpita-svabhāva　分別された存在のあり方をもつもの）である。

最後の円成実自性とはあらゆる存在（諸法）の真如であるという。真如の原語 tathatā は「その如くに」という副詞 tathā に抽象名詞を作る接尾語 -tā を付して作られたものであり、「その如くにあること」というのが原意である。したがって真如とは、「自からあるが如くにあるもの」をいう。われわれの心は、情的汚れや知的汚れによって汚染され、存在をありのままに見ることができない。その汚れをヨーガという実践を通して一つ一つとりのぞいてゆくとき、最後にまったく汚れなき心によって見られる事物の真の相《すがた》が真如である。われわれは修行を通して一段一段と完成されたものに近づいてゆく。最後にたどりつくもの、すなわち完成されたものが真如であるから、この真如を円成実自性（parinispanna-svabhāva 完成された存在のあり方をもつもの）とよぶ。

マイトレーヤ（弥勒）の三自性説

この『解深密経』および『瑜伽師地論』の見解は以後の三自性説の基調をなすとはいえ、しかしそのとらえ方、表現の仕方に思想的発展をみた。たとえば、マイトレーヤの作とされる『中辺分別論』では三自性がつぎのようにとらえられている。

遍計所執自性……境。
依他起自性……虚妄分別。

円成実自性……所取・能取の無。

『中辺分別論』では三自性が一段と認識的関係として簡潔に定義されている。境（artha）とは、認識対象あるいは事物をいう。ここには名称やことばという概念は用いられていないが、ここでいう境とは、外界に実在すると考えられた対象であり、具体的には所取と能取をいう。所取（grāhya）は「認識されるもの」、能取（grāhaka）とは「認識するもの」をいう。すなわち、われわれは現象的存在を名称やことばによって、大きく「客観」と「主観」とにわける。たとえば「わたしが机を見る」という場合、そこに机という客観、わたしという主観が設定され、それら二つが実在すると考える。

このように実際には存在しないものを存在すると誤って思考する本体そのものを「虚妄分別」とよびそれを依他起自性に配分する。『解深密経』あるいは『瑜伽師地論』の、たんに因縁所生の法を依他起自性と定義する立場を一歩すすめて、「一切は識にすぎない」という「唯識」説を前面におしすすめ、現象的存在をすべて識に還元する立場より、依他起自性を虚妄分別（abhūta-parikalpa）と定義するにいたった。のちに述べるが、ヴァスバンドゥもこの見解をひきつぎ、依他起自性とは分別（vikalpa）であると定義する。

円成実自性とは「所取・能取の無」であるという。このように所取・能取という新しい概念を用いて定義するところに『中辺分別論』の特徴がある。ここでは所取・能取の無というように否定の面としてしか表現されていないが、他の箇所で、空性とは「所取・能取の無」

とおよび「無の有」という二面をそなえたものであると定義されている。円成実自性と空性とは同一のものをいうから、円成実自性もやはり「無の有」という側面をそなえたものといえる。この「無の有」という考えは、マイトレーヤの作といわれる論書（『大乗荘厳経論』『中辺分別論』）のなかで強調されはじめ、その考えはアサンガやヴァスバンドゥなどに受けつがれてゆく重要な考えである。まえに（一四四ページ）唯識の空観は、低次の存在性をもつBの否定を通してAの中に、より高次の存在性をもつCの存在を見究める観法であるといった。この場合、Bの否定が、所取・能取の無にあたり、Cの存在が「無の有」に相当する。否定をくりかえし、その涯《はて》に、もはや否定さるべきものが何もなくなったところに現われる絶対的肯定とでもいうべき存在がある。これを「無の有」という簡潔なことばで表現しようとしたものと思われる。

アサンガ（無著）の三自性説

ヴァスバンドゥの兄アサンガは、かれの主著『摂大乗論』で三自性をつぎのように定義している。

依他起自性……アーラヤ識を種子とする虚妄分別にまとめられる諸識。
遍計所執自性……境は存在しないのに、唯だ識が境として顕現したもの。
円成実自性……依他起自性において境の相がつねに存在しないこと。

依他起自性に関しては、マイトレーヤの依他起自性＝虚妄分別という考えをそのまま受けついでいる。ただその虚妄分別をさまざまな識に分けている点が一段と進歩している。そして遍計所執自性に関しては、「顕現」という概念を用いて表現している。この「顕現」は、やはり『大乗荘厳経論』『中辺分別論』などマイトレーヤの作とされる論書のなかで重要視されはじめた用語である。その意味は、たとえば「Aとして顕現する識が生ずる」というように使用され、具体的に活動する識すなわち心がAという表象をもつことをいう。そのような心の中に現われた表象（すなわち境）を遍計所執自性という。したがってこのとらえ方も基本的にはマイトレーヤのそれと異ならない。ただ、顕現を用いて表現したところに進歩のあとがうかがえる。

円成実自性とは依他起自性のなかに境の相がないことであるという。ここではじめて、明確に円成実自性が依他起自性との関係でとらえられるにいたった。すなわち円成実自性、すなわち真如とは、依他起自性すなわち識（虚妄分別）と質的に異なったものではない。識のなかから境という表象がつねにまったくなくなったその識そのもの、換言すれば、質的に変化した識が真如であり円成実自性である、という考えである。境の相とは、遍計所執自性のことであるから、この円成実自性の定義は、内容的には「依他起自性のなかに遍計所執自性がないこと」ということになり、この定義はつぎにみるように、ヴァスバンドゥに影響を与えた。

ヴァスバンドゥの三自性説

最後に『唯識三十頌』にみられるヴァスバンドゥの三自性説を検討してみよう。

遍計所執自性……分別によって分別された事物。

依他起自性………縁より生じた分別。

円成実自性………依他起自性が遍計所執自性を遠離していること。

遍計所執自性に関しては、境（artha）という語のかわりに事物（vastu）という語を用いた点と、その事物が「分別によって分別された」というように遍計所執（parikalpita 分別された）という語を用いて忠実に表現した点とが従来と異なる。しかし内容的に同じことを意味する。

依他起自性に関しては、従来の「因縁所生の法」と「虚妄分別」という二つのとらえ方を一つにまとめてたくみに定義している。ただし、ヴァスバンドゥは『唯識三十頌』では虚妄分別（abhūta-parikalpa）という語よりも、分別（vikalpa）という語を好んで用いている。

円成実自性に関しては、すでにまえにふれたように、アサンガの見解を受けつぎつつ、一段と明確に、依他起自性が遍計所執自性を遠離していること、そのものが円成実自性であると定義するにいたった。

このようにヴァスバンドゥは内容的には従来の説をひきつぎながら、表現的には、自己独自の表現方法を工夫して、短い頌のなかに巧みに三自性説をまとめあげたということができよう。

三自性説による非有非無の中道

以上、三自性の思想的発達を簡単に述べてきた。ところで、瑜伽行唯識派はなぜこのような三自性説をうち立てたのであろうか。

その最大の目的は、非有非無という中道を論理的に説明することであった。唯識論書の随所に、

「分別される（顕現する）如くには存在しない。しかし、一切がまったく存在しないというわけではない」

という叙述がみとめられる。これは要をいえば、存在のあり方を非有非無とみる見方である。ではこの中道的見方を三自性説でどのように論理づけるのであろうか。各論書の説をまとめるとつぎのようになる。

依他起自性中 ＜ 遍計所執自性の無→非有 / 円成実自性の有→非無 ｝→非有非無

あるいは三自性を各別にみて、

遍計所執自性の無――→非有
依他起自性と円成実自性との有→非無 ｝→非有非無

後者にしたがえば、「分別される如くには存在しない」とは遍計所執自性、すなわち概念によって心をはなれて実在すると考えられた外的事物についていわれ、「一切がまったく存在しないわけではない」とは、依他起自性と円成実自性、すなわち識と真如についていわれる。もちろん、識と真如との両者の存在性には程度の差がある。真如は「実有」といわれ、その存在性はつねに認められる。これに対して、識は、究極的にはその存在は否定されるべきものでありながら、日常的には迷いの世界を、実践的には修行生活を成立せしめる基体として、その存在が仮りに認められるにすぎないのである。瑜伽行唯識派はなぜ「唯識」を説くのか。たしかにそれは存在論的に、「唯だ識が存在する」のであるのかもしれない。しかし、それ以上に大切なことは、「この存在する識を手段として真理に到達する以外に方法はない」という実践的認識であろう。「唯識」はたんに理論にのみとどまるものではなく、実践となって展開されなければならないものである。

III　ヴァスバンドゥの著作

अभिधर्मकोशभाष्यम्

प्रथमं कोशस्थानम्

[1b, 1B I] ओं नमो बुद्धाय

यः सर्वथासर्वहतान्धकारः
संसारपङ्काज्जगदुज्जहार ।
तस्मै नमस्कृत्य यथार्थशास्त्रे
शास्त्रं प्रवक्ष्याम्यभिधर्मकोशम् ॥१॥

शास्त्रं प्रणेतुकामः स्वस्य शास्तुर्माहात्म्यज्ञापनार्थं गुणाख्यानपूर्वकं तस्मै नमस्कारमारभते य इति । बुद्धं भगवन्तमधिकृत्याह हतमस्यान्धकारमनेन वेति हतान्धकारः । सर्वेण प्रकारेण सर्वस्मिन् हतान्धकारः सर्वथासर्वहतान्धकारः । अज्ञानं हि भूतार्थदर्शनप्रतिबन्धादन्धकारम् । तच्च भगवतो बुद्धस्य प्रतिपक्षलाभेनात्यन्तं सर्वथा सर्वत्र ज्ञेये पुनरनुत्पत्तिधर्मत्वाद्धतम् । अतोऽसौ सर्वथासर्वहतान्धकारः । प्रत्येकबुद्धश्रावका अपि कामं सर्वत्र हतान्धकाराः । क्लिष्टसंमोहात्यन्तविगमात । न तु सर्वथा । तथा ह्येषां बुद्धधर्मेष्वतिविप्रकृष्टदेशकालेषु अर्थेषु चानन्तप्रभेदेषु[1] भवत्येवाक्लिष्टमज्ञानम । इत्यात्महितप्रतिपत्तिसंपदा संस्तुत्य पुनस्तमेव भगवन्तं परहितप्रतिपत्तिसंपदा संस्तौति संसारपङ्काज्जगदुज्जहारेति । संसारो हि जगदासङ्गस्थानत्वात् दुरुत्तरत्वाच्च पङ्कभूतः । तत्रावमग्नं जगदत्राणमनुकम्पमानो भगवान् सद्धर्मदेशनाहस्तप्रदानैर्यथाभव्यमभ्युद्धृतवान् इति य एवमात्मपरहितप्रतिपत्तिसंपदा युक्तस्तस्मै[2] नम [2a. 1A II]स्कृत्येति शिरसा प्रणिपत्य । यथार्थमविपरीतं शास्तीति यथार्थशास्ता । अनेन परहितप्रतिपत्त्युपायमस्याविष्करोति । यथाभूतशासनाच्छास्ता भवन्नसौ संसारपङ्काज्जगदुज्जहार न त्वृद्धिवरप्रदानप्रभावेणेति[3] । तस्मै नमस्कृत्य किं करिष्यामी[4]त्याह

१. Y. चार्थेषु अनन्तप्रभेदेषु च ।

२, The reading seems to be तस्मै नमस्कृत्य यथार्थशास्त्रे । नमस्कृत्येति.........।

३. MS. प्रभावेनेति ।

४. Y. किं करिष्यतीति प्रश्नः ।

ヴァスバンドゥ作『阿毘達磨倶舎論』のサンスクリット本（プラダン本）

著作の概観

前述したようにヴァスバンドゥ二人説が唱えられるように（七八ページ以下）、ヴァスバンドゥの名をもつ人物が複数いた可能性もある。したがってヴァスバンドゥ作と伝えるさまざまの著作が、ひとしく同一人物の手になるかどうかは大いに疑問がある。

いまここでは一々の論書がはたして真に同一のヴァスバンドゥの作であるかどうかの論議は省略して、ヴァスバンドゥ作と伝えられる作品を項目別に列記し、それぞれ簡単な説明を加えてみよう（漢訳のあるものは論名を漢訳で表記する。漢訳に異訳本がある場合はカッコ内に記す）。

A　小乗論書

(1)玄奘訳『阿毘達磨倶舎論』三十巻（Abhidharmakośabhāṣya）

（真諦訳『阿毘達磨倶舎釈論』二十二巻。サンスクリット原本およびチベット訳あり）

ヴァスバンドゥが小乗時代に書いた作品。内容等については本書九〇ページを参照のこと（第II部　ヴァスバンドゥの思想　1『倶舎論』における思想）。

B　大乗論書

⒜ヴァスバンドゥ自身の著作

(1)玄奘訳『大乗《だいじょう》成《じょう》業論《ごうろん》』一巻（Karma-siddhi-prakaraṇa）（毘目智仙訳『業成就論』一巻。チベット訳あり）

小乗部派の主張するさまざまの業説を批判し、アーラヤ識の種子の相続転変によって業が成立することを説く。経量部的色彩が強く、ヴァスバンドゥが小乗から大乗に移る過渡期の思想を伝えたものとして貴重な書である。本書にその抄訳を試みた（一六四ページ参照）。

(2)玄奘訳『大乗五蘊論』一巻（Pañca-skandhaka）（地婆訶羅訳『大乗広五蘊論』一巻、スティラマティの註釈を付したもの。チベット訳あり）。

五蘊にふくまれるさまざまな存在の構成要素（諸法）を説明したもの。識蘊にアーラヤ識を加え、無為に真如を加えるなど、唯識思想的傾向が強いが、『倶舎論』的見解もなお認められ、『大乗成業論』とともに、ヴァスバンドゥの過渡期の思想を伝える書である。

(3)『釈軌論』（Vyākhyāyukti）（チベット訳のみあり）

『阿含経』から多く引用しながら経典解釈（Vyākhyā）の方法（yukti）を述べた書。

(4)玄奘訳『唯識二十論』一巻（Viṃśatikā-vijñaptimātratā-siddhi）（瞿曇般若流支訳『唯識論』一巻、真諦訳『大乗唯識論』一巻。サンスクリット原本およびチベット訳あり）。

外界に事物が実在するとみる他派からの批判に、ひとつひとつ反論することによって「一切は唯だ識のみである」という瑜伽行唯識派の根本命題を立証した書。二十二頌とそれに対するヴァスバンドゥ自身の註釈とから構成される。本書にはアーラヤ識・三自性など、唯識的な重要な用語はまったくみとめられない。ヴァスバンドゥは、本書において他派への反証を通してのみ間接的に「唯識」を主張しようと企てたのであろう。その意味で、「唯識」を前面にうちだしたつぎの『唯識三十頌』と相まってはじめて、ヴァスバンドゥの思想全体が開示されうる。『唯識二十論』の全訳は本書一七八ページ以下を参照。なおその内容の一部については本書一二三ページ以下をも参照のこと。

(5)『唯識三十頌』(Triṃśikā-vijñaptimātratāsiddhi)(玄奘訳『成唯識論』十巻は、本書に対するダルマパーラの註釈を正統説として、さらに他の論師たちの諸註釈をもまとめあげたものである。真諦訳『転識論』一巻は、頌のみの訳ではなく、簡単な註釈がつけたされている。サンスクリット原本およびチベット訳あり)。

ヴァスバンドゥの代表作。唯識思想家としての自己の思想体系をわずか三十の頌のなかに巧みにまとめあげたもの。ヴァスバンドゥ最後の作品といわれ、かれ自身で註釈をほどこすことなく没したため、その後、その内容の解釈をめぐってさまざまな論争が展開された。それらの諸異説をダルマパーラの見解を正統としてまとめあげたのが中国・日本の法相宗が自宗の最大の典拠書とする玄奘訳『成唯識論』である。瑜伽行唯識派の歴史において新時代を画した書、および法相宗成立の淵源をなす書、それがこの『唯識三十頌』である。本頌の全訳およびその内容に関する説明は二〇八ページ以下を参照のこと。

(6)『三自性の説示』(Trisvabhāva-nirdeśa)(サンスクリット原本およびチベット訳あり)
唯識思想の重要な概念の一つである「三自性」をさまざまな角度から説明し、もって「一切は唯識にすぎない」ことを説示した書。

なおこのほかに、ヴァスバンドゥ作と伝えられながらも、その真偽をめぐって疑問がもたれている書としてつぎの二書がある。

(7)真諦訳『仏性論』四巻
仏性すなわち如来蔵を体系的に詳説した書。仏性を三自性あるいは五法との関係で説くなど唯識説との関連をみとめることができる。しかし内容的に『究竟一乗宝性論』と似ていることなどからヴァスバンドゥ作とみなすには疑問をいだく学者もいる。

(8)玄奘訳『大乗百法明門論』一巻
唯識思想が説く百種の存在構成要素(百法)の名を列記したもの。『大乗五蘊論』の所説と相違するところもあり、やはりヴァスバンドゥ作とするには疑問ももたれている。

(b)**他者の論書に対する註釈書**

ヴァスバンドゥは、また他者の手になるいくつかの唯識論書に註釈をほどこしている。いまそれらを列記してみよう。

(1)『大乗荘厳経論頌』に対する註釈（Mahāyāna-sūtrālaṃkāra-bhāṣya）（波羅頗蜜多羅訳『大乗荘厳経論』十三巻。サンスクリット原本およびチベット訳あり）。

(2)『中辺分別論頌』に対する註釈（Madhyānta-vibhāgabhāṣya）（玄奘訳『弁中辺論』三巻。真諦訳『中辺分別論』二巻。サンスクリット原本およびチベット訳あり）。

(3)『法法性分別論』に対する註釈（Dharma-dharmatā-vibhanga-vṛtti）（サンスクリット原本は断片のみ。チベット訳あり）。

(4)『摂大乗論』に対する註釈（Mahāyāna-saṃgraha-bhāṣya）（玄奘訳『摂大乗論釈』十巻。真諦訳『摂大乗論釈』十五巻。笈多共行矩訳『摂大乗論釈論』十巻。チベット訳あり）。

C　経典への註釈

また、いくつかの経典への註釈書がヴァスバンドゥ作と伝えられている。いま、それらを列記してみよう。

(1)菩提流支等訳『十地経論』十二巻（チベット訳あり）

(2)菩提流支訳『妙法蓮華経憂波提舎』二巻（勒那摩提訳『妙法蓮華経論優波提舎』一巻）。本書は別名『法華経論』ともよばれる。

(3)菩提流支訳『無量寿経優婆提舎願生偈』一巻。本書は別名『浄土論』とよばれる。なお、後に曇鸞が本書に註をほどこして作った『浄土論註』は、中国・日本の浄土教発達のために、大きな影響を与えた。

(4)毘目智仙訳『宝髻経四法憂波提舎』一巻

(5)真諦訳『涅槃経本有今無偈論』一巻

(6)菩提流支訳『文殊師利菩薩問菩提経論』二巻（チベット訳あり）

なおチベット人の手になるプトンの『仏教史』によればヴァスバンドゥは「八部の論書」を作ったという。その八部とは『唯識三十頌』『唯識二十論』『五蘊論』『釈軌論』『成業論』『荘厳経論釈』『縁起経釈』『中辺分別論釈』である。ターラナータもこの八部をあげるが、これら八部を一つの群にまとめることについて問題を呈している（本書七六ページを参照のこと）。

以下、右の著作のうち、1『大乗成業論』、2『唯識二十論』、3『唯識三十頌』、の三書をとりあげて、その一部あるいは全部を和訳してみよう。これら三書をとりあげたのは、1は前述したように小乗から大乗へと移る過渡期の思想がみとめられ、2と3はヴァスバンドゥの二大代表作であるからである。

なお『成業論』に関しては他派の業論を破斥する前半の部分の訳は割愛し、ヴァスバンドゥ自身の業論およびアーラヤ識などの過渡的な思想が認められる後半の部分のみを漢訳を参照にしながら、主としてチベット訳から和訳した。

『唯識二十論』と『唯識三十頌』とはサンスクリット原文からの全訳を試みた。ただし前者に関しては、語彙への註を付けるにとどめたが、後者『唯識三十頌』に対しては、広く唯識思想を紹介することをも意図して、たんにヴァスバンドゥの説のみにとどまらず、通唯識思想的立場より、その内容を説明した。読者の方々が説明文を読まれることによって唯識思想のほぼ全景を理解されることを希望する。

なおこれら三論に関してはすでにいくつかの和訳や研究書が刊行せられている。和訳に際してつぎの和訳や研究書を参考にした。

〈成業論〉

山口益著『世親の成業論』法蔵館。

〈唯識二十論・唯識三十頌〉

山口益・野沢静証著『世親唯識の原典解明』法蔵館。

長尾雅人・梶山雄一・荒牧典俊訳『大乗仏典・15世親論集』中央公論社。

1 『成業論《じょうごうろん》』

1 異熟識の説示

経典にもとづく証明

さまざまの種子《しゅうじ》を内蔵するかの異熟識に対して、その〔識〕より他の識およびそれとともに働く善・不善の法とがそれぞれ、種子を生長せしめるという形で、適宜、熏習《くんじゅう》する。この「相続し・変化し・〔果を生み〕特殊な状態になる」（相続転変差別）という〔過程をへて〕、種子の力が成熟するに応じて、未来に好ましい果あるいは好ましくない果を生ずる。

これに関して、

かずかぎりない種子をもつこの心が、相続して働き、
心に自からの縁がおこるとき、それぞれの種子は生長し、
かの〔種子〕が生長して次第に成熟するを得るとき、〔後〕時に果を与えることを成就する。

それは、マーツルンガの花に色を染めると、その果肉が赤となるごとくである。と説かれる。

これと同じことを世尊は解深密《げじんみつ》という大乗経において、アーダーナ識（阿陀那識）は甚深《じんじん》にして微細《みさい》である。

一切の種子は暴流のごとくに流れる。

我《が》と分別するなら不合理であるから、われ（世尊）は凡夫にはそれを説示しない。

と説く。

また、未来の生存を続いて生ずるとき、身体を維持するから、アーダーナ識（阿陀那識）という。一切法の種子をおさめる蔵となるから、アーラヤ識（阿頼耶識＝蔵識）という。前世の業と〔時を〕異にして熟したものであるから、ヴィパーカ識（異熟識）とよぶ。

理論による証明

もしその〔異熟識〕をみとめないなら、ほかのいかなるものが身体を維持するのか。それ以外のほかの識は、命あるかぎり身体を捨てないということはなく、あるいは〔身体に〕遍在するということもない。

〔もし異熟識がみとめられないなら〕煩悩の随眠《ずいめん》はどこに存在し、その対治によって断ぜられるのか。もし〔随眠が〕対治の心そのものにあるというならば、どうして、煩悩の随眠と共なるものそのものがその〔随眠の〕対治であるということがありえようか。

無《む》色界《しきかい》に生じ、染汚《ぜんま》と善と無漏《むろ》なる心相続の人びとにとって、この〔無色界〕という趣《しゅ》に摂《しょう》せられる、いかなる異熟の体が身であるのか。また趣は異熟ではなくなり、〔三界の〕繋ではなくなる。

有頂《うちょう》〔処〕の不還果《ふげんか》が漏を滅尽《めつじん》しようと修行して、無所有処の無漏心を起こすとき、有頂〔処〕に身という別の実物があって、それがそこより死せずといわれるのならば、いかなるものがそのような〔別の実物としての〕身であるのか。衆同分《しゅどうぶん》あるいは命根《みょうこん》という別の実物は存在しない。なぜなら、異熟の蘊《うん》と相似したものと、〔その〕勢力とを〔衆同分と命根として〕かりに立てたにすぎないからである。「相似したもの」とか「勢力」とかという別の実物は存在しない。たとえば、稲などが稗《ひえ》に相似し、〔稗の〕勢力をもつようなものである。したがってかならず前述したような別の識〔すなわち異熟識〕が存在するとみとめなければならない。

異熟識の別名

この〔異熟識〕を大徳赤銅鍱《しゃくどうよう》部の人びとは有分識といい、ほかの人びと〔大衆部〕は根本識と語り、〔＊化地部は窮生死蘊と説く〕。

＊〔 〕内は漢訳にのみあり。

異熟識の所縁と行相

ではこの〔異熟識の〕所縁《しょえん》（認識対象）と行相《ぎょうそう》（認識作用）とはどのようなものであるか。所縁と行相とは知覚されない〔ほどに微細である〕。どうしてそれが識であり、そのごとくであるのか。それは、滅尽定《めつじんじょう》などの位において他の識があると論ずる〔人びとの所縁と行相とは知覚されない〕ようなものである。

異熟識を密意をもって説く

ではその〔異熟識〕は〔五《ご》取蘊《しゅうん》のうちで〕どの取蘊に属するのか。理としては識という取蘊に属する。では、「識という取蘊とは何か。それは六識身である」という、また同様に「識を縁として名色あり。識とは六識身なり」という経典のこれらの文句はどのように解釈されるべきであろうか。

〔これらの経典の文句には〕密意《みっち》があると理解すべきである。たとえば「行蘊とは何か。六思身である」と説かれているようなものである。この〔行蘊の〕なかに〔六思身以外の〕他の法がふくまれていないというわけではない。

ではこの場合における密意とは何か。それは、世尊が『解深密経』のなかで、

我と分別するなら不合理であるから、

われは凡夫にはそれを説示しない。

と説いたことである。

どうして〔凡夫は〕このように分別するのか。それは、その〔異熟識の〕あり方は、輪廻するかぎり、変化することがないからである。

〔もう一つの密意はつぎのごとくである。〕〔六識のうち〕或るものの所依《しょえ》（感覚器官）と所縁（認識対象）と行相（認識作用）と種類とは知覚されるから麁《そ》であるゆえに、また或るものにおいて煩悩とその対治とが相応するから雑染《ぞうぜん》と清浄《しょうじょう》とが立てられるゆえに、また或る果〔の識〕からその種子となる識〔の存在を〕推知するゆえに、ここには〔これら或るものが〕識として説かれるけれども、因である識は説かれていない。なぜなら、〔因である識は、前述した〕これら〔識〕とは相違するものであるから、というのがこの場合における密意である。したがって有分識となる六識身を説く場合も、〔以上の〕理のごとくに答えることができる。

また『釈軌論』においても「今時にあらゆる経典が見られるわけではない」と証明したから、それゆえに、諸経典にはっきりと説かれていないから、アーラヤ識をみとめるべきではない、ということにはならない。

異熟識と六識との同時生起

〔反対者が〕「では、このようであれば、〔ある一つの〕識相続（一つの身）に、異熟識と他

〔の六識〕との二つが同時に生起することになる。そうであるとき、どのような過失があるか。二つの識相続があるから、おのおのの身の上に二つの有情を同時に施設することになる。たとえば他の〔二つの〕身の上に二つの識相続があるごとくである」というならば、そのようではない。なぜなら、この二つは因と果との関係を離れずして生起するものであるから。また、異熟識の相続に対してもう一つの〔諸識〕が熏習《くんじゅう》するからである。〔これに対し〕別々の身の二つの識相続にはそのような理《ことわり》はないから、それゆえに〔異熟識と六識と同時生起をみとめても〕なんの過失もない。

〔また反対者が〕「いかなるものにおいて〈種子〉と〈種子を有するもの〉〔種子の果〕との相続を別々のものとして見ることがあるのか」といえば、ウトパラ華〔青蓮花〕などには、〈根《ね》〉と〈根を有するもの〉〔茎など〕との〔二つを別々のものとして〕見ることがある。

とにかく〔そのようなことが〕見られても、見られなくとも、〔異熟識の存在を〕みとめないならば、前述したさまざまの過失に堕《お》ちるから、かならず〔異熟識は〕みとめられなければならない。

アーラヤ識は我《が》（アートマン）ではない

〔反対者が〕「ではなぜ、我《が》〔アートマン〕という実体を六識の所依とみとめないのか」といえば、では〔反対者は〕どのようなものを〔我《が》として〕みとめるのか。

もし、〔反対者がみとめる〕その〔我《が》〕がアーラヤ識のように〔刹那に生滅しつつ〕相続して存在しつづけ、縁によって転変するものであるならば、その〔我《が》〕とこの〔アーラヤ識〕とにはどのような相違があるのか。

もし〔反対者のいう我《が》が〕一なるもので、決して転変しないものであれば、どうしてそれに対して識などが熏習するということがありえようか。なぜなら熏習するとは、〔熏習せられたものを転変せしめて、果を生みだす〕特殊な力（功能差別《くうのうしゃべつ》）を生ぜしめることであるからである。たとえばマーツルンガの花が樹脂によって熏じられるごとくである。転変してさまざまな〔特殊な力をもつように〕ならなければ、すなわち熏習がないならば、以前に、さまざまにくりかえして経験したり、知覚したり、貪欲をおこしたりしたことから、今、さまざまな記憶が生じたり、知覚したり、貪欲をおこしたりすることがどうして生ずるであろうか。

我《が》（アートマン）が無心の位になったときは、我《が》には〔転変して〕さまざまな〔特殊な力をもつように〕ならないから、後に何から意識が生ずるのであるか。

諸識が何らかの意味でかの〔我《が》〕に依存するならば、いかなる意味で我《が》はそれら〔諸識〕の所依であると考えるのか。

もし、〔我《が》によって諸識が〕生ずることであるというならば、我《が》はさまざまな〔特殊な力をもつように〕ならないのであるから、どうして〔諸識が〕漸次に生ずるであろうか。

もし他の助因をまって〔諸識を生ずる〕から、といえば、それら〔助因〕より他のもの〔すなわち我《が》〕にかの〔諸識〕を生ずる力があると、どうして理解できようか。もし、〔我《が》によって諸識が〕存在することが、かの〔我《が》〕に依存することであるというならば、生じてから〔ただちに〕滅し去り、もはや存在しないものに、いかなる意味で存在することということがあろうか。

したがってこのような所依となる実体はみとめられない。

このように〔所依となる実体をみとめる〕ならば、「一切法は無我である」という教えに違《たが》うことになる。それゆえに自立的で常なる我《が》（アートマン）という実体があると分別することは理にかなっていない。

以上の理由によって、さまざまな思（意志作用）によって熏習せられたアーラヤ識より後世において果が生起するのであって、前述したような特質をもつ身業と語業とから、〔果が生起する〕のではない。

2　業の説示

三種の業を説く意味

〔反対者は問う。〕このように身業と語業とをみとめないならば、「諸業は三つである」と説く経典の句は何であり、それを排斥することができるのではないか。

〔答えていう。〕排斥することはできない。なぜなら過失がないように〔この経典の句を〕解釈することができるからである。

〔反対者は問う。〕どうして過失がないのか。

〔答えていう。〕〔以下の八つの点について過失がないからである。〕すなわち、(1)ここに「三業がある」という説示は何のためにあるのか、(2)身とは何か、(3)業とは何か、(4)いかなる意味で身というのか、(5)いかなる意味で業というのか、(6)いかなる意味で身業というのか、(7)いかなる意味で語業・意業というのか、(8)なぜ身などの業だけが説かれ、眼などの諸業は説かれないのか。

〔これら八点のうち〕まずは〔経典の「三業あり」〕という説示は何のためにあるのかといえば、為すべきことが多くあると恐怖をいだく人びとに、十善道は三業におさめられることを説示するためである。それは、〔世尊が〕ブリジプトラカに〔二百五十の学をわずか増上戒・増上心・増上慧の〕三学〔にちぢめて〕教授したようなものである。

ある人びとは「〔業は〕身によってのみ造られ、語と意の二によっては造られない、なぜなら〔この二つは〕ただ分別のみであるから」という。かれらに対して〔語業と意業との〕二もまた業であることを説示するために〔三業を説く〕。

身業の本質は思である（ヴァスバンドゥの業説）

〔身業の〕身とは根（感覚器官）を有する身体であり、大種（地・水・火・風の四つの元素）と大種から造られたものとが和合した特別の状態である。

業とは思（意志）の特別の状態である。

「聚《あつ》まったもの」という意味で身という。大種と大種によって造られたものとの極微が聚まってできたものであるから。ある人びとは「悪が聚まったものという意味で〔身という〕、なぜなら不浄物の蔵庫であるから」というが、かれらのごとくであれば天の〔身は〕身ではなくなる。

〔業を〕なそうとする人の意《こころ》が現象として現われたものが業である。

身を動作せしめる〔思〕を身業という。思には三種ある。すなわち審慮《しんりょ》する〔思〕と決定する〔思〕と動作せしめる〔思〕とである。〔このうち最後の意味での思が〕それと相応する相続を他の場所に生ぜしめる因である風をひきおこして身を動作せしめる、その〔思を〕身業という。〔「動作せしめる」という〕中間の語を示さないから〔ただ身業という〕。〔力に益する油を〕力油という、あるいは〔塵《じん》を動かす風を〕塵風というごとくである。

〔反対者は問う。〕諸業道のうち、殺生と不与取と欲邪行との三種は身業であるとみとめられるが、どうしてそれらは思として説かれうるのか。

〔答える。〕この〔思〕はかの〔身〕を〔動作せしめて〕、殺し、盗み、邪行せしめるからである。この〔思〕によって生ぜしめられる相続による所作を、この〔思〕による所作という。たとえば盗賊によって村が焼かれる、草によって飯が煮られる、というごとくである。

〔反対者が問う。〕どうして思が業道であるのか。

〔答える。〕この〔思〕は、〔造作をなすから、その本性として〕業であり、善趣と悪趣との二趣への道であるから業道という。

あるいは動作する身が業道である。なぜなら思という三種の業が、その〔動作する身〕によって働くからである。

またその〔動作する身〕が殺生し、盗み、邪行するから、世間にしたがってそれを身業と説く。〔この場合、動作する身そのものには〕善とか不善ということはないが、仮りに〔善・不善〕を立てる。なぜなら、世間の人はこの〔動作する身〕という門を通して、かの〔善なる〕思を起こし、かの〔不善なる〕思を滅するからである。

〔反対者が問う。〕もし思のみに、善業と不善業ということがあるならば、「苦を生み苦の異熟を生む三種の不善業は、身によって思惟してから造作され増長されるものなり」という経典の〔句の意味〕はどのようなものであるのか。

〔答える。〕門と依処《えしょ》と所縁とによって造作されるとの意味である〔すなわち、身を動作する場合、身を門とし、身を依処とし、殺・盗・邪行を所縁とし、思業を因とする〕。

意業としての思

以上の〔思〕より他の思を意〔業〕という。意と相応するから、また身〔業〕と語〔業〕とを起こさないからである。

三種の思と思業・思已業との関係

〔反対者は問う。〕ではどうして世尊は、思と思已業とを説いたのか。
〔答えていう。〕前に三種の思を説いたうち、二つ（すなわち審慮する思と決定する思と）が思であり、第三の思（すなわち動作せしめる思）は〔身業と語業とを〕起こしめるから、思已業といわれる。

語業とは

語とはことばであり、特別の音声〔を本質とし〕、これによって対象〔が何であるか〕を了解せしめる。〔語業の〕業とは、かの〔語〕を発する思である。
あるいは、字の種類であるから、あるいは〔語ろうと〕欲する対象を語るから語という。業とは前のごとくに語を発起《ほっき》せしめるものをいう。前のごとくに〔この場合も、「発起せしめる」という〕中間の語を示さないから〔たんに語業という〕。

意業とは

意とは識である。〔我・我所と〕思量されるから、また他生と境とに趣くから意といわれる。ほかは〔身業と語業について〕前に述べたことと同じである。

律儀・非律儀と思との関係

〔反対者が問う。〕もし思のみが身業であるならば、散乱心と無心とには思がないから、律儀と非律儀との二つはどうしてあるのか。

〔答えていう。〕〔散乱心や無心でも〕特別の思が〔熏習した〕習気が壊されないから、律儀と非律儀との二つがある。〔特別の思というように〕特別というのは、それがあることによって律儀と不律儀との無表〔業〕が発起すると考えるような思を特殊な〔思〕というからである。

〔反対者が問う。〕その習気が壊されるとはどういうことか。

〔答えていう。〕〔習気が〕誓ったごとくに遠離の思と非遠離の思との因でなくなってしまうことである。

〔反対者が問う。〕習気は、何によって壊されるのか。

〔答えていう。〕それは、律儀と非律儀とを棄捨する因たる表〔業〕を発起する思、およびそれより他の棄捨の因とである。

眼などの業が説かれない理由

眼などの業を説かないのは、この〔経〕では、修行の業のみを説こうとするためであり、〔諸法の〕作用の業を説くのではないからである。修行の業とは何か。それは作者《さしゃ》の意《こころ》に〔したがって〕造作されたものである。作用〔の業〕とは何か。それは眼などのそれぞれの力能である。

われ（ヴァスバンドゥ）は世尊の説かれた三業を理によって、
善く説き了った。これは〔瑜伽行派以外の人によっては〕説示されないものである。
〔世尊によって〕説かれた〔業〕についてわれがこの『成業〔論〕』を説いた〔ことから
えられる〕諸功徳によって、
人びとが仏陀の清浄を獲得せんことを願う。

軌範師ヴァスバンドゥによって作られた『成業論』はこれで完了する。

2 『唯識二十論』

1 「唯識」の定立

大乗では「三種の〔現象〕世界[1]は唯《た》だ識のみである」と主張される。なぜなら「ああ、勝者の子[2]たちよ、三種の〔現象〕世界は唯だ心のみである」と経に説かれているからである。心と意と識と了別[3]とは同義語である。ここでいう〔唯だ心のみであるという場合の〕心は、それに伴う〔こまかい心作用[4]〕をもつものであると意図されている。〔唯だ心のみという場合の〕唯だとは対象[5]の〔存在〕を否定するためである。

「これらはまさに唯識のみである。存在しない対象として顕現するから。たとえば眼病者に〔実際には〕存在しない毛髪や月などが見えるごとくである。」〔第一頌〕

2　実在論者との問答

ここでつぎのように非難する。

〔反論〕「もし、〔唯だ〕識のみであって、対象が存在しないならば、場所と時との決定と、相続(6)の不決定と、および作用をなすこととは理にかなっていない。」（第二頌）

〔この頌には〕どのようなことが説かれているのか。もし色《いろ》・形《かたち》など(7)の対象が存在することなくして、色・形などを〔知覚する〕識（了別）が生じ、〔その識は〕色・形などの対象が〔外界に存在すること〕によって〔生ずる〕のではないとするならば、〔たとえばある色・形を知覚する識は〕なぜ、ある場所においてのみ生じ、あらゆる場所において〔生じ〕ないのか。また、その同じ場所において、ある時にのみ生じ、あらゆる時に生じないのか。〔また〕同一の場所と時とに居るあらゆる人びとの相続のなかに〔識が〕生じ、ただ一人の〔相続のなかに識が生ずるのでは〕ないのか。たとえば、眼病者たちの相続のなかには毛髪などの表象(8)が現われるが、〔眼病者ではない〕他の人びとの〔相続のなか〕には毛髪などの表象は現われないごとくである。また、眼病者たちが毛髪や蠅などを見る場合、それらは〔実際の〕毛髪などの作用をなさないのに、〔眼病者たちが見る〕以外の〔毛髪や蠅〕は、なぜ〔実際の作用を〕なすのか。食物・飲物・衣服・毒剣などが夢の中で見られる場合、それらは〔実際の〕食物などの作用をなさないのに、〔夢中に見られる〕以外の〔現実の食物など〕は、なぜ〔実際の作用を〕なすのか。ガンダルヴァ城(9)は実在しないから、城の作用をなさないのに、〔ガンダルヴァ城〕以外の〔城〕は、なぜ〔実際の作用を〕なすのか。

したがって、対象は存在しなく非存在に等しいならば、場所と時との決定と、相続の不決定と、作用をなすこととは理にかなっていない。

（答）〔以上の批難に答えていう。〕実に不合理ではない。なぜなら、

「場所などの決定は夢のごとくに成立する。」（第三頌—a）

夢のごとくにとは夢の中におけるように〔という意味〕である。ではどのように〔成立する〕のか。夢の中では、対象が存在しなくても、ある場所において、ある村・園・女・男などが見られ、あらゆる場所において〔見られるのでは〕ない。またその同じ場所において、ある時に見られ、あらゆる時に〔見られるのでは〕ない。したがって対象が存在しなくても場所と時との決定は成立する。

「さらに相続の不決定は餓鬼のごとくに」（第三頌—b）

成立するとつづく。餓鬼(10)のごとくにとは、餓鬼たちにおいてのように〔という意味である〕。〔餓鬼たちと〕等しいことが、どのように成立するのか。

「あらゆる餓鬼が膿河《のうが》などを見る場合と〔等しい〕。」（第三頌—c）

膿河とは膿《うみ》で満ちた河のことである。酥瓶《そへい》が〔酥で満ちた瓶を意味する〕ようなものであ

る。〔前世での〕共通の行為《カルマ》がもたらした〔餓鬼という共通の〕結果[11]に住する餓鬼たちは、だれしもみな河を膿で満ちたものと見るのであり、〔かれらのなかの〕ただ一人だけが〔そのように〕見るというのではない。

〔頌中の膿河などにある〕「など」という語には、膿で満ちているのと同じく、尿や糞などで満ちている、あるいは杖や剣をもつ男に守られている、ことなどが含まれる。

このように、対象が存在しなくても、さまざまな識に関して相続の不決定が成立する。

「作用をなすことは夢中の罪過のごとく」（第四頌―a）

成立する、と知るべきである。たとえば、夢の中では、〔実際に〕性交することなくして射精という夢中の罪過が行なわれるごとくである。

以上のごとく、まず、おのおのの比喩によって、場所と時との決定などの四つの事柄が成立する。

「さらにすべては地獄のごとくに」（第四頌―b）

成立すると知るべきである。地獄のごとくにとは、地獄におけるように〔という意味である〕。どのように成立するのか。

「獄卒[12]などを見ることにおいて、またかれらに迫害されることにおいて」（第四頌―c）

たとえば、地獄において、地獄人たちには場所と時とが決定して獄卒などを見ることが成立するごとくである。〔頌中の〕「など」の語には、犬・烏《からす》・鉄山などの去来を見ることが含まれる。また〔それらを見るのは〕あらゆる〔地獄人〕たちであり、ただ一人の〔地獄人〕ではない。また獄卒たちは実在しないのに、かれらによってかの〔地獄人〕が迫害されることも成立する。なぜなら、〔地獄人たちの〕共通の自らの行為がもたらした結果が影響力をおよぼすからである。

このように〔地獄〕以外のところにおいても、場所と時との決定などの四つの事柄はすべて成立すると知るべきである。

3 「行為が結果をもたらすこと」に関しての毘婆沙師の見解とそれへの反論

〔ヴァイバーシカの反論〕またさらに、いかなる理由で、獄卒・犬・烏たちは生きものであるとは認められないのか。(13)

〔答〕それは合理でないから。実にかれらが地獄人であるということは許されない。なぜなら、〔かれらは地獄人たちと〕同じようには、かの苦を受けることがないから。〔もしも、獄卒たちと地獄人たちとが〕互いに迫害し合っているならば、かれらが地獄人であり、かれらが獄卒である、ということはいえなくなるであろう。また、形と大きさと力とが等しいものたちが互いに迫害し合っているならば、〔かれらには現に地獄人たちが受けている〕ような恐怖はないであろう。また、燃えさかる、鉄からできた大地において灼熱《しゃくねつ》の苦に打ち勝つことのできないものたちが、どうしてそこで他のものたちを迫害することができようか。あるいは、地獄人でないものたちが、どうして地獄に生まれるということがあろうか。

（反論）ではどうして畜生《ちくしよう》たち(14)が天に生まれることがあるのか。〔畜生たちが天に生まれる〕ように、特殊な畜生・餓鬼たちが地獄人として地獄に生まれることもあるであろう。

（答）「畜生たちは天に生まれるがごとくには、地獄には〔生まれ〕ない。餓鬼たちも〔地獄には生まれ〕ない。なぜならかれらは、その〔地獄〕に固有の苦を受けないからである。」（第五頌）

実に、天に生まれる畜生たちは、その世界の楽を感受すべき行為によってそこに生まれ、そこに固有の楽を受ける。しかしそれと同じようには、獄卒などは地獄の苦を受けることはない。したがって、畜生たちが、また餓鬼たちが〔地獄に〕生まれるということは理にかなっていない。

4　「行為が結果をもたらすこと」に関しての経量部の見解とそれへの反論

（経量部の反論）とはいえ、かれら地獄人たちの行為によって、さまざまな色・形・大きさに区別された特殊な物質的構成要素(15)がそこに（地獄に）生じ、それらが獄卒などの名でよばれるのである。また〔それらが〕変化して、〔地獄人たちに〕恐怖をおこすために、手をのばすなどのさまざまな作用をなすのが見られる。たとえば、羊の形をした山々が迫りくる、離れゆく。また、鉄でできたシャールマリー樹林において、樹刺があるいは上方にあるいは下方につきでているがごとき〔作用である〕。まさにそれらが存在しないということはない。

〔唯識派の答〕「もしも、かれらの行為によって、そこに物質的構成要素の生成と変化とがかくのごとくにあると許されるならば、なぜ識の〔生成と変化とがあることは〕許されないのか。」（第六頌）

かれらの行為によって識がかくのごとくに変化するということがなぜ許されなくて、かえってなぜ物質的構成要素が考えられているのか。また、

「行為の潜在的残気[16]と〔その〕結果とは場所を異にしてあると考えているが、潜在的残気がある場所と同じところに〔その結果が生ずると〕許さないのはいかなる理由によるのか。」（第七頌）

〔経量部では〕実に、地獄人たちの行為によって上述したように物質的構成要素が生じ、また変化すると考えられているが、かれら〔地獄人たちの〕行為の潜在的残気は、識という相続のなかに存在し[17]、それ以外のところにあるのではない。潜在的残気がある場所と同じところに、上述したような識の変化が〔その〕結果として生ずるとなぜ許されないのか。〔経量部は〕潜在的残気の存在しないところにその結果が生ずると考えるが、その理由は何か。

5　経量部の実在論への反論

（経量部の反論）その理由は経典に基づく証明[18]である。もしも、色・形などの表象をもつ識のみがあり、色・形などの対象が存在しないとするならば、色・形などの〔十二種の〕認識領域[19]は実在するとは世尊によって説かれなかったであろう。

（答）それは理由にはならない。なぜなら、

「物質などの認識領域の実在性は、それによって教化されるべき人に対して、別の意図[20]をもって説かれたのである。たとえば化生《けしょう》[21]という生きものを〔説く〕ようなものである。」（第八頌）

たとえば、化生という生きものは存在すると世尊は説かれたが、それは別の意図をもって、すなわち後の世において心という相続が断絶することはないということを意図して〔説かれたの〕である。すなわち「この世には生きものも、我《アートマン》も存在しない。しかし原因をもつこれら諸存在は〔存在する〕」と説かれているからである。このように、色・形などの認識領域の実在性も、それを説示することによって教化されるべき人をとくに考慮に入れて世尊によって説かれたのであるから、そのことばには別の意図がある。ではこの場合の別の意図とは何か。

「自己の種子から、ある〔対象〕の表象をもつ識が生ずるとき、これら〔種子と表象との〕二つが、それの二種の認識領域であると牟尼《むに》は説いた。」（第九頌）

[22]〔この偈には〕どのようなことが説かれているか。色《いろ》・形の表象をもつ識が、特殊な変化を得た自己の種子から生ずるとき、その種子とおよびかの表象との二つが、順次、かの識にとっての、眼および色・形（色《しき》）という〔二種の〕認識領域であると世尊は説いた。このように、ないし感触（触《そく》）の表象をもつ識が特殊な変化を得た自己の種子から生ずるとき、その種子とおよびかの表象との二つが、順次、その〔識〕にとっての、身体（身《しん》）および感触という〔二種の〕認識領域であると世尊は説いたのである。以上が〔この場合の〕別の意図である。

ではこのように別の意図によって教えを説くとき、どのような功用《くゆう》があるのか。

「このようにすれば実に人無我をさとる。」（第十頌—a）

実にこのように教えを説くときには、人びとは人無我をさとる。すなわち、六つの識（眼識・耳識・鼻識・舌識・身識・意識）は〔それぞれ〕二つの〔認識領域〕から生ずるが[23]、しかし〔そこには〕、なんら見る者ないし考える者は存在しないと、このように理解して、人無我の教示によって教化される人びとは人無我をさとるにいたる。

「さらに別の教説によって法無我をさとる。」（第十頌—b）

別の〔教説〕とは唯だ識のみであるという教説である。どのようにして法無我をさとるのか。これらは唯だ識のみであり、色・形などの事物の表象をもつ〔識〕が生じても、〔そこには〕色・形などという特質をもつ事物はなにひとつ存在しないと理解することによってである。

（中観派の反論）もし事物が全面的に存在しないならば、唯識も存在しないことになるから、どうして〔唯識である〕と主張できようか。

（答）事物は全面的に存在しない、とこのように〔理解して〕法無我をさとるのではない。そうではなくて、

「分別されたもの(24)としての〔事物が存在しないのである〕。」（第十頌―c）

愚者たちはさまざまの事物に対して、客観・主観(25)などという固定的実体(26)があると分別するが、それら〔事物〕にはそのように分別されたもの〔固定的実体〕が〔存在しないという意味で〕それらは無我である、というのであり、仏の境界(27)という、言葉を超えたものが〔存在しないという意味で無我であるというのでは〕ない。このように唯識といえども、別の識によって分別せられたものとしては無我であることから、人びとは唯識と主張することによってあらゆる事物の無我（法無我）をさとるのであり、かの〔仏の境界の〕実在性を否定することによって〔さとるのでは〕ない。もしもそうでなければ、実に、〔ある〕識に対しても別の識が対象となってしまい、識が対象をもつことになるから、唯識性は成立しなくなるであろう。

6　原子論への論破

（反論）しかし、「世尊はこのような意図をもって、物質などの認識領域は存在すると説いたのであり、〔識をはなれて〕実在する色・形などが諸識それぞれの対象となるのではない」ということは、どのようにして認められるべきであろうか。

（答）なぜなら、

「それが一なるものであっても対象とならない。また多数の原子であっても、あるいはそれら〔原子〕が集合したものであっても〔対象とは〕ならない。なぜなら、原子というものは成立しないからである。」（第十一頌）

（この頌には）どのようなことが説かれているのか。色・形などの認識領域が、色・形などを〔知覚する〕諸識それぞれの対象となる場合には、それは、(i)ヴァイシェーシカ派が考える有分色《うぶんしき》のように一なるものであるか、(ii)あるいは多数の原子であるか、(iii)あるいはそれら原子が集合したものであるか、のいずれかである。[28] このうち、まず、一なるものは対象とならない。なぜなら、諸部分とは別の〔一なる〕有分色というものは、けっして知覚されえないからである。多数の〔原子〕も〔対象とは〕ならない。なぜなら、原子それぞれが知覚されえないからである。また〔原子が〕集合したものも対象となることはない。なぜなら、原子が一つの実体であるということは成立しないからである。
どうして成立しないのか。なぜなら、
「六つのものが同時に結合するならば、原子は六つの部分をもつものとなる。」〔第十二頌―a〕
からである。〔一つの原子に、上・下および四方の〕六方向から六つの原子が結合するときには、〔一つの〕原子は六つの部分をもつことになる。一つの〔原子〕がある場所には、他の〔原子〕は存在しえないからである。
「六つのものが同一の場所を占めるとするならば、集合体は原子の大きさとなるであろう。」〔第十二頌―b〕
もし一原子の場所が〔他の〕六〔原子の〕場所であるとするならば、それによってすべての〔原子〕は同一の場所を占めることになるから、あらゆる集合体も原子の大きさとなり、相互の区別はなくなる。したがって集合体というものが認められるということはけっしてないであろう。
「実に原子は部分をもたないから結合することはない。したがって以上のような過失におちいることはない。しかし、集合したものが相互に結合する」と主張するカシュミールのヴァイバーシカ派の人びとに対してつぎのように質問すべきである。すなわち、諸原子が集合したものは、それら〔諸原子〕より別のものでないのか、と。〔もしも別のものでないとする

ならば〕、

「原子が結合しない場合、その集合体において、いかなるもののそれ（結合）があるのか。」（第十三頌―a）

〔頌中のそれのあとに〕結合という語がつづく。

「また、部分をもたないからそれらの結合は成立しない、ということはない。」（第十三頌―b）

また、集合したものも相互に結合しない場合には、そのときも、諸原子が部分をもたないという理由で結合は成立しない、というべきではない。なぜなら、部分をもつ集合したものでさえも、結合するということが認められないからである。

以上の理由で原子が一つの実体であるということは成立しない。

また原子の結合が認められても、認められないにしても、

「方向的部分の区別のないものが一なるものであるということは理にかなわない。」（第十四頌―a）

実に、原子の東の部分と〔西の部分〕、ないし上方の部分と〔下方の部分〕とはそれぞれ別であるというように、方向的部分にわけることがあれば、どうしてそれら〔方向的部分〕から構成される原子が、一なるものであるということが正当であろうか。〔あるいは原子に部分がないとするならば〕、

「あるいはまた、どうして影や障礙《しょうげ》があるのか。」（第十四頌―b）

もし一つ一つの原子に方向的部分の区別がないとするならば、太陽が昇ったときに、どうして場所によって明・暗ができるのか。なぜなら、その〔原子〕には日光があたらないというような場所はないからである。またもしも、方向的部分の区別が認められないとするならば、どうしてある原子が他の原子によって障礙《しょうげ》されるということがあるのか。なぜなら、ある別の〔原子〕が接近して、その別の〔原子の侵入を〕障《さまた》げるような部分は、原子にはけっしてないからである。また、障礙がないとするならば、前述したように、あらゆる〔原子〕が同一の場所を占めることになるから、〔それら原子が〕集合したものもすべて、原子と〔同じ〕大きさになってしまうであろう。

（反論）影と障礙との二つは原子におこるのでなく、集合体におこるのであると、どうして認められないのか。

（答）そこにおいてそれら〔影と障礙との〕二つがおこるところの集合体は原子と別のものであるのか。そうではない。そこで、

「もしも集合体が〔原子と〕別のものでないとするならば、それら〔影と障礙〕との二つは、その〔集合体〕にはおこらない。」（第十四頌―b）

と説く。もしも集合体が原子と別のものでないと認めるならば、それら〔影と障礙〕との二つは、その〔集合体〕にはおこらない、ということが成立する。

（反論）これら（原子あるいは集合したもの）は〔事物の〕あり方を分析したものであるが、色・形などという特質が否定されないかぎり、原子あるいは集合したものを、このように考究することはどのような役にたつのか。

（答）ではそれらの特質とはなにか。

（反論）それは眼などの対象であることと、青色などであることである。

（答）眼の対象であると認められる青色・黄色などの対象は一なる実体であるのか、それとも多数の〔実体〕であるのか、ということが、まさにここで主題とされている。

（反論）〔それを問題としてとり上げる〕ことによって、どのような利益があるというのか。

（答）多数である場合の過失についてはすでに述べた。〔したがって以下、一なるものである場合の過失について述べる〕。


「一なるものである場合には、一歩一歩あるくということはなく、把《つか》むと把まないということが同時にあるということもなく、また別々の多数なることが存在するということ、微細なものが見られないということもありえないであろう。」（第十五頌）

もしも、青色などの、眼の対象が区別されずに(29)それは一つの実体であると考えられるならば、大地を一歩一歩あるく、すなわち進み行くということはないであろう、という意味である。なぜなら、ひとたび足を〔大地〕に踏むと、あらゆる〔大地に〕行ったことになるからである。また、こちらの部分を把み、同時にあちらの部分を把んでいない、ということもないであろう。なぜなら、〔一なる〕ものを、把みかつ把んでいないということは理にかなっていないからである。また、別々の多数の象や馬などが多くの場所に存在するということもないであろう。なぜなら、一頭の〔象や馬〕がいるところに、他の〔象や馬〕がいるならば、二頭の区別がどうして認められようか。あるいはまた、それら二頭がいるところといないところとの〔二つの場所〕が、どうして一なるものであろうか。なぜなら、その中間に、それらがいないことが認められるからである。また微細な水中の生物も粗大な〔生物〕と共通の性質をもつから、見ることはできないということもないであろう。〔以上のような過失があるのは〕、実体の個別性を特質の区別によってのみ考察し、他の方法によらない場合である。

以上の結果、かならず原子の区別が考察されるべきであり、しかもそれが一なるものであるということは成立しない。それが成立しないから、〔実在する〕色・形などが眼などの対象であるということも成立せず、したがって唯識が成立するのである。

7　経量部の実在論的認識論への反論

〔経量部の反論〕認識手段(30)によって存在するか存在しないかが決定される。そしてあらゆる認識手段のなかで直接知覚という認識手段がもっとも重要であるが、外的事物が存在しないとき、どうして直接知覚というこの認識はおこるのか。

「直接知覚という認識は夢の中におけるがごとくにおこる。」（第十六頌―a）

対象がなくても、と前に説いた。

「それ〔直接知覚〕がおこるとき、そのときには、その対象は見られない。どうしてその〔対象〕が直接知覚されていると考えられようか。」（第十六頌―b）

これは私の直接知覚であるという直接知覚の認識がおこっているときには、その対象は見られない。ただ意識のみが識別作用を行なっているのであるから。また、そのときには、眼識はすでに滅しているからである。したがってどうしてその〔対象〕が直接知覚されていると認められようか。しかもそのとき（意識が識別作用するとき）には、刹那に滅する対象の、その色・形・味などはすでに滅しているから、[31]なおさらである。

〔反論〕知覚されないものを意識が記憶することはないから、かならず対象を知覚することがなければならない。そしてそれが見ることである。したがってこのように、その〔見ることの〕対象である色・形などが直接知覚されると考えられる。

〔答〕知覚された対象を記憶するということは成立しない。なぜなら、

「その表象をもつ識がどのように生ずるかはすでに説いた。」（第十七頌―a）

対象がなくても、対象の表象をもつ、眼識などの識がどのように生ずるかはすでに説いた。

「それから記憶がおこる。」〔第十七頌―b〕

実に、その〔対象の〕表象をもち、色・形などを分別する意識が、かの識〔対象の表象をもつ眼識などの識〕から、記憶をともなって生ずる。したがって、記憶が生ずるからといって、対象を知覚することがあるということは成立しない。

〔反論〕夢では、識は存在しない事物を対象としているが、もしも覚醒時においてもそれと同様であるならば、世間の人は、その〔対象〕が存在しないことをありのままに自然に理解するであろう。しかし実際はそうではない。したがって、夢においてと同じく、すべて対象なくして対象を認識することがある、ということはない。

〔答〕この論述は証明とはならない。なぜなら、

「目覚めていない人は、夢において見る対象が存在しないことを理解していない」〔第十七頌―c〕

からである。このように、世間の人は、誤った分別をくりかえし行ない、それによって植えつけられた潜在的残気の眠りにおちいって、夢におけると同じく、存在しない対象を見つつも、いまだ目覚めていないために、それが存在しないことを如実に理解していないのである。だが、その〔潜在的残気〕を対治する、世間を超えた分別なき智慧(32)を得て目覚めるならば、その後に得られる清浄なる世間の智慧(33)が現われ、対象が存在しないことを如実に理解する。それは〔夢からさめるのと〕同じことである。

8　実在論的行為論への反論

〔反論〕もしも、人びとに対象の表象をもつ識がおこるのは、自己の相続が特殊な変化をすることが原因であり、〔実在する〕特殊な対象に由来するのでないとするならば、悪友・善友に出会うことによって、また、正しい教え・不正の教えを聞くことによって、人びとの識が〔善あるいは悪に〕決定されるということがどうして成立するのか。〔実在する対象がないとするならば〕正しい〔友〕・不正の〔友〕に出会うこともなく、また、かれらの教えというものも存在しないからである。[34]

〔答〕「お互いの影響力によって相互に、識の〔あり方〕が決定される。」（第十八頌―ａ）

実に、あらゆる人びとのお互いの影響力によって、相互に、適宜、識の〔あり方〕が決定される。頌中の相互に（mitaḥ）というのは、互いに（paras-parataḥ）という意味である。したがって、他人の相続の特殊な識が原因となって、別の人の相続のなかに特殊な識が生ずるのであり、〔実在する〕特殊な対象に由来するのではない。

〔反論〕もしも、夢において識は対象をもたないように、覚醒時においてもそうであるならば、眠っている人と眠っていない人とが、善あるいは不善を行なった場合、〔両者は〕等しく、未来において、好ましい、あるいは好ましくない結果をうける、ということがないのは、どういう理由なのか。

（答）なぜなら、

「夢においては心が睡眠によって害されているから、それによって結果は等しくない。」

（第十八頌―b）

これがこの場合の理由であり、対象が実在するということが〔理由になるのでは〕ない。

（反論）もしも、これらは唯だ識のみであるならばいかなる人の身体もことばもない。〔したがって〕、羊殺者などによって追われつつある羊などが死ぬということがどうしてあろうか。あるいは、その〔羊の〕死がかの〔羊殺者〕によってもたらされたのでないならば、どうして羊殺者などが殺生の罪をおうことがあろうか。

（答）「死は他人の特殊な識によっておこる異変である。たとえば鬼などの意力によって他の人びとにおいて記憶が乱れるごとくである。」（第十九頌）

たとえば、鬼などの意力によって、他の人びとにおいて、記憶が乱れる、夢を見る、悪霊にとりつかれるという異変がおこる。また、神通をもつ人の意力によっても〔異変がおこる〕。たとえば、聖者マハー・カーティヤーヤナの加持力によってサーラナ王が夢を見た[35]、あるいは森林に住む仙人の意《こころ》の怒りによってヴェーマチトラ王が征服された[36]〔などの異変である[37]〕。〔そのような異変〕と同じく、他人の特殊な識が影響力となって、別の人びとにおいて命根を害するというなんらかの異変が生じ、それによって〔人間ならば人間でありつづけるという〕同一性(38)の相続の断絶という死がおこる、と知るべきである。

「また、どうして仙人の怒りによってダンダカ林が空無になることがあろうか。」（第二十頌—a）

もしも、他人の特殊の識の影響力によって人びとは死ぬと認められないならば〔つぎの問題はどのように解釈されるべきであるか〕。それは、世尊が意《こころ》の罰が大罪であることを証明せんとして、ウパーリ長者に、「長者よ、かのダンダカ林、マータンガ林、カリンガ林はどのような理由で空無になり、清浄となったか(39)を、かつて聞いたことがあるか」と質問したとき、かれは「ゴータマよ、それは、仙人たちの意の怒りによってであると私は聞いた」と答えた(40)〔という問答である〕。

「また、それによって意の罰が大罪であるということが、どうして成立するであろうか。」（第二十頌）

もしも「かの〔仙人〕を敬う鬼神たちによって、そこに住する人びとは殺されたのであり、仙人たちの意の怒りによって死んだのではない」とこのように考えるならば、その行為による身体やことばの罰よりも意の罰の方がより重い大罪であるということが、どうして成立するであろうか。かの〔仙人の〕意の怒りによってのみ、それほどの人びとが死んだのであるから〔意の罰の方が重いということが〕成立する。

9　他人の心を知る知について

（反論）もしも、これらが唯だ識のみであるならば、他人の心を知る人は、他人の心を知るのか、それとも知らないのか。〔それを問題としてとりあげる〕ことによってどのような利益があるのか。もしも〔他人の心を〕知ることがないならば、どうして他人の心を知る人びとがいるのであろうか。また〔他人の心を〕知らないならば、

（答）「他人の心を知る人びとの知は、どうして対象を如実に〔知っているのでは〕ないのか。〔そうでないのは〕、たとえば自己の心を知る知のごとくである。」（第二十一頌―a）

それもまたどうして対象を如実に〔知っているのでは〕ないのか。

「仏の境界のごとくには知っていない。」（第二十一頌―b）

それ（他人と自己の心）が言葉を超えたものとして仏の境界になっているようには、それを知っていないから、その二つ（他心知と自心知）とも、対象を如実に〔知って〕いない。〔そのような知は〕非真実の表象をもち、客観・主観を区別する分別を断じていないからである。

10　結び

無数の決定すべきさまざまの、そして測りがたきほどに深い〔理〕をもつ「唯識たること」に関して、

「私は自分の能力に応じて唯識性が成立することを論究してきた。しかし、その〔唯識性の〕全体は思惟されえない。」（第二十二頌―a）

この〔唯識性の〕全体は、私のごときものによっては思惟されることはできない。なぜなら、それは概念的考究の対象ではないからである。ではそのすべては、だれの境界であるのか。そこで、

「仏の境界である。」（第二十二頌―b）

と説く。実に、それ（唯識性）は、全体としては仏・世尊たちの境界である。なぜなら〔仏・世尊たちは〕なんらの障害もなく、あらゆるあり方、あらゆる知るべきものを知りつくしているからである。

註

1　三種の現象世界（traidhātuka　三界）とは、欲にみちた世界（欲界）と、清浄な物質からなる世界

（色界）と、物質がなく心のみからなる世界（無色界）との三つの世界をいう。ヨーガの体験をもとに、それに古来から民間に伝えられてきた世界観をもとりいれて仏教がまとめあげた宇宙観である。この三つの世界はまとめて「世間」（loka）ともいわれ、現象世界のすべてがその中におさめつくされる。この現象世界のなかをわれわれは生まれ変わり死に変わって輪廻をくりかえしているのである。

2　勝者の子（jina-putra）とは仏陀の弟子のこと。仏陀（buddha）とは「覚った者」という意味である。煩悩に打ち勝った者という意味で「勝者」とよばれることもある。

3　了別（vijñapti）とは、「知る」という動詞、vi-jñā の使役形から作られた名詞形であり、「二つにわけて（vi）知らしめること（jñapti）」というのがその原意である。すなわち心《こころ》が主観と客観とに二分化し、その対立のうえに具体的に行なわれる認識活動一般を意味する。瑜伽行唯識派は好んでこの語を用い、「唯識」といわれる場合の識はほとんど vijñāna ではなく、この vijñapti である。心はかならずなんらかの対象を表象としてもち、その存在を自己自身に知らしめている、という観点からこの語を重要視したのであろう。「識別」「記識」「表象」などと和訳する例をみるが、ここでは玄奘訳の「了別」をそのまま用いたが、以下は「識」という訳語に統一した。

4　それに伴う（samprayoga　相応）〔こまかい心作用〕とは、ある心に付随して働くこまかい心作用をいう。心そのものを「心」（citta）といい、それに付随する心作用を「心所」（caitta）という。心は事物を総体的にとらえるのに対し、心所は同じ事物を分析的にとらえる。「唯だ心のみ」といっても、この心には心所までもが含まれていることを言おうとするのである。

5　対象の原語 artha《アルタ》 は、「認識対象」あるいは「事物」、さらには事物の「意味」などをさす語であるが、この場合は、外境あるいは色塵と漢訳されるように、心を離れて外界に実在すると考えられる外的事物を意味する。ここでは「対象」という訳語に統一する。

6　相続（saṃtāna《サンターナ》）とは、各個人的存在を表わす語である。仏教では肉体も心も、刹那に生滅しつつ存在しつづけるとみる。したがって肉体と心とからなる個人的存在を「相続」と命名する。とくに瑜伽行唯識派は心のみの存在を認めるから、相続とは心の相続と考えて「心相続」という表現を好んで使用する。

7　仏教は認識作用を眼識・耳識・鼻識・舌識・身識・意識の六種にわける。順次、視覚・聴覚・嗅覚・味覚・触覚・思考作用に相当する。この六つの認識対象は順次、色《しき》・声・香・味・触・法といわれ、いまここで色《いろ》・形《かたち》と訳したのは眼識の対象である色《しき》（rūpa《ルーパ》）をいう。色《しき》とは視覚の対象であり、青・黄などの色と長・短・円などの形をいうから、ここでは色・形と訳した。

8　表象の原語 ābbāsa（別の箇所では pratibhāsa）は漢訳で顕現と訳されるように、現われてくること、を原意とする。いまここでは、心の中に現われたもの、すなわち表象の意にとって「表象」と訳した。随所に A-pratibhāsā vijñaptiḥ という表現が認められるが、これを「Aという表象をもつ識」と訳した。

9　ガンダルヴァ城とは、いわゆる蜃気楼としての城をいう。ガンダルヴァとは音楽の神々をいい、かれらは仮に城を化現《けげん》してそのなかで音楽をかなでるという。眼にはみえるが実際には実在しないもののたとえとしてしばしば用いられる。

10　餓鬼（preta《プレータ》）とは欲界の六道（天・人・阿修羅・畜生・餓鬼・地獄）の一つで、身体はやせ衰え、咽《のど》は針のように細く、口より火燄《かえん》をふきだしている生きものをいう。咽が細くて食物をとることができなく、つねに餓《う》えているから餓鬼と漢訳される。

11　行為がもたらした結果（karma-vipāka《カルマヴィパーカ》）とは、現在の自己のあり方は前世の過去の業によって決定されるという業《カルマ》の思想を表わしたものである。結果と訳した原語 vipāka は「異熟」と漢訳され、前世の業の影響によって現世に得た生存のあり方をいう。人間、あるいは男・女として生まれてきたことは異熟としての結果である。瑜伽行派はそのような結果の基体としてアーラヤ識を考える。

12　獄卒とは、地獄におちた人びとを杖・綱・縄あるいは鉄棒など、さまざまな道具によって苦しめる地獄の看守のこと。

13　地獄人を苦しめる獄卒などが生きもの（有情 sattva《サットヴァ》）であるかいなかについては、すでに部派仏教のなかで論議される（『大毘婆沙論』巻第一七二、大正、二七、八六六中、『倶舎論』巻第一一、大正、二九、五八下）。獄卒などを生きものとみる学派は『唯識二十論述記』によれば大衆部・犢子部、調伏天の註釈によれば毘婆沙師である。

14　畜生 tirśc《ティルシュチュ》とは畜養《やしな》われる動物の意味であるが、広く動物一般をいう。六道の一つ。

15　物質的構成要素（bhūta《ブータ》）とは、物質を構成する地・水・火・風の四つをいう。四大種と漢訳される。仏教では物質はこれら四大種から構成されるとみる考えと、極微（原子）から構成されるという見方とがある。ふつう前者を「四大種所生」、後者を「極微所成」という。

16　潜在的残気（vāsanā《ヴァーサナー》）とは、ある行為を行なった場合、その行為が心の中にとどめた影響をいう。とどめられた何らかの気分・残気とでもいうべきもので、ふつう「習気」と漢訳される。その習気がとどめられる場を瑜伽行派はアーラヤ識にもとめる。それはまた種子（bīja《ヴィージャ》）ともいわれ、未来に行為を生みだす潜在力でもある。いまここではこの二点を考慮して潜在的残気と訳した。

17　瑜伽行派では眼識・耳識・鼻識・舌識・身識・意識・マナ識・アーラヤ識の八種の識をたてるが、潜在的残気（習気＝種子）が存在する識は、根本的識であるアーラヤ識であるとみる。

18　経典に基づく証明を「教証」（āgama）という。これに対して理論に基づく証明を「理証」という。理証以上に教証が重要視される。

19　〔十二種の〕認識領域（āyatana《アーヤタナ》）とは十二処と漢訳され、眼根・耳根・鼻根・舌根・身根・意根の六つの感覚器官と、それらの対象すなわち色・声・香・味・触・法の六つとを合わせ合計十二の存在をいい、これらのなかに全存在（一切法）が収めつくされる。この存在分類は、われわれの主観・客観という認識のあり方に基づいてなされたものであるから、ここでは「認識領域」と訳した。

20　別の意図（abhiprāya）とは、ある教説を説いた場合、その教説の言葉どおりの奥にひそめられている特別の意図をいう。「意趣」「密意」「密意趣」などと漢訳される。

21　仏教は生きものをその生まれ出る型態によって湿生・卵生・胎生・化生の四つに分類する。このうち化生とは水中・卵・母胎のいずれにも依らずに、すなわち依るものなくして忽然と生まれでる生きものをいう。諸天および地獄に生まれる場合、さらには仏が衆生済度のためにこの世に仮に生まれてくるとき、などが化生という生まれ方をするという。

22　「特殊な変化を得た」（pariṇāna-viśeṣa　転変差別）とはアーラヤ識中の種子（種子のかわりに相続という語が用いられることがある）がそのなかで徐々に変化・成熟して最後に新たな行為（業）を生ずることができる特殊な力（生果の功能）をもつにいたることをいう。

23　仏教は全存在をつぎの六根・六境・六識の十八種にわける。

(A)眼根・耳根・鼻根・舌根・身根・意根（六根）
│　　│　　│　　│　　│　　│
(B)色　・声　・香　・味　・触　・法（六境）
│　　│　　│　　│　　│　　│
(C)眼識・耳識・鼻識・舌識・身識・意識（六識）

このうち(A)の感覚器官と(B)の対象とが認識関係を結ぶとき、(C)の識がそれぞれ生ずるのであるが、瑜伽行派は、(A)はアーラヤ識のなかの種子、(B)は諸識のなかの表象と考え、すべてを識のなかに包含する。

24　「分別されたもの」とは三自性説でいえば遍計所執自性に相当する（一四五ページ参照）。

25　「客観・主観」の原語はgrāhya《グラーフヤ》-grāhaka《グラーハカ》であり、所取・能取と漢訳される。瑜伽行派で主・客の二つを表わす代表的な言葉であり、その実在性は徹底的に否定される。

26　「固定的実体」svabhāvaの漢訳は「自性」。自らの本性・特質をもち、変化することなく存在しつづける実体をいう。部派仏教、とくに説一切有部は存在をさまざまの構成要素（諸法）に分解し、それら構成要素は自性をもつと考えたが、大乗はそのような自性は存在しない、すなわち無自性であると主張する。

27　本論の最後で、唯識たることは仏の境界である、と説かれる。唯識とは、唯だ識のみが存在するという教えであるが、それは仏という覚者、目覚めた人のみが真に理解するものであり、仏によって眺められた現実の世界（唯識の世界）およびその本質（真如・空性の世界）までもが存在しない、というのではない。

28　以上の(i)(ii)(iii)は順次、(i)ヴァイシェーシカ派（勝論派）、(ii)毘婆沙師《ヴァイバーシカ》（説一切有部）(iii)経量部、の見解である。

ヴァイシェーシカ派は、外的事物は地・水・火・風の四原子より構成されるが、一原子だけでは知覚の対象とならず、多くの原子が結合して一つの複合体となったときに、その全体が一なるものとして知覚されると考える。毘婆沙師は相互に間隙《かんげき》をたもって結合する数多くの原子が知覚の対象となると考える。経量部は、間隙なくして直かに結合した原子の集合体が知覚の対象となるという。

29　原文 yāvadavircchinnaṃ nānekaṃ を yadavicchinnaṃ nīlādikaṃ に訂正。

30　認識手段 pramāṇa（量）とはそれによって認識が成立する手段・方法・根拠をいい、仏教ではふつう、直接知覚（pratyakṣa　現量）、推理（anumāṇa　比量）、聖者の教え（āgama　聖教量）の三つの認識手段をたてる。

直接知覚とは、概念やことばをまじえずに対象を直かに、ありのままにとらえる知覚であり、もっともすぐれた認識のあり方である。

31　意識が識別作用するときには、眼識さらには色・形などの対象がすでに滅している、という考えは、あらゆる存在は刹那に生滅する（刹那生滅）という仏教独自の存在観に基づいている。

32　「世間を超えた分別なき智慧」（lokottaranirvikalpa-jñāna　出世間智）とは、四聖諦あるいは真如・空性・法界などという真理・真実そのものをさとる智慧のことであり、その智慧とその対象は煩悩に汚れた世間を超えたものであるから出世間という。人は、この智慧を得ることによって、愚者（凡夫）から賢者（聖者）へと転換する。

33 「その後に得られる清浄なる世間の智慧」（tatpṛṣṭha-labdhi-śuddha-laukika-jñāna　後得清浄世間智）とは、前の出世間智を得たのちに、ふたたび具体的な世間のなかではたらく智慧のことである。

34 前註(22)を参照。

35 眉稀羅国の王であるサーラナ王が、カーティヤーヤナ（迦旃延）の弟子となって修行中、阿盤地《アヴァンティ》王の鉢樹多に屈辱を受けたのに対し、かれは、本国に帰って兵を集め、鉢樹多を攻め殺そうと考える。かれの意を知った師カーティヤーヤナはサーラナ王にかれが戦いで敗れる夢をみさせ、それによって戦いを思いとどまらせ、同時にあらゆる存在が空であり無常であることをさとらしめた、という逸話である（『唯識二十論述記』巻下、大正、四三、一〇〇三下—一〇〇四上）。

36 帝釈天が森林（阿練若《あれんにゃ》）に住む仙人たちに尊敬されているのをみて、ヴェーマチトラ王は、帝釈に化けて森林に入りこむと、逆に仙人たちの怒りをかって苦しめられ、後悔して仙人たちに謝まった、という逸話である（『同』巻下、大正、四三、一〇〇四上）。

37 命根（jīvita-indriya）とは、生命を維持せしめる力をいう。

38 同一性（sabhāga　衆同分）とは、人間あるいは馬ならば、この世に存在するかぎり、人間あるいは馬でありつづけることをいう。

39 ダンダカ林のダンダカとはもともとは国名であり、その国王が仙人の妻を奪ったことに対して仙人が怒り、その国土に雨や大石を降らして一切の人びとを死なせ、その国土を林にしてしまったという逸話である。マータンガ林とカリンガ林のマータンガとカリンガとはともにもともと仙人の名であり、国王がそれら仙人の怒りにふれて、国王の国土に雨石を降らせ、人民を殺して、国土を山林に変化せしめたという逸話である（『唯識二十論述記』巻下、大正、四三、一〇〇五上—下）。

40　世尊とウパーリとのあいだのこの問答はパーリ中部経典『ウパーリ・スタンタ』（優波離経）にある（『南伝大蔵経』第十巻、一四七ページ）。なお『唯識二十論述記』巻下、大正、四三、一〇〇四下、以下を参照のこと。

3 『唯識三十頌』

1 識の転変

(i) 総標

「じつに生命的存在（我《が》）と事物的存在（法）との設定はさまざまに行なわれるが、それは識の転変においてである。」（第一頌 a—c）

存在の設定

〈生命的存在〉（ātman《アートマン》 我《が》）とは、ふつうに「自己」「自分」などとよぶものをいうが、広くは「生命あるもの」を意味する。インド哲学一般では、変化することなくつねに存在しつづける自己の中心体を「アートマン」とよび、それが輪廻の主体であるとみなす。だが仏教はそのような実体的自己は存在しない、すなわち「無我」であると主張する。

〈事物的存在〉(dharma《ダルマ》 法)とは生命的存在を構成する肉体と精神、さらには山や川などの外界の自然をいう。アビダルマ仏教の一派である説一切有部は存在するものの構成要素として七十五種類をたて、それらはいずれも実在すると考えたが、瑜伽行唯識派は識一元論の立場より、そのような事物的存在の実在を否定する。すなわち法《ダルマ》は無我であるという「法無我」を主張する。

〈設定〉(upacāra《ウパチャーラ》 仮設)とは、あるところに実在しない事物を、概念を用いてかりにそこに存在すると設定すること。唯識思想においては、存在するものは唯だ識のみであるとみる。識はこころといいかえてもよい。実際にはこころだけが存在するのに、世間の人びとは妄情にしたがって、自己と事物的存在とがこころをはなれて実在すると考えてそれらに執著する。

　また仏教内でも、人びとに利《り》益《やく》と安楽とを与えるための方便として、かりに生命的存在と事物的存在とを設ける。

〈識の転変〉(vijñāna-pariṇāma《ヴィジュニャーナ・パリナーマ》 識転変)とは、「こころの活動」をいう。この言葉はヴァスバンドゥ独自の術語である。初期仏教いらい、あらゆる現象は因と縁とによって生じたもの、すなわち「因縁所生の法」であると考えられてきたが、ヴァスバンドゥは唯識という識一元論の立場より、そのような因縁所生の法を「識の転変」という言葉で表現しようとした。

そしてあらゆる存在をこの識の転変のなかにおさめつくす。われわれはさまざまな事物、たとえば自己のこころ、自己の肉体、山・川・大地などの自然を知覚するが、それらすべての事物は、こころがこころ自身の内部で作りだした表象にすぎず、それら表象に対応する事物が外界に存在するわけではないと考える。われわれはふつう肉体や自然はこころをはなれて独立に存在すると素朴に考える。また唯物論者あるいは現代の自然科学は、事物の最小単位は素粒子であると考える。だが唯識思想よりすれば、そのように考えられたものは、ただこころの活動（識の転変）のなかで想定され、妄分別された存在態をもつものにすぎず、けっしてこころから独立して存在するものではないとみる。

「そしてその転変は三種類である。すなわち異なって熟したものと、思量とよばれるものと、対象を認識するもの、とである。」（第一頌d―第二頌b）

三種の転変

識の転変は大きく三種類に分類され、瑜伽行唯識派が説く八つの識がつぎのように配当される。

(1)異なって熟したもの……アーラヤ識。
(2)思量とよばれるもの……マナ識（染汚《ぜんま》意《い》）。

(3)対象を認識するもの……六識。

この三種類を説明するまえに、もうすこし転変について考察してみよう。

〈転変〉（pariṇāma《パリナーマ》　転変）に対するヴァスバンドゥ自身の見解は現存する文献からは知ることはできない。いま、スティラマティの註釈によれば、転変とは「変化すること」であるという。すなわち「原因の刹那《せつな》が滅すると同時に、その原因の刹那と様相を異にした結果が生ずること」である。仏教は、あらゆる事象は刹那に生じては滅するという独特の現象観をとる。自分のこころ、たとえば目のまえに一本の松の木を眺めているこころは、しばらく同一のこころが働いていると考える。対象の松の木についても、こころをはなれて一定不変の松の木が存在しつづけると思う。だが実際はそうではなく、こころは一瞬に生じては滅し、つぎつぎにあらたなこころが生じ、そのように刹那に生滅するこころの連続体が、こころの活動である、と仏教は考える。松の木をしばらく眺めているということは、あたかも何十コマのフィルムの映像がスクリーンに投写されて一連のシーンができあがるように、生じては滅する数多くのこころの連続から成立していると考える。

こころはとにかくとして、松の木が刹那に生滅しているとはなかなか納得できない。しかし、仏教は、外界の事物をこころのなかに還元し、松の木はこころのなかの事象であるととらえ、こころが刹那生滅であるから、松の木も一瞬一瞬に生じては滅していると主張する。とくに唯識思想はこころのみの存在しか認めないから、こころの作りだした肉体や自然界はこころにほかならず、したがってこころと同じくつねに生じては滅していると考える。とにかくこの刹那生滅性をヴァスバンドゥは「転変」という言葉で表現し、しかも識一元論の立場より「識の転変」という用語を作りだした。

原因としての転変と結果としての転変

さてスティラマティはこの識の転変を内容的につぎの二つに分類する。

①原因としての転変……アーラヤ識のなかで種子《しゅうじ》が生長すること。

②結果としての転変……一つは、前世の業《ごう》の影響力がつきたときに、アーラヤ識がこの世からつぎの世に生まれかわることと、もう一つは、アーラヤ識からそれ以外の七つの識が生ずることとである。

アーラヤ識はのちに詳しく述べるように、われわれのこころの根底にひそむ深層心理である。その深層心理のなかに、過去のさまざまな行為（業《ごう》）の影響がとどめられている。それらを植物の種子《たね》にたとえて「種子《しゅうじ》」とよぶ。そして植物の種子が土中でだんだんと成熟してゆくように、アーラヤ識のなかで種子が生長・発達してゆく過程を「原因としての転変」という。

つぎに植物の種子から芽が出るようにアーラヤ識のなかの成熟した種子から現実の表層心理が生ずるのであるが、この過程と、もう一つ、今世から来世へと生まれかわる過程との二つを「結果としての転変」という。

つぎに頌に述べられている三種類の転変について説明してみよう。

アーラヤ識とマナ識と六識

〈異なって熟したもの〉(vipāka《ヴィパーカ》　異熟) とは深層心理であるアーラヤ識をいう。アーラヤ識のアーラヤは「貯蔵所」「蔵《くら》」などを意味することばである。「あらゆる存在を種子の形態でおさめている場所」という意味でアーラヤ識という。

この識が「異なって熟したもの」(異熟) とよばれるのはつぎの二つの理由による。

(1)この識はそれを生ずる原因と時間を異にして生ずるから。

(2)この識はそれを生ずる原因と性質を異にして生ずるから。

(1)についていえば、現世のアーラヤ識は過去世の行為を原因として生じた結果であるから、原因と結果とが時間的に異なることになる。なぜ自分は人間として、しかも男性あるいは女性として生まれてきたのか。これは科学的にはけっして解決できない問題である。仏教はそのような事柄の原因を前世の自己の行為に求める。自己存在の基本的なあり方(人間であるとか男性であるとかいうこと)は、過去と現在、あるいは現在と未来との二世にわたる因果関係に従うとみるところに仏教(広くはインド思想一般)の因果観の特徴がある。とにかく過去世の行為を原因として現在世に生じた結果をすべて「異なって熟した結果」(異熟果）というが、その中でその根底をなすものがアーラヤ識である。

つぎにアーラヤ識は原因とは異なった性質のものとして生ずるから「異なって熟したもの」といわれる。原因である過去の行為は善あるいは悪であるのに対して、その結果として生じたアーラヤ識は「善でも悪でもないもの」すなわち「無記」であるからである。来世に人間として、あるいは地獄、あるいは天のいずれに生まれるのか——すべては現在の自己の行為のいかんにかかっている。だが現時点において人間として生まれてきた自己存在のいわば基体（すなわちアーラヤ識）は善でも悪でもない。なぜならそれ自体を引き起こした原因（過去の業）はすでにその代償を支払って、何の影響力をもたなくなっているからである。このように自己の根底をなすものを善でも悪でもないとみるところに深い宗教的救いの精神をよみとることができる。アーラヤ識が善でも悪でもないからこそ、そのアーラヤ識を方便・手段としてわれわれは悪から善へと向上発展することができる。

〈思量とよばれるもの〉（mananākhya《マナナ・アーキャ》　思量）とは、マナ識すなわち染汚《ぜんま》意《い》であり、深層的な自我執著心である（詳しくは二二九ページ以下を参照）。

〈対象を認識するもの〉（viṣaya-vijñapti《ヴィシャヤ・ヴィジュナプティ》　了別境）とは、初期仏教いらい説かれる眼識・耳識・鼻識・舌識・身識・意識の六種の識をいう。はじめの五つは視覚・聴覚・嗅覚・味覚・触覚の五感覚であり、順次、いろ・かたち（色《しき》）、音色（声《しょう》）、香り（香《こう》）、味、感触（触《そく》）を対象とする。最後の意識は、物質ないし感触という外的な感覚対象を知覚すると同時に、内的な精神作用をも認識する。また八種の識のなかで、言葉を用いた概念思考を行なうことができるのはこの意識だけである。

以上、こころを三種類に分類したが、はじめの二つは、睡眠時でも覚醒時でも働きつづける深層心理であるのに対し、第三番の六種類の識は現実の世界を構成する表層心理である。

(ii)「異なって熟したもの」の転変

「このうち異なって熟したものとは、アーラヤとよばれる識で、あらゆる種子をもつものである。」（第二頌c－d）

アーラヤ識について

以下はアーラヤ識に関するものである。

〈アーラヤとよばれる識〉(ālayâkhyaṃ vijñānam) とは、「アーラヤ識」(ālaya-vijñāna) のこと。アーラヤにはもともとつぎの二つの意味がある。

アーラヤ　(イ)あるものをおさめる蔵《くら》。
　　　　　(ロ)執著の対象。

深層心理である根本のこころのなかに、あらゆる過去の行為の影響が種子の形態でおさめられているから、(イ)の意味で、このこころをアーラヤ識という。またこのこころは、それから生じたマナ識の対象となって自我であると執著されるから、(ロ)の意味でアーラヤ識とよばれる。

あらゆる種子をそのなかにたくわえているからアーラヤ識は別名、「あらゆる種子をもつもの」(sarva-bījaka) すなわち「一切種子識」ともよばれている。

あらゆる事象を生みだす種子

種子(bīja《ヴィージャ》)とはなにか。もともとこの語は植物の種子《たね》を意味するが、転じて、アーラヤ識のなかの「特殊な心的力」(功能差別《くうのうしゃべつ》)を指す用語となった。特殊な心的力とは、過去の行為のいわば〝残気〟〝気分〟であり、アーラヤ識という心的領域が行為の影響をとどめて特殊な状態に変化したものである。同時にそれは現在と未来とのあらゆる事象を生みだす可能力ないし潜在力でもある。

この種子は大きく「現在の諸現象を生みだす種子」(名言種子あるいは等流習気)と「未来世の自己を形成する種子」(業種子あるいは異熟習気)とに大別される。現在の諸現象を生みだす種子を最終的には「名言種子」と命名するにいたったが、その理由は、われわれの心的活動の本質を名言すなわち言葉を用いて行なう概念的思考ととらえたからである。

われわれは思い・悩み・考える。そのような心的活動は、アーラヤ識の種子が直接原因(hetu　因)となり、それに間接原因(pratyaya　縁)——たとえば思い悩むその対象にたまたま出会うとかいう機会――が働いて生じたものである。そしてその心的行為はただちにアーラヤ識のなかにその影響を種子としてとどめ、その種子はいずれふたたび未来の行為として芽をふくのである。このようにあらゆる事象は、深層的心活動と表層的心活動との相互因果関係のうえに成立するとみる（これをアーラヤ識縁起という）。

「そしてこの〔識〕は、維持されるものと場所とを対象とした知覚されないほどの〔微細な〕認識作用をもち」（第二頌a―b）

生命を維持し自然を作りだすアーラヤ識

アーラヤ識は深層心理であるから、日常の意識ではその活動を知覚することができない。しかしそれは「識」である以上、主観（ākāra 行相）と客観（ālambana 所縁）との二元的対立のうえになんらかの認識作用が営まれている。ではアーラヤ識の認識対象はなにか。それはつぎの二つである。

アーラヤ識の対象｛内的には「維持されるもの」
　　　　　　　　　外的には「場所」

〈維持されるもの〉（upādāna《ウパーダーナ》, upātta《ウパータ》 執受《しゅうじゅ》）とは一つは肉体、もう一つは種子である。感覚器官のことを仏教では根《こん》（indriya）とよび、そのような器官をもつ肉体を「根を有する身体」すなわち「有根身《うこんじん》」とよぶ。つまり感覚力ないし知覚力・思考力をもつ生命体の身体を有根身とよび、人間でいえば「肉体」とよばれるものである。この肉体はこころによってその機能が維持されているという観点から、肉体を「維持されるもの」すなわち「執受」とよぶ。維持するこころとしては初期仏教いらい眼識ないし意識の六識が考えられてきたが、瑜伽行唯識派は不断に活動するアーラヤ識こそ生命の根源的維持体であることを発見した。アーラヤ識は肉体を作りだすと同時に、作りだした肉体に内在し、それを生理的に維持しながら、かつそれを認識しつづけている。

もう一つアーラヤ識によって維持されるものは種子である。種子は肉体とちがってアーラヤ識から作りだされたものではなく、アーラヤ識のなかにたくわえられたものである。だがアーラヤ識と種子とはけっして別なるものではなく、アーラヤ識の特殊な働きが種子である。つまりアーラヤ識は本体であり、種子はその作用である。

〈場所〉(sthāna　処《しょ》)とはわれわれがそのなかで棲息する自然界のことである。それを一つの器《うつわ》にたとえて「器《き》世間」ともよぶ。外界の自然界は根本識であるアーラヤ識から作りだされ、同時にアーラヤ識の認識対象となっているという考えは、自己と世界とはすべてこころの表象にすぎないという〝主観的観念論〟の極致である。

アーラヤ識は深層心理である

〈知覚されないほどの〔微細な〕認識作用をもち〉(asaṃviditaka…vijñaptikam　不可知

了）とは、アーラヤ識の認識作用は、眼で物を見るなどの視覚とちがって、ほとんど知覚されないほどに微細であることをいう。アーラヤ識が深層心理であるといわれるゆえんである。アーラヤ識の活動を知覚しようとするならば、ヨーガを実践し、表層的心理をしずめ、その底に働く微細な心的活動を感知しなければならない。それは根源的なアーラヤ識の世界に目覚めることであり、感覚・知覚される日常的自然の奥にひそむ真の自然にふれることでもある。

「つねに触知《そくち》と、意《こころ》の活動と、感受と、構想と、意志とにともなわれている。」（第三頌c―d）

アーラヤ識につねにともなう五つの心作用

仏教は、用語でいえば、「心《しん》」と「心所《しんじょ》」という二つの心的作用を区別する。心《しん》（citta《チッタ》）とは事物を総体的に把握する作用、心所（caitta）とはその同じ事物を差別的ないし分析的に細かくとらえる作用である。たとえばバラの花を見る場合、バラを見る視覚を総称して眼識といい、これが「心」に相当する。見るという働きと同時に「それはバラである」という知覚作用、「なんと素晴しい色《いろ》だろう」という「情緒作用」、さらには「それを花瓶にかざろう」という意志作用などのさまざまなこまかい心作用がおこる。これらを総じて「心所」すなわち「心が所有するもの」とよぶ。

右の半頌は、アーラヤ識とともに働く心所を列記したものである。

〈触知《そくち》〉(sparśa　触《そく》)とは、感覚器官(根《こん》)と認識対象(境)と認識主体(識)との三者が結合するときに最初に生ずる微細な心作用である。すなわち認識対象からの刺激によって感覚器官に変化が生じ、その結果、苦とか楽とかいう感受作用がおこるのであるが、具体的に苦・楽の感情が生ずる以前に、感覚器官の変化にふれてその変化を認知する心の作用である。もともと触知とは、感覚器官と認識対象と認識主体との三つが結合するときに生ずるものであるが、同時にその三者を結合せしめる力となると説かれることから、この三者を一つに結合せしめるいわば〝触媒〟的な心作用をいう。同時にそれはほかのあらゆる心作用を生ずる最初の心作用でもある。

〈意《こころ》の活動〉(manaskāra　作《さ》意《い》)とは、こころを具体に活動せしめ、こころをある一定の対象に向けさせる作用である。例をあげて考えてみよう。約束の時間に遅れそうだと思い道を急ぐ。そのときには道の両側に咲きほこる美しい花々を見ているけれどもその存在に気がつかない。見れども見ず、聴《き》けども聴かず、ということが往々にしてある。なぜなら、そのときには、さきに述べた「触知」によって感覚器官などの三者は一つに結合されているのであるが、こころを対象に志向せしめる「意の活動」が働いていないから、具体的にそれを知覚していないのである。心を始動せしめる最初の動力、それが「意の活動」とよばれる心作用である。

もう一つ「特殊な意の活動」あるいは「禅定者の意の活動」とよばれる心作用がある。これはこころをある特定の対象に一定時間、集中させつづける作用である。坐禅を経験した人ならばだれしも気づいていることであるが、はく息・すう息にこころを専注しようとしてもなかなかうまくゆかない。自分の意志とは無関係に妄念によってこころはかき乱される。この無統制なこころの流れを一定のあいだ、ある一つの対象に専注せしめる力を「禅定者の意の活動」という。

〈感受〉(vedanā　受）とは、喜ばしい対象を楽と感受する作用と、不快な対象を苦と感受する作用と、喜ばしくも不快でもない対象を苦でも楽でもないと感受する作用をいう。

苦あるいは楽とうけとめるこの感受作用から欲愛がひきおこされる。なぜなら、不快な対象からは逃れようと欲し、喜ばしい対象に対してはそれをいつまでも維持しておきたいと願うからである。

〈構想〉(saṃjñā　想）とは、「これは青色であって黄色ではない」などと対象の特殊性ないし特質を認知する知覚作用である。いいかえれば、感覚器官を通して得られた感覚的素材を統合して、一つの像にまとめあげる作用である。対象が何であるかを認知するにはことばが必要である。したがってこの「構想」という心作用を通してことばが発せられる。

まえの「感受」(受）がいわば情的な心理作用の根本であるのに対して、この「構想」(想）は知的な心理作用の根本である。仏教はこの二つの心作用をとくにきらう。なぜなら

「感受」が根本原因となって情的に束縛され、「構想」が根本原因となって知的に束縛されて、輪廻の大海を漂いつづけると考えるからである。

〈意志〉（cetanā　思）とは具体的な行動をひきおこす意志作用をいう。たとえば銀の燭台を前にして、ふつうの人は見事な芸術品であると観る。ところがジャン・バルジャンはそれを金銭を得る道具として眺めたのである。かれに燭台を盗もうという気持ちをおこさせた心作用が「意志」である。この「意志」を通して行為は善あるいは悪という倫理的価値をおびたものとなる。

以上の五つの心作用をまとめるとつぎのようになる。

触
知
意の活動
――発生機能的心作用……各種の心作用を生ずる。

感受――情的心作用……執著を生ずる。

構想――知的心作用……言葉を生ずる。

意志――意志的心作用……行動を生ずる。

なお、この五つの心作用は「あらゆるこころに行きわたる心作用」（遍行の心所）といわれる。あるこころが起これば必ずそのこころにともなって活動する心作用である。

「そこ（アーラヤ識）では、感受は中容なるものである。またそれ（アーラヤ識）は〔汚れに〕覆われておらず、〔善とも悪とも〕記別されない。」（第四頌a—b）

中容なる感受作用

〈そこ（アーラヤ識）では、感受は中容なるものである〉とは、感受作用に「楽の感受」と「苦の感受」と「楽でも苦でもない感受」との三種類があるうち、アーラヤ識にともなう感受作用は、苦とも楽とも感受しない中容なるもの（upekṣā《ウペークシャー》　捨）であることをいう。なぜなら、まえに述べたように、アーラヤ識の認識作用（行相）と認識対象（所縁）とは知覚されないほどに微細なものであるからである。炎天下に、あるいは寒風のなかに立ってわれわれは苦しいと感ずる。暑い、寒いとはっきりと受けとめられるほどに環境や対象がわれわれに強く作用をおよぼすからである。対象が強くわれわれに働きかけ、そしてその刺激をわれわれが明確に受けとめるときに、はじめて苦しいとか楽しいとかいう気持ちがおこるものである。アーラヤ識は自然を作りだし、同時にそれを認識しつづけているのであるから、当然、苦や楽を生む環境なり対象を認識しているわけである。しかし、それを苦あるいは楽と受けとめるほどにその活動が鋭くないのである。

善でも悪でもないアーラヤ識

〈またそれ（アーラヤ識）は〔汚れに〕覆われておらず、〔善とも悪とも〕記別されない〉とは、術語的にいえばアーラヤ識が「無覆《むぶく》無記」であることをいう。仏教では存在するものを価値的につぎの四つに分類する。

(1)善なるもの（善）。
(2)悪なるもの（悪）。
(3)汚れに覆われているが善とも悪とも記別されないもの（有《う》覆《ぶく》無記）。
(4)汚れに覆われておらず善とも悪とも記別されないもの（無《む》覆《ぶく》無記）。

アーラヤ識は価値的にはこのうち第四番のものに属する。まず善とも悪とも記別されない（avyākṛta　無記）ということについて説明してみよう。アーラヤ識は前世の善い行為（善業）あるいは悪い行為（悪業）を原因として今世に形成されたものであるが、その形成にあずかった善業あるいは悪業はその影響力をつかいつくし、もはや今世のアーラヤ識にはなんの力をももたない。これを逆にアーラヤ識の側からみれば、その本性は善でも悪でもない、すなわち無記であることになる。仏教は善業あるいは悪業のみが来世のあり方を決定する力をもつと考える。したがってアーラヤ識が無記であるということは、アーラヤ識そのものは、もはや来世を規定する力をもたないということになる。来世を規定するのはこの世で行なう善業あるいは悪業である。われわれの根本心であるアーラヤ識が善でも悪でもないからこそ、われわれは悪から善へと自己を変革することができるのである。アーラヤ識そのものが悪であれば、われわれは根底から悪であり、もはや救済の余地がない。アーラヤ識が善であるならば、われわれはすでに解脱しており修行する必要がない。またこの世には悪人や苦悩者はいなくなる。

アーラヤ識とともに働くのは、前頌に述べられているように、触知などの五つの心作用だけである。ところでそれら五つは汚れたこころ（煩悩）ではないから、アーラヤ識は汚れに〈覆われていない〉（a-nivṛta　無覆《むぶく》）という。汚れに覆われたもの（有覆《うぶく》）は「解脱に達するための聖なる修行」（聖道）をさまたげるが、アーラヤ識はそのようなものではない。われわれの根本心はけっして修行のさまたげになるようなものではないとみる。

のちにのべるマナ識も「善とも悪とも記別されないもの」であるが、汚れたこころとともに働き、修行をさまたげるから「有覆無記」といわれる。

「触知なども〔以上のことについてアーラヤ識と〕同じである。」（第四頌c）

アーラヤ識とともに働く心作用（心所）すなわち触知（触）、意の活動（作意）、感受（受）、構想（想）、意志（思）の五つも、アーラヤ識と同じく、つぎの五つの性質をもつ。

(1)異なって熟したもの。

(2)認識作用（行相）と認識対象（所縁）とは知覚されないほどに微細である。

(3)それ自身以外の四つの心作用とおよびアーラヤ識とつねにともに働く。

(4)ともに働く感受作用（受）は苦とも楽とも感受しない中容なるものである。

(5)煩悩に覆われず、善とも悪とも記別されない。

「そしてそれ（アーラヤ識）は、暴流のように、流れて存在する。」（第四頌d）

心の深層に渦巻くアーラヤ識

〈暴流のように、流れて存在する〉とは、河の流れは、つぎつぎと新たな水が流れつつ、一つの同じ河として存在しつづけるように、アーラヤ識も刹那に生じては滅しつつ、つぎつぎと不断に相続してゆくありさまをいう。アーラヤ識は自己の根底をなすこころであり、あらゆる存在を形成する根源体である。このようにいえば、それは、一定の不変の実体的自己が存在するように思われる。アーラヤ識をはじめて説いた経典『解深密経』につぎのような一頌が説かれている。

「阿陀那識（アーラヤ識）は甚深にして細なり。一切の種子は瀑流の如し。我《われ》（釈尊）、凡愚に於て開演せず。彼れ分別して執して我《が》となすを恐れればなり。」

世間や小乗の人びとにはアーラヤ識を説かない、なぜならかれらはアーラヤ識と聞いて、それを実体的自己（ātman《アートマン》 我《が》）であると誤認するからである、というのが右の頌の後半の意味である。もしもそれが同一で不変な実体的自己であるならば、仏教以外の思想が説くアートマン（我《が》）を認めることになり、「無我」という仏教の根本主張に矛盾することになる。

だがアーラヤ識はそのような固定的・実体的自我ではなく、一瞬一瞬、生じては滅し、滅しては生ずる相続体にすぎないという。仏教では自己存在が刹那に生滅しつつ、つぎつぎと継起してゆく点を強調して、自己存在を「相続」（saṃtāna, saṃtati）とよぶ。とくに瑜伽行唯識派はこころのみの存在を認める立場から「心相続」ということばを好み、それによって肉体と精神とからなる個人的存在を表わそうとした。

とにかく、アーラヤ識が生滅しつつ不断に相続してゆくありさまを、河の流れにたとえて説いたのがこの頌である。河の水は上層に草木などの漂流物を浮かべ、下層に魚などをおよがせつつ流れつづけるように、アーラヤ識は、あらゆる種子を維持しつつ、かつ触知などの心作用をともないつつ、生死輪廻するかぎり活動しつづけるのである。

「それ（アーラヤ識）は阿羅漢の位において消滅する。」（第五頌ａ）

アーラヤ識の消滅

アーラヤ識がアーラヤ識として活動しつづけるかぎり、われわれは生死をくりかえして輪廻しつづける。したがってアーラヤ識は修行の過程において滅せられなければならない。アーラヤ識はいつ消滅するかといえば、右頌にとかれるように阿羅漢の位においてである。〈阿羅漢〉（arhat《アルハット》）とは小乗仏教でとく最高の聖者の位である。もはや学ぶべきものがなにもなくなった修学完成の位であるから「無学」ともいう。阿羅漢（arhat）の語義解釈に関しては、

(1)煩悩という賊を殺したから（殺賊）。

(2)世間の人びとの供養を受けるにあたいするから（応供《おうぐ》）。

(3)ふたたび生まれることがないから（不生）。

の三つがある。

とにかく阿羅漢とはもともとは小乗の説く最高位であり、涅槃に入り、ふたたび生まれてこないものをいう。

だが、『成唯識論』によれば、この頌のなかにとかれる阿羅漢は、大乗の無学位をもさすという。すなわち声聞・独覚・菩薩の三乗のいずれの無学位をも含むと考えるのである。いずれにして阿羅漢位においてアーラヤ識が〈消滅する〉（vyāvṛtti　捨）とは具体的にはいかなることなのか。それは、アーラヤ識のなかの「潜在的悪」（dauṣṭhulya　麁重《そじゅう》）がことごとく断じつくされることとである。「潜在的悪」とは煩悩をひきおこす潜在的力（種子）である。それが現実化すれば、身体とこころとを束縛し、所期の目的に向かって自由に軽快に行動できなくなるような力である。阿羅漢になればそのような潜在的な悪の力が自己のこころの根底からのぞきとられてしまうのである。そこをアーラヤ識が消滅するという。

だがここで注意しなければならないことは、アーラヤ識が消滅するといっても、自己存在が虚無に帰するわけでないということである。それは、ただ根本のこころのなかから汚れ（煩悩）を生ずる潜在力がまったくとりのぞかれて、アーラヤ識が、もはや「アーラヤ識」という名称でよばれるようなものでなくなったということを意味する。汚れにみちたこころ（識）が清浄なるこころ（智）に変化したのである。

『成唯識論』巻第三にはアーラヤ識の同義語がまとめられている。いま漢訳のままで列記し、その名称とそれが通用する修行の段階との関係を記してみよう。

(1)「心」「阿陀那」「所知依」「種子識」………一切の位でよばれる名称。
(2)「阿頼耶識」………異生と有学の位でよばれる名称。
(3)「異熟識」………異生と二乗と菩薩の位でよばれる名称。
(4)「無垢識」………如来の位でよばれる名称。

アーラヤ識のなかから汚れを徐々にとりのぞき、自己を自己の根底からまったく汚れなき無垢の状態に磨きあげること――これが瑜伽行唯識派のめざす最大の目的である。

(iii)「思量とよばれるもの」の転変

「それ（アーラヤ識）に依止して生じ、それを認識対象とするものが思量とよばれる識であり、思量することを本性とする。」（第五頌b―d）

深層的な自己執著心

アーラヤ識の転変につづいて、そのつぎに「思量とよばれるもの」の転変がとかれる。この識は、アーラヤ識から生ずるが、自己を生みだしたアーラヤ識をながめて、それを自己ないし自分だと執著するこころである。そこを〈それ（アーラヤ識）に依止して生じ、それを認識対象とするもの〉という。われわれは自分の肉体やこころの働きを知覚して、ここに自己が存在すると考える。これは表層的な意識による自我執著心である。だが、われわれのこころの奥にはもっと根深い深層的な自我執著心があることを瑜伽行唯識派の人びとは発見した。それが〈思量とよばれる識〉である。この識は自己の根源的こころであるアーラヤ識を認識対象とし、それを自我だと思いまちがう。その作用は意識の領域にはのぼってこないから、われわれはその働きに気づかない。だがこの自我執著心は、いわば先天的なものであり、もって生まれて身についているものである。くわえて、それは熟睡時と覚醒時とをとわずつねに活動しつづける深層心理である。

たとえば、われわれは気持ちのうえでは「自己を犠牲にして他人を救済しよう」と考える。だがそのような気持ちから行なった慈善行為は、たとえそれが善いことであっても、それは本質的に汚れをもった行為である。なぜなら、こころの奥では「自分が布施などの善い行為をしているのだ」という自我意識がはたらいているからである、という。

また事故や病気で意識がなくなった人でも無意識のうちに食事をとる。これは深層心理としての自我執著心がある証拠ではなかろうか。

マナ識の本質

〈思量とよばれる識〉(mano-nāma vijñānam　末那《まな》識)とはヴァスバンドゥがこの頌中に

用いた独自の表現である。ふつうこの識は漢訳で「末那識」といわれる。この語を表現通りにサンスクリットになおせば mano-vijñāna となるが、これでは「意識」と同じ語となる。したがってヴァスバンドゥはこのような表現をもちいたのであろう。以下、この識を「マナ識」とよぶ。

　このマナ識は〈思量することを本性とする〉という。思量の原語 manas《マナス》 は「考える」という動詞 man の名詞形で、ふつう「意」と訳される。初期仏教いらい、「心」と「意」と「識」とは同義語であると考えられてきたが、瑜伽行唯識派はこのうち、「考える」という意味をもつ「意《マナス》」（思量）に注目し、この語によって深層的な自我執著心を表わそうとした。

　思量はたんに「考える」という意味ではない。それは深層心理ではあるが、生死輪廻するかぎり、つねにそして深く明確にアーラヤ識を自己だと考えつづけ、執著しつづけているのである。それはねてもさめても活動しつづける強固で執拗な自我意識である。われわれが概念的に自分だと認める作用は、そのような深層的自我執著心のひとつの泡沫にすぎない。

　「〔汚れ〕に覆われており〔善とも悪とも〕記別されない四つの煩悩、すなわち、自我は存在するとみる見解と、自我へのおろかさと、自我へのおごりと、自我への愛著《あいじゃく》とよばれるものをつねにともなう。」（第六頌）

四つの汚れたこころ

この頌は、思量とよばれる識とともに働く心作用について説く。

〈〔汚れ〕に覆われており〔善とも悪とも〕記別されない〉(nivṛtāvyākṛta　有覆無記)とは、ともに働く心作用の性質をいう。以下に説く四つの煩悩は汚れたこころであり、解脱への修行の道を覆ってそれをさえぎるから「汚れに覆われている」(有覆)という。だがそれらは、表層的心理とはちがって深層に働く微細な作用であるから、未来世に善あるいは悪、いずれかの結果をもたらす力をもたない。つまり、これら四つの心作用は「善とも悪とも記別されない」(無記)という。

マナ識そのものもこれら四つの心作用がもつ以上の性質をもつ。すなわちマナ識そのものも汚れに覆われており、善とも悪とも記別されないものである。

ではこのような性質をもつ〈四つの煩悩〉とはなにか。これらのうちの最初は、〈自我は存在するとみる見解〉(ātma-dṛṣṭi　我見、satkāya-dṛṣṭi　薩《さつ》迦《か》耶《や》見《けん》)である。もともとこの心作用は、自己存在を構成する五つの構成要素(色・受・想・行・識の五蘊)の統合体、あるいはそれらの一つ一つを自我(我《が》)、あるいは自我に属するもの(我《が》所《しょ》)ととらえる見解である。だがこの場合のマナ識にともなうこの心作用は、アーラヤ識が河の流れのように一瞬一瞬生じては滅する相続体であるのに、それを同一で変化しない自我《アートマン》であると誤認する作用である。

〈自我へのおろかさ〉(ātma-moha　我痴《がち》)とは、自己はどこにも存在しない、自己のどこをさがしても自我とよばれるべきものはないという「無我」の理を知らないことである。初期仏教いらい、この無知は「無明《むみょう》」(avidyā)といわれ、四諦の理、縁起の理を知らないことであると考えられてきた。瑜伽行唯識派も基本的にはこの立場にたつが、無明のうちで最も根源的なものはなにかと深くほりさげて、最後に見いだしたのがマナ識とともに働く無明であった。それはヴァスバンドゥが「自我へのおろかさ」(我痴)と言いかえているように、自我の本質すなわち「自我は存在しない」という真理に迷うことである。いいかえればアーラヤ識は自我ではないという真理に関して無知であることである。この無知はマナ識の活動と同じく意識で知覚されるほどに強いものではないが、マナ識が活動するかぎり、つねにこころの奥で働き、真実を見ぬく智慧の眼をおおう根源的な障害となっているのである。

〈自我へのおごり〉(ātma-māna　我慢)とは、まえに述べた「自我は存在するとみる見解」(我見)によって存在すると設定された自我を根拠にして「わたしは存在するのだ」「わたしは〜である」とおごりたかぶる心作用である。

〈自我への愛著〉(ātma-sneha　我愛)とは、以上、自我に対する三つの心作用の結果、自我に対しておこす愛著のこころである。

以上、四つの心作用はまとめて「四つの煩悩」といわれる。これら四つのうちもっとも根源となるものは「自我へのおろかさ」(我痴)すなわち無明である。この我痴を根本原因として他の三つが生ずる過程をスティラマティ（安慧）はつぎのように説明している。

「アーラヤ識そのものに迷うとき、アーラヤ識に対して〈自我は存在するとみる見解〉が生ずる。自我は存在すると見るからこころがおごりたかぶることが〈自我へのおごり〉である。これら三つがあるとき、自我と考えられた物に対して愛著することが〈自我への愛著〉である。」

マナ識は瑜伽行唯識派がはじめてとなえた自我執著心である。この執著心の内容をもっと具体的に説明するために、自我に関する煩悩のうち、以上の四つの煩悩をマナ識とつねにともに活動する心作用と考えるにいたったのであろう。なおマナ識はこれら四つの汚れたこころをつねにともなうことから「汚れた意《こころ》」（kliṣṭaṃ manaḥ 染汚意《ぜんまい》）とよばれることがある。

「生まれた処《ところ》、そこに属するものを〔ともなう〕。」（第七頌a^1）

マナ識の属する世界

仏教では現象世界を三つ、あるいは九つの層に分類するが、マナ識にともなう四つの煩悩はどの世界のものに属するのか、という問題がある。右の頌文はこれに対する答えであり、四つの煩悩は、生まれた処《ところ》、そのところに属するものであるという。

〈生まれた処〉とは、たとえばわれわれ人間についていえば、人間の世界である。現在われわれは人間に生まれているのであるが、来世は、天、あるいは餓鬼ないし地獄に生まれるかも知れない。このように生まれる世界がかわればアーラヤ識のあり方や性質もかわったものとなる。したがってアーラヤ識から生ずるマナ識、さらにはそれにともなう四つの煩悩も生まれる場所にしたがって異なる。

だが、人間であれば、人間のもつマナ識は人間としてのアーラヤ識を対象とし、また人間に属する四つの煩悩をつねにともなう、というのが右の頌文の意味である。

「および他の触知などを〈ともなう〉。」（第七頌a²—b¹）

マナ識にともなう心作用

マナ識にともなって働く心作用は、四つの煩悩だけではなく、「触知」（触）、「意の活動」（作意）、「感受」（受）、「構想」（想）、「意志」（思）の五つの心作用をもともなう。なぜなら、これら五つは「あらゆるこころに行きわたる心作用」（遍行の心所）であるからである。しかし、アーラヤ識にともなう五つとマナ識にともなう五つとは性質が異なるから、〈他の触知など〉という。なぜなら、アーラヤ識の五つは、「汚れに覆われていなく善とも悪とも記別されないもの」（無覆無記）であるのに対して、マナ識のそれは「汚れに覆われているが善とも悪とも記別されないもの」（有覆無記）であるからである。

「それは阿羅漢にもなく、滅尽定においてもなく、および出世間道においてもない。」

（第七頌b²—d）

マナ識の消滅

アーラヤ識の場合と同じく、修行のどの段階でマナ識がなくなるかをとく一文である。マナ識はつぎの三つの位でなくなるという。

①阿羅漢
②滅尽定
③出世間道

〈阿羅漢〉とはまえに述べたように小乗における聖者の最高位であるが、ここでは総じて、声聞・独覚・菩薩の三乗の無学位をいう。

われわれはさまざまな情的汚れ（煩悩障）と知的汚れ（所知障）とに汚されている。その汚れを一つ一つとりのぞいて、最後にまったく清らかな状態すなわち仏陀になることをめざすのであるが、その場合、断じられる過程のちがいによって汚れ（惑）は大きくつぎの二つにわけられる。

(1)見道によって断ぜられる汚れ。
(2)修道によって断ぜられる汚れ。

見道とは、修行の過程においてはじめて真理ないし真実を見る段階である。それまでの長年にわたる精進が実《み》をむすび、いわば爆発的に真理・真実にふれる瞬間である。見られる真理は苦・集・滅・道の「四つの真理」（四諦）である。いいかえれば「縁起の理」である。あるいは大乗仏教にいたって、存在の「ありのまま」（真如）とよばれるものである。そのような段階において断ぜられる汚れは、理論や思想あるいは教育などによって身につけた汚れ（分別起の惑）である。これは生まれてから以後、いわば表層的な意識によって概念的に考えることによって生じた汚れであるから、断じやすく、見道において断ぜられる。

これに対して、もって生まれた汚れ（倶生起《くしょうき》の惑）は、断じがたいから、見道以後の修道において断ぜられる。〈修道〉とは真実・真理を見たのちに、いまだ残っているさまざまな汚れを徐々にとりのぞいてゆく修行過程であり、十段階ある（十地）。

さて、マナ識とともに働く煩悩は先天的にそなわったものであり、同時に深層心理として働く微細なものであるから、それは容易に断ぜられず、その種子は、現象世界に住する最後の最後のこころ（いいかえれば阿羅漢になる直前のこころ、すなわち「金剛喩定の無間道」）において一瞬のうちに断ぜられる。マナ識とその煩悩とを生ずる種子がことごとく断ぜられるから、阿羅漢にはふたたびマナ識は生じない。

〈滅尽定〉(nirodha-samāpatti) とは、寂静なる涅槃に入ることをねがって、現象世界の最後の段階である非想非非想天においてあらゆるこころを滅した状態をいう。こころがまったくないことから「無心定」ともいわれる。仏教以外の外道や凡夫も無心定を修するが、それは色界の第四禅天の広果天にある無想天を真の涅槃と思いまちがって、無想天に生じようとねがって、こころを滅した状態であり、「無想定」といわれる。無想定が眼識ないし意識の六識を滅しているのに対して、滅尽定では六識に加えてマナ識をも滅している。滅尽定はあらゆるこころを滅した状態であるといったが、瑜伽行唯識派は、この定においては、微細なこころ、すなわちアーラヤ識だけは働いていると考える。したがって、滅尽定より出るならば、アーラヤ識よりふたたびマナ識はおこるとみる。すなわち滅尽定ではマナ識の活動をおさえているだけであり、その種子までをも断じていないのである。

〈出世間道〉(loka-uttara-mārga)とは「煩悩なき智慧」(無漏智《むろち》)のことである。欲界・色界・無色界の現象界は煩悩にみちた迷いの世界であるから「世間」という。これに対して煩悩なき悟りの世界(涅槃界)を「出世間」という。「煩悩なき智慧」は出世間に至る道《みち》であるから出世間道という。この智慧は真理(四諦・真如)をはじめて見る見道においてはじめて発せられる。真理を見るとは、真理(真如)になりきることである。そこでは主観も客観もない絶対平等の世界、自己も他人もない一味の世界が現出する。この真理を見る智慧を別名「無分別智」ともいう。この智慧が働くところには、「自我が存在すると見る見解」すなわち「我見」は働かない、すなわちマナ識は活動しない。マナ識は微細で、先天的なものであるから、たとえ智慧であっても、煩悩ある世間の智慧(世間の有漏智《うろち》)ではその活動をおさえることができない。それをおさえることのできるのは、真理と一枚になりきった智慧だけである。

出世間道は滅尽定と同じくマナ識の働きをおさえているだけであるから、出世間道から出るときには、ふたたびアーラヤ識からマナ識がおこる。

「以上が第二の転変である。」（第八頌ａ）

「思量とよばれるもの」の転変すなわちマナ識の転変の説明を結ぶ一文である。

(iv)「対象を知覚するもの」の転変

「第三〔の転変〕は六種の対象を知覚するものである。」（第八頌ｂ－ｃ）

六つの識について

以下は、三種類の識の転変のうち、最後の「対象を知覚するもの」の転変についてのべる。すなわち眼識・耳識・鼻識・舌識・身識・意識の六識に関する論述である。

これまでのべてきたアーラヤ識とマナ識とは、瑜伽行唯識派のみが主張するこころであり、また日常の意識では知覚されないほどにその働きが微細ないわば深層心理である。これに対して眼識などの六識は初期仏教いらいとかれ、それらは感覚・知覚あるいは思考などの表層心理に相当するこころの働きである。

〈六種の対象〉とは、つぎのように六識それぞれの認識対象をいう。

〈識〉　〈対象〉
眼識――いろ・かたち（色《しき》）
耳識――音声（声《しょう》）
鼻識――香り（香《こう》）
舌識――味《あじ》（味《み》）
身識――感触（触《そく》）
意識――あらゆる存在（一切法《いっさいほう》）

眼識から身識まではいわば視覚・聴覚・嗅覚・味覚・触覚の五つの感覚に相当するもので、それぞれ固有の認識対象をもつ。たとえば眼識は「いろ」や「かたち」のみを対象とし、音声・香りなどを聴いたり嗅いだりすることはできない。

これに対して意識はあらゆる存在を認識の対象とする。すなわち眼識ないし身識の対象はもちろんのこと、過去や未来の事象をも対象とすることができる。たとえば意識は眼識とともに働いて、眼識の視覚作用を鮮明にする。たしかにわれわれは、ある事物に意識が向かなければそれをぼんやり見ているにすぎない。だがそれに意識を集中すると、その事物は明確なすがたをもって知覚される。そして「その事物は〜である」とその事物の特性を認知する。すなわち意識は感覚作用をたすけると同時に、感覚によってえられた素材に基づいて、それが何であるかを概念をもって認知する働きをもする。

またわれわれは過去を悔い、未来に思いをはせることができる。それも意識の働きである。

以上、六つの識はそれぞれの対象を知覚するのであるが、〈知覚する〉（upalabdhi 了）あり方がまえの五識とあとの意識とでは相違する。眼識などの五識は感覚であるから、それぞれの対象を直接に知覚する（現量）。したがってその認識には錯誤がないとされる。これに対して意識は、五識とともに働くときには五識と同じく直接知覚であるが、感覚したあとにそれが何であるかと概念によって反省的にとらえる場合、あるいは白昼夢などのように、いろいろの想像にふけるときなどは、物事を直接知覚するのではなくて、それを推理（比量）する。推理にはかならず概念やことばが用いられる。つまり、意識のみがことばを用いる概念的思考を行なうことができるのである。概念的思考は往々にしてまちがうことがある。意識は日常生活において欠くことのできないこころであるが、修行生活においては、もっとも注意して統御すべきこころである。

「善であり、不善であり、〔善・不善〕いずれでもない。」（第八頌d）

こころの価値的分類

こころを価値的に分類するならば、①善、②不善（悪）、③善でも不善でもない（無記）の三つにわけられるが、「六種の対象を知覚するもの」すなわち六識は、これら三つのいずれにもなりうることを述べた一段である。

すなわち六識が、のちに述べる「善の心作用」（信・慚・愧・無貪・無瞋・無痴・勤・軽安・不放逸・行捨・不害の十一の心所）とともに働くときは〈善〉（kuśala）であり、「不善の心作用」（無慚・無愧・瞋・忿・恨・覆・悩・嫉・慳・害の十の心所）とともに働くときには〈不善〉（akuśala）であり、善の心作用、不善の心作用いずれをもともなわないときには、〈善・不善いずれでもない〉、すなわち無記である。

このように六識の善・悪は、それにともなって働く心作用の性質による。ともなう心作用が悪あるいは善であれば、こころそのものが悪あるいは善と判定される。

「それは、〔あらゆるこころに〕行きわたるものと、特別に決定《けつじょう》したものと、善なるものと、および煩悩と、付随的煩悩との〔五グループの〕心作用と、それに三つの感受とをともなう。」（第九頌）

六識にともなう心作用

第九頌は六識がともなう心作用（心所）について述べる。まずさまざまな心作用がつぎの五つのグループに分類されている。

(1)あらゆるこころに行きわたるもの（遍行の心所）

(2)特別に決定したもの（別境の心所）

(3)善なるもの（善の心所）
(4)煩悩（煩悩の心所）
(5)付随的煩悩（随煩悩の心所）

なお右の頌文のなかではわけられていないが、付随的煩悩のうちで最後の四つ（悪作・睡眠・尋・伺）は、正確には、あるときは善、あるときは不善となり、善・悪いずれにもなりうることから『成唯識論』ではこれを「不定《ふじょう》の心所」として別にたてる。これに従えばもう一つ、

(6)定まらないもの（不定の心所）

がたてられる。

「最初は触知などである。」（第十頌a）

つねにともなう心（遍行）

五つ（あるいは六つ）のグループの最初、すなわち「あらゆるこころに行きわたるもの」とは、「触知」（触）と「意の活動」（作意）と「感受」（受）と「構想」（想）と「意志」（思）との五つの心作用である。これら五つは、アーラヤ識、マナ識、六識のいずれとも、つねにともなって働く。これらの内容については二二〇ページ以下を参照のこと。

「特別に決定したものは、欲求と勝れた理解と憶念と三昧と智慧とをまとめていう。」

（第十頌b―c）

修行をおし進めるこころ（別境心）

〈特別に決定したもの〉（niyata　別境）とは、あらゆる対象に向かうのではなく、特別の事物を対象とする心作用をいう。

〈欲求〉（chanda　欲）とは望ましい事物への願望である。われわれをとりまく環境には快く望ましいものがある。たとえば沈みゆく太陽、リズミカルなハーモニー、白檀の高貴な香り、美しい果物、やわらかい絹、すぐれた理論、などに対して、それを見よう、聞こう、嗅《か》ごう、味わおう、触《ふ》れよう、知ろう、などと希望する。だが、この場合の「欲求」とはそのような感覚的な欲望ではなくて、もっと知的で宗教的な欲望である。たとえば、すぐれた師について正しい教法を聞き、正しく修行してさとりを得たい、という欲望である。このように正しい教えや真理などに対する欲望は、「善法欲」「法欲」といわれて肯定される。正しい教えを聞きたい、さとりを得たいと願うからこそ、そこに努力精進がうまれる。したがって、この場合の欲求は、「正しい努力（正勤《しょうごん》）を誘発する善い欲望」ということができよう。

〈勝れた理解〉（adhimokṣa　勝解《しょうげ》）とは、道理や理論、あるいは信頼すべき人物（仏陀や覚者）の教えを学ぶことによって、疑う余地のない事物をこころの底から理解することである。たとえば仏教的にいえば、あらゆる事物は無常・苦・空・無我であると理解することである。それは知的な頭のなかだけの理解ではなく、いわば身心全体にしみわたった確信である。この確信を得れば、いかなる論敵にあおうとも自己の説をまげるようなことはなくなる。

まえに、はじめて真実・真理を見る段階を見道といったが、見道にいたる以前に「勝解行地」という修行段階がある。いまだ真実を見ないが、真実を見たがごとくにその存在を信じこみ、その獲得に向かって正しく修行する段階である。疑いなき力強い確信が修行を推進する力となる。

〈憶念〉(smṛti　念)とは、よく念力といわれる場合の念であり、一度経験した事柄を忘れずに記憶し、いつでも、そしていつまでもその事柄をこころのなかで思いつづける心作用である。ある一つの対象を思いつづけることはこころがあれこれの対象にうつり動かないことである。したがってこの憶念という心作用を通してつぎの三昧というこころがおこる。憶念と次下の三昧と智慧とは、憶念→三昧→智慧という順序の因果関係をもつ。憶念するから三昧を得、三昧を通して智慧が生ずる。

〈三昧〉(samādhi　定《じょう》)とは、ある一つの対象にこころが専注した状態をいう。こころに動揺がなく、事物をありのままにみることができる状態であるから、つぎの智慧をうみだす原因となる。仏教では日常のこころを「散心」(散乱したこころ)、三昧にはいったこころを「定心《じょうしん》」(定まったこころ)とよび、前者を否定し、後者を肯定する。そして真実をみぬく智慧はかならず三昧のこころをくりかえしくりかえして修することによって身につけられると主張する。

〈智慧〉（prajñā　慧）とは、ある事物に関し、その事物に固有の特質（自相）と他の事物と共通の特質（共相《ぐうそう》）とを明確に区別して知るはたらきである。事物の特質を正しく認識する手段には、(イ)聖者の教え（聖教量）、(ロ)推理（比量）、(ハ)直接知覚（現量）の三つがある。われわれはこの三種の認識手段を適宜使用することによって事物の本質を見ぬく智慧を身につけることができる。この智慧はつぎの三つにわけられる。

(1)聖者の教を聞くことによってえられる智慧（聞所成慧《もんしょじょうえ》）。

(2)自己自身、正しい道理に従って正しく思索することによって得られる智慧（思所成慧）。

(3)三昧を修することによって得られる智慧（修所成慧）。

この三つの智慧はあとになるほどより深いものとなる。最後の智慧は、「対象によって対象を認識する」といわれるように、ことばや概念をはなれ、ものそのものをものそのものによってとらえる、もっともすぐれた智慧である。

智慧には疑いをとりのぞく働きがある。事物の本質をみぬき、もはやそれにいかなる疑問をも抱かなくなるからである。「疑い」はのちにのべるように、煩悩の一つである。

以上の五つの心作用は、さきにものべたように、それぞれ特別の事物を対象とするから

「特別に決定したもの」という呼称のもとに一つのグループにまとめられる。この五つは、総じてみるならば、仏道修行に必須の基本的なこころであるといえよう。

「信と、慚悔《ざんげ》と、羞恥と、無貪などの三つと、精進と、軽安と、不放逸とともなるものと、不殺害とが善なるものである。」（第十頌d－第十一頌c）

善なるこころ（善心）

十一種の善なる心作用をのべる頌文である。〈信〉（śraddhā）とは、(イ)縁起の理や四諦の理が真理であると信ずる、(ロ)仏・法・僧の三宝には徳があると信ずる、(ハ)あらゆる世間・出世間の善には力があると信ずる、という三種の信ずるこころである。

このこころをもてば、こころの汚れ（煩悩）がなくなるから、信とは「こころが澄みきった状態」（心澄浄）であるといわれる。

この信ずるこころから、信ずるものに対する欲求がおこる。

〈慚悔〉（hrī　慚）とは、ある罪を犯したとき、自から省りみて、あるいは善き法にかんがみて、自己の犯した罪をはじる心作用である。

〈羞恥〉（apatrāpya　愧）とは、ある罪を犯したとき、世間から批判されるから、あるいは世間から批難されることを怖れて、自己の犯した罪をはじる心作用である。

この慚悔と羞恥との二つはともに悪行為を防止する働きがある。

〈無貪などの三つ〉とは無貪《むとん》と無瞋《むしん》と無痴《むち》との三つをいう。

　このうち〈無貪〉(alobha)とは貪《むさぼ》らないこころである。生死輪廻しつづける自己と、自己が存在しつづけるに必要な道具や事物とに対して執著しないこころである。貪《とん》(貪りのこころ)を対治するこころであり、悪行為をおこさず、善行為をなす働きがある。〈無瞋《むしん》〉(adveṣa)とは怒《いか》らないこころである。自己に害をおよぼす人びと、あるいは苦しいこと、苦しみをうみだす原因、などに対して怒らないこころである。瞋(いかりのこころ)を対治するこころであり、悪行為をおこさず、善行為をなす働きがある。〈無痴《むち》〉(amoha)とはおろかでないこころである。善いことをすれば善い結果がもたらされ、悪いことをすれば悪い結果がもたらされるという因果応報の道理や、四諦の真理、さらには仏・法・僧の三宝、などを正しく理解するこころである。痴(おろかなこころ)を対治するこころであり、悪行為をおこさず、善行為をなす働きがある。

　これら無貪・無瞋・無痴の三つは、煩悩の代表すなわち三毒といわれる貪・瞋・痴を順次、対治するものであり、善い結果を生みだす力をとくにもつから、三つをまとめて「三善根」とよぶことがある。

〈精進〉(vīrya)とは善に対して勇敢となるこころである。善を修し悪を断じようとして努力するこころであり、怠けるこころ(懈怠《けたい》)を対治する。このこころによって具体的に修行がおしすすめられ、仏陀になるなどの善が完成される。

〈軽安《きょうあん》〉（praśrabdhi）とは身体とこころとが自由・軽快にはたらく状態（身心の堪能性）をいう。(イ)身体とこころとが所期の目的に向かって自由に軽快にはたらかない状態（身心の不堪能性）、あるいは、(ロ)そのような状態をおこすアーラヤ識中の種子を「麁重《そじゅう》」というが、そのような麁重がなくなった状態である。この軽安のこころは、表層的には束縛された不自由なこころ（惛沈《こんじん》）を対治し、深層的には、アーラヤ識中の煩悩の種子をことごとくのぞさって、自己の身心を汚れから清浄へと完全に変化せしめる（所依を転ずる）働きがある。

〈不放逸とともなるもの〉（sâpramādikā）という表現のなかに、一つは「不放逸」、もう一つは「不放逸とともなるもの」すなわち「中容のこころ」（行捨）との二つの心作用が意図されている。

このうち〈不放逸〉（apramāda）とは悪を断じ、善を修するこころである。特別にこのような心作用があるのではなく、さきにのべた無貪・無瞋・無痴・精進の四つのこころに共通したはたらきに与えた名称である。放逸のこころを対治し、世間と出世間との善を完成するはたらきがある。

〈中容のこころ〉（upekṣā　三つの感受のうちの不苦不楽の捨と区別するために行捨と漢訳する場合がある）とは、(イ)こころがたかぶったり沈んだりせず、つねに安定している状態（心平等性）、(ロ)こころが安定したあとにおこる静まりかえった状態（心正直性）、(ハ)さらに禅定が深まり、こころのたかぶりや沈まりが再発するのではないかという恐れもなくなり、なんら意志的な努力なくしてこころが静まりきった状態、の三つの状態をいう。この心作用は、煩悩と随煩悩との活動をおさえ、こころをつねに寂静の状態にたもつ働きをする。不放逸のこころとともにはたらく心作用であり、不放逸と同じく、無貪・無瞋・無痴・精進の四つに共通した心作用に対して与えた名称である。

〈不殺害〉(ahiṃsā) とは、生きものを傷つけたり殺したりしないあわれみのこころ (karuṇā 悲) である。まえに述べた無瞋 (怒らないこころ) の一部に属する。

「煩悩は貪と瞋と痴と慢と見と疑とである。」(第十一頌c—第十二頌a)

六つの根本的な汚れたこころ (煩悩)

以下、六種類の煩悩を述べる。

〈貪《とん》〉(rāga) とは生死輪廻しつづける自己と自己が存在しつづけるに必要な道具や事物に対して貪《むさぼ》り執著するこころである。貪愛、貪欲といわれることがある。また別名、渇愛 (tṛṣṇā) ともいわれ、のどの渇いた人が水をもとめるように、さまざまな事物に愛著するこころである。この貪りのこころ、渇愛のこころは「苦」を生ずる働きがある。苦とは、総じていえば、現に生きつづけている「自己存在」である。自己存在を仏教では「有」(bhava) あるいは「五取蘊」(pañca-upādāna-skandha) といい、それはつねに苦にみちみちた存在としてとらえられる。われわれをして苦の大海を生まれかわり死にかわりして生きつづけさせる力は何か。それを仏教は貪りのこころ、渇愛のこころにもとめるのである。

仏教が説く「苦」の一つに「愛別離苦」というものがある。愛するものと別離する苦しみのことである。人生においてだれしもが一度ならず味わう苦しみである。なぜ別離するのが苦しいのか。それは別離した相手を愛するからである。愛するがゆえに、別離が苦となるのである。

〈瞋〉(pratigha)とは、人びとや生きものに対して怒《いか》るこころである。自分を批難したり、自分に害をおよぼす者に対して怒りをいだく。その結果、その人を殺してやろう、なぐってやろうと考える。つまり、怒りのこころは、他人に対して不利益なことをなそうとする考えを生む。またこのこころは、こころと身体とに苦悩をあたえ、その結果、こころやすらかに生活できなくなる。さらに怒りのこころは、悪行為をなす原因ともなる。怒りは、その人の健康を害し、その人をして思わぬ残忍な行為にはしらせるものである。

仏教はこのような怒りのこころをおこさないようにと強調する。「さとりの彼岸に到るための実践行」(六波羅蜜多)の一つに、「たえしのぶ」(忍辱《にんにく》)という修行があるが、これは、どれほど人から侮辱され損害を与えられても、それにたえしのび、その人に怒りの気持ちをいだかないようにする修行である。

〈痴〉(moha, mūḍhi)とは、真実・真理を知らないこころである。具体的には何を知らないのか。それは、われわれが生まれかわり死にかわりしつつ趣《おもむ》く世界、たとえば地獄や餓鬼などの悪い世界（悪趣）、人間や天などの善い世界（善趣）について知らないことである。さらには、さとりの世界（涅槃）について知らないことである。またこれらの世界に生まれる原因、さらには、善いことをすれば善き結果を得、悪いことをすれば悪い結果を得る、という善因善果・悪因悪果の因果法則を知らないことである。

この痴は、別名、無明（avidyā）ともいわれ、われわれの汚れにみちた生存状態を生みだす根本原因である。すなわち、無明をもつものには、貪・瞋などの煩悩がおこり、これら煩悩が原因となって未来世の自己存在を形成する行為（業）が生じ、その結果、来世においてふたたび生まれる（生）のである。痴すなわち無明こそ、生死輪廻の究極原因である。

〈慢〉（māna）とは、自己のこころや身体を眺め、これは「自己」である、これは「自己に属するもの」であると考えて、自分は他人よりもすぐれている、とおごりたかぶるこころである。このこころは、聖者や有徳《うとく》の人を尊敬せず、振る舞いや言葉づかいを尊大とする働きがある。このこころは詳しくはつぎの七種類にわかれる。

①慢（māna）……家柄・才能・財産などに関して、自分よりも劣っている者に対して自分はかれよりすぐれていると思うこころ。あるいは、等しいものに対して自分はかれと等しいと思うこころ。

②過慢（atimāna）……家柄・才能・財産などに関して、自分と等しい者に対して自分は別

の点でかれよりすぐれていると思うこころ。あるいは自分よりすぐれている者に対して、自分は別の点でかれと等しいと思うこころ。
③慢過慢（mānâtimāna）……家柄・才能・財産などに関して、自分よりすぐれた者に対して、自分は同じ点でかれよりすぐれていると思うこころ。
④我慢（asmimāna）……自己のこころや身体には「自己」（我《が》）あるいは「自己に属するもの」（我所）は存在しないのに、それらが存在すると考えてそれらに執著することより生ずるこころのおごり。
⑤増上慢（abhimāna）……すぐれたさとりを得ていないのに、自分はそれをすでに得たと思うこころ。
⑥卑下慢（ūnamāna）……家柄・才能・財産などに関して、自分よりはるかにすぐれている者に対して自分はすこしも劣っていないと思うこころ。
⑦邪慢（mithyāmāna）……徳がないのに、自分には徳があると思うこころ。
〈見〉（dṛṣṭi）とは、誤った見解のこと。仏教では、なにかあるものを見《み》る（視覚的に見るだけではなく意識で考えることも含む）働きを総じて「見」というが、この場合の見とは、煩悩に属するものであるから、汚れた見、すなわち誤った見解のみをさす。したがって「悪見」と漢訳する場合がある。

　これにはつぎの五種類がある。

①有身見《うじんけん》（satkāya-dṛṣṭi）……自己のこころや身体を眺めて、これは「自己」である、これは「自己に属するもの」であると見る見解。
②辺執見《へんじゅけん》（antagrāha-dṛṣṭi）……①の有身見によって執著された「自己」「自己に属するもの」は、いずれは断滅してなくなってしまう、あるいはいつまでも存在しつづける、と見る見解。
③邪見（mithyā-dṛṣṭi）……(イ)原因と結果、(ロ)作用、(ハ)真に存在するもの、の三つの存在を否定する見解。原因と結果とを否定するとは、善行為は善い結果を、悪行為は悪い結果をもたらすわけであるが、原因としての行為と、およびその行為がもたらす結果とのいずれをも否定することである。作用の存在を否定するとは、世間や父母の存在を否定することである。真に存在するものを否定するとは、阿羅漢などの存在を否定することである。

このうち原因と結果の存在を否定する見解は「因果撥無《はつむ》の邪見」といわれ、あらゆる見解のなかでもっとも悪い見解とされ、この見解をもつ人は、もはや善をなす能力が断たれた救いがたい人（断善根）と考えられている。善因善果・悪因悪果の法則、いいかえれば「縁起の理」を仏教がいかに重要視しているかがわかる。
④見取（dṛṣṭi-parāmarśa）……自己がいだくさまざまな誤った見解と、ならびにそれら見解をいだく自己存在（五蘊）とを最勝で清浄であると見る見解。
⑤戒禁取《かいごんじゅ》（śīla-vata-parāmarśa）……仏教いがいの人びと、すなわち外道がまもる邪《よこし》まな

戒律と、およびそのような戒律をまもる自己存在とを最勝で清浄であると見る見解。

〈疑〉（vicikitsā）とは、善いことをすれば善い結果がもたらされ、悪いことをすれば悪い結果がもたらされるという因果応報の道理、さらには四諦の真理、仏・宝・僧の三宝、など仏教が主張する教義に対していだく疑いのこころである。

以上の貪・瞋・痴・慢・見・疑はさまざまな煩悩のうちで、もっとも根本となることから、六つをまとめて「根本煩悩」という。

「怒《いか》りと恨《うら》みと隠蔽《いんぺい》と罵倒《ばとう》と嫉《ねた》みと慳吝《けんりん》と欺《あざむ》きと惑《まど》わしと驕《おご》りと殺害と無慚悔と無羞恥と心惛昧《しんごんまい》と心不寂静と不信と怠《おこた》りと放逸と失憶念と散乱と不正知と後悔と睡眠と推求と推究とは付随的煩悩である。二のおのおのは二種である。」（第十二頌b―第十四頌）

二十の付随的な汚れたこころ（随煩悩）

二十種の付随的煩悩をのべた頌文である。

〈怒《いか》り〉（krodha　忿）とは直接に目のまえで他人から害をなされたとき、その相手にいだく怒《いか》りのこころである。これは根本煩悩の一つである瞋（二五一ページ参照）の特殊な働きであるから瞋の一部に属する。この怒りのこころは、その結果、手や棒で相手をなぐるなどの懲罰行為をおこす働きがある。

〈恨《うら》み〉（upanāha　恨）とは目のまえで相手から害をうけて怒《おこ》ったのち、その相手にたえずいだきつづける敵意のこころである。このこころは、自分に害をおよぼした相手の人を容赦せず、そのひとに復讐《ふくしゅう》しようとする気持ちをおこさせる働きがある。これは瞋の特殊なはたらきであり、瞋の一部分に属する。

〈隠蔽《いんぺい》〉（mrakṣa　覆《ふく》）とは、師匠から「おまえはこのような罪を犯したのだ」と詰問されたとき、自分の犯した罪をかくそうとするこころである。このこころは根本煩悩の一つである痴の一部分に属する。またこのこころは、付随的煩悩の一つである後悔（悪作、二六〇ページ参照）を生じ、その結果、憂いを生じてこころやすらかに生活できなくさせる働きがある。

〈罵倒《ばとう》〉（pradāśa　悩《のう》）とは相手の急所をつくようなあらあらしいことばをはいて相手に咬《か》みつくこころである。まえに述べた怒り（忿）や恨み（恨）をいだく結果としておこる怒りのこころであるから瞋の一部に属する。このこころはことばのうえでの悪行為をおこす働きがある。またこのこころは、このこころをもつ人をして他の人びとと仲よく共同生活をすることができないようにさせる働きがある。

〈嫉《ねた》み〉（īrṣyā　嫉《しつ》）とは、利益や名声に執著する人が、他の人が利益を得る、有名になる、家柄がよい、学識がある、などを知ったとき、その人を嫉み、憤怒《ふんぬ》するこころである。これも特殊な怒りのこころであるから瞋の一部に属する。このこころは、憂いを生じ、こころやすらかに生活できないようにさせるという働きをもつ。

〈慳吝《けんりん》〉（mātsarya　慳《けん》）とは他人に物事を与えることを惜しむこころである。仏教では他人に自己の財産や学識や技術をほどこす布施行が仏道修行の重要な一つとして強調されるが、生活必需品に執著する人が、自己の財産などの布施を拒否するこころがこの慳吝とよばれるこころである。このこころは、品物が減少せず、不必要な品物までをもたくわえる原因となる働きがある。生活必需品に執著するこころであるから貪の一部に属する。

〈欺《あざむ》き〉（māyā　誑《おう》）とは、利益や名声を得ようとする人が、自分には徳がないのに、あたかも徳があるように振る舞って他人をあざむくこころである。このこころは貪と痴の二つのはたらきのうえにかりたてられたものであり、邪《よこし》まな生活をする原因となる。

〈惑《まど》わし〉（śaṭhya　諂《てん》）とは自己の過失をかくすために他人をまどわすこころである。すなわち話題をあちこちとうつしたり、音声を変化させたりして相手を攪乱《かくらん》することによって自分の過失をかくそうとするこころである。まえに述べた隠蔽（覆）とちがうところは、この「惑わし」のこころがのらりくらりと自己の過失をかくすのに対して、「隠蔽」ははっきりとかくす点である。このこころも貪と痴との二つの上にかりにたてられたものであり、正しい教えを受けるさまたげとなる働きがある。正しい教えを受けるには、正しく道理にそって思惟しなければならないのであるが、この惑わしのこころをもつ人はそのように思惟することができないからである。

〈驕《おご》り〉（mada　憍《きょう》）とは、自分が家柄・健康・若さ・権力・頭脳・学識などにおいてすぐれていることに執著して、有頂天となり陶酔するこころである。つまり自己の幸福に酔いしれてわれわれをも忘れて喜ぶこころである。このこころは貪の一部に属し、あらゆる煩悩と付随的煩悩とをおこす原因となる働きがある。

〈殺害〉(vihiṃsā　害)とは、殺す・縛る・打つ・おどかす、などによって生きものに害を与えるこころである。これによって生きものに苦しみと憂いとが生ずる。このこころは瞋の一部分に属する。

〈無慚悔〉(āhrikya　無慚《むざん》)とはある罪を犯し、「このような行為を自分はしてはならないのだ」と思いつつも、自らにその罪を恥じないこころである。

〈無羞恥〉(anapatrāpya　無愧《むき》)とは、ある罪を犯し、「自分は世間と教えに背く行為をしたのだ」と知りつつも、世間や他人に対してその罪を恥じないこころである。この無慚悔と無羞恥との二つは、あらゆる煩悩と付随的煩悩とを助長するはたらきがあり、貪と痴あるいは瞋と痴との上にかかりにたてられたものである。

〈心惛昧〉(styāna　惛沈《こんじん》)とは、こころがもうろうとなって重く沈み、対象を明確に知覚できない状態、すなわちこころが自由に活動できない状態をいう。痴の一部に属し、あらゆる煩悩と付随的煩悩とを助長する働きがある。

〈心不寂静〉(auddhatya　掉挙《じょうこ》)とは、こころが寂静でない状態をいう。こころがある一つの対象に専注された状態を三昧というがこの三昧には「寂静なる三昧」(止あるいは奢摩《しゃま》他《た》）と「観察する三昧」（観あるいは毘鉢舎那）とがある。このうちの寂静なる三昧のこころと反対の状態がこの心不寂静である。過去に貪りをもって笑ったり、楽しんだり、遊んだりしたことを思いだすことは、こころが寂静でないことを原因とする。このこころは「寂静なる三昧」の障害となる働きがあり、貪の一部分に属する。

〈不信〉（āśraddhya）とは、(イ)縁起の理や四諦の理が真理である、(ロ)仏・法・僧の三宝には徳がある、(ハ)あらゆる世間・出世間の善には力がある、という三つのことを信じないこころである。これらを信じない者は修行をしようという気持ちが生じないから、この不信のこころはつぎの「怠《おこた》り」（懈怠）を生ずる原因となる働きがある。

〈怠り〉（kausīdya　懈怠）とは、ねむったり、よりかかったり、横になったりするという安楽な状態にふけるあまり、善行為につとめはげもうとしないこころである。痴の一部分に属し、善を得ようとする修行すなわち精進の障害となる働きをする。

〈放逸〉（pramāda）とは貪と瞋と痴と怠りの四つの煩悩からこころを防ぐことができず、それらを対治する善のこころを身につけようとは努力しないこころをいう。悪なるものを増加し、善なるものを減少する原因となるはたらきがある。貪と瞋と痴と怠りの四つのこころの上にかりにたてられたものである。

〈失憶念〉（mṛṣitā　失念）とは、汚れ、すなわち煩悩をともなった憶念のことであり、つぎの散乱のこころの原因となる働きをする。

〈散乱〉（vikṣepa）とは、貪と瞋と痴との三つの煩悩によって、こころが三昧の対象からはずれて、あちらこちらと流散する状態をいう。貪と瞋と痴との上にかりにたてられたこころであり、貪をはなれることの障害となる働きをする。

〈不正知〉（asamprajanya）とは煩悩をともなった智慧である。何を行なうべきか、何を行なってはならないか、を正しく知ることができないから、罪を犯す原因となる働きがある。

四つの不定心

〈後悔〉（kaukṛtya　悪作《おさ／あくさ》）とは悪いことをしたことを後悔するこころである。このこころは、こころを一つの対象に専注する三昧のこころの障害となる働きがある。

〈睡眠〉（middha）とは、こころが自由に働かず、睡気におそわれて萎縮した状態をいう。このこころが原因となって、こころは対象に向かって自由に働くことができない、あるいは、自由に身体を維持することができなくなる。これは痴の一部分に属し、行なうべきことを行なわないでいる原因となる。

〈推求〉（vitarka　尋《じん》）とは、ことばをもちいて「これはなんだろう」と推求するこころである。このこころは、意志（思）と智慧（慧）との特殊の働きから成り立つ。意志とはこころが具体的に働きはじめることであり、智慧とは善いこと（功徳）と悪いこと（過失）とを区別する働きである。この二つの働きの上にかりにたてられる。

〈推究〉（vicāra 伺《し》）とは、以前に「これは〜である」と理解したものをさらに深く推究するこころである。これはまえの推求と同じく意志と智慧との特殊な働きから成り立つ。推求と推究とのちがいは、前者は事物そのものを全体的にとらえて、それがなんであるかを追求するのに対して、後者は、より深く、こまかく事物を追究する点にある。したがって推求は「こころの粗性」、推究は「こころの細性」とよんで区別される。

　この両者の働きについていえば、出家しようと考えるなどの推求と推究はこころやすらかな生活をもたらし、欲にみちた推求と推究はこころやすらかでない生活をもたらす。

〈二のおのおのは二種である〉とは、最後の四つの心作用はいずれも、汚れをもつ場合と汚れをもたない場合との二種のあり方をするという意味である。「二のおのおのは」の「二」とは、後悔と睡眠とを一群とし、推求と推究とをもう一群とし、両者で「二」という。その二群のなかのおのおのが、汚れをもつ場合ともたない場合との二種に分類されるというのである。ではなぜ後悔などの四つは汚れをもつもの（すなわち付随的煩悩）と、汚れをもたないもの（すなわち善なるもの）とにわけられるのか。

　まず後悔についていえば、悪をなさなかったことを後悔する、あるいは善いことをしたのにそれを後悔する場合は、後悔は汚れをともなったものとなる。これに反して、善いことをしなかったことを後悔する、あるいは悪いことをしたことを後悔する場合は、後悔は汚れがない善なるものとなる。

睡眠も汚れたこころが原因でおこった場合、あるいは汚れたこころとともなる場合には汚れたものとなる。これに反して、汚れなきこころが原因でおこった場合、あるいは汚れなきこころとともなる場合には汚れがないものとなる。

推求も、欲がある、悪意をもつ、殺害しようとするなどの推求は汚れたものであるのに対して、出家しようなどと考える推求は汚れがないものである。

推究も他人に損害を与えるための方便であれば汚れたものとなり、他人に利益を与えるための方便であれば汚れがないものとなる。

このように後悔などの四つのこころは、汚れたもの、汚れなきもの、のいずれにもなりうるから「定まらないもの」(不定)という名称のもとに付随的煩悩のなかから別に一群としてまとめられる。後悔などの四つは、汚れた場合であれば、それらは付随的煩悩のなかにおさめられる。

六識の感受作用

眼識などの六種の識にともなう心作用に関し、最後に問題となるのは、感受作用には、まえに述べたように(二二一ページ参照)、「楽の感受」と「苦の感受」と「楽でも苦でもない感受」との三種類があるが、六つの識はこれらのどの感受作用をともなうのか、ということである。

これに関して第九頌の最後に〈三つの感受とをともなう〉と説かれる。すなわち、眼識などの六つの識は、三種の感受いずれをもともなうという。アーラヤ識とマナ識とが「楽でも苦でもない感受」（捨受）のみをともなうのとおおいに異なる点である。

アーラヤ識とマナ識とはいずれも、意識の領域にのぼってこない、いわば〝深層心理〟であり、それらの働きは、暑い、寒い、憎い、可愛いなどの感受作用をおこすほどに鋭くない。両者は苦しいあるいは楽しいと感ずることなく、つねに同じこころの状態をたもちつづけている。

これに対して眼識などの六つの識は、いわば〝表層心理〟であるから、その感受作用は、強く、しかも変化し、ある時には、暑い、つらい、痛い、憎い、などと感じ、ある時には、こころよい、楽しい、可愛い、などと感じ、ある時には、それらいずれとも感じないのである。

感受作用には三種類あるといったが、「苦の感受」と「楽の感受」とをそれぞれ、つぎのように、五識にともなうものと意識にともなうものとにわけて、合計で五つの感受作用をたてる場合がある。

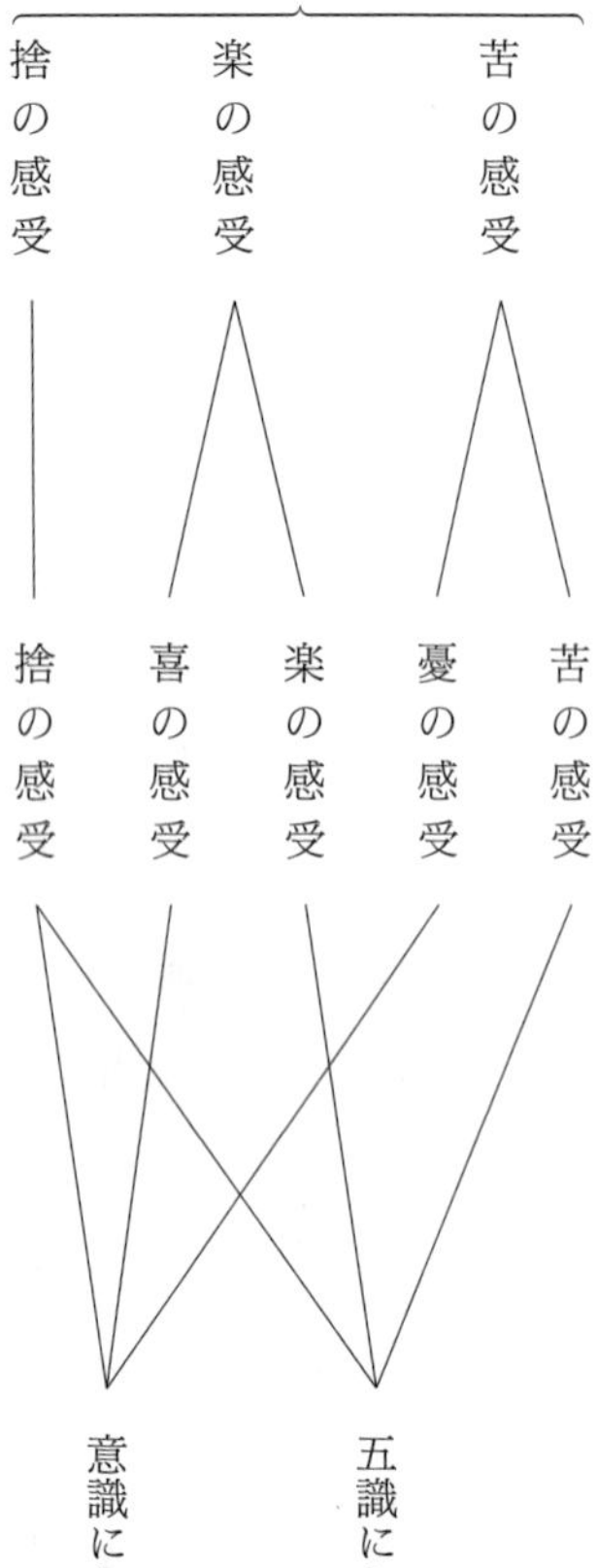

「憂」と「喜」との二つが意識のみとともなう点に注目すべきである。

なお、頌のなかには述べられていないが、六つの識は、価値的には、善、悪、善でも悪でもないもの（無記）、のいずれの性質にもなりうる。これは、アーラヤ識が「汚れに覆われていなく善とも悪とも記別されないもの」（無覆無記）、またマナ識が「汚れに覆われており善とも悪とも記別されないもの」（有覆無記）と価値づけされるのと異なる点である。

「五つの識は根本の識において、縁にしたがって生ずる。〔それら五つは〕同時に〔生ずることも〕あり、同時でないこともある。それはあたかも水においてさまざまな波が

〔生ずる〕ようなものである。」（第十五頌）

五識の生起

以下は、眼識などの五つの識が生じてくるありさまについて述べる。

〈五つの識〉とは眼識と耳識と鼻識と舌識と身識の五つをいう。

〈根本の識において〉とはアーラヤ識においてということ。

〈縁にしたがって生ずる〉とは、この第十五頌のなかでいちばん重要な箇所であり、五つの識はいつも生じているのではなく、それらは縁にしたがって生ずる、ということである。仏教は「あらゆる現象は因と縁とによって生じた存在である」（因縁所生の法）という大前提にたつ。このうち「因」（hetu）とは直接原因であり、「縁」（pratyaya）とは間接的な補助原因である。たとえば種子《たね》から芽が生ずる場合、種子が因であり、水や空気や土などが縁である。

五つの識についていえば、アーラヤ識のなかにあるそれぞれの種子、たとえば眼識ならば眼識を生みだす力をもつ種子が「因」である。頌のなかで〈根本の識において〉というのは、アーラヤ識がそれぞれの種子をたくわえていることによって、五つの識の直接原因となるということを表わしている。

では、五つの識を生ずる間接原因すなわち縁とは具体的には何か。これに関してつぎのように説かれる。

「眼等の転識は現在世において、もろもろの縁を因となす。根と境界と作意力との故にもろもろの転識が生ずると説くが如し。」

ここに説かれている根と境界と作意力との三つが、縁のなかでも、もっとも重要なものである。

このうち「根」(indriya) とは五識を生ずるそれぞれの感覚器官である。境界 (artha, viṣaya) とは、感覚器官の対象である。ところで感覚器官とその対象とが結合するとき認識作用 (識) が生ずると考えられるが、それにはもうひとつ「作意」という心作用が必要である。作意とはまえに述べたように (二二〇ページ)、「意《こころ》の活動」と訳され、こころを具体的に活動せしめて、こころをある一定の対象に向けさせる作用である。眼が花をとらえても、そこに「意の活動」が働かなければ、その花を見るというこころは生じない。

このように、五つの識が生ずるには、アーラヤ識のなかの種子はもちろんのこと、そのほかに間接的な補助因 (縁) として、「感覚器官」と「対象」と「意の活動」との三つの存在が必要になる。このうちのどれか一つを欠いても識は生じない。たとえば眼球に損害があれば物を見ることはできない。まっくらやみでいくら目を開いてもなにも見えない。光や明かりのなかにものがあってはじめてそれを見ることができる。またある視野のなかにいろいろの事物が含まれているのであるが、それらのうちこころが向かった特定の対象だけを見ることになる。

縁によって事象は生ずる

このように「感覚器官」と「対象」と「意の活動」とは五つの識が生ずる基本的な「縁」であるといえよう。この三つを基本としてこのほかにもいろいろの縁が考えられる。たとえばある人に出会い、その人を見るという視覚（眼識）を例にとるならば、その人と会うにいたったいろいろの状況なり条件がある。それらすべてが「縁」であるといえよう。ものごとが生じてくるにはかならず、それを生ずる根本原因すなわち「因」がなくてはならない。だがそれが具体的にものを生ずるためにはかならず「縁」の働きかけが必要である。――仏教はこの事実を重くみて、「縁起の理」を宇宙の根本的真理であると強調する。

とにかく眼識などの五つの識は、縁にしたがって生じたり生じなかったりする。この点、アーラヤ識とマナ識とがつねに活動しつづけているのと大いに異なる。

〈〔それら五つは〕同時に〔生ずることも〕あり、同時でないこともある〉とは、眼識などの五つは、五つ全部が同時におこる場合、あるいはそれらのうちのどれか四つ、あるいは三つ、ないしただ一つ、がおこるということである。たとえば、木にとまった蟬《せみ》を見ると同時にその鳴き声を聴いていたときは、眼識と耳識との二つが同時に働いていることになる。

ところで、同一時に二つ以上の識がおこりうるかどうかという問題はアビダルマ仏教いら

い の論争点であった。アビダルマ仏教の代表的学派の一つである説一切有部は二つ以上の識の同時的存在を認めなかった。これに対し、瑜伽行唯識派は最大限、眼識からアーラヤ識までの八つの識が同時にはたらきうることを認めた。

〈それはあたかも水においてさまざまな波が〔生ずる〕ようなものである〉とは、アーラヤ識においてさまざまな識が縁にしたがって、ある時には一つ、またある時には多く生ずることを水と波とのたとえによって説明したものである。アーラヤ識が水に、さまざまな識が波にたとえられている。この場合、波をおこす「縁」についてはなにも述べられていないが、たとえば『楞伽経』の随所に、アーラヤ識を大海、境界（対象）を風、さまざまな識を波にたとえているから、ここでも波をおこす縁は風であると考えてよかろう。風の吹き具合によって水面には、ある時には一つ、ある時には二つ以上の波が立つ。そのようにアーラヤ識においても、それから生ずる同一時の識は数が一定していないというのである。

仏教では難解な教義を譬喩《ひゆ》をもちいて説明することが多い。その場合、自然現象が好んでたとえに用いられる。この場合もその一例である。

なお、眼識からマナ識までの七つの識は、アーラヤ識から生じたものであるからまとめて「生じた識」（pravṛtti-vijñāna　転識）とよぶことがある。

「つねに意識は生ずる。〔ただし〕無想果と二つの定と無心の睡眠と気絶とをのぞく。」

（第十六頌）

意識の種類

意識が働く時について述べた一頌である。

〈つねに意識は生ずる〉とは、まえに述べた五つの識はそれぞれ生じたり生じなかったりすることがあるのに対して、意識はつねに活動していることをいう。ただし、つねにということには制限がある。なぜならあとに述べるように無想果などの五つの位では意識は生じないからである。しかしこれら五つの位をのぞけば、意識は眼識などとちがってつねに生じている。

詳しくいえば、意識は眼識などの五識と同時に働く場合と、異なったときに働く場合とがある。

このうち「五識とともに働く意識」（五倶の意識）とは、たとえばある花を見るという視覚と同時に働いて、その視覚の作用を明瞭にする意識のことである。たしかにわれわれは、漠然と花を見ている場合と、その花に意識を集中して見ている場合とでは、それを見る視覚の強さは異なる。明らかに後者の場合のほうがはっきりと花を見ることができる。意識は視覚などの五つの識と同時に働いて、それらの感覚作用を鮮明にする働きがあるといえよう。

「五識とともに働かない意識」（不倶の意識）もある。これは大きく、(1)五識の直後に働くもの（五後の意識）と、(2)五識と無関係に働くもの（独頭《どくず》の意識）とにわけられる。前者は、たとえば花を見た直後に、その花は何だろう、などと考える意識のことである。感覚を通してわれわれはいろいろのことを考える。その考えるこころが五識の直後に働く意識である。

後者の「五識と無関係に働く意識」はまた大きくつぎの三つに分けられる。(1)三昧中の意識。五識の働きをおさえ、こころをある特定の対象のみに専注したときの意識である。(2)未来に思いをはせたり、過去のことを思いだしたり、ひとり白昼夢にふけっているとき、などの意識。(3)睡眠中に夢をみているときの意識。

とにかく、ふつうの経験の世界においては、のちに述べるように無心の睡眠時と気絶時とをのぞいて、意識はつねに活動しつづけていることになる。しかもそれは深層的なアーラヤ識やマナ識とちがって、思慮分別をまじえた表層心理であり、現実の生活を構成するもっとも重要なこころである。

意識の消滅

つぎに意識が生じない五つの位について述べてみよう。

〈無想果〉(a-saṃjñika)とは色界の第四禅天にある世界のことで、ここに生まれれば、五百大劫《こう》のあいだ、無心の状態で生きつづけるとされる世界である。無心とは、眼識ないし意識の六つが生じないこと。これを「無想」というのは、想(saṃjñā)すなわち、あれこれと考える「構想」作用（二二一ページ参照）が仏道修行の過程においてとくにそのさまたげとなることから、こころを想によって代表させ、こころ（六識）がないことを「無想」という名でよぶ。五百大劫とは現代的な時間感覚でいえばほとんど無限の時間である。したがってそのような時間にわたって無心をつづけるのであるから、仏教徒いがいの人びと（外道）のうちで、この状態を「さとりの世界」（涅槃）と思いまちがうものがあるという。この世界には、つぎに述べる無想定を実践することによって到達することができる。

〈二つの定〉とは無想定と滅尽定である。このうち無想定（a-saṃjñi-samāpatti）とはまえに述べた無想果の世界にいたるための原因となる定《じょう》であり、この定においては意識をはじめとして眼識までの六つの識が滅せられる。

滅尽定（nirodha-samāpatti）についてはすでに述べたように（二三七ページ参照）眼識からマナ識までの七つの識が滅せられた状態であるから当然、意識は働かない。

〈無心の睡眠〉とは夢をみることなく熟睡している状態をいう。

〈無心の気絶〉とは不意に頭をなぐられる、あるいはなんらかの生理的な異常、などによって気絶し、まったく意識がなくなった状態をいう。

以上の五つの位においては意識は活動しない。だが、これら五つの位から出たときには、ふたたび意識は働く。なぜなら、アーラヤ識の種子から意識がふたたび生ずるからである。三昧中、あるいは熟睡中、さらには気絶したときなど、「なにもこころがなかった」「なにも考えなかった」「意識がまったくなかった」などとあとになって反省的に考えるが、そのときでも、アーラヤ識はつねに活動しつづけているのである。だからこそ、ほとんど死んだ状態とひとしいほどの滅尽定をいくら長期間、実践しつづけていても、そのひとは死ぬことがない。

2 唯だ識のみである

(i)総標

「この識の転変は分別である。これによって分別されたものは存在しない。したがってこのすべては唯だ識のみのものである。」(第十七頌)

識の転変とは分別である

これまでは三種類の識の転変について述べてきたが、以下は、これら三種類の転変すなわち八つの識いがいに存在するものはない、外界に存在するとふつうわれわれが考える事物は、自己のこころをはなれては存在しない、という瑜伽行唯識派の大命題を証明する。

〈この識の転変は分別である〉とは、この『唯識三十頌』のなかでヴァスバンドゥによって新たに作られた「識の転変」という名でよばれるものは、ふつう「分別」(vikalpa) といわれるものであるということを示す。「分別」とはヴィカルパ (vikalpa) というサンスクリットの漢訳であり、われわれの「こころの働き」すべてをいう。しかし、ヴィカルパは、ときには「妄分別」とも訳されるように、われわれの「まちがったこころのはたらき」「虚妄な認識」を意味する。

ヴィカルパとは、「二つにわけて」あるいは「二つにわかれて」(ヴィ)「考える」(カルパ) という意味である。すなわち主観と客観との二元的対立のうえに、主観が客観を我他《がた》・彼此《ひし》と考える作用をいう。とくに瑜伽行唯識派は識のみの存在しかみとめない識一元論の立場にたつ。したがって、さまざまな認識対象はただこころのなかの表象にすぎないのに、それらはこころをはなれて外界に実在すると考えるわれわれの思考のあり方をとくに「妄分別」とよぶ。ときには「虚妄《こもう》分別」(abhūta-parikalpa) とよぶこともある。

分別されたものは存在しない

われわれがふつう自己のこころをはなれて実在すると考えるさまざまな事物は、こころをはなれては存在しないことを頌のなかでは〈これによって分別されたものは存在しない〉と説く。われわれは自己のこころのなかにさまざまな表象をもつ。たとえば、赤いアサガオの視覚表象、あるいは「自己」「自分」「われ」などという言語表象がある。そしてそのような表象に対応する「アサガオ」あるいは「自己」という事物がこころをはなれて存在すると考える。だがそのように考えられた「アサガオ」や「自己」は実際にはこころをはなれては存在しない、というのである。それらはたんに「分別されたもの」、いいかえれば「実体化された表象」にすぎず、存在するのは、そのような表象をもつこころのみであるという。

仏教では「ものごとはある」とみる見解、逆に「ものごとはない」とみる見解は、いずれも「極端な見解」(anta 辺)として否定され、「ものごとはあるのでもなく、ないのでもない」という正しい中庸《ちゅうよう》の見方(中道)をしなければならないと強調する。瑜伽行唯識派は「ものごとはある」という極端な見解として、「こころをはなれて外界に事物は存在する」とみる見解をとりあげる。仏教以外の学派さらにはアビダルマの諸派がとる見解である。この極端な見解を否定するために〈これによって分別されたものは存在しない〉と説く。

唯だ識のみが存在する

これに対し「ものごとはない」という極端な見解として「あらゆるものは非存在であり、こころも存在しない」とみる見解をとりあげる。そのような見解をもつ人びととして瑜伽行唯識派が意図したのは、『般若経』に基づく「空《くう》」の思想を誤解して、「すべてはまったく非存在である」とみる虚無主義を奉ずる人びとであった。

そのような極端な見解を否定するために、つづいて〈したがってこのすべては唯だ識のみのものである〉（一切唯識）と説く。のちに述べるように、汚れと虚妄にみちた「識」は、その性質を変化して、真実をみぬく清浄なる「智慧」とならなければならないのであるが、すくなくとも、この迷いの世界、現実の生活からのがれでるためには、たとえそれが汚れにみちていようとも、自己のこころを手段として実践生活、修行生活を送ってゆかなければならない。教法に従い、ヨーガを修し、自己の身心の汚れを徐々にとりのぞいてゆかねばならない。

このように修行生活を重視する立場が、識の存在をみとめようとする姿勢を生みだしたのであろう。もちろん、のちに述べるようにヨーガ中における体験、すなわち「すべては識のあらわれにすぎない」という直接体験も識のみの存在を認める大きな根拠となったことは否定できない。

とにかく、外界に事物はあるのではなく、またこころはないのではない、とみる非有非無の中道、すなわち極端な見解におちいらないものの見方を強調する。

唯識の証明について

つぎに問題となるのは、外界に事物が存在しないことはどのように証明されるのか、ということである。アビダルマ仏教までは外界に事物の存在をみとめた。あらゆる存在はいくつかの構成要素（dharma　法）にわけられ、それらの構成要素は実在すると考えられた。だが瑜伽行唯識派は、存在するのは唯だ識のみ、心《こころ》のみであると主張する。ではかれらはその主張をどのように証明するのか。

仏教の証明はおおきく(1)釈尊の教説に根拠をもとめる証明と、(2)理論による証明とにわかれる。前者を「教証」、後者を「理証」とよぶ。仏教は釈尊によってはじめられた宗教であるから、釈尊によって説かれた教説に最高の権威をおく。のちにつくられた数多くの経典もすべて釈尊すなわち仏陀自身が直接説かれたもの、すなわち「仏説」であるという立場をつらぬく。そして教説による証明のほうが理論による証明よりも重要視される。まず教証をあげ、つづいて理証をのべるという形式をとる場合がほとんどである。

では「存在するものは唯だ識のみである」という命題に対する教証は何か。さまざまな論書にいくつかの教証があげられているが、それらのうちで代表的なものは、つぎの二つである。

①「三界は唯だ心《こころ》のみである。」(『華厳経』)

②「慈氏菩薩、復《ま》た仏に白《もう》して言う。世尊よ、諸《もろもろ》の毘鉢舎那《びばしゃな》三摩地所行の影像は、彼れ此の心と異なること有りと言うべきや、異なること無しと言うべきや。仏、慈氏菩薩に告げて曰く。善男子《ぜんなんし》よ、異なることなしと言うべし。何を以ての故に。彼の影像は唯だ是れ識なるに由るが故に。善男子よ、我れ、識の所縁は唯だ識の所現なりと説くが故なり。」(『解深密経』)

②ははじめて唯識思想をとなえたといわれる『解深密経』のなかの一文であり、それ以後の論書が好んで引用する箇所である。「識の対象（所縁）は唯だ識によって現わされたものである」という「唯識」の体験が毘鉢舎那《びばしゃな》というヨーガを実践するなかで得られることに注目すべきである。もともと仏教はその出発時いらい唯心論的傾向が強い。この傾向の頂点に唯識思想が形成されたのであるが、それにはヨーガの実践によるところが大きい。

①の「三界は唯だ心のみである」という一文は、『華厳経』のなかにある有名な文句である。この経典は釈尊が菩提樹下でさとったそのさとりの内容を海印三昧という禅定にはいったままで説き示した、という設定のもとで作られており、唯心論的傾向がひじょうに強い。瑜伽行唯識派の人びとが、唯識説をうちだすにあたり、最も強い影響をうけたのはこの『華厳経』、とりわけそのなかの右の一文であったと考えられる。

つぎに「識のみが存在し、識をはなれて事物は存在しない」という命題に対する理論的証明も、初期の経典や論書からすでにちからをいれてなされている。その典型が本書にその和訳がなされているヴァスバンドゥの『唯識二十論』である。詳しい内容は直接それを読んでいただきたい。

(ii) 現実のこころの生成

「じつに識はあらゆる種子《しゅうじ》をもつものであり、相互の力によってかくのごとくかくのご

とく転変する。それによってあれこれの分別が生ずる。」（第十八頌）

一切種子識

たとえば眼前のアサガオを見る場合、アサガオという花がこころをはなれて存在し、その花からのなんらかの刺激がこころのなかにその表象をおこし、その表象によってアサガオを見るという視覚が成立するとふつうわれわれは考える。外界の事物とこころとを結びつけるのは「表象」であり、その表象は、たとえ外界の事物そのままの形相をしていなくとも、この事物からなんらかの影響をうける、という。

だが唯識思想は外界に事物をみとめない。では外界に事物がなくてどうしてアサガオを見るなどの視覚、さらにはさまざまな感覚ないし知覚や思考がおこるのか、という大問題が生ずる。この問いかけへの解答がこの第十八頌の一頌である。

〈じつに識はあらゆる種子をもつものである〉とは、アーラヤ識にはあらゆる存在を生みだす種子がたくわえられていることをいう。この意味でアーラヤ識は別名「一切種子識」ともいわれる。

では種子とは何か。それは「自己の結果を生ずる特殊な心的力」と定義される。まえに外界に事物、たとえばアサガオが存在しないのに、なぜアサガオという観念がこころのなかに生ずるのか、なぜ赤色のアサガオの像が目の前に現出するのかという疑問をなげかけた。これに対して瑜伽行唯識派は、アサガオの観念ないしすがた（相）は、それが現実化するまえは、種子としてアーラヤ識のなかに潜在的に内在されていたのである、と答える。アーラヤ識はあらゆるもの、すなわち自己のこころはもちろんのこと、自己の肉体や、さらには自然をも生みだす。総じてありとあらゆる経験世界を生成する。言い換えれば、こころはこころ自らの経験内容を自らの内部から創造するということができる。アーラヤ識のなかに観念や表象を創りだし、それを構成する力があると瑜伽行唯識派は考え、その潜在的力として「種子」を考えるにいたった。そして、現にみる経験世界の多様性は外界の事物によるのではない、それは自己のこころが自ら生みだす観念によって多様化されたにすぎないと考える。

アーラヤ識の転変

さてこのようにアーラヤ識からさまざまな現実のこころ（分別）が生ずるわけであるが、その生成はアーラヤ識から一方的に生ずるのではなく、「アーラヤ識」と「現実のこころ」との両者の相互因果的なはたらきによるという。このことを頌では〈相互の力によってかくのごとくかくのごとく転変する〉と説く。「転変」とは基本的には「変化すること」であり「まえよりも状態が異なること」である。具体的には、(1)アーラヤ識（詳しくはアーラヤ識の種子）が、現実のこころ、さまざまな分別を生みだすことができる状態に変化することと、(2)アーラヤ識が変化して現実のこころが生成し、それが、感覚ないし知覚・思考などの働きをすること、との二つの変化（転変）をいう。つまり、一つは「アーラヤ識の転変」であり、もう一つは「現実のこころの転変」である。

ところで「アーラヤ識」と「現実のこころ」との両者の相互力によって、この二つの転変はいつまでも活動しつづけるのである。なぜなら、「現実のこころ」の活動――たとえば、なにかを視る、考える、語る、行なうといった行動（業）――は、そくざにその影響をアーラヤ識のなかにとどめる。その影響を「種子」(bīja) あるいは「とどめおかれた気分」(vāsanā　習気) という。この種子はアーラヤ識のなかでまたつぎの現実の行為を生みだすべき状態にまで変化成長してゆく。これを「アーラヤ識の転変」とよぶが、この転変をおこさせる原因はまた「現実のこころ」である。たとえば、われわれのこころのなかにはさとりを得ることのできる可能力が先天的にそなわっていると考え、その可能力を「無漏の種子」とよぶ。この種子を現実化するために、この種子を成長発達せしめるのが「正しく釈尊の教えを聞くこと」（正聞）をはじめとするさまざまな仏道修行である。善い行為はその行為の影響をとどめるだけでなく、ほかの善い種子をも生長させる。このように「現実のこころ」はアーラヤ識の転変の原因となる。われわれは、喜び悩み、楽しみ苦しみ、語り考える。それらすべての行為は、一瞬一瞬に生じてはすぐに滅してゆくのではあるが、しかし、いずれも、深層心理としてのアーラヤ識を変化せしめる原因となる。

また逆にアーラヤ識は「現実のこころの転変」をおこす原因となる。なぜなら、現実のこころのすべては、アーラヤ識のなかの種子から生ずるからである。深層心理としてのアーラヤ識には、いわばいまにも芽をふこうとまちかまえている種子でみちみちているといえよう。われわれは、ふと何かについて考える。だが、それは考えようとして考えたのではない。その考えを生みだす種子が、何かの機縁を得て、芽をふいたまでのことである。

アーラヤ識縁起

〈それによってあれこれの分別が生ずる〉とは、このようにアーラヤ識の変化（それにはその変化をひきおこす原因となった、それ以前の現実のこころの変化も含まれる）が原因となってさまざまな分別が現実におこってくるということである。

総じていえば、深層であれ表層であれ、ありとあらゆる存在は「こころの変化」であるといえる。では、その変化をはじめておこさせたものは何か、またそれはいつか、という問題が生じてくる。仏教は、これに対し、いわば始動因として絶対者や神をたてず、また時間については「無始」すなわち「はじめなき永遠の過去のときより」と考える。こころの変化の原因を仏教内にもとめれば「無明」である。これはけっして絶対者や神のようなものでなく、すでに述べたように、「真実・真理を知らない」という内的なこころの汚れである。このこころの汚れを根本原因とし、さまざまなこころの相互関係によって永遠の過去より変化しつづけ、流動しつづけているのが、この自己であり、この世界であると瑜伽行唯識派は考える。

仏教の基本的思想の一つである「業《ごう》」がこのように「識の転変」という語によって言いかえられ、さらに業による自己と世界の生成が、アーラヤ識を根底とした縁起説すなわち「アーラヤ識縁起」説として巧みにまとめられたといえるであろう。

(iii) 未来の自己存在の生成

「業の残気は二種の執著の残気をともなって、まえの異なって熟したものが滅するとき、ほかのもうひとつの異なって熟したものが生ずる。」(第十九頌)

業の性質が未来を決定する

まえの第十八頌が、アーラヤ識より現実のこころが生成する機能について述べたのに対して、この第十九頌は、アーラヤ識より未来世の自己がどのようにして生ずるかのしくみを述べたものである。

〈業《ごう》の残気〉とは、業すなわち行為によってアーラヤ識のなかにとどめられた残気(vāsanā 習気)をいう。「とどめられた残気」という面を強調してヴァーサナー(習気)とよぶが、ビージャ(bīja 種子)と同じものである。

さて、業の残気といわれるうちの業とは何か。業とはサンスクリットでカルマ(karma)

といい、「行為」の意味である。行為は「身体的行為」（身業）と「言語的行為」（口業《くごう》）と「精神的行為」（意業）との三つにわけられる。このうちまえの二つは最後の精神的行為が具体的にかたちとなって現われたものであると考え、精神的行為、すなわちこころの働きを最も重要視する。しかもこころの働きのなかでも、行為をして善・悪のいずれかに色《いろ》づけるところの「意志」（cetanā　思）をその本質とする。

とにかくこの頌のなかで意図されている業は善業あるいは悪業のいずれかである。なぜなら善でも悪でもない業は未来の自己のあり方を決定する力はないからである。

自己の意志に基づいてなされた善い行為あるいは悪い行為の残気が、自分は天にのぼる、あるいは地獄におちる、などという未来世の自己のあり方を決定する。ちょうどりんごの種子《たね》よりりんごの芽が、なしの種子よりなしの芽がでるように、現世の自己のアーラヤ識にある業の残気の性質のいかんによって、未来の自己の生まれる世界が決定される。

二つの執著心の残気

〈二種の執著の残気をともなって〉とは未来世の自己の形成には業の残気のみでなく、もう一つ別種の残気が関係することをいう。二種の執著とは、ひとつは「認識されるもの」（所取）への執著であり、もう一つは「認識するもの」（能取）への執著である。このうち「認識されるもの」への執著とは客観と主観との二元的対立のうえに、「自己」という実体がある」

「これは自分の肉体である」「外界には〜の事物は実在する」などと考えて、それらに執著することである。総じていえば、こころをはなれて存在すると考えられた事物への執著である。「認識するもの」への執著とは、「そのように認識される事物を認識するものは自己の識であり、こころである」と考え、自己のこころに執著することである。

つまりこの二つの執著は、主観と客観とを区別して、客観は客観として、主観は主観としていずれもその実在性をもつと考えることである。

この二つの執著にはかならず概念ないしことばが関係してくる。「認識するもの」と「認識されるもの」との二つに分化する要因は「ことば」である。「あれはアサガオである」と把握するとき、アサガオという事物はこころからはなれて対象化され、同時にそれを眺めるこころが想定される。この二つの執著にはことばがかならずはいりこんでくる。あるいは、逆に、ことばを発するからこそ、この二つの執著はおこる、という点に注目して、この二つの執著によってアーラヤ識のなかにとどめられる残気を別名「ことばの残気」(名言習気)とよぶ。瑜伽行唯識派は、われわれの現実のこころの働きの本質をことばを用いた概念的思考であると考え、現実のさまざまな心作用を生みだす種子あるいは残気をすべて「ことばの種子」(名言種子)あるいは「ことばの残気」(名言習気)とよぶにいたった。この種子あるいは残気から現実のこころ、たとえば「自己は実在する」「外界に自然は存在する」という考えが生ずる。そして、その考えはまたアーラヤ識にその残気をうえつけ、未来においてふたたび同じ考えをおこす。

ところでこの「二種の執著の残気」すなわち「ことばの残気」は「業の残気」が未来世の自己存在を形成するときの補助因となるという。業の残気は、たとえば天あるいは地獄に生まれるなど、未来に住む世界を決定するのに対して、「ことばの残気」はその未来世における肉体やさまざまなこころの働きを形成する力となる。

死から再生へ

〈まえの異なって熟したものが滅するとき〉とは、たとえば現在世においてアーラヤ識が滅するとき、という意味である。いいかえれば死ぬときということである（アーラヤ識を「異なって熟したもの」とよぶ理由については二一三ページを参照のこと）。仏教においては死に関しても、「自らの業によって自らその結果を得る」という「自業自得」の法則を適用する。現世においてわれわれが死ぬのは過去世において各人が行なった業の力がつきるからであると考える。正確には、

⑴寿命をもたらす業力がつきるから死ぬ

⑵富楽をもたらす業力がつきるから死ぬ

という二通りの死に方がある。このうち前者は、いわゆる天寿をまっとうして死ぬ自然死をいう。自分はなぜ死ぬのか。それは過去世にたくわえた「自己の行為のエネルギー」（業力）

がつきてしまうからである。人によって短命・長命のちがいがあるが、それはそれぞれの人の過去世の業のちがいによるのである。

後者は自然死以外の死をいう。富楽をもたらす業力とは別名「福徳」ともいい、現世で金持ちあるいは貧者となるなどの力をいう。たとえばお金に困り、餓死するならば、その人は福徳がつきたからである、という。経典に餓死がよくあげられているのは釈尊生存当時のインドの社会状況を反映したものであろうが、現代でいえば交通事故死などがこれに相当するといえようか。とにかく「自らの業によって自ら死ぬ」のであるが、その死ぬときに〈ほかのもうひとつの異なって熟したものが生ずる〉のである。すなわち未来世において新たなアーラヤ識が形成される。

輪廻の主体

アビダルマ仏教いらい、輪廻する主体は何かという一大論争がたたかわされてきた。瑜伽行唯識派はアーラヤ識という根本的こころを想定してこの問題に一つの解答を与えた。だがここにまた一つの問題がおこる。それは、アーラヤ識は仏教以外の学派が主張する「アートマン」(我《が》)すなわち常住不変の自我と異なるところはないのではないか、アーラヤ識は、生死輪廻のあいだ、その主体として変わることなく存在しつづけるのではないか、もしそうならば仏教の説く「無我」の教えに反することになるのではないか、という問題である。

無我説との関係でとらえるならば、たしかにアーラヤ識をたてることは一つの問題である。瑜伽行唯識派の人びと自身も、この点を考慮して、『解深密経』のなかで「わたし（世尊）はおろかな人にはアーラヤ識を説き示さない。なぜならかれがそれをアートマン（我《が》）と考えてそれに執著することを恐れるからである」という頌を作っている。そしてかれらはアーラヤ識がけっして常住不変なアートマンでないことを声を大にして強調する。

この第十九頌の場合もやはりそうである。「まえの異なって熟したものが滅するとき」という一句によって、アーラヤ識が常住でないことをいい、「ほかのもうひとつの異なって熟したものが生ずる」という一句によってアーラヤ識が断滅してなくなってしまうようなものでないことを言おうとしている。

まえにも述べたように仏教は「Aである」あるいは「非Aである」という極端な見解をはなれ、ものごとをそのいずれともとらないものの見方をとる。ものは存在するのでも存在しないのでもないとみる（非有非無の中道）。ものの変化や動きについても同様である。輪廻をくりかえす自己存在の主体、すなわちアーラヤ識は、断滅してなくなってしまうのでもなく、つねに変化せず一定不変であるのでもないとみる（非常非断の中道）。

(iv) 三つの存在態

「あれこれの分別によってあれこれの事物が分別される。それ（事物）はじつに妄分別

された存在態をもつものであり、それは存在しない。」（第二十頌）

三自性

アーラヤ識説とならんでもう一つ唯識思想として重要なものに「三つの存在態」（三自性）という教説がある。われわれは「あるものが存在する」と無反省に考える。だが綿密に考察するとき、その主語となる「あるもの」の種類によって、ものが存在する様態すなわち「存在態」はつぎの三種類にわけられると瑜伽行唯識派は考える。

(1)妄分別されたもの
(2)他によるもの
(3)完成されたもの

ところで、存在するものは唯だ識のみ、こころのみであるのに、どうしてこのような三種の存在態がたてられるのか、という問題に対する答えが第二十頌から第二十二頌にかけての所説である。

妄分別されたもの（遍計所執自性）

まずこの第二十頌はそのうち「妄分別された存在態をもつもの」についての一頌である。〈あれこれの分別によってあれこれの事物が分別される〉とは、さまざまな概念やことばを用いてさまざまな事物を考えることをいう。たとえば、これは自分のこころであり、これは肉体である。これはアサガオであり、それを見るのは眼という感覚器官である。外界には木や山や太陽や月があり、それらは地・水・火・風という四元素からなりたっている。あるいは仏教のことがらについては、たとえば、苦しみなきさとりの世界は涅槃である、などと、さまざまな事物を考える。

いまここで「さまざまな事物を考える」といったが、それはただたんにばくぜんと考えるのではなく、「こころ・肉体・アサガオないし涅槃という事物はこころをはなれて独自に実在する」と考える。ここに大きなまちがいがあるという。なぜなら、〈それ（事物）はじつに妄分別された存在態をもつものであり、それは存在しない〉からである。

「妄分別された存在態をもつもの」（parikalpita-svabhāva　遍計所執自性）とは、こころの外に存在すると妄《みだ》りに（まちがって）分別された（考えられた）存在のあり方をもつもの、という意味で、さきほどあげたさまざまな事物をいう。それはたんに概念やことばによって、あたかも実在するがごとくに妄想されたものにすぎず、それはけっして存在しないという。ことばや概念によってこころの外にいわば外化されたものはいかなる意味においても、その存在性をまったくもたない、という見解を強くうちだすために、それらの事物をあえて「妄分別された存在態をもつもの」（遍計所執自性）という名称でよぶ。

事物の非存在の証明

ではなぜそのような事物は存在しないのか。これに対し、瑜伽行唯識派の人びとは、さまざまな証明を試みている。その一つのあらわれがヴァスバンドゥの『唯識二十論』である。その詳しい内容は本書におさめたその和訳と註記とにゆずることにし、いまここではスティラマティ（安慧《あんね》）が述べている簡単な「理論による証明」（理証）と「教説に根拠をもとめる証明」（教証）とを紹介しておこう。

(1)「理論による証明」
「認識対象に相違がないときでも、それを理解する人びとのあいだに、たがいに相違した理解が生ずる、ということが現に認められる。しかし、ある一つのものに、たがいに相違する数多くの実体があるということは不合理である。したがって、〔ことばや概念を用いて〕強《し》いて存在すると考えられたものであるから、分別の対象は存在しないと知るべきである。」

(2)「教説に根拠をもとめる証明」
「またじつにスブーチィよ、凡夫や異生が執著するごとくには、さまざまの事物（諸法）は存在するのではない。」（『般若経』）

(1)の「理論による証明」の所説は、『唯識二十論』やそのほかの論書にもみとめられる代表的な証明である。その内容は、たとえば同一の水に対して餓鬼（六道の一つ）は膿《うみ》や血の充満した河、魚は住居や道路、天人は宝石で飾られた土地、人間は清らかな水あるいは波浪、としてそれぞれ理解する。しかし、もしも水という事物が実在するならばこのようなことはありえない、という。

この証明には、餓鬼や天人など現代の自然科学の立場からみれば客観性を欠く生きものが関係している。だが、仏教からすれば六道は疑うにも疑うことができない（疑うべきでない？）事実であるから、この見解にたてば、右の証明はそれなりに力強い有効性をもつことになるであろう。

「しかるに分別は他による存在態をもつものであり、縁より生ずるものである。」（第二十一頌 a－b）

他によるもの（依他起自性）

右の頌文は三種の存在態のうち第二の「他による存在態をもつもの」について論ずる。まえに第十七頌において「識の転変は分別である」と定義した。ところでその〈分別は他による存在態をもつものである〉と、ここでさらに定義される。分別とは総じていえばここ ろであり別していえば眼識ないしアーラヤ識の八種の識である。ではなぜこれらの諸識は「他による存在態をもつもの」（paratantra-svabhāva　依他起自性）とよばれるのか。それはそれらが〈縁より生ずるものである〉からである。より詳しくいうならば、分別すなわち諸識は、自己自身の力によってではなく、自己以外の他の力、すなわち「因」と「縁」とによって生ずるからである。たとえをあげて考えてみよう。目をつぶっている状態からとつぜん目を開く。すると眼前にアサガオの植木鉢が目にとびこんでくる。たまたま眼を開きそこに植木鉢があったという「縁」のたすけをかりて、それを見るという視覚がアーラヤ識のなかの種子すなわち「因」から生じてきたのである。視覚そのものがそれを見ようと思ったのではない。その生成には視覚そのものの意志や力はなにも働いていない。すなわちその視覚は自らによるものではなく他によるものであるといえよう。

視覚だけではなく、ありとあらゆるこころそのもの、分別そのもの、識そのものはすべて他による存在態をもつものである。

他によるもの（識転変）の肯定

まえの「妄分別された存在態をもつもの」の存在性は徹底的に否定された。だがこの「他による存在態をもつもの」の存在性はある程度肯定される。なぜなら中観派が「因と縁とより生じたものはなんらの存在性をもたない」（無自性）と考えるのに対して、瑜伽行唯識派はその逆に「因と縁とより生じたものはなんらかの存在性をもつ」と考えるからである。その背景には、「あらゆる存在は決定的に存在性をもたない」（一切諸法決定皆無自性）という極端な見解に反対し、すくなくとも現実の世界においては現実のさまざまな経験が成立する根拠として「こころ」＝「分別」＝「識の転変」の存在を認めようとするのである。スティラマティは『唯識三十頌』の註釈のなかで「識の転変は事物として存在する」と明言している。唯識思想で、存在する「事物」といえば「識の転変」、すなわち「こころ」「分別」以外にはない。

まえの「妄分別された存在態をもつもの」とあわせて考えるとき、つぎのようにまとめることができよう。

（事物が生成する原因）	（生成された事物）	（その存在性）
①因と縁……………	他によるもの…………	存在する
②分別………………	妄分別されたもの……	存在しない

①の因と縁とによって生じた「分別」という事物は、現実世界においては、いわば〝第一次的存在〟であり、この分別のはたらきによって生じた事物、すなわちこころをはなれて存在すると考えられた事物は、〝第二次的存在〟であるといえよう。第一次的存在は現実の生活において実際の働きや作用をもつのに対し、第二次的存在はただたんに認識の対象となるにすぎない。

「しかるに、それ（他による存在態をもつもの）が前のもの（妄分別された存在態をも

つもの）から常に離れていることが完成された〈存在態をもつもの〉である。」（第二十一頌c—d）

完成されたもの（円成実自性）

つぎに三種の存在態の最後、「完成された存在態をもつもの」について論ずる。

〈完成された存在態をもつもの〉（pariniṣpanna-svabhāva　円成実自性）とは、存在的にも認識的にも最高度の存在性をもつものをいう。その原語 pariniṣpanna に否定辞を付した a-pariniṣpanna は「無㆑有㆓真実㆒」「非真実」と漢訳され、前に論じた「妄分別された存在態をもつもの」を形容する言葉である。したがって pariniṣpanna とは、真実に存在するもの、真実なるものを意味することばである。「妄分別されたもの」が、けっして存在しないのに対して、この「完成されたもの」とは真実に存在するものである。つまり、三種の存在態のうちで最初の「妄分別されたもの」と最後の「完成されたもの」とは、その存在性において両極端に位置する。

般若思想までは、真実なるもの、真実に存在するものを表わすのに、「真如」（tathatā）という言葉を好んで用いた。真如の原語 tathatā は、「ありのままにあること」を原意とする。情的であれ、知的であれ、ありとあらゆるこころの汚れが払拭されたとき、自己のこころに顕現してくるありのままの存在、すなわち真実在を「真如」という語で表現しようとした。

真実在は一つである。瑜伽行唯識派の人びとにとっても真実在は般若思想でいう「真如」である。したがって真実すなわち「完成された存在態をもつもの」とは真如であると随所に定義される。だがかれらが、真実を表わすのにとくに parinispanna（完成されたもの）という語を新たに用いたことに注目すべきである。真実はたんに理論的に理解されるべきものではない。ヨーガという実践を通して、こころをしだいしだいに清らかにしてゆく。こころのヴェールを一つ一つとりのぞいてゆくにしたがって真実・真如はますます、あらわにその相《すがた》を現わしてくる。そして完全に汚れを払拭しさったときに現われてくる真如、すなわち完成された真如、完全なる真如を、この parinispanna という語で表現しようとしたのであろう。

遍計所執と依他と円成との関係

では、この「完成された存在態をもつもの」は、まえの二つの存在態とどのような関係をもつのであろうか。これに関して頌は「それ（他による存在態をもつもの）が前のもの〈妄分別された存在態をもつもの〉から常に離れていることが完成された〈存在態をもつもの〉である」と説く。すなわち、識一元論、換言すれば存在するものはただこころのみとみる立場からすれば、真実・真理もこころを離れては存在しない。こころのあり方を質的に変化させることによってこころそのものが真理・真実となるのである。具体的には、こころ（他による存在態をもつもの）の中から、あらゆる束縛（妄分別された存在態をもつもの）をとり除くことである。束縛には二つある。一つは、アーラヤ識中にひそむ汚れた種子に由来する、いわゆる情意的ないし身体的束縛である。たとえば、われわれの心底には貪《むさぼ》りや怒《いか》りを生ずる潜在的種子がひそんでいる。それによってわれわれは潜在的に汚れたものとなっているのであり、さらにその種子がたまたまなにかの縁にふれて芽をふくとき、具体的な貪り・怒りのこころあるいは行為が生ずる。もう一つの束縛は、主観・客観という二元的対立のうえに生ずる、いわば知的な束縛である。こころのみしか存在しないのに、こころを離れて外界の事物は実在すると考える。こころにしても、それは刹那に生じては滅する流れであるが、その流れの背後にそれを統一する固定的・実体的自己が実在すると考える。このように実在しないのに実在すると考えられた「事物」と「自己」とに執著し、その結果さまざまな苦を味わいつつ生死輪廻をくりかえしてゆく。

　このような束縛をすべてこころの中から払拭しさるとき、すなわちこころそのものが完全に清浄になるとき、そのこころがそのまま真理・真実（完成された存在態をもつもの）となるのである。

「それゆえに、それ（完成された存在態をもつもの）は、他による（存在態をもつも

の）と異なるのでもなく、異ならないのでもない。」（第二十二頌a―h）

悟りの世界と迷いの世界とは不一不異

つぎに「完成された存在態をもつもの」と「他による存在態をもつもの」との異・不異の問題を論ずる。

〈完成された存在態をもつもの〉とは悟り・清浄・真実の世界である。〈他による存在態をもつもの〉とは、迷い・不浄・虚偽の世界である。ひと言でいえば前者は「涅槃」、後者は「生死」の世界である。この両者の関係は、小乗仏教までは相隔絶されたものと考えられてきた。小乗仏教のなかには涅槃を「灰身滅智《けしんめっち》」と考える人びともいた。すなわち、身体がまったく灰《はい》となり、こころも完全になくなってしまう死後を涅槃と考えた。この考えは極端であるとしても、この生死の世界を否定したところに涅槃の世界が現出する、つまり涅槃と生死とは相異なった次元の世界であると考えた。

これに対して大乗を興した人びとは「生死即涅槃」すなわち「この苦にみちた生死の世界がそのまま安楽な涅槃の世界である」という大乗独特の思想をうちだした。その背景には、現実の世界をはなれては真理・真実はけっして存在しないとみる在家信者たちの力強い現実肯定の精神が働いた。

唯識思想も基本的にはこの立場にたつ。だが「生死即涅槃」の考えから一歩進んで、「三つの存在態」（三自性）説を用いて両者の関係を新たな論理のもとにとらえなおした。つまり両者は〈異なるのでもなく、異ならないのでもない〉という。

なぜ両者は不一不異であるといえるのか。その根本的理由はすでに前の第二十一頌のなかに述べられている。すなわち、「完成されたもの」（涅槃）とは「他によるもの」（生死）のなかから「妄分別されたもの」がとり除かれた状態であるからである。他によるものとは「こころ」である。したがってこころのあり方いかんによってそれが生死にも涅槃にもなりうることを両者の「不一不異」という表現で説明しようとする。

唯識思想では現象的存在一般を「法」（dharma）とよび、その本質を「法性《ほっしょう》」（dharmatā）という。そして法と法性とは不一不異であるととらえる。哲学的にいえば現象と本質との関係、宗教的にいえば俗と聖との関係、仏教的にいえば世間（生死）と出世間（涅槃）との関係がすべて「他によるもの」と「完成されたもの」との不一不異という関係でとらえられている。

この不一不異の関係はより詳しくつぎのように説明される。もしも「完成されたもの」と「他によるもの」とが異なるとするならば、後者のなかから「妄分別されたもの」がとり除かれたとき、それがそのまま前者であるということがいえなくなる。したがって両者は「不異」である、という。この場合の異なるとは両者はまったく隔絶され、われわれのいかなる実践的努力をもってしても、両者は相互に関係を結ぶことがない、という意味での相違である。だが、完成されたものと他によるもの、換言すれば、真如とこころ、涅槃と生死とは、そのように絶対的に隔絶されたものではなく、ただたんにこころのあり方の相違にすぎず、実践的努力によっては後者から前者へと変革することができるから両者は「不異」であるという。

他方、両者がもしも同一であるならば、完成されたものは、他によるものと同じく汚れたものとなり、逆に他によるものは完成されたものと同じく、清浄なるものとなる、という矛盾が生ずる。したがって、両者は同一ではない、つまり「不一」である、という。この不一の面は、実践的努力がいまだなされていない現実の世界から眺めたとき、生死と涅槃とは、価値的に相異なっている点を指摘したものである。両者は相違しているからこそ、われわれは生死を抜けでて涅槃に達しなければならない、つまり実践が必要となるのである。完成されたものと他によるものとの「不異」によって、涅槃と生死とが成立する場の同一性をいい、同時に両者の「不一」によって、両者の実質的内容の相違を意味しようとしたのであろう。まとめていえば「生死即涅槃」は、静止的にとらえるべきではなく、動的ないし実践的に解釈すべきである。

なお、ここでは「完成されたもの」と「他によるもの」とを主として涅槃と生死とにとらえたが、唯識の諸経論には両者が別の表現でとらえられ、それらの不一不異が説かれている。まとめるとつぎのようになる。

(1)勝義諦の相と諸行の相との不一不異（『解深密経』勝義諦相品第二）
(2)相と真如との不一不異（『瑜伽師地論』巻第七十二）
(3)勝義諦＝円成実性＝真如と有相の法との不一不異（『顕揚聖教論』巻第十六）
(4)五法（相・名・分別・正智・真如）のうち、相等の前四法と真如との不一不異（『三無性論』巻下）

「無常性などのごとくである、というべきである。」（第二十二頌c）

現象と本質との不一不異

「完成されたもの」と「他によるもの」との不一不異をたとえをあげてさらに説明する。仏教の三大主張（三法印）の一つに「諸行無常」がある。諸行とはありとあらゆる現象的存在をいい、無常とは、それらが生じては滅してゆく刹那的存在であることをいう。つまり諸行とは「現象」であり、無常はその「あり方」（本質）をいう。この無常というあり方を「無常なる」（nitya）という形容詞を抽象名詞化して「無常性」（nityatā）という。諸行は無常性のほかに、苦性・空性・無我性というあり方をもつ。つまり現象的存在はいかなるものでも、無常・苦・空・無我という四つの普遍的性質ないしあり方をもつと考える。この四つを普遍的あるいは共通的性質という意味で「共相」とよぶ。唯識思想を奉ずる学派はのちに中国において「法相宗」とよばれるようになった。法（存在するもの）の相（特質・あり方）を究明する学派という意味である。かれらは、あらゆる現象に共通する性質をつぎつぎと求め、最後に「法界」という究極的共相にたどりつき、法界こそあらゆる存在をおさめつくす究極的存在であり、同時に究極的価値をもつものでもあると考えた。

それはとにかく、「現象」と「あり方」、すなわち諸行と無常性とは不一不異であるという。なぜならもしも諸行が無常性と異なるならば、諸行は常なるものとなる。逆にもしも諸行と無常性とが同一なるものであるならば、諸行はすでに滅して存在しない、という矛盾が生ずる。したがって諸行と無常性とは不一不異である、という。

総じていえば、存在（法）とその本性（法性）との不一不異から、「他によるもの」と「完成されたもの」との不一不異を結論する。唯識思想では、「法」とは「他によるもの」すなわち「こころ」「識」であり、「法性」とは「完成されたもの」すなわち「真如」であるととらえる。そして、真如は識の実性、こころの真実のあり方であると考える。

「これ（完成された存在態をもつもの）が見られないときには、かれ（他による存在態をもつもの）は見られない。」（第二十二頌d）

真実の世界から現実の世界へ

これは、ひとたび真理・真実を見抜かないかぎり、現実の世界が虚偽であることを真にさとりえない、ということを述べた部分である。ふつうわれわれは、この現象の世界は主観と客観との二元的対立のうえに成立し、主観としての自己、客観としての事物が実在すると考える。だが唯識思想は自己も事物も存在しないという。総じてこの現象的世界は幻《まぼろし》・陽炎《かげろう》・夢・反響《こだま》のごとくに非存在であると主張する。しかしわれわれはそのようには思わない。現に自己存在を感じ、自然を眺め、事物を認めるからである。そしてそれらをけっして幻などとは考えない。

なぜか——そこで右の頌は「完成された存在態をもつものを見ないかぎり、他によるものの本質を見ることはない」とその理由を述べる。たしかに、われわれは夢を見ているかぎり、それが夢であるとさとることはない。目がさめてはじめてそれが夢であったことに気づく。それと同じく、この現実の世界からさめたとき、すなわち「完成されたもの」「真実の世界」に目覚めてからはじめて現実が夢であったことをさとるのである。

唯識思想では、智慧としてつぎの三つを説く。

(1)加行智
(2)根本無分別智
(3)後得《ごとく》清浄世間智

このうち加行智とは、真実・真理すなわち真如をさとるまでの修行の段階で働かせる智慧である。この智慧によってわれわれは、徐々に自己の人格を高め、真理認識へと一歩一歩近づいてゆく。

根本無分別智とは真理そのものを見る智慧である。それはあらゆる智慧の根源となるから根本といい、主観と客観との対立をなくして一元的認識、換言すれば真理と一枚になった智慧であるから無分別智という。唯識的にいうならば、真如に通達する智慧である。右の頌文では「これを見る」というように、見るという視覚的表現が用いられているが、この場合の見るとは、それに通達する、すなわちそこに達する、もっと厳密にいえば、それ自身に成りきることである。この真理・真如に成りきるとき、あらゆる現象的存在をあたかも虚空のごとくに観察するのである。虚空とは、その中からありとあらゆる現象的存在をとり除いた無限の空間をいう。それは一つの存在物ではあるが、それ自体にはなんら「いろ」も「かたち」もない。それはまったく一つのあり方しかしていない、すなわち「一味」である。ところで、日常的なこころには現象界は雑多な差別の世界、しかも実在すると考えられた世界として映る。だが、この根本無分別智のこころには、そのような差別的相対的世界は消えうせ、一味なる絶対の世界が顕現する。

最後の後得清浄世間智とは、前の根本無分別智ののちに得られる清浄なる智慧、しかも現象的世界である世間をふたたび眺める智慧である。右の頌の表現でいえば、「完成されたもの」を見たのちに、「他によるもの」を見る智慧である。この智慧に「清浄」という形容語が付加されている点に注目すべきである。この智慧は清浄であるからこそ、そして真理・真実が何であるかをひとたび見抜いているからこそ、「他によるもの」の世界すなわち現実の世界の本質を見抜くことができるのである。現にわれわれはこの世界を眺める。だがその本質を見究めえず、自己も外界も実在すると考える。なぜなら自己のこころが汚れにおおわれ、存在がありのままに映らないからである。真如を見ることによってその汚れを焼きとるとき、世間は幻や夢のごとくに見えてくる。

ヴァスバンドゥの『唯識二十論』に、「唯識性とは仏の境界である」と説かれている。仏陀すなわち覚者になってはじめて、この世界はただ識のみ、こころのみであると心底からさとることができるという。

(v) 三つの非存在態

般若の空と唯識の空との相違

唯識思想は根本的には般若の空を受け継いでいる。だが両者はつぎの点で相違する。

(1) 般若思想は一切諸法は皆《みな》無自性であるとみる。

(2) これに対して唯識思想は一切諸法が決定的に無自性であるのではないと説く。

(2)の唯識の立場からこれまで述べてきた「三つの存在態」すなわち「三自性」説が説かれ

る。すなわちあらゆるものが決定的に、存在しないというのではない。あらゆるものは、何らかの意味でその存在性（自性）をもつと考える。すなわち、前述したように、存在は三つの存在態、すなわち「妄分別されたもの」（遍計所執自性）と「他によるもの」（依他起自性）と「完成されたもの」（円成実自性）との三つのあり方に分類され、それらはそれぞれのあり方をもつものとしてその存在性が認められる。

だが前に述べたように唯識思想は根本的には「空」を主張する。したがって、三つの存在態はそれぞれ各自の存在性を認められながらも、同時にその存在性は空という根本的立場よりとらえる必要がある。そこで打ちだされたのが、「三つの非存在態」すなわち「三無自性」説である。以下は三無自性に関する頌である。

> 「三種の存在態（三自性）に三種の非存在態があることを意図して、あらゆる存在は非存在態をもつもの（三無自性）である、と説かれる。」（第二十三頌）

三無自性

この一頌はまず「三つの存在態」（三自性）と「三つの非存在態」（三無自性）との関係を総説し、同時に『般若経』の「一切諸法は無自性であり不生不滅である」という所説を唯識思想の立場より解釈しようとする。すなわち前に述べた三つの存在態は、それぞれ以下に説く三つの非存在態という無的なあり方をもつから、その意味で『般若経』は「一切諸法は無自性なり」と説くのであるという。

「最初のものは相としての非存在態をもつものである。またつぎのものは、それに自然に存在することがないからつぎの非存在態をもつものである。」(第二十四頌)

「かれはあらゆる存在物の勝義である。それゆえにかれは真如である。」(第二十五頌a—b)

相無自性について

右の頌文は「三つの非存在態をもつもの」を列記したものである。以下一つ一つについて論じてみよう。

〈最初のものは相としての非存在態をもつものである〉とは「三つの存在態をもつもの」のうちの最初、すなわち「妄分別されたもの」は「相としての非存在態をもつもの」であることをいう。術語でいえば遍計所執自性は相無自性であるという。この場合の相とは、事物の形相あるいは特質をいう。妄分別されたものとは、実際にはこころをはなれては実在しないのに、あたかも実在するがごとくに概念やことばによって把握されたものをいう。概念やことばで把握するとは、さまざまな事物表象をこころのなかに浮かべ、それらに対して、自己・木・山・川、あるいはそれらが有るとか無いとかいう言語表象を付加して、それらを概念的に把握することである。ところで言語は事物に固有の形相ないし特質そのものを直接表現することはできない。言語は事物を比喩的に表現するにとどまる。したがって言語によって把握された事物すなわち「妄分別されたもの」には固有の形相ないし特質がないという意味で「相としての非存在態をもつもの」といわれる。

相すなわち形相や特質の否定は同時に事物そのものの存在否定につながる。漢訳の論書でしばしば「体相の無の故に相無自性である」と説かれる。この場合の体相の原語は相と同じく lakṣana であろうが、この語をあえて「体」を付して訳すのは、たんに相のみの否定にとどまらず、「体」すなわち事物そのものの否定をも意図しようとしたのであろう。いずれにしても、「妄分別されたもの」はいかなる意味においてもその存在性は否定される。すなわち「妄分別されたもの」は眼病者にみえる空中の花（空華）のように「畢竟無《ひっきょうむ》」であるといわれる。

生無自性について

〈またつぎのものは、それに自然に存在することがないからつぎの非存在態をもつものである〉とは「他によるもの」は「生としての非存在態をもつもの」であることをいう。術語でいえば依他起自性は生無自性であるという。では「他によるもの」は「生としての非存在態をもつもの」といわれる理由は何か。「他によるもの」とは具体的にはわれわれのこころであり、諸識であり、分別である。このこころの存在性はしばしば「幻《まぼろし》」にたとえられる。幻とは魔術師によって作りだされるさまざまなトリック現象である。ところでそれらの現象は魔術師が行なうトリックによって作りだされたものであり、現象そのものの自らの力によって自然に生じたものではない。これと同じくわれわれのこころも、他の力によって生じ、けっして自らの力によって自然に生じたものではない。すなわち、こころは、過去の業の影響（因としての種子）と現実のさまざまな機縁（縁）という他の力によって生じたものである。たしかに、現にさまざまなこころが去来する。だがわれわれはそれらのこころを自由自在に生ぜしめることはできない。忽然念起《こつねんねんき》といわれるように、われわれのこころのなかには、さまざまな思いや感情が自己の意志とは無関係に、つぎつぎと生じては滅してゆく。このようなこころの他律的な面とその存在性のはかなさとを「生としての非存在態をもつもの」（生無自性）という表現で説明しようとしたのであろう。

勝義無自性について

〈かれはあらゆる存在物の勝義である。それゆえにかれは真如である〉とは「完成されたもの」が「勝義として非存在態をもつもの」であることをいう。術語では円成実自性は勝義無自性であるという。〈かれ〉とは「三つの存在態をもつもの」の最後である「完成されたもの」をいう。右の頌はまずこれを定義してそれは〈あらゆる存在物の勝義である〉と説く。あらゆる存在物とは前の「他によるもの」を自体とするありとあらゆる現象的存在をいう。勝義とは、さまざまに解釈されうるが、スティラマティは勝（parama）と義（artha）とにわけて、勝とは「出世間智」をいい、このすぐれた智によって把握される対象（義）を「勝義」であると解釈する。あるいは、「完成されたもの」は虚空のようにあらゆる場所において一味なるあり方をし、また無垢・無変化のあり方をしているから「勝義」であるとも解釈している。

　いずれにしても「完成されたもの」は認識の対象としても、また存在そのものとしても、最高なるもの、最高の価値をもつものとして考えられている。換言すれば「真実在」なるものである。

　ここで真実在という表現に注意しなければならない。真実在とは「真に有るもの」という意味であるが、この場合の有るとは、いわば、有・無相対の有ではない。つまり「他によるもの」という現象的存在が存在する意味での「有る」とはまったく相違した意味での「有」である。「完成されたもの」（円成実自性）すなわち勝義は「無を自性とする」「一切法法無我性」「一切法無自性性」「無《む》戯《け》論《ろん》我法性」と定義される。つまり勝義とは一切法を否定したところに顕われる真なるものである。このように一切法の否定を通して得られるという意味で勝義がそのまま無自性であると考え、円成実自性は勝義無自性であるという。一切法とは現象世界すべてをいい、有・無相対の対立世界である。その対立世界を無とした世界すなわち勝義の世界は、もはや対立世界ではないから有・無相対が通用しない。したがって「完成されたもの」＝「勝義」が有るといっても、それはいわば「絶対的有」である。換言すればそれは「絶対的無」に裏づけされた「有」である。その点を勝義無自性という否定的表現で言い表わそうとしたのであろう。

以上を術語でまとめるとつぎのようになる。

		（喩）
遍計所執自性	相無自性	空華
依他起自性	生無自性	幻
円成実自性	勝義無自性	虚空

「一切時においてその如くに存在するから（真如である。）」（第二十五頌c）

とくに真如について

この頌文は、「完成されたもの」が真如といわれる理由を述べた部分である。前の部分（第二十五頌a―b）で「完成されたもの」を勝義と真如という二語でとらえている。すなわち「完成されたもの」はたんに勝義といわれるだけでなく、それはまた真如ともいわれる。スティラマティはさらに「法界（dharma-dhātu）の同義語に属するあらゆる語によっても表現される」と説明する。ヴィニィータ・デーヴァ（調伏天《ちょうぶく》）は同義語として空性・実際・無相・不二性・無分別界・不可言性・不生不滅・無為・涅槃などをあげている。このほか法性という語も同義語としてあげられよう。

このように円成実自性（完成されたもの）には数多くの同義語があるが、とくにそれらのなかでもっとも多く用いられるのが真如である。初期唯識論者はほとんど「円成実自性とは真如である」と定義している。ヴァスバンドゥもその立場をうけつぎ、この頌のなかで円成実自性の同義語として「真如」をあげたのであろう。そしてこの真如の語義解釈として〈その如くに存在するから〉（tathā-bhāvāt）真如（tathatā）であると説明する。このほか、真如の語義解釈としては、「つねにその如くであるから」（nityan tathāiva）とも説明されている。真如の原語 tathatā は「その如くに」（tathā）という副詞に抽象名詞をつくる接尾語 -tā を付したものであり、「ありのままに存在すること」あるいは「ありのままに存在するもの」を意味する。真如とは「聖智の所行、聖智の境界」「無分別智の境」「般若の境」といわれるように、主観と客観との対立を滅した清浄なる智慧のこころに現われてくる、存在のありのままの相《すがた》である。われわれの日常的なこころは、さまざまな概念や感情・思い、仏教的にいえば、数多くの煩悩、こころの汚れによって汚染され、存在をありのままに見ることができない。そのようなこころの汚れをのちに述べる唯識観という修行によってとり除くとき、存在がありのままの相としてこころに現ずるのである。だが逆に真如の側からいえば、それはいかなるとき、いかなる場所においても、つねに存在し、しかも変化することなく存在しつづける真実性である。

(vi) 唯識性

「それがまさに唯識性である。」（第二十五頌d）

唯識たることの意味

「完成されたもの」（円成実自性）は真如といわれるが、それはまた「唯識性」ともいわれる。唯識性とは原語で vijñapti-mātratā という。すなわち「すべては唯だ識にすぎない」という語 vijñapti-mātra に抽象名詞を作る接尾語 -tā を付したものであり「唯識たること」というのがその原意である。瑜伽行唯識派はこの語によって究極的真理を表わそうとした。では具体的にはこの語はなにを意味するのか。

瑜伽行唯識派は究極的真理を表わすのに pariniṣpanna-svabhāva（完成されたもの＝円成実自性）という語をもちいる。ところでスティラマティはこの語に対して、つぎのように二通りに解釈する。

(1)不変異（avikāra）として完成されたもの

(2)不顛倒（aviparyāsa）として完成されたもの

このうち(1)は変化することなき不動の真如をいい、(2)は顛倒《てんどう》すなわち誤認することなき無分別智をいう。(2)の無分別智とは分別なき智慧である。主観と客観との対立をなくし、Aあるいは非Aと分別しない認識であり、真理・真実（真如）を主客未分の状態で把握するところである。別名、出世間智ともいわれる。この無分別智・出世間智の対象が真如である。

このように円成実自性（完成されたもの）は一つは主観としての無分別智、もう一つは客観としての真如を意味する。もちろん主観・客観といってもこの場合は主客未分の状態であるから、一つの真理・真実があるのみである。その一つのものをあえて反省的にとらえるとき、それを無分別智と真如とにわける。

さて、右の第二十五頌dの〈それがまさに唯識性である〉という語によって「現観」を説くのであるとスティラマティは解釈する。現観とは、真理・真実すなわち真如を智慧（無分別智）によって見ることである。が、スティラマティが右の頌文が現観を説くものと解釈することは、かれがこの場合の「唯識性」を客観としての真如ではなくて主観としての無分別智としてとらえようとしたことを意味する。ヴィニィータ・デーヴァは明白に出世間智が唯識性という語で表わされていると註釈している。なおアサンガも『摂大乗論』のなかで唯識性を「如理作意に属する意言」であると説く。意言とは「意地の尋思」あるいは「意識」と説明されるように主観の側に属するこころの働きである。また真諦は『摂人乗論』にみられる

vijñapti-mātratā（唯識性）を「唯識観」と漢訳する。すなわち究極的真理に到達するための観法とみなした。

いずれにしても円成実自性（完成されたもの）は唯識性であり、それは真理の世界に到達するための方便としてのこころであり、また到達しきったときのこころである。

ではわれわれはどのようにこころを変革して真理・真実に到達することができるのか。それについて第二十六頌以下、瑜伽行唯識派が説く修行の過程を論ずるのである。

3　唯識の修行過程

(i)資糧道

「唯識性に識が住しないかぎり、二つの執著〔を生ずる〕潜在力は消滅しない」（第二十六頌）

修行の五段階

以下は瑜伽行唯識派の説く修行の段階を述べる。修行の過程は大きくつぎの五段階にわけられる。

⑴資糧位
⑵加行位
⑶通達位
⑷修習位
⑸究竟位

この五つの段階をまず略説すると、最初の資糧位とは、最高のさとり（無上正覚《しょうがく》）を得るための糧《かて》として福徳と智慧という二つの貯え（資糧）を積む段階をいう。「すべては唯だ識のみである」という道理を聞いてそれを深く信じるようになるが、しかしいまだ唯識たることと（唯識性）に自己自身がなりきっていない段階である。つぎの加行位とは、唯識たることになりきろうと一層の努力をする段階をいう。通達位とは、主観と客観との対立が消滅し、主客未分の無分別智によって真理・真実（真如）をはじめて見る段階である。修習位とは、真理を見たのち、無分別智をくりかえし働かせることによって残りの煩悩を一つ一つ滅してゆき、自己のこころをますます清らかにしてゆく段階である。最後の究竟位とは、自己のこころのなかからありとあらゆる汚れをとり除き、完全に清らかになった状態、すなわち仏陀（覚者）の位をいう。

以上五つの位を順次に経ることによってしだいしだいに自己のこころを汚れから清浄へと変革せしめてゆくわけであるが、その場合のこころのあり方を唯識的に説いたのがこの二十六頌以下の頌文である。ただここではいまだ前述した五つの段階に明確に区別した形としては説かれていない。ただスティラマティはこの五つにわけて解釈しようとしているし、『成唯識論』では第二十六頌以下の五頌は明白に五つの段階を述べたものであるという立場より解釈している。いまここでもこれらの見解にそって以下の頌文を解釈してみよう。

唯識に住し潜在力をなくす

まず右にあげた第二十六頌は最初の資糧位の一部に属するが、とくにこの頌は、日常的な主客二分の認識がなぜ生ずるかを述べたものである。

唯識思想では存在するものは唯だ識のみ、こころのみであると主張する。それでは、なぜわれわれは、いろや香や味や感触をもつ対象的事物を認識することがあるのかという疑問がおこる。換言すれば、こころはなぜ主観としてのこころと客観としてのこころに二分化するのかという疑問である。これに対して第二十六頌で〈唯識性に識が住しないかぎり、二つの執著〔を生ずる〕潜在力は消滅しない〉と答える。

唯識性とは心法性ともいわれ、こころの本来的なあり方、すなわち本性をいう。こころの本性とは、主観（能取）と客観（所取）との二元的対立がない状態である。したがってこころがそのような本来的な一元のあり方に還るとき、「識は唯識性に住する」という。だが日常的なこころは、そのような主客一元のあり方に住することなく、つねに主観と客観との対立のうえに認識活動を行ない、しかも、主観なり客観なりに執著する。ここを頌では「二つの執著」という。「二つ」とは認識するもの（能取）と認識されるもの（所取）とである。

ところでこのようなこころの働きは、その影響をアーラヤ識のなかにとどめる。それを「二つの執著〔を生ずる〕潜在力」という。「潜在力」と訳した原語は anuśaya であり、ふつう「随眠」と漢訳される。随眠とは「有情に随逐し蔵識に眠伏する」と解釈されるように、つねにわれわれにあい随い、深層的なアーラヤ識のなかに潜伏しているもの、つまり「種子」のことである。二つの執著を生ずる潜在力とは、二つの執著を生ずる種子のことである。いまここでは種子・随眠を潜在力と訳した。なぜなら、主観と客観とに執著するわれわれのこころの活動は、即座にその影響を種子としてアーラヤ識のなかにとどめる。そしてそのとどめられた種子が潜在力となって維持され、未来においてふたたび主観と客観とに二分化されたこころを生ずるからである。なぜこの現象世界は多様化されているのか、なぜ主観と客観とが対立するのか、なぜこころは二つに分離するのか――これに対して、瑜伽行唯識派は現実のこころの働き（業）とその働きの影響（種子）との相互因果関係によって説明する。

事物への執著と自己存在への執著、この二つの執著は、根本的には、こころがこころそのものの本来的なあり方、すなわち主・客の対立なき一元の唯識性にたちもどらないかぎりなくなることはない、と右の一頌は説く。

「この〔すべて〕は唯だ識のみであると理解するから、なにものかを現前に立たしめるので、唯だそれにのみ住しない。」(第二十七頌)

唯識であると考えてはいけない

この一頌は、「唯識である」ということをたんに知的に概念的に理解すべきでないことをいましめたものである。〈この〔すべて〕は唯だ識のみであると理解する〉とは、外界には事物は存在しなく、存在するものは唯だ識のみであると理解することである。ここでいう理解する(upalambha)とは概念的に理解することである。真理・真実と一体になりそれを直《じ》かに認識することをサンスクリットでadhigamaといい、「了解《りょうげ》」「通達」などと漢訳するが、この場合の理解はそのような認識ではなく、「すべては唯だ識である」とひとから聞く、あるいは経論で読んでそれをいわば知的に理解することである。

たしかにわれわれはすぐには「すべては唯識である」という真理そのもの(唯識性)を体得することはできない。したがってまずは唯識であることを経論から学びそれを理論的に理解しなければならない。もちろん理論的に理解するといっても、たんにそれを知識としてとらえるのではなく、奢摩他《しゃまた》・毘鉢舎那というヨーガの実践を通して「唯識たること」をもはや疑うにも疑うことのできない明晰判明な真理として理解する。

だがそれは、あくまで唯識たることを観念としてとらえている段階である。そこを頌は

〈なにものかを現前に立たしめる〉という。「一切は唯識である」「こころをはなれては事物は存在しない」という意識がすこしでもあるかぎり、唯識たることをいわば対象としてとらえ、やはりそこではこころは主観と客観とに二分化され、こころはその本来の一元的なあり方に還っていない。そこを頌で〈唯だそれのみに住しない〉と説く。唯だそれのみに住するとは、こころがこころのみに住することである。つまり唯心に住することであり、いかなる観念や表象をもつことなく、こころが本来の自己のあり方に復帰することである。

だが、唯識であることを概念としてとらえているかぎり、それはけっして唯識たることそのもののなかに住していないのである、と右の一頌は警告する。

(ii) 加行道

「こころで識が対象を認識しないとき、そのとき唯識性に住する。なぜなら認識されるものが存在しないときは、それを認識しないからである。」（第二十八頌）

対象の無から認識の無へ

右の一頌は修行の段階が一段と進み、こころがこころそのもの、こころの本性に住する段階を説く。〈識が対象を認識しないとき〉とは、こころが、いろや形、あるいは音や香などをこころをはなれて存在するものとしては見たり聞いたり嗅いだりしないことをいう。あるいは「すべては唯だ識である」という教説を観念としてこころのなかにたてないことをいう。すなわちまったくこころのなかから認識対象がなくなったとき、そのとき〈唯識性に住する〉という。唯識性に住するとは、自己のこころの本性に住することである。あるいは唯心に住することである。そして、その原因を〈なぜなら認識されるものが存在しないときはそれを認識しないからである〉と説く。瑜伽行唯識派は、認識作用を構成する二つの要素、すなわち「認識されるもの」と「認識するもの」とをgrāhyaとgrāhakaという語で表現する。ふつう前者を「所取」、後者を「能取」と漢訳する。そして、所取と能取とは一方の存在のうえに他方の存在が可能であるという相依関係より、「所取が存在しないから能取も存在しない」と結論する。この思想はのちに中国にはいって「境識倶泯《きょうしきくみん》」とよばれ、こころが主客の対立をなくす論理的根拠として瑜伽行唯識派がしばしば用いる有名な論理となった。たしかにこの論理はもっともである。所取と能取とは二つの蘆《あし》の束のように相依って存在するから、一方が存在しなければ他方も存在しない。だがこの境識倶泯の思想はいわば論理的に導きだされたものではない。それは、客観と主観との対立なき唯心の世界をくりかえしくりかえし体験したヨーガ行者の体験から演繹されたものであろう。

瑜伽行唯識派の修行はとくに唯識観とよばれる。「唯識であること」を観る、すなわち認識する観法である。だが最終的には「唯識である」という認識をもなくさなければならない。唯識観はマイトレーヤ（弥勒）の『中辺分別論頌』『法法性分別論』においてつぎのような段階を経ると考えられるにいたった。

①唯識の認識→②対象の非認識→③唯識の非認識

まず最初に、存在するのは唯だ識のみであると認識する。それによってつぎにこころを離れて存在すると考えられていた認識対象の存在が否定される。そして最後に認識対象が否定されるから、認識する識の存在も否定され、唯識であるという認識そのものもなくなってしまう。

このように「唯識たること」はまずはこころのなかで操作される観念である。だがその観念が自己の意識のなかで徐々につちかわれ、その観念が身心全域にゆきわたり、唯識たることになりきるとき、突如としてその観念さえもが消え失せ、広大無辺の真実界に突入する。その真実界に関する叙述がつぎの第二十九頌と第三十頌との二頌である。

(iii) 見道・修道・究竟道

「これは無心であり無得である。そしてそれは出世間智であり、所依の転である。二種の麁重を断じたから。」（第二十九頌）

「これがまさに無漏であり、界であり、不思議であり、善であり、堅である。これは楽であり、解脱身である。これは大牟尼の法といわれる。」（第三十頌）

真理を見抜き修行を完成する

スティラマティはこの二頌は、唯識性に悟入したヨーガ行者の見道（真理を見る段階）と勝進道（さらに修行を進める段階）と果円満（修行が完成し仏陀となる段階）との三段階を表わしたものであると註釈している。だが具体的には右の頌文中のどの部分がこの三段階に相応するかは述べられていない。なお勝進道は修習位、果円満は究竟位のことである。『成唯識論』は第二十九頌が修習位、第三十頌が究竟位をそれぞれ表わしたものであると解釈している。

右の二頌は、唯識たることになりきり、こころが唯識性に住したとき、それがどのように言い表わされるかを述べたものである。

〈これは無心であり無得である〉とは、「認識するもの」（能取のこころ）が存在しないから無心であり、「認識されるもの」（所取の対象）を認識しないから無得であることをいう。〈そしてそれは出世間智であり〉とは、唯識性に住したこころは、主観と客観との対立した世間的なこころではなく、世間においておこることがなく、主観と客観との対立をなくしたもの（無分別）であり、世間を超えたものであるから出世間智という。この智は、いわば真理・真実すなわち真如と一枚になりきったこころである。そして修道位においてこの智をたびたびおこすことによってしだいしだいにこころのなかの汚れをとりのぞいてゆく。なお、真如そのものをみる智を「根本無分別智」といい、それ以後に得られ、ふたたび世間のなかで働く智のことを「後得清浄世間智」あるいはたんに「後得智」という。

とくに転依について

〈所依の転である〉とは、所依すなわち自己存在を汚れた状態から清浄なる状態に変化せしめる過程あるいはその結果をいう。ひとことで「転依」といわれる。所依の原語はāśrayaであり、ā-√śri（依る、たよる）という動詞からできた名詞形であり「ある何ものかがそれに依りかかるところのもの」というのが原意である。この場合には、身体とこころとからなる人格的個体をいう。それは、総じていえば「五蘊」であるが、識のみの存在しか認めない瑜伽行唯識派の立場からすれば、根源的識であるアーラヤ識をさす。スティラマティはこの場合の所依はあらゆる種子をもつアーラヤ識であると註釈している。

所依を転じるとは所依を変化することである。自己存在全体を「汚れ」「迷い」の状態から「清浄」「悟り」の状態へと変化することである。その変化の具体的内容を〈二種の麁重を断じたから〉と説く。二種の麁重とは煩悩障と所知障との二つの麁重をいう。麁重とは、潜在的には、アーラヤ識中にある悪の種子、すなわち自己存在を根源的に束縛する潜在力であり、顕在的には、その潜在力が具体的に働いて、身体的にも精神的にも不自由となった状態（身心の不堪能性）をいう。われわれの存在を束縛し、われわれが悟りに達することをさまたげている障害には二つある。それを煩悩障と所知障という。煩悩障とは、いわば情意的なこころの汚れであり、「自我は存在する」とみる執著（我執）を起源とする。所知障とは知的なこころの汚れであり、「こころをはなれて事物は実在する」とみる執著（法執）を起源とする。この二種の障害を生みだす潜在力（種子）をアーラヤ識のなかからなくすことを「二種の麁重を断ずる」という。これが転依の過程の具体的内容である。

まえに所依を転ずるとは、所依を転ずる過程とその結果であるといった。では転依した結果得られるものは何か。スティラマティはそれは、①身体とこころとの自由（身心の不堪能性）と②真理としての身体（法身《ほっしん》）と③主客の対立なき智慧（無二智）とを得ると述べる。『成唯識論』によればつぎの二つの結果を得るという。

①煩悩障を断じて涅槃を得る。

②所知障を断じて菩提を得る。

煩悩障とはいわば情意的なこころの汚れであるが、それを断ずることによって涅槃すなわち煩悩の火が吹き消えた、平安でやすらぎにみちた状態を得る。所知障とは「知るべきもの」すなわち真理・真実（真如）を知ることをさまたげるこころの汚れであるが、これを断ずることによって、菩提すなわち真理・真実をさとる智慧を得る。涅槃と菩提との二つを得るとは、存在的には生死輪廻の苦しみから脱れて安楽な世界に住することであり、知的には、無明の闇におおわれて無知蒙昧《むちもうまい》であることから脱れて、真実を見抜く智慧を得ることである。

なお識一元論の立場から、転依とは「識を転じて智を得ること」（転識得智）であるとも定義される。具体的にはつぎのように八つの識が変化して四つの智を得ることである。

アーラヤ識→大円鏡智
マ　ナ　識→平等性智
意　　　識→妙観察智
五　　　識→成所作智

つぎに第三十頌の解釈にうつる。

汚れなき安楽の世界

〈これがまさに無漏であり〉とは、すでに所依を転じたものはあらゆる悪の種子をなくしてしまったのであるから漏《ろ》すなわち「こころの汚れ」（煩悩）がおこらないことをいう。〈界であり〉とは、この場合の界（dhātu）とは原因（hetu）という意味で、聖法すなわち釈尊が説かれたもろもろの教法の原因となるということをいう。釈尊の教法を「十二分教」と総称するが、この教法は、根源的な真実界にその存在根拠を有すると瑜伽行唯識派は考え、その真実界を「法界」とよび、釈尊の教えはこの法界から流れでたものと考えて、十二分教のことを「法界等流の法」とよぶ。

〈不思議であり〉とは、所依を転じたものは概念的思考の対象とはならず（尋思を超過する）、各人が自らのこころで内的に直接体得すべきものであり（自内証）、いかなる譬《たと》えによってもそれを表現することができないから不思議であることをいう。

〈善であり〉とは、それは清浄なる対象であり、安穏なるものであり、煩悩なき無漏の法から成り立っているから善であることをいう。

〈堅である〉とは、それは尽きてなくなってしまうことなくつねに存在しつづけるから堅であることをいう。

〈これは楽であり〉とは、それはつねに存在しつづけるから楽であるという。なぜなら無常なるものは苦であるが、この所依を転じたものはつねなるものであるから楽であることをいう。

〈解脱身である〉とは声聞と独覚の者は、情意的な汚れ、すなわち煩悩障を断ずるから解脱身であることをいう。

〈これは大牟尼の法といわれる〉とは、仏陀すなわち覚者は情意的な汚れに加えて知的な汚れ、すなわち所知障をも断ずるから「法身」と称せられることをいう。つまり、声聞と独覚の二乗（小乗）の人びとはたんに煩悩障を断じて解脱身を得るのに対して、大乗の人びとは、所知障をも断じて法身を得る。解脱身と法身という語によって小乗と大乗の優劣を表わそうとする。なお、最高の寂黙性を有するから大牟尼といわれる。牟尼（muni）とは沈黙した人のことをいい、広くインドにおいて聖者を意味することばである。

Ⅳ　ヴァスバンドゥ以後

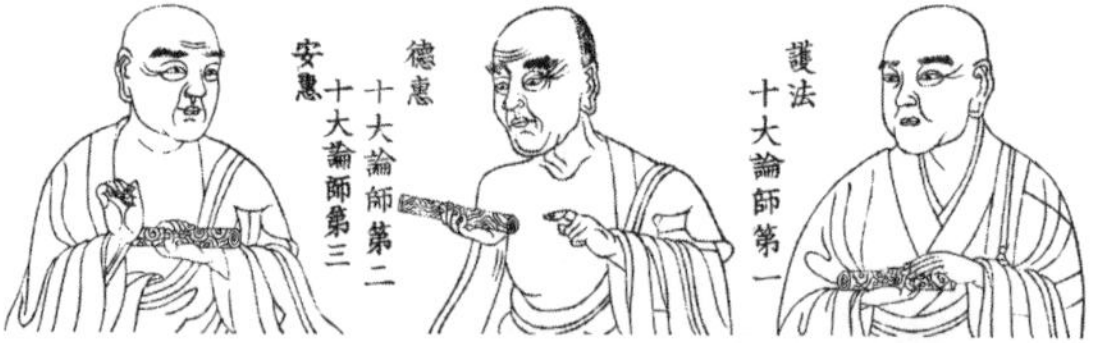

十大論師のうちの（右から）護法，徳慧，安慧

冠導
増補成唯識論巻第一
護法等菩薩造　三藏法師玄奘奉　詔譯
扶桑雒陽泉山比丘　旭雅　著作
稽首唯識性滿分清淨者我今釋彼說利樂諸有情
今造此論為於二空有迷謬者生正解故生
解為斷二重障故由我法執二障具生若證
二空彼障隨斷斷障為得二勝果故由斷續
生煩惱障故證真解脫由斷礙解所知障故
得大菩提又為開示謬執我法迷唯識者令

『冠導増補成唯識論』

1　インドにおける発展

『唯識三十頌』に対する註釈家たち

ヴァスバンドゥの『唯識三十頌』作成は瑜伽行唯識派の歴史における一つの画期的できごとであった。一つはマイトレーヤからアサンガへと発展したそれまでの唯識説を、新たな理論を導入して集大成した、という意味で、そしてもう一つは、この『唯識三十頌』以後、その解釈をめぐって議論が噴出し、瑜伽行派内に意見の対立を生じ、内部分裂を起こす結果を招くにいたったという意味で、この作品は画期的なものであった。

ヴァスバンドゥが高齢のため『唯識三十頌』に自ら註釈をほどこすことなく没したことが原因となって、その内容をめぐって多くの異論が生じた。『唯識三十頌』の註釈者としては、玄奘《げんじょう》が伝える十人の論師すなわち十大論師があげられる。十大論師とは（漢訳名で列記すると）、親勝・火辨・徳慧・安慧・難陀《なんだ》・浄月・護法・勝友・最勝子・智月の十人である。しかしこれらの十人はあくまで玄奘の伝来によるものであり、かれら以外にも重要な論師がいた。たとえば、のちに言及する、有相《うそう》唯識派の祖ともいえる陳那《じんな》、あるいは、『唯識三十頌』の安慧釈をさらに註釈した調伏天、さらには無性《むしょう》などは十大論師の中に入っていない。

いずれにしても玄奘はこれら十人の註釈をインドで修学し、帰国後、護法すなわちダルマパーラの説を正統説とする立場より、これら十人の諸説を批判的に織り込んで作りあげたものが『成唯識論』十巻である。この十人の註釈のうち、サンスクリット原本が現存するのは、安慧すなわちスティラマティの註釈書（Triṃśikā-vijñapti-bhāṣya）だけである。玄奘がダルマパーラの説を正統説とするのは、かれがインドで師事した戒賢《かいげん》すなわちシーラバドラの師がダルマパーラであったからである。ダルマパーラ自身の手になるサンスクリット原本は現存しないが、かれの説は『成唯識論』を通してほぼその全貌を知ることができる。その他の註釈者の説は『成唯識論』を通して断片的に知られうるのみである。親勝と火辨とはヴァスバンドゥと同年代といわれるが、ほとんどその名のみが伝わり、詳細は不明である。

瑜伽行派の流れ

瑜伽行派《ゆがぎょう》は文献としては『瑜伽師地論』あるいは『解深密経』にその源を発する。他方、人物的には、マイトレーヤ（弥勒《みろく》）を祖とするといわれる。しかし、マイトレーヤは信仰上の天上の人物であると考え、かれを史的人物としての祖とする見解に反対する説もある。

それはとにかく、いまマイトレーヤを史的人物とみなす立場に立って、かれ以後の瑜伽行派の流れを人名によってまとめてみよう。ヴァスバンドゥの場合と同様、他の論師たちの年代についても、ダルマパーラ（護法）とシーラバドラ（戒賢）を除いて、確定したものはない。いま、諸学者の説を考慮して想定した平川彰説を引用紹介させてもらうことにする（平川彰著『インド仏教史』下巻、三三三ページの図にもとづく）。

瑜伽行派はヴァスバンドゥ以後、次ページの図のように三系統に分かれていった。このうち難陀《なんだ》→勝軍の系統は委細不明である。もっとも重要な分裂は、ディグナーガにはじまる有《う》相《そう》唯識派と、グナマティにはじまる無《む》相《そう》唯識派とに分かれたことであった。グナマティ→スティラマティの流れは、真諦によってその思想の一部が中国にもたらされ、「摂論宗《しょうろん》」の成立をみた。またディグナーガ→アスヴァバーヴァ→ダルマパーラの流れは、シーラバドラを通して玄奘によって中国に伝えられ「法相宗《ほっそう》」となって栄えた。

この二派の対立内容については後述することにして、まずヴァスバンドゥ以後の、二、三の重要な論師について紹介しておこう。

新しい論理学の出現

まず有相唯識派の開祖とでもいうべきディグナーガ（陳那《じんな》）は南インドの人で、数多くの著作を残している。かれの最大の業績は、仏教の論理学（因明《いんみょう》）の領域において従来の「因の三相」に新たに「九句因」という理論を加えて、それまでの比喩的論証を演繹的論証に改め、いわゆる新因明という新しい論理学を確立したことである。論理学の主著として『集量《じゅりょう》論』があるがチベット訳のみしか現存しない。このほか、漢訳のみが存する『因明正理門

マイトレーヤ
(弥勒)
(c. 350〜430)
│
アサンガ
(無著)
(c. 395〜470)
│
ヴァスバンドゥ
(世親)
(c. 400〜480)

- 親勝
  - グナマティ (徳慧) (c. 〜490〜)
    - スティラマティ (安慧) (c. 510〜570)
- 火辨
  - ディグナーガ (陳那) (c. 480〜540)
    - アスヴァバーヴァ (無性) (c. 〜500〜)
      - ダルマパーラ (護法) (530〜561)
        - シーラバドラ (戒賢) (529〜645)
          - ダルマキールティ (法称) (c. 〜650〜)
- 難陀
  - 勝軍

論』にはかれの論理学が簡潔にまとめられている。ディグナーガの新因明はその後ダルマキールティ（法称《ほっしょう》）に受けつがれ、さらに綿密なものとなった。

ディグナーガの唯識説は『取因仮設論』『無相思塵論』（＝観所縁論）『解捲《げけん》論』（＝掌中

論）などに述べられているが、かれはアーラヤ識やマナ識をたてず、六識によってのみ唯識無境の理を論じたことで有名である。

認識の心的要素

ディグナーガは、認識は所取分と能取分と自証分という三つの心的要素から成立するという、「三分説」をたてたことでも有名である。

事象を所取（認識されるもの）と能取（認識するもの）とにわけて観察する方法はすでに部派仏教にもみとめられる。この所取・能取という語はマイトレーヤによって瑜伽行派の中に重要概念として採用され、客観と主観というこころの二大要素を示すことばとなった。主観のこころと客観のこころとによって、ある一つの認識が行なわれるのであるが、ディグナーガは、その認識作用の結果をさらに確認する作用が存在しなければならない、という見解から、所取分・能取分に加えて、自証分というもう一つ別の心的要素をたてた。自証とは自らが自らを証するという意味であり、所取と能取とからなる認識作用を確認するという自証分の働きをまって、ある一つの認識作用が完了することになるという。

のちにダルマパーラ（護法）は自証分の働きをさらに証する働きの必要性をみとめる立場から新たに証自証分を加え、相分・見分・自証分・証自証分の「四分説」を唱えるにいたった。なお玄奘の伝承によれば、スティラマティ（安慧）は識の一分説を、ナンダ（難陀）は二分説を唱えたといわれる。これによって、認識作用がいくつのこころの要素から成立するかは、瑜伽行派の大きな問題であり、それに関して意見の対立したことが知られる。

註釈家として重要な論師

ディグナーガの系統の人としてアスヴァバーヴァ（無性《むしょう》）がいる。かれ自身の著作は伝わっておらず、ただアサンガの『摂大乗論』あるいは、マイトレーヤの『大乗荘厳経論』に対する註釈が現存するだけである。かれはディグナーガと相違してアーラヤ識を重視したこと、および、のちのダルマパーラと近い説がいくつかみとめられること、などから、かれはディグナーガからダルマパーラに至る橋渡し的存在であったと考えられる。

無相唯識派の論師として重要なのがスティラマティ（安慧《あんね》）である。かれの場合もまたかれ自身の著作は伝わらず、ヴァスバンドゥの『倶舎論』『大乗五蘊論』『唯識三十頌』『中辺分別論釈』『大乗荘厳経論』などの著作に対する註釈が残っているのみである。かれは、有相唯識派に属する同時代のダルマパーラが従来とは異なった新説を多く唱えたのとは対照的に、『解深密経』や『瑜伽師地論』を典拠として、主としてヴァスバンドゥの著作を、その内容に忠実に解釈しようとした註釈家であった。とくに『唯識三十頌』と『中辺分別論釈』に対する註釈は、いずれもサンスクリット本が現存し、ヴァスバンドゥまでの思想を研究するうえで貴重な資料である。

新たな唯識説を組織体系化したダルマパーラ

ヴァスバンドゥがそれまでの唯識説を『唯識三十頌』によって新たに組織体系化したように、ダルマパーラはその主著『成唯識論』において、ヴァスバンドゥ以後の多くの論師たちの諸見解を取捨検討し、同時に自己独自の見解を織り込みつつ、より綿密かつ整理された新たな唯識説を作り上げた。その意味でヴァスバンドゥ以後における最も重要な人物である。

かれは南インドの出身で、若くしてナーランダ大僧院の学長となり、二十九歳で隠退、三十二歳で夭折した。著作としては主著『成唯識論』のほかに『大乗広百論釈論』『成唯識宝生論』『観所縁論釈』などがある。

ダルマパーラの基本的立場は「道理世俗」の立場に立つ。道理世俗とは、因縁より生じた存在の構成要素である五蘊・十二処・十八界を世俗的真理としてその存在をみとめ、その分析解明を主な目的とする立場である。この態度はまた「性相別体」論ともいわれる。すなわち法《ダルマ》をその本性と具体的相《すがた》とにさっぱりと区別し、法の相（法相）つまり具体的現象界（こころのさまざまな相）の分析を通して真実なる本性に迫ろうとする態度である。マイトレーヤにはじまりアサンガ、ヴァスバンドゥをへて無相唯識派のスティラマティへと連なってゆく系統では、認識の対象（境）も、それを認識するこころ（識）も、いずれも存在しないとみる「境識倶泯《きょうしきくみん》」の立場を強調するのに対して、ダルマパーラは、こころ（識）の存在をみとめたうえで、さまざまな現象を分析し、それによって現象の本性にたどりつこうとする実践行の確立を目指したといえよう。

このような、いわば差別的な現象界（法相）を重要視する立場は人間観としては「五姓《ごしょう》各別」論となって展開された。五姓各別とは、人間を菩薩・独覚・声聞・不定・無姓の五グループにわけ、たとえば最後の無姓の人には、仏陀すなわち覚者となる可能性がまったくないとみる見解である。

ダルマパーラはこのほかにもさまざまな新説を唱えたが、いま一つヴァスバンドゥと関係する思想についてのかれの見解を紹介しておこう。ヴァスバンドゥが『唯識三十頌』でうちだした「転変」を、かれは、変化する識と、その識が変化して生じた現象界のさまざまな相《すがた》とにわけて、それぞれ「能変」と「所変」と称した。そして能変をさらに因能変と果能変とにわけ、因能変とはアーラヤ識中の種子が能《よ》く転変して七識を生ずることであり、果能変とは生じた識の本体（自証分）が能く変現して相分と見分とに似ることである、という新しい説を唱えた。

ダルマパーラはまれにみる、組織体系化にすぐれた人物であった。かれによってみごとに体系化された唯識説は玄奘によってそのまま中国に伝えられ、それはさらに玄奘の弟子である慈恩大師窺基《きき》によって一層組織化されて法相宗の教説となるにいたった。

無相唯識派と有相唯識派

いま、一本の鉛筆を知覚する場合を例にとって考えてみよう。鉛筆を知覚する場合、鉛筆という像すなわち相《すがた》がこころのなかに現われてくる。このように知覚作用によってこころの中に生じてくる表象ないし影像をインド哲学では一般にアーカーラ（ākāra）といい、ふつう「相」「行相」と漢訳される。いまここでは「形相」と訳しておく。

ところでこの鉛筆という形相が、こころの外に存在する鉛筆そのものに属するのか、それとも、こころの側に属するのか、という点でインドの諸学派は二つのグループに意見が対立する。前者は、鉛筆を知覚するとは、外界に存在する鉛筆の形相をそのまま認識すると考えるのに対して、後者はこころのなかに生じた形相によって、外界の鉛筆の存在を推量すると考える。前者は「無相識論」（Nirākāra-jñānavāda）、後者は「有相識論」（Sākāra-jñānavāda）とよばれ、瑜伽行唯識派以外の学派についていえば、ニヤーヤ・ヴァイシェーシカ派、バーッタ・ミーマーンサー派、毘婆沙師《びばしゃし》が無相識論に、サーンキヤ派、ヴェーダーンタ派、経量部《きょうりょうぶ》などが有相識論に属する。

さて、瑜伽行唯識派はこころ、すなわち識のみの存在をみとめ、外界に事物の存在をみとめない。したがってこころのなかの形相は、こころ自身が作り出したもの、つまり、「こころが自己のこころのみを見る」という基本的立場に立つから、当然、この派は有相識論に属する。

ところで、こころのなかの形相の存在性をめぐって瑜伽行唯識派のなかで二学派の対立が生じた。この二学派はのちに八世紀のシャーンタラクシタ（寂護《じゃくご》）の『中観荘厳論』や、『智心髄集』に対するボーディバドラ（覚賢、十―十一世紀）の註釈のなかで「無相唯識派」(Nirākāra-vijñānavādin) と「有相唯識派」(Sākāra-vijñānavādin) とよばれるにいたった。

両派の最大の相違点は、無相唯識派がこころのなかの形相を非実在であり虚偽であるとみなすのに対し、有相唯識派は形相は一方的に否定されるべきものではなく実在すると考える点にある。三自性説でいえば、形相を前者は遍計所執自性と、後者は依他起自性とみなす。

マイトレーヤ↓アサンガ↓ヴァスバンドゥと形成されてきた唯識説は基本的には無相唯識説である。その理由は以下のごとくである。因縁所生の法として存在する現象界の基本的構成物すなわち依他起自性は「虚妄《こもう》分別」とよばれる。この虚妄分別は「認識されるもの」すなわち「所取」と「認識するもの」すなわち「能取」との二元的対立から構成される。このうち、所取は、実際に存在しないのに存在すると分別されたもの、すなわち遍計所執自性であるから非実在である。つぎに所取が非実在であるから、所取との対立の上に存在しうる能取も非存在となる、つまり、「認識されるもの」（境）も「認識するもの」（識）も、ともに存在しない「境識倶泯《きょうしききくみん》」である、と考える。つまりこころのなかに現われる所取と能取という形相はあくまで遍計所執自性であり非実在とみるのがマイトレーヤからヴァスバンドゥまでの立場である。

この「境識倶泯」の立場、あるいは無相唯識派の流れはマイトレーヤ↓アサンガ↓ヴァスバンドゥを経て、六世紀のスティラマティへと伝えられた。さらに八世紀のプラジュニャーカラグプタ、十一世紀のラトナーカラシャーンティ、さらには、瑜伽行中観派の論師であるが、八世紀のシャーンタラクシタ、およびその弟子のカマラシーラ、などもこの派に属するといわれる。

この無相唯識派はこころのなかに現われる種々の表象・形相の虚妄性の自覚から出発して、その虚妄なるものの奥に存在する相なき世界、すなわち「無相の真如」を認識の対象とすることによって真実界に到達することを目的とする。換言すれば、具体的実践によって現象を否定し、それによって現象の本質に迫ろうとする。現象の本質を「真如」あるいは「如来蔵」とよぶ。したがってこのような無相唯識派の見解は当然、真如あるいは如来蔵を重要視する姿勢となって現われる。玄奘以前に中国に唯識説を伝えたパラマールタ（真諦）は無相唯識派に属するといわれるが、かれの思想のなかで如来蔵が重要視されていることも無相唯識派の特徴を示す一つの例証となるであろう。

初期唯識説いらい根本的には無相唯識説であるのに、なぜ有相唯識的な考えが生じてきたのであろうか。有相唯識学派はディグナーガにはじまるといわれる。かれはすでに述べたように論理学の大成者であり、実践というよりもむしろ論理によって「唯識」の理を証明しようと努めた。かれがこのように論理学を重視したことに、有相唯識派が生じた根本原因を見いだすことができよう。なぜなら、こころのなかに顕現する事象の形相は、他者にそれを伝える場合、ことばとなって表現される。そしてことばによる認識ないし判断によって真実に迫ろうとするのが論理学の目的である。この際、自己のことばによる論理が他者にみとめられるためには、自己と他者との間になんらかの共通性がなければならない。この共通性をディグナーガ——広くは有相唯識派の人びと——はこころのなかに現われる形相ないしはことばに求め、それを依他起自性とみなして、その存在性をみとめたといえるであろう。論理学への傾向、これが有相唯識派を生みだすにいたった最大原因である。チベット撰述文献では無相および有相の二派を、アサンガを開祖とする聖教追従派とディグナーガを開祖とする論理追従派とに分類するが、この「論理追従派」という表現は、ディグナーガ↓ダルマパーラ↓ダルマキールティと連なってゆく有相唯識派の特色を端的に示すことばである。この派は論理学を重視したことから現代的には「仏教論理学派」とよばれることがある。またこの派は、経量部の認識論・知識論を多く採り入れたため「経量部瑜伽行派」とよばれることもある。ダルマキールティ以後では、十一世紀のジュニャーナシュリーミトラとラトナキールティとがこの派に属する。

2　中国における発展

唯識説の中国への伝来と三つの系統

中国への仏教の伝来は、紀元後第一世紀といわれるが、唯識説の紹介は五世紀はじめにダルマラクシャ（曇無讖《どんむせん》）が『菩薩地持経』を、グナヴァルマン（求那跋摩《ぐなばつま》）が『菩薩善戒経』を訳出したことにはじまった。

しかしアサンガやヴァスバンドゥなどの思想の伝来は六世紀以後に行なわれた。唯識説の中国への伝来およびその発展は大きくつぎの三つのグループにわけられる。

(1)ボーディルチ（菩提流支《ぼだいるし》）、ラトナマティ（勒那摩提）らによって伝えられ、「地論宗」となったもの。
(2)パラマールタ（真諦）によって伝えられ、「摂論宗《しょうろんしゅう》」となったもの。
(3)玄奘によって伝えられ、「法相宗」となったもの。

以下この三つの宗派について簡単に紹介してみよう。

地論宗

北魏宣武帝の永平元年（五〇八）に中インドのラトナマティ（勒那摩提）、北インドのボーディルチ（菩提流支）とブッダシャーンティ（仏陀扇多《ぶっだせんた》）とが洛陽に来り、宣武帝の命をうけてヴァスバンドゥの『十地経論』およびアサンガの『摂大乗論』を翻訳し、それによってアサンガとヴァスバンドゥの思想が中国にはじめて紹介された。このうち『十地経論』とは『華厳経』の十地品に対するヴァスバンドゥの註釈書である。『華厳経』は『十地経論』訳出以前に訳されており、その思想はすでに中国に知られていた。しかし『十地経論』には唯識説独自の阿梨耶識《ありやしき》（玄奘訳でいう阿頼耶識、すなわちアーラヤ識）というそれまで中国で知られていなかった概念が述べられていることなどから、本論訳出後、急速に本論に対する研究が盛んとなった。『十地経論』を略して『十地論』とよび、本論を所依の論書とする学派をとくに「地論宗」とよぶ。地論宗はのちに、ラトナマティ門下の慧光（四六八―五三七）を祖とする南道派と、ボーディルチ門下の道寵を祖とする北道派とにわかれた。前者は阿梨耶識を無垢純浄の真識、後者はそれを染汚生滅の妄識とみなし、また前者はあらゆる存在は真如から生ずるという真如依持説《しんにょえじ》、後者はあらゆる存在は阿梨耶識から生ずるという梨耶依持説をそれぞれ主張して意見の対立をみた。

二派のうち北道派はまもなく勢力を失い、のちに起こった摂論派に吸収されるにいたった。これに対し南道派は、『大乗義章』の作者として有名な浄影寺の慧遠《えおん》（五二三―五九二）

など数多くのすぐれた学者をだし、地論宗の正統派として六朝から隋にかけて栄えた。しかしこの派も隋末から唐初にかけて摂論宗《しょうろん》あるいは華厳宗に吸収されるにいたった。

摂論宗

摂論宗はパラマールタすなわち真諦（四九九－五六九）によるアサンガの『摂大乗論』およびヴァスバンドゥの『摂大乗論釈論』の訳出に源を発する。翻訳の四大家（羅什《らじゅう》・真諦・玄奘・不空）の一人とされる真諦は、西インドのウッジャイニー国の出身で、梁の武帝に招かれて太清二年（五四八）に梁都の建業に来り、以後、動乱期の中国各地を放浪しながら数多くの翻訳を遂行した。とくにかれがアサンガの『摂大乗論』を翻訳したことによって、教理的に組織体系化された唯識説が中国に知られ、その結果この論に基づいて摂論宗が成立した。

前述したように真諦は梁末から陳にかけての動乱期に中国に在留したという不運にみまわれ、訳業は主として南方の各地を転々としながら行なわれた。古来から南方には老荘の無の思想が根づいていた。したがって仏教では三論宗などの空思想は容易に受け入れられたが、識の有を説く唯識説はなかなか賛同をえられなかった。真諦は自己が信ずる唯識説の流布を自らは見ることなく不遇のうちに没したが、かれの願いは、すぐれた弟子たちによって達成された。また北方の北周・武帝の廃仏運動（五七四）を逃れて南方に避難してきた地論宗の学僧たちが南方において『摂大乗論』に基づく摂論宗の思想に触れてその影響を受け、のちにかれらが北方に帰って摂論宗を宣揚したことは、この派の隆盛に大きく貢献した出来事であった。

のちにこの派は地論宗の北道派を吸収して一時栄えたが、唐代にいたって法相宗が興隆するにいたり、急激に衰退していった。

この派の教説の特徴を要約すれば、阿梨耶識を真妄和合の識とみなしたこと、さらに第八阿梨耶識のほかに純浄で無垢なる第九識をたて、それを阿摩羅《あまら》識と名づけたことである。

法相宗

法相宗《ほっそう》とは玄奘（六〇二—六四）がインドから伝えた唯識説に基づいて創立された学派であり、直接の開祖は玄奘の弟子の慈恩大師窺基《きき》（六三二—八二）とされる。

玄奘は真諦の訳した『十七地経』の完本すなわち『瑜伽師地論』のサンスクリット本を求めて艱難辛苦してインドにおもむき、主としてナーランダ寺院においてシーラバドラ（戒賢）に師事して唯識説を学んだ。インド滞在中、大乗のみならず広く小乗をも習得し、広い学識と数多くのサンスクリット原本とをたずさえて、貞観十九年（六四五）長安に戻った。かれの旅は十七年の長きにもわたった。

帰国後は、インドから持ちかえった経論の翻訳事業に専念し、入寂するまでの十九年間に七十四部千三百三十五巻にもおよぶ翻訳を遂行したといわれている。主な翻訳に、経典として『大般若経』六百巻、『解深密経』五巻、小乗論書として『倶舎論』三十巻、『大毘婆沙論』百巻、唯識論書として『瑜伽師地論』百巻、『摂大乗論』三巻、『成唯識論』十巻などがある。

かれはこのように小乗・大乗にわたる多くの経論を訳したが、かれの最大の目的は、シーラバドラを通して学んだダルマパーラの唯識説を宣揚することにあった。その集大成ともいえるのが、『成唯識論』の翻訳であった。この論書は、すでに述べたように、ヴァスバンドゥの『唯識三十頌』に対する十人の註釈を合揉したものであるが、そのなかでダルマパーラの説が正統とされている。法相宗が別名ダルマパーラの宗、すなわち護法宗といわれる理由はここにある。

玄奘は偉大な翻訳家であった。これに対し玄奘の第一の弟子、窺基は、玄奘によって伝えられた唯識説を一つの体系にまとめあげたすぐれた思想家であった。かれは『成唯識論』に対する註釈書『成唯識論述記』『成唯識論枢要』をはじめ『弁中辺論述記』などの多くの註釈書を作り、護法の唯識説を一宗派の宗旨として組織体系化した。

窺基ののち、慧沼（六五〇―七一四）が『成唯識論了義灯』を、さらにその弟子の智周（六六八―七二三）が『成唯識論演秘』を著わし、護法の唯識説に対する思索検討は一段と深められていった。

地論宗の所依の論書『十地経論』、あるいは摂論宗の『摂大乗論』はともにインド唯識説の一面のみを伝えたものであった。これに対して玄奘は、小乗・大乗にまたがる広範囲な思想を、とくにマイトレーヤ、アサンガ、ヴァスバンドゥからダルマパーラ（護法）にいたるまでのインドのさまざまな唯識説をあますところなく伝えたことによって、その思想体系は精緻かつ重厚なものとなり、法相宗は唐代において一大隆盛をみるにいたった。

法相宗とは、法の相を考究する宗派という意味である。法の相とは、さまざまな現象の具体的な相《すがた》のことである。前述したように、道理世俗に立って差別的現象界（法相）の分析を重要視するダルマパーラの立場を玄奘・窺基らはそのまま受けついで自己の宗派を「法相宗」と名づけた。

この法相宗は、以下に述べるように、唐時代に日本から中国に留学した道昭・智達・玄昉《げんぼう》らによって日本に伝えられた。

３　日本における発展

法相宗の日本への伝来

仏教の日本への公けの伝来は、百済の聖明王が五三八年、欽明天皇に仏像経巻を贈ったことにはじまるとされる。最初は、仏像経巻などの伝来のみであって、あるまとまった宗派の思想が伝えられたわけではなかった。しかし、その後、韓国あるいは中国から、さまざまな宗派の思想が伝来し、奈良時代には、三論・法相・成実・倶舎《くしゃ》・律・華厳の六つの宗派が伝えられた。この六つをまとめて「南都六宗」とよぶ。

このうち法相宗は三論宗についで日本に伝えられた。法相宗の伝来は、次のような、中国への留学僧たちによる四つのルートによって日本にもたらされた。

第一伝は道昭（六二九―七〇〇）による。かれは六五三年、遣唐使の船に乗じて中国に渡り、長安において玄奘について唯識の教理を学んだ。玄奘は当時、帰国後九年目にして諸経論の翻訳にいそしむかたわら、唯識という新しい教理の教授にも意気盛んであった。道昭は玄奘に優遇され、玄奘の高弟・窺基《きき》とともに学ぶことが許されたという。

在唐数年にして六六〇年ごろに帰国。帰国後は元興寺《がんごう》において唯識説の布教につとめた。

弟子に福祉事業家として有名な行基（六六八―七四九）がいる。

第二伝は智通（―六五八―六七四―）・智達による。この二人は、新羅の船にて、道昭におくれること五年の六五八年に入唐《にっとう》し、道昭と同じく玄奘について学んだ。帰国の年代および帰国後の活動については不詳であるが、わずかに、智通が、帰国後、大和の観音寺において法相宗の宣教につとめたことが伝えられている。

第三伝は智鳳（―七〇六―）・智鸞・智雄による。この三名はともに新羅の人で第二伝の智通におくれること四十五年の七〇三年に入唐、すでに玄奘・窺基が没した後であり、法相宗の第三祖・智周について学んだ。帰国の年代は不明。智鳳は帰国後元興寺に住して唯識の理の伝道につとめた。かれの弟子に義淵（―七二八）がいる。

第四伝は玄昉（不詳―七四六）による。かれは智鳳たちにおくれること十四年の七一七年に遣唐使の船に乗じて入唐、智周について修学すること十八年、深い学識と多くの経論とをたずさえて、七三五年に帰国。帰国後は興福寺に住して法相宗の奥儀の宣教につとめた。弟子に、「秋篠《あきしの》の善珠《ぜんじゅ》」といわれる善珠（七二四―七九七）がいる。

右の四伝のうち第一伝の道昭が元興寺《がんごう》で、第四伝の玄昉が興福寺でそれぞれ法相宗の宣揚につとめたことから、とくに元興寺と興福寺とが栄えた。前者は南寺、後者は北寺とよばれ、両派の間で教義の解釈をめぐって意見の対立をみるにいたった。

以後、平安・鎌倉・室町・江戸といくたの盛衰をくりかえしながらも、多くのすぐれた学僧と論書とを生み出した。
　飛鳥時代から明治時代にいたるまでの重要な学僧とその主要著作、およびいく人かについてはその簡単な業績と説明とを一覧表にまとめてみよう。

日本法相宗小年表

飛鳥	奈良
(北寺系・興福寺)	○智鳳 (―七〇六―) 第三伝者。新羅の人。 ○義淵 (―七二八) 智鳳に学ぶ。 ○玄昉 (不詳―七四六) 第四伝者。 ○善珠 (七二四―七九七) 玄昉の弟子。世に「秋篠の善珠」といわれる。 護命とともに、天台・真言と対立。法相唯識の
(南寺系・元興寺) ○道昭 (六二九―七〇〇) 第一伝者。南寺系の祖。 ○智通 (―六五八―六七四―) 第二伝者。	○行基 (六六八―七四九) 各地を遊歴し、社会事業に専念。 ○護命 (七五〇―八三四) 善珠とならんで法相宗の隆盛に努めた。最澄の 円頓戒壇設立に反対した代表者。

大成者。
『唯識義灯増明記』
『唯識分量決』
『因明論疏明灯抄』
『法苑義鏡』

『大乗法相研神章』

平安

○徳一（―八二四―）
最澄と「三一権実」について論争を展開した。

○空晴（八七七―九五七）
衰微しかけた法相宗を復興。
かれの門流を喜多院流とよび、弟子に仲算がいる。

○仲算（九三五―九七六）
世に「松室の仲算」という。応和の宗論において北嶺の良源を論破。
『四分義極略私記』

○真興（九三四―一〇〇四）
世に「子島の真興」という。『成唯識論』の明詮導本に点を加えた。
『唯識義私記』

○蔵俊（一一〇四―一一八〇）
『大乗法相宗名目』

○明詮（七八八―八六八）
世に「音石の明詮」という。『成唯識論』に対する「導註」および「裏書」を作成、以後における日本法相宗教学の指針となった。

（明詮ののちは、元興寺系はふるわず、しだいに興福寺系に合流されていった。）

	鎌　倉	室　町

『因明大疏抄』

『成唯識論同学鈔』の先駆となった『成唯識論本文抄』は蔵俊の作といわれる。

○覚憲（一一三一―一二一二）

蔵俊・貞慶とともに、当時の唯識三大学匠といわれた。

○貞慶（一一五五―一二一三）

法相宗中興の祖。鎌倉時代の新仏教に対抗し、南都旧仏教の復興に努力した。世に「解脱上人」といわれる。

『唯識論尋思抄』

『成唯識論同学鈔』は、蔵俊・貞慶などの論草を貞慶の弟子である良算・興玄たちが編集したものであるといわれる。

○良遍（一一九四―一二五二）

法相宗が衰微してゆくなかにあって、その復興に努めた。かれの主著『観心覚夢鈔』は、その後、唯識思想の入門書として尊重された。

『観心覚夢鈔』

（貞慶・良遍によって法相宗は一時、復興されたが、室町時代に入り、再び衰勢の道を歩みはじめた。）

○光胤（一三九六―一四六八）

『唯識論聞書』

○善念（―一五六〇―）

『成唯識論泉鈔』

江　　戸

○高範（一六五五―一七三三）
『成唯識論訓読記』
『成唯識論口伝抄』

（江戸時代以後は法相宗のなかからよりもむしろ、他派の人びとのなかから、すぐれた唯識学者が出た。その主な人びとをあげると次のごとくである。）

○基弁（一六六一―一七五〇）
『大乗法苑義林章師子吼鈔』

〔真言宗〕
○法住（一七二三―一八〇〇）
○快道（一七五一―一八一〇）
『二十唯識述記権衡鈔』
○戒定（一七五〇―一八〇五）
『二十唯識論帳秘録』

〔華厳宗〕
○鳳潭（一六五九―一七三八）
『成唯識論述記証録』
○覚洲（―一七五六）
『成唯識論述記東海集顕伝』

〔浄土宗〕
○聞証（一六三四―一六八八）
『成唯識論略解』
『略述法相義』

明治	江戸
○佐伯定胤（一八六七—一九五二） 『唯識三類境本質私記』 『新導成唯識論』	
	『百法問答抄私考』 ○信培（一六七五—一七四七） 『成唯識論述記集成編』 ○普寂（一七〇七—一七八一） 『摂大乗論釈略疏』 『成唯識論略疏』 ○佐伯旭雅（一八二八—一八九一） 『冠導増補成唯識論』 『唯識論名所雑記』 〔浄土真宗〕 ○宝雲（一七九一—一八四七） 『唯識三十頌要解』 ○徳龍（一七七二—一八五八） 『解深密経講讃』 ○秀存（一七八八—一八六〇） 『唯識三類境（選要）講義』

右の年表にそって、日本における法相宗の発展を、主な学僧の業績や著作、あるいは主要な教義（主として論争点）にまとをしぼって略説してみよう。

日本法相宗の大成者としての善珠と護命

前述した四つのルートをへて日本にもたらされた法相宗は、主として玄昉の北寺系（興福寺系）と道昭の南寺系（元興寺系）との二系を中心に発展していった。日本法相宗の最初期の大成者は、奈良時代の末期から平安のはじめにかけて活躍した善珠《ぜんじゅ》と護命《ごみょう》とである。

善珠《ぜんじゅ》（七二四—七九七）は玄昉の弟子で、大和の秋篠寺《あきしのでら》を創設し、そこに住したことから世に「秋篠の善珠」といわれる。かれは、中国法相宗の多くの経論を復註することによって、窺基・慧沼・智周と引きつがれてきた法相宗の正統説を日本に根づかせたことにかれの最大の功績がある。著作としては窺基の『大乗法苑義林章』に対する『法苑義鏡』、慧沼の『成唯識論了義灯』に対する『唯識義灯増明記』、窺基の『因明大疏』に対する『因明論疏明灯抄』などの多くの註釈書、および独立の著作として『唯識分量決』がある。とくに『分量決』はかれ自身の思想を知る上で絶好の書であると同時に、中国において玄奘・窺基以外のいわゆる傍系に属する神昉・西明・道証などのすでに散逸した著作からの引用文も多くみとめられるという意味でも貴重な書である。本書は内明（唯識の教説）に関する部分と因明（論理学）に関する部分との二部より構成される。このうち前者では『成唯識論』に散在する見分・相分・自証分・証自証分の「四分説」という重要な説が一つにまとめられて詳説されており、後者では、清辯の『掌珍論』の二量と玄奘の唯識比量とが明らかにされている。なお善珠はつぎに述べる護命とともに天台・真言の祖、最澄と空海とに対抗して法相宗の宣揚につとめたことでも有名である。

善珠と同年代で、南寺系の法相宗を確立した人として護命《ごみよう》（七五〇―八三四）があげられる。かれは最澄が比叡山に天台宗を創立すべく打ち出した三一権実《ごんじつ》説と円頓戒壇《えんどんかいだん》設立とに強く反対した代表者として有名である。

かれは多くの著作を著わしたと伝えられるが、現存するのは『大乗法相研神章』のみである。本書には唯識の義、因明の大綱が述べられていると同時に、法相宗内における北寺と南寺との間の論争点、および他宗派との抗争点などにも言及されており、日本法相宗史上、重要な書の一つにあげられる。

とくに「三一権実」論争について

平安時代の初期、最澄が比叡山において南都仏教に対して天台宗の創立を企てるにおよび、最澄と南都の諸宗派、とりわけ法相宗とのあいだに激しい論争が展開されるにいたった。その論争の中心点が「三一権実」すなわち三乗と一乗とのいずれが真実であり、いずれが方便であるか、という問題であった。

法相宗独自の教義として「五姓各別《ごしょう》」説というものがある。五姓とは、いわば宗教的素質とでもいうべきもので、菩薩定姓・独覚定姓・声聞定姓・不定種姓・無姓有情の五つをいい、五姓各別とは、人びとは各自の素質に応じてそのいずれかに属するという教説である。菩薩定姓とは菩薩乗によって仏果を得る可能性をもつ人、独覚定姓とは独覚乗によって独覚を証する可能性をもつ人、声聞定姓とは声聞乗によって声聞の果を証する可能性をもつ人をいう。不定種姓とは菩薩・独覚・声聞となるいずれの可能性をももち、声聞・独覚の果を得て最後に菩薩乗によって仏果を得る人をいう。無姓有情とは、仏果あるいは独覚・声聞の果を得る可能性をまったくもたない人で、いつまでも生死輪廻しつづける人をいう。

五姓のうち、前の三つは、菩薩と独覚と声聞とのいわゆる「三乗」である。したがって法相宗が五姓各別を唱えるということは、換言すれば、三乗をたてることになる。

これに対して最澄は『法華経』の一乗思想にもとづき、法相宗の三乗説を批判するにいたった。これに関して、法相宗のうちでもとくに徳一（—八二四—）と最澄とのあいだの論争が有名である。すなわち、八一三年、最澄は『依憑《えひょう》天台集』を著わし、そのなかで、窺基の『成唯識論枢要』の「定姓二乗と無姓有情あり」という説を論破した。これに対して徳一は『仏性抄』を著わして最澄に反論をいどみ、その後、最澄は『照権実鏡』を、徳一は『中辺義鏡』を、さらに最澄は『法華去惑《こわく》』『守護国界章』『法華秀句』などを著わして激しい応酬をくりかえした。

両者の論点は、徳一が「三乗真実・一乗方便」とみるのに対して、最澄が「一乗真実・三乗方便」とみる点に要約することができる。徳一が三乗を真実、一乗を方便とみるのは、『解深密経』無自性相品の所説、すなわち「諸経に仏が一乗を説くのは密意をもって説くのであり、真実には五つの種姓にわかれる」という見解にもとづいている。これに対して最澄が「一乗を真実、三乗を方便」と唱えるのは、『法華経』の有名な「十方仏土の中、唯だ一乗法のみあり、二無く、三無し」という一文にもとづく。

「三乗真実・一乗方便」の見解は徳一だけではなく広く法相宗に通ずる根本的立場である。したがって三乗を真実とみながらも、『法華経』の一乗思想をその中にとり入れようとする努力はすでに中国の慈恩大師窺基の『法華玄賛《げんざん》』のなかでなされた。日本の法相宗の論師たちも、かれの見解をうけつぎつつ、さらに発展させ、「あらゆる人びとは五つの姓にわけられるが、不定種姓の人びとを誘引するために一乗を説く」という見解をうちだした。

五姓各別説と悉有仏性説との融合

一乗思想と三乗思想との対立は、また悉有仏性《しつうぶつしょう》説と五姓各別説との対立でもあった。ところで、法相宗のなかでも五姓のうちとくに無姓有情の存在をどうみるかという点で問題が提起された。無姓有情とは、前述したように、仏あるいは独覚・声聞のいずれの果をも得ることができず、永く生死をくりかえす人びとのことである。つまり、無姓有情とはけっしてさとりを得ることのできない人のことである。

　ところで法相宗でも諸法の本性は平等一味の「真如」であるとみる。この点からすれば、あらゆる人びとに真如すなわち仏性が具わっていることになる。したがって悉有仏性説と五姓各別説との会通は、法相宗内においても当然なされなければならなかった問題であった。法相宗では両説の融合を、仏性を理仏性と行仏性とにわけることによって解決する。すなわち、理論としては「理仏性」すなわち無為の真如があらゆる人びとにそなわっているが、修行すなわち実践的には、「行仏性」すなわち有為の本有の無漏種子をもつ人ともたない人とがあり、成仏するかしないかは後者の行仏性を有するか有しないかによる、という考えである。

　このように理仏性より悉有仏性をみとめ、行仏性より五姓各別をみとめる立場は、やはり中国の窺基にはじまり、徳一に受けつがれて発展せしめられ、その後の法相宗に共通の教説となった。

　なお、最澄は真如随縁説によって、行仏性も真如にもとづいて生じ真如は一切に遍在するから悉有仏性であると主張し、五姓各別説に反対した。

『成唯識論』への註釈書と定本の成立

法相宗の所依の経論のなかで最も重要なものは、いうまでもなく『成唯識論』である。この論に対して中国でもすでに多くの人によって註釈が試みられ、とりわけ、窺基の『成唯識論述記』『成唯識論枢要』、慧沼の『成唯識論了義灯』、智周の『成唯識論演秘』などが有名である。

日本においても『成唯識論』に対して数多くの註釈書が作成された。その主なものをあげてみよう。

(1)『成唯識論本文抄』……平安末期の蔵俊（一一〇四－八〇）の作といわれる。『成唯識論』の所説のなかから重要な問題点をとりだし、経論および註釈書から、それらに関する数多くの資料を集めてまとめあげたもの。のちの『成唯識論同学鈔』の先駆をなすもの。

(2)『唯識論尋思抄』……鎌倉時代の解脱上人・貞慶《じょうけい》（一一五五－一二一三）の作。(1)の蔵俊の『本文抄』をうけて作られたものである。『本文抄』ではただ資料を集めたにとどまったが、本書ではそれぞれの問題に対して一つの解答を与えた。

(3)『成唯識論同学鈔』……『本文抄』『尋思抄』のあとをうけ、蔵俊・貞慶などの論草を貞慶の弟子の良算・興玄たちが編集したもの。本書において『成唯識論』におけるさまざまな問題点に対して法相宗としての正統説（正義）が確立された。『本文抄』『尋思抄』とともに『成唯識論』に対する註釈書として三部作をなす。

(4)『唯識論聞書』……室町時代の光胤《こういん》（一三九六－一四六八）の作。永享九年（一四三七

年）三月より専慶を講師とする興福寺の学僧たちが『成唯識論』についての訓読（論義）を行なった際の内容を光胤が記したもの。

(5)『成唯識論泉鈔』……室町時代の善念（一一五六〇—）の作。窺基の『述記』を中心に、加えて「三箇《さんが》の疏《しょ》」『同学鈔』『聞書』などを参考にしつつ『成唯識論』の本文を通釈したもの。

(6)『成唯識論訓読記』……江戸時代の高範（一六五五—一七二三）の作。『成唯識論』の文句の一つ一つを従来の註釈書の所説にもとづきながら詳しく解釈したもの。

(7)『成唯識論述記集成編』……江戸時代の信培（一六七五—一七四七）の作。『述記』に対する従来の諸註釈を集めたもの。

(8)『唯識論名所雑記』……明治時代の佐伯旭雅《きょくが》（一八二八—九一）の作。前半は『成唯識論』における名所（難解な箇所）を和讃体で紹介し、後半はそれに関する江戸時代の論文を集めたもの。

以上のごとく、『成唯識論』に対する研究は奈良・平安の時代から現代にいたるまで脈々とつづけられてきた。その解釈にあたっては、中国の『述記』『枢要』『了義灯』『演秘』などが根本的典拠となっているが、同時に、複雑な唯識の教理が、単純性・簡潔性を好む日本民族の気質ともからんで、しだいに簡単化され、日本化されていった。

その第一の契機となったのが平安時代初期の明詮《みょうぜん》（七八八―八六八）による、『成唯識論』に対する「導註」および「裏書」の作成であった。すなわち、かれは『成唯識論』の本文を読むにあたり、その難解な内容の理解を助けるために、主として窺基の『述記』から本論の科段を示す文と適切かつ簡潔な解釈文とを抽出して、本論の文章の傍《かたわら》に一つ一つ書き入れた。この作業は、玄奘・窺基の所説にもとづく正統的法相宗研究への道が確立されたと同時に、唯識思想が日本的に簡潔化されてゆく第一歩であったという意味で多大な意義をもつ。

明詮の導本をのちに真興（九三四―一〇〇四）が模写してそれに点《てん》を加え、一段と通読するに便利な体裁とした。現在、町版としてわれわれが利用するものは、この明詮の導本に真興が訓点を付したものである。

なお、一八八八年、佐伯旭雅が、この真興の訓点本にさらに自ら導註を付して『冠導増補成唯識論』を著わした。これが現在において『成唯識論』を読む際の最も好適な定本である。

法相宗の衰微と応和の宗論

奈良時代から平安初期にかけて興福寺と元興寺を中心として、さらには、薬師寺・西大《さいだい》寺《じ》・東大寺・法隆寺・大安寺などにおいて栄えた法相宗は、平安中期ごろから衰頽期に入ってゆく。そのなかにありながら特記すべきは、仲算と前述した真興の業績である。

仲算（九三五―九七六）は、いわゆる「応和の宗論」において北嶺の良源を論破したことで有名な人物である。すなわち応和三年（九六三）の清涼殿における講会《こうえ》において『法華経』の「無一不成仏」の一文に対して天台宗の良源は「一として成仏せざるなし」と読んで一切成仏の一乗思想を説くと主張するのに対して、仲算はこれを「無の一は成仏せず」とよみ、無姓有情という一つの種姓だけはけっして成仏しないという五姓各別説にもとづいてこの文を解釈し、もって良源を論破したという史実である。これは徳一と最澄によって交わされた「三一権実」論争が応和の時代にまた再燃したことを物語っている。

鎌倉時代における復興

平安末期以後、衰えていった法相宗は鎌倉時代になって一時、復興されるにいたった。それに貢献したのが貞慶と良遍とである。

貞慶《じょうけい》（一一五五―一二一三）は笠置《かさぎ》において、栂尾《とがのお》の明恵《みょうえ》上人・高弁とともに鎌倉新仏教の興隆に対抗し、法相宗の復興につとめ、世に解脱上人とよばれて崇められた。かれはまた弥陀念仏に対抗して弥勒を不断に念じて、もって兜率天《とそつてん》に生ずることを願う弥勒信仰を説いたことでも有名である。

良遍《りょうへん》（一一九四―一二五二）は法相宗が衰えてゆくなかでその復興につとめた人物である。かれの学問的業績は主著『観心覚夢鈔』において難解・煩瑣な唯識思想を簡潔にまとめあげたことである。本書はそれ以後の唯識思想への入門書として広く読まれてきた。また、自分の母のために草したといわれる『二巻抄』は仮名交り文の平易な和文で唯識思想がわかりやすく簡明に説かれており、唯識思想が完全に日本化した一証拠を示す貴重な書である。

このように鎌倉時代に一時復興された法相宗は室町時代になってふたたび衰えてゆく。しかし宗派として衰えたとはいえ、その教理は前表にも示したように、江戸時代に入ってからも、仏教の基本的な学問として他宗派の人びとによっても学びつづけられ、数多くのすぐれた唯識学者ならびに唯識論書が作られた。

日本仏教史における法相宗（法相学）の意義

玄奘および窺基によって確立された法相宗は、奈良時代に日本に伝来し、それ以後、現代にいたるまで脈々とその法灯が伝えられてきた。現在法相宗に属する寺としては奈良の興福寺・薬師寺などが有名である。

しかし、唯識説は法相宗という一宗派の教義というよりもむしろ、あらゆる宗派に共通な、仏教の基本的教義というべき性質をもったものである。唯識説の体系を「法相学」とよぶことがある。この法相学にはただ唯識説という大乗思想のみでなく、『倶舎論』を中心とする倶舎学という小乗思想までもがふくまれている。この法相学という思想体系のなかには玄奘がインドから持ち帰った思想のほとんどがふくまれる。したがって、法相学を学ぶということは、さかのぼれば、インドにおいて部派仏教→中観思想→唯識思想と発展してきた、広範囲にわたるインド仏教思想を学ぶことにもなる。前表にもあるように法相宗以外の人びとによっても法相学が学ばれた最大の理由はまさにこの点にあろう。法相学を学ぶことは仏教を学ぶ者にとっては欠くべからざる要件であったし、いまもそうである。

明治以後、サンスクリット原本あるいはチベット訳をもちいた文献学にもとづく学問方法がヨーロッパからとり入れられたことによって、それまでの法相学が新たな照明によって照らしだされるにいたった。本書によって考察してきたヴァスバンドゥ像もその成果の一部である。今後、ますます学問的に多くの新たな成果がえられることであろう。しかし、奈良時代いらい（さかのぼれば中国の玄奘いらい）、千数百年もの長きにわたって培われてきた伝統的な法相学を忘れさって、いわばヨーロッパ的な文献学的研究にのみ専念することは、空中に楼閣を築くようなものではなかろうか。

4　西洋思想とヴァスバンドゥ

1　西洋と仏教思想

私たちがいま哲学というとき、大多数の人々は直ちにギリシアにおこり現在のヨーロッパ（ときにアメリカをふくむ）にいたる西洋哲学を思い考える。それはフィロソフィの訳語のままの哲学と短絡し、しかも多分に或る種の（複雑きわまる）コンプレックスにもとづいて、その根は深く硬い。

明治以来百年に余る近代化イコール西欧化の偏重は、日本全体に、とくに知識層に瀰漫《びまん》し、そのいわばちょうど裏返しの第二次世界大戦を経て、戦後いっそうその声は高く急であり、右の現象はさらに日常化・社会化・卑俗化している。

ヨーロッパの哲学を一言で掩《おお》うことは、もとより不可能に近いまでに至難というべきであろう。だが、それを敢えて強行するならば、大別して、一つは存在について、他は認識について、哲学はどこまでも問い続ける。問うものは何か。それは知（ソフィア）である。答えるものは何か。それも知である。すなわち、哲学は最も根原的な問いを発して、その究極にいたり、その間のプロセスに遺漏なく本質を洗い出し、問いに答え、答えのまた答えを用意する。その機能のすべてを人間の知に委《ゆだ》ねている。知は自己の洞察をふくんで、人間のはたらき・いとなみの一切に及ぶ、及ぼうとする。一々の哲学者の名を引くまでもなく、知はいわばオールマイティとされる。

知に反逆する一群の人々が、もちろんヨーロッパにもいる。むしろ全能の知を肯《がえ》ぜず、背を向けた人々のほうが、多数を占めよう。かれらはあるいは安易に、あるいは厳しく、あるいは敬虔《けいけん》に、あるいは激しく燃えつつ、さまざまなルートを辿《たど》りながら、ほぼ宗教に進む。ギリシアの幾つかの秘儀・密儀とその伝統、しかしそれ以上に、東から伝来して長期間の混《こん》淆《こう》によりみずからの最高の独占物と化したキリスト教が、この多数者をとらえて、すでに久しい。そこにはひたすら情（パトス）が漂い、流れ、包んでいる。キリスト教には、創造者を兼ねた唯一なる絶対者である神が立ち、その啓示が一切を支配する。啓示を受けた人の教えに育ち、導かれ、委ねる。情がそれを推進して、信仰に結晶する。

明治はじめの前後、ヨーロッパ文化に触れた日本人の最大の驚きは、異なれる知および情ないし信仰と、その硬質性であった。

その硬質性は、彼の地におけるそれぞれの起原と歴史に依拠する。それのみならず、近世初頭から知と信仰とが相拮抗し、ときに熾烈《しれつ》な争いを経過してきた両者の独自の体験にもとづく。

ヨーロッパにおける知と情すなわち信仰とは、略言しつつ誇張すれば、外へ、外へ、外へのみ向けられており、両者間の争いはそれをいっそう拡大して、それらの営為のことごとくが一斉に外へ、外へのみ出て行く。

すなわち、ヨーロッパの知―哲学と情―宗教とは、前者は冷たく、後者は忘我のまま、外のものをとらえては自己に収め、自己はますます硬くますます強く築きあげられる。

もとよりかれらも人間の迷いを知り、弱さその他の負《ふ》に気づいてはいる。しかしごく少数を除いて、その負の源である人間の内部に目を注ぐこともなく、覗きみることも少なかった。

インドにも外への傾斜が幽かに見られても、インドそのものの主流は、たとえば哲学と宗教とを分けず、知と情すなわち信とを分けない。さらには内と外とを分けずに、むしろ内へ、内へのみ遡る。仏教はそのような指向の尖端に立つ。

負なる存在としての人間、苦を本質とする人生が、仏教のスタートにある。仏教は宗教としてあり且《か》つ哲学としてあり、両者は一体としてある。ここでは、知も情も混然として、こころに凝結する。西洋のごとく外なるものに執するのではなく、ひたすらみずからの内なるこころを分析し解明する。ときに楽しみときに喜び、しかしついに迷いから脱し得ぬこころのありようを、それのみを追究する。

2　ヴァスバンドゥと西洋思想

ヴァスバンドゥによる心の分析は、かれの倶舎にくわしい。それはすでに千年に近い仏教の心識論の伝統を継承して、みごとに組織化した。そこには色法《しきほう》の説もあり、ヨーロッパの哲学（の一部）に併行する個所も見える。

しかし倶舎の本領は心所法の解明にあり、ここにあげられる心の分析は、いわば無記である大地法と不定法とを両端にして、善・不善・煩悩が並び、とくに負なるものに綿密をきわめて、迷いの根原を洗う。またそれは実践の業《ごう》を立てる。業は本来「行為の総体」であり、上述した西洋の「存在と認識」とは領域を異にする。なお倶舎と西洋の両者に一種の実体的傾向が認められるとはいえ、西洋は不動で静止し、倶舎はつねに流動―生滅変化をベースとする。

大乗に転向したヴァスバンドゥは、或る意味で倶舎の形式的整合性への煩瑣《はんさ》を押え、唯識説の構築にかかる。ここで心の分析は、いちおう前六識とマナ識とアーラヤ識とに収められる。うち、アーラヤという蔵《くら》は、たえずみずからに受けいれつつ、生み出《い》だす。生み出だしつつ、受けいれる。あるいは遍計所執・依他起・円成実の三（自）性に関して、識の転変をヴァスバンドゥは導入し、心の組織体系の礎えが完成する。

二十世紀の西洋に精神分析がおこり、フロイトのエスおよび潜在意識、ユングの無意識はとくに名高い。ストレスやコンプレックスその他の術語も、粧いを新たに、かれらに発する。もとは精神病ないし神経症への対応に始まったとはいえ、その分析はすこぶる明敏である。その啓蒙や開発は、西洋本来の外向性によって、やがては平常人から社会現象にも及び、ようやく人間に不可避の負があらわとなる。

その軌跡はいまだ短いものの、唯識説との類似や共通項もある。しかし両者の協力はまったく着手されておらず、その試みさえきわめて乏しい。

負（マイナス）は、まず何よりは零（ゼロ）をめざす。負を唯識は遍計所執としつつ、その根原に依他起をおいて、たえず零に戻し、しかし再び負に陥る。しかし同時に、依他起に徹し切り貫き通した彼方に、一挙に零を突破して正（プラス）へと超越する途を、唯識は説く。ただし私見によればヴァスバンドゥにその論理は完備するものの、どこか弱い。

唯識をフラウヴァルナーは（alles）nur Erkenntnisと、グラーゼナップはNur-Bewußtseinと訳す（その他は略す）。ここは前者によるといえ、このErkenntnisは、ヨーロッパ哲学になじみのErkennen（認識）を超えて、さとりという仏教の宗教性をふくむ。

しかしその場・その時にとくに問題とされるのは、Erkenntnis-vijñapti ないし Erkennen-vijñāna を nur-mātra（唯）と押えている地平に、それぞれの識が、したがってそれに対応する境が、それぞれたとえばライプニッツの説くモナドに近接して、各々がばらばらに独立した一種のアトミズムに陥り、放埓と無秩序と混乱の末に支離滅裂な紛擾《ふんじょう》とともに粉砕してしまうのではないかとの危惧を、それはいかにして恢復しようとするのか。実は、ライプニッツは予定調和（harmonie préétablie）を用意し、その底には創造―維持の絶対者である神が潜んでいる。しかし唯識はその類いを欠く。

ヴァスバンドゥの説くアーラヤ識は、上記のとおり、一切を熏習《くんじゅう》して蔵し且つ異熟を現行して行くプロセスはあっても、そのプログラムは不鮮明であり、さらに真如に通ずるとはいうものの、理想ないし理念に類して、瑜伽行に徹しないかぎり、日常性は薄い。悪しきアトミズムからの救出に、先にあげた行為＝業《ごう》を拡大した共業《ぐうごう》をおくとしても、それは論理への借りものに近い。あるいはヴァスバンドゥには微妙であったがマイトレーヤ―アサンガを軸とする瑜伽行派に明白な如来蔵―仏性に依るのか。それとも論を進めて、「安難陳護一二三四」とされる識のいっそうの細分に趣くのか（識を安慧は一分、難陀は二分、陳那は三分、護法は四分した）。さらに転じて因明《いんみょう》と呼ばれた仏教論理学に視圏を転置するのか。

すでにⅣの１―３にも説明されたように、これをふくむ根本命題をめぐり、すでに古くから仏教内部にさまざまに問われ論ぜられてきたとはいえ、なおどこかに隔靴《かっか》搔痒《そうよう》の感が私には残る。いつの日か、仏教学に西洋の哲学・宗教・精神分析その他を混じえつつ、率直に徹底的に論じ尽くして、明確な真実とその論理とが確保されるよう念じてやまない。

学術文庫版へのあとがき

昭和五十八年二月に本書が初めて刊行されてから早や二十一年が過ぎようとしています。光陰矢の如しです。その間に世相も、そして私自身も大きく変化しました。当時は、勿論《もちろん》「仏教」には多くの人が興味を懐いていましたが、こと「唯識」ということになると、それについての知識を持った人はそれほど多くはいませんでした。ましてや一般の人びとにはほとんど知られていなかった思想でした。それが今や「唯識」の教えが広く知られるようになり、仏教書籍の棚には唯識書コーナーを設ける書店も出現しました。

このように事情が変わった原因は何か。それは、戦後の復興期、そしてバブル期、とにかく物質的豊かさのみを追い求めてきた末に、バブルがはじけ、経済が行き詰まり、環境が破壊されつつある、この先ゆき不安な時代に直面して、多くの日本人が、物ではない、心こそが大切であるという事実に気付きはじめたからではないでしょうか。

心ほどいちばん身近なもの、それなくしては自己は存立しえないほどに大切なものでありながら、その大切なものをなおざりにして生きてきたことに気付いた人びとが「唯識」の教えに耳を傾け注目するようになったのでしょう。

私自身も変わりました。大きな変わりようは、平成二年から五年まで三年間、興福寺仏教講座で世親の『唯識三十頌』を講じたことがご縁で、奈良・興福寺で剃髪・得度をさせてもらったことです。「唯識」を教理の中心に据えた法相宗のメッカである興福寺の僧侶となったことは、私の唯識習得に対する意欲を益々高め、現在、興福寺建立千三百年記念事業の一つとして刊行する『性相学辞典』の執筆に専念する毎日です。二十数年前に三枝充悳先生から本書『ヴァスバンドゥ（世親）』の執筆協力を依頼されたこと、世親の『唯識三十頌』を講じたこと、そして有名な国宝・世親像を蔵する興福寺で得度を受けたこと、これらすべてに世親がからんでいることに不思議な感慨を覚えざるをえません。

地球環境破壊、民族紛争、宗教対立、そして続発するテロ事件などによって、世界はまさに奈落の底に堕ちようとしています。この混迷する二十一世紀の初頭のいまこそ、「唯識」という考え方が必要とされる時代はないと思います。なぜなら、私は、「唯識」は単に宗教ではなく、科学と哲学と宗教との三面をもつ世界に通用する普遍的な思想であり、混迷する世界を救う有効な理念が、「唯識」思想の中にあるという信念を益々深めてきたからです。

このたびの本書の再刊が「唯識」思想の一層の普及に役立つことを願って止みません。

平成十六年一月

横山紘一

仏教関係年表（インド）（年代は十一世紀以前はほとんどが概数）

西暦	仏教に関する事項	一般事項
前三〇〇〇		インダス文明おこる
一五〇〇		アーリア人侵入
一二〇〇		『リグ・ヴェーダ』成立
		カースト制度が生ずる
五〇〇		初期の古ウパニシャッド
四六三	ゴータマ・ブッダ生まれる（―三八三）	バラモン教が栄える
	別説(1)五六六―四八六、(2)六二三―五四三	六師外道
		マハーヴィーラ（ジャイナ教）
そのあと	第一結集（ラージャグリハ〔王舎城〕において）	パーニニの文法学成立
	初期仏教聖典古層。経蔵・律蔵に分かれる	『マハーバーラタ』原型
四〇〇	聖典はやがて九分教、のち十二分教に分類整理される	
三二七		アレクサンドロス大王侵入
三一七		マウリヤ王朝始まる
二八〇	第二結集（仏滅後百余年）（ヴァイシャーリーにおいて）	古ウパニシャッドつづく
	上座部と大衆部との根本分裂	古典サーンキヤ学派成立
二六八	アショーカ王（阿育王）即位（―二三二在位）	

	仏教に帰依。『アショーカ王碑文』	
そのころ	マヒンダが上座部（テーラヴァーダ）仏教をスリランカに伝える 大衆部の枝末分裂（二六〇—一六〇） 上座部の枝末分裂（二〇〇—一〇〇） 説一切有部、経量部、犢子部、正量部など二十の部派が成立 初期仏教聖典の原型（アーガマ）から現在型成立 漢訳—長・中・雑・増壱の四『阿含経』など、律蔵諸本 パーリ語—長・中・相応・増支・小の五部、律蔵 小部は『スッタニパータ』『法句経』『長老偈』『長老尼偈』『ジャータカ』など十五経	
前一六〇	メナンドロス王がアフガニスタンから中インドを支配する 『ミリンダ王の問い』（『那先比丘経』）	
そのころ	サーンチーの塔、ブッダガヤーの遺跡、バールフートの塔 諸部派の論争（アビダルマ仏教） 論蔵の成立 六足論	バラモン教がヒンドゥー教に変わって行く
一〇〇	カーティヤーヤニープトラ『発智論』 ストゥーパ（塔）崇拝が栄える	『バガヴァッド・ギーター』原型

	アジャンター石窟始まる	
〇	大乗仏教運動があらわれる	『マヌ法典』原型
後一〇〇	アヴァダーナ（説話文学、「譬喩」）おこなわれる	クシャーナ王朝始まる（六〇ころ）
一二九	カニシカ王即位（―一五三在位）	
そのころ	説一切有部が栄える。『大毘婆沙論』	
	『異部宗輪論』。『マハーヴァストゥ（大事）』（『仏本行集経』）	
	『ラリタヴィスタラ』（『普曜経』『方広大荘厳経』）	
	ガンダーラ、マトゥラーの仏像彫刻がおこる	
	初期大乗仏教経典成立	
	般若経（『小品』『大品』『金剛般若経』『般若心経』『理趣経』『大般若経』）	
	維摩経（『維摩詰所説経』）	
	法華経（『正法華経』『妙法蓮華経』）	
	華厳経（『十地経』『不可思議解脱経』『入法界品』『六十華厳』『八十華厳』『四十華厳』）	
	浄土三部経（『無量寿経』『観無量寿経』『阿弥陀経』）	
	三昧経（『般舟三昧経』『首楞厳経』『坐禅三昧経』『月燈三昧経』）	
	『大宝積経』の一部。『密迹経』	

	『大集経』の一部
	馬鳴（アシュヴァゴーシャ）『ブッダチャリタ』（『仏所行讃』）『サウンダラナンダ』
	マートリチェータ『四百讃』『百五十讃』
	『ヴァジュラスーチー』（『金剛針論』）
一五〇	ナーガールジュナ（龍樹）生まれる（—二五〇）（別説二四〇—三〇〇） 『中論頌』『廻諍論』『広破論』『大乗二十頌論』『ラトナーヴァリー』（『宝行王正論』）。ほかに『十二門論』『十住毘婆沙論』『大智度論』など 弥勒三部経
そのあと	提婆（アーリヤデーヴァ、聖天、一七〇—二七〇）『百論』『四百論』 中期（第一期）大乗仏教経典 『勝鬘経』『不増不減経』『如来蔵経』 『大般涅槃経』『無上依経』 『解深密経』『大乗阿毘達磨経』 『グフヤサマージャタントラ（秘密集会）』
二〇〇	法勝（ダルマシュレースティン、—二〇〇—）『阿毘曇心論』 訶梨跋摩（ハリヴァルマン、二五〇—三五〇）『成実論』 仏像彫刻が栄える

そのころ	アマラーヴァティーの大塔	グプタ王朝始まる（三二〇）
三五〇	マイトレーヤ（ナータ）（弥勒）（—四三〇）（別説二七〇—三五〇） 『瑜伽師地論』『大乗荘厳経論』『中辺分別論』『現観荘厳論』『法法性分別論』『宝性論』（以上の第一を除き、あとは頌のみ）	叙事詩完成 プラーナ聖典 六派哲学が栄える
三九〇	アサンガ（無著）生まれる（—四七〇）（別説三一〇—三九〇） 『摂大乗論』『順中論』『金剛般若経論』『顕揚聖教論』『大乗阿毘達磨集論』	『ブラフマ・スートラ』 カーリダーサ
四〇〇	ヴァスバンドゥ（世親、天親）生まれる（—八〇）（別説三二〇—四〇〇） 『倶舎論』『唯識二十論』『唯識三十頌』『大乗成業論』『大乗百法明門論』『大乗五蘊論』『仏性論』『浄土論』。諸経論への註釈 法顕のインド旅行（三九九—四一三） 中期（第二期）大乗仏教経典 『薬師如来本願経』『地蔵菩薩本願経』 『金光明経』『金光明最勝王経』 『楞伽経』『密厳経』『孔雀王呪経』	
四五〇	『大乗起信論』	
そのころ	衆賢（サンガバドラ、—四五〇—）『順正理論』『顕宗論』	バルトリハリ

	陳那（ディグナーガ、四八〇—五四〇）『仏母般若円集要義論』『観所縁論』『掌中論』『因明正理門論』『プラマーナサムッチャヤ（集量論）』	
	商羯羅主（シャンカラスヴァーミン、天主、四五〇—五三〇）『因明入正理論』	
五〇〇	仏護（ブッダパーリタ、四七〇—五四〇）『中論註』	
そのあと	清弁（バヴィヤ、バーヴァヴィヴェーカ、四九〇—五七〇）『般若燈論』『大乗掌珍論』『中観心論』『タルカジュヴァーラー（思択炎）』	
	観誓（アヴァローキタヴラタ、五〇〇—六〇〇）『般若燈論釈』	
	無性（アスヴァバーヴァ、四五〇—五三〇）『摂大乗論釈』	
	徳慧（グナマティ、四六〇—五三〇）『唯識三十頌釈』	
	安慧（スティラマティ、五一〇—七〇）『唯識三十頌釈』『中辺分別論釈』『大乗荘厳経論釈』『大乗中観釈論』『大宝積経論』	
	護法（ダルマパーラ、五三〇—六一）『成唯識論』『成唯識宝生論』『大乗広百論釈論』	
五〇八	菩提流支と勒那摩提とが中国へ、また仏陀扇多も。ヴァスバンドゥの主著が初めて漢訳される	
五四六	真諦（パラマールタ、四九九—五六九）が中国に渡来（—五六九）	
六〇〇	玄奘（六〇二—六四）のインド旅行（六二九—四五）	ハルシャ王（六〇七—四七在位）

そのころ	戒賢（シーラバドラ、五二九—六四五） 智光（ジュニャーナプラバ、—六五〇—） 月称（チャンドラキールティ、六〇〇—八〇）『プラサンナパダー』『四百論註』『入中論』 法称（ダルマキールティ、—六五〇—）『ニャーヤビンドゥ』『プラマーナヴァールッティカ』『プラマーナヴィニシュチャヤ』『ヘートゥビンドゥ』 金剛乗仏教（密教）が栄える 龍猛（ナーガールジュナ）—密教の開祖とされる 『大日経』（七世紀前半） 『金剛頂経』（七世紀後半） インドラブーティ（六八七—七一七）—左道密教の祖 義浄のインド・南海旅行（六七一—九五）	ガウダパーダ（六四〇—九〇） ヒンドゥー教にタントリズムが栄える
七〇〇	寂天（シャーンティデーヴァ、六五〇—七五〇）『入菩提行論』（『菩提行経』）、『シクシャーサムッチャヤ』（『大乗集菩薩学論』）、『スートラサムッチャヤ』（『大乗宝要義論』）	シャンカラ（七〇〇—五〇） パーラ王朝成立（七五〇）
そのころ	寂護（シャーンタラクシタ、七三〇—九〇）『タットヴァサングラハ（真理綱要）』『中観荘厳論』 蓮華戒（カマラシーラ、七四〇—八〇〇）『バーヴァナークラマ』	イスラームが侵入をくりかえす （八—十世紀）

	（『広釈菩提心論』）、『菩提心観釈』『タットヴァサングラハ註』 師子賢（ハリバドラ）『現観荘厳光明』 蓮華生（パドマサンバヴァ、七四〇—九五）チベットに仏教を伝える ダルモッタラ（七五〇—八一〇）がダルマキールティの著作に註	
九〇〇	プラジュニャーカラマティ『入菩提行論註』	
そのころ	ジュニャーナシュリーミトラ（九八〇—一〇三〇）、ラトナキールティ（一〇〇〇—五〇）—経量瑜伽派	
	ラトナーカラシャーンティ—中観瑜伽派	
一〇〇〇	時輪タントラ（一〇二七—八七）	イスラームがインド中央に侵入・進出
そのころ	モークシャカラグプタ（一〇五〇—一二〇〇）『タルカバーシャー』	ラーマーヌジャ（一〇一七—一一三七）
一二〇三	ヴィクラマシラー寺院がイスラームに破壊され、仏教衰滅に向う	マドヴァ（一一九七—一二七六）
一三九八		ティームールがデリーに侵入
一四九八		ヴァスコ・ダ・ガマ到着
		ナーナク（一四六九—一五三八）
一五二六		ムガール王朝始まる
		タージ・マハル建築（一六三二—五三）

一六〇〇		イギリス東インド会社設立
一八〇〇前後	ヨーロッパにインド学・仏教学がおこる	
一八五七		セポイの戦争
		ラーマクリシュナ（一八三六―八六）
		ガンジー（一八六九―一九四八）
一八七七		ヴィクトリア女王の帝王宣言によりイギリス領となる
一八八二	ロンドンにパーリ・テクスト協会（ＰＴＳ）が組織される	
一八八五		国民会議派創立
一八九一	ダルマパーラ（一八六四―一九三三）が大菩提会設立	
一八九七	ロシア学士院から『ビブリオテーカ・ブッディカ』の出版開始	
一九一七	藤井日達が東京に日本山妙法寺を設立し、のちインドに仏教を布教する	
一九四七		インド独立 インド連邦とパキスタンとの建国
一九五五	アンベートカール（一八九一―一九五六）がインド仏教協会設立	
一九六一	国勢調査によれば、インドの仏教徒は約三二五万人	

KODANSHA

本書は、小社刊「人類の知的遺産」シリーズ14の『ヴァスバンドゥ』（一九八三年刊）を底本としました。

三枝充悳（さいぐさ　みつよし）

1923年，静岡県静岡市生まれ。東京大学文学部哲学科卒業後，ミュンヘン大学に留学，Ph. D.を受ける。筑波大学教授，日本大学教授などを歴任。専攻は，宗教哲学，仏教学，比較思想。文学博士。著書に，『比較思想論集』（全３巻），『般若経の真理』，『仏教入門』，『中論』，『大智度論研究』（独文）ほか多数がある。2010年没。

講談社学術文庫

定価はカバーに表示してあります。

世親《せしん》

三枝充悳《さいぐさみつよし》

2004年３月10日　第１刷発行
2024年９月18日　第11刷発行

発行者　森田浩章
発行所　株式会社講談社
東京都文京区音羽 2-12-21 〒112-8001
電話　編集（03）5395-3512
販売（03）5395-5817
業務（03）5395-3615

装　幀　蟹江征治
印　刷　株式会社広済堂ネクスト
製　本　株式会社国宝社

ISBN4-06-159642-X

「講談社学術文庫」の刊行に当たって

これは、学術をポケットに入れることをモットーとして生まれた文庫である。学術は少年の心を養い、成年の心を満たす。その学術がポケットにはいる形で、万人のものになることは、生涯教育をうたう現代の理想である。

こうした考え方は、学術を巨大な城のように見る世間の常識に反するかもしれない。また、一部の人たちからは、学術の権威をおとすものと非難されるかもしれない。しかし、それはいずれも学術の新しい在り方を解しないものといわざるをえない。

学術は、まず魔術への挑戦から始まった。やがて、いわゆる常識をつぎつぎに改めていった。学術の権威は、幾百年、幾千年にわたる、苦しい戦いの成果である。こうしてきずきあげられた城が、一見して近づきがたいものにうつるのは、そのためである。しかし、学術の権威を、その形の上だけで判断してはならない。その生成のあとをかえりみれば、その根は常に人々の生活の中にあった。学術が大きな力たりうるのはそのためであって、生活をはなれた学術は、どこにもない。

開かれた社会といわれる現代にとって、これはまったく自明である。生活と学術との間に、もし距離があるとすれば、何をおいてもこれを埋めねばならない。もしこの距離が形の上の迷信からきているとすれば、その迷信をうち破らねばならぬ。

学術文庫は、内外の迷信を打破し、学術のために新しい天地をひらく意図をもって生まれた。文庫という小さい形と、学術という壮大な城とが、完全に両立するためには、なおいくらかの時を必要とするであろう。しかし、学術をポケットにした社会が、人間の生活にとってより豊かな社会であることは、たしかである。そうした社会の実現のために、文庫の世界に新しいジャンルを加えることができれば幸いである。

一九七六年六月　　　　野間省一